HEYNE
BÜCHER

D0318973

Das Buch

Als man Dr. Stefan Hellmann, Spezialist in Sachen Telepathie, eine Stelle an einem amerikanischen Forschungsinstitut anbietet, überlegt er nicht lange. Zusammen mit seiner Tochter Amy und Schäferhund Wolf fliegt er ins sonnige Kalifornien und stürzt sich mit Feuereifer auf seine neuen Aufgaben. Sein anfänglicher Enthusiasmus wird jedoch schon bald gedämpft. Irgend etwas stimmt nicht im Institut. Die vage Vermutung wird zur Gewißheit, als Hellmann im düsteren Sicherheitstrakt des Gebäudes auf die Leiche eines ehemaligen Mitarbeiters stößt. Weshalb wurde ihm von allen Seiten erzählt, Dr. Wentworth habe die Arbeitsstelle gewechselt? Handelt es sich um einen Unfall, oder ist Mord im Spiel? Zusammen mit der Ärztin Jill Shepherd, seiner einzigen Vertrauten im Institut, versucht er den mysteriösen Vorkommnissen auf den Grund zu gehen.

Über all den Ereignissen am Institut vernachlässigt Hellmann seine Tochter schändlich, die außer Wolf keinen Vertrauten in der neuen Heimat hat. Aus diesem Grund bemerkt er auch nicht die Veränderungen, die mit dem Mädchen vorgehen. Amy hört Stimmen und hat seltsame Träume. Treibt die Einsamkeit sie in den Wahnsinn, oder haben die Vorgänge im Institut irgend etwas mit ihrem Zustand zu tun?

Gekonnt läßt Joachim Körber die beiden Handlungsstränge mit zunehmender Geschwindigkeit aufeinander zusteuern und in einem atemberaubenden Finale zusammentreffen.

Der Autor

**Joachim Körber**, 1958 in Karlsruhe geboren, arbeitet seit 1980 als Übersetzer und Autor von Kurzgeschichten sowie als Rezensent phantastischer Literatur. Er hat sich besonders als Übersetzer von Stephen King einen Namen gemacht. 1984 gründet er den Verlag Edition Phantasia und veröffentlicht dort phantastische Literatur.

JOACHIM KÖRBER

# WOLF

Roman

WILHELM HEYNE VERLAG
MÜNCHEN

HEYNE ALLGEMEINE REIHE
Nr. 01/10850

*Umwelthinweis:*
Das Buch wurde auf chlor- und säurefreiem Papier gedruckt.

Taschenbucherstausgabe 9/99
Copyright © 1998 by
Wilhelm Heyne Verlag GmbH & Co. KG, München
Printed in Germany 1999
Umschlagillustration: Bildagentur Mauritius/Lacz, Mittenwald
Umschlaggestaltung: Atelier Ingrid Schütz, München
Satz: Leingärtner, Nabburg
Druck und Bindung: Ebner, Ulm

ISBN 3-453-15176-3

http://www.heyne.de

Meiner Frau Hannelore gewidmet,
die mir fünfzehn Jahre lang geglaubt hat,
daß ich einmal ein Buch schreiben werde.

# Prolog
## *Sonntagmorgen*

Die Staubwolke hüllt einen großen Abschnitt der Straße ein und wölbt sich darüber wie ein Tunnel. Die leichte Brise, kaum zu spüren und nur vom Fahrtwind zu orkanartigem Rauschen potenziert, hat sie an ihrem Ursprung bereits verweht; mit dem diffusen und zerdehnten Ende wirkt die Wolke wie ein in der Zeit erstarrter horizontaler Atompilz, statisch wie die umliegende Wüste, in einem langsamen Prozeß der Auflösung begriffen, der an Zeitrafferaufnahmen einer gigantischen Katastrophe denken läßt.

Das Mädchen am Steuer des Jeeps sieht die Staubwolke im Rückspiegel, hat aber kaum einen Blick für das Schauspiel übrig, und der große Schäferhund, der hechelnd auf der Pritsche sitzt, nimmt den Staubschleier nur als wirbelnden Mahlstrom von Trockenheit und seltsamen Abgasgerüchen wahr. Wenn das Mädchen in den Rückspiegel schaut, dann nur, um sich zu vergewissern, daß Wolf, der Hund, an seinem Platz bleibt und nicht bei voller Fahrt vom Wagen herunterspringt.

Sträucher und verkrüppelte Büsche, skeletthafte Schemen in der Dunkelheit, wachsen vereinzelt zwischen Sandverwehungen und wirken in der ausgebleichten Wüstenlandschaft wie die hastig hingekritzelten Schriftzeichen einer unbekannten Sprache. Es ist, denkt sie mit einem zaghaften Lächeln, die geheime Schrift Amerikas, überlieferte Chiffren einer Kultur, die sie als Fremde niemals wird entziffern können, so oft sie den Weg auch fahren wird.

Die Sonne Kaliforniens brennt noch nicht auf das Auto herunter; es ist fünf Uhr morgens, der Tagesanbruch bestenfalls eine vage Ahnung am Horizont, doch die Nacht ist warm, lediglich der Fahrtwind bringt ein wenig Abkühlung. *I am used to four seasons, California's got but one*, denkt das Mädchen. Die Worte des Lieblingssängers ihres Vaters, und kaum sieht sie sein Bild vor ihrem geistigen Auge, steuert das kleine Schiff ihres emotionalen Befindens erneut in trügerische Gewässer. Auch weil die Strophe sie an ihr fernes Zuhause erinnert. In dem Land, das nicht mehr ihres ist, würde um diese Zeit der möglicherweise schon beißende Herbstwind buntes Laub durch einsame Straßen wehen. Sie selbst würde in ihrem warmen Bett liegen und sich auf lange Spaziergänge mit Wolf freuen, der sich in den unwirtlichen Herbst- und Wintermonaten ohnehin stets wohler fühlt als im heißen Sommer, einer Zeit, während der er mit hängender Zunge hechelnd dahintrottet und ihm selbst Bällejagen, eine seiner Lieblingsbeschäftigungen, zur unerträglichen Anstrengung wird.

In erster Linie aber macht sie sich Sorgen um ihren Vater. Ihr ganzes Denken kreist um düstere Vorahnungen eines schlimmen Unglücks, seit er gestern abend das Haus verlassen hat und eine Telefonstimme im Institut lediglich verkündet, daß der Anschluß im Augenblick nicht erreichbar ist.

Die Strecke von dem abgelegenen Farmhaus zur Stadt beträgt knapp fünfzehn Kilometer, doch die einförmige Szenerie der Wüstenlandschaft mit ihrer kargen Vegetation erweckt den Eindruck, als würde der Wagen sich überhaupt nicht von der Stelle bewegen. In ihrer Aufregung kann es dem Mädchen nicht schnell genug gehen, und die Ungeduld trägt ihren Teil dazu bei, daß sie sich in ihrer Nervosität *allmählich* in eine milde Form von Hysterie hineinsteigert, so daß sie beinahe vor Erleichterung weint, als sie endlich die Umrisse der ersten Häuser von Desert Rock vor sich auftauchen sieht. Wolf schaut nur einmal kurz nach vorne, legt fragend den Kopf schief und hebt witternd die Schnauze, als wollte er die Ursache ihrer Nervosität ergründen. Das Mädchen sieht es im Spiegel, beachtet es aber nicht.

Als sie den Stadtrand erreicht, zwingt sie sich, den Fuß vom Gaspedal zu nehmen und den letzten Rest der Strecke zum Büro des Sheriffs mit der vorschriftsmäßigen Geschwindigkeit zurückzulegen. Sie hat einen Führerschein auf Probe – es ist immerhin ein Vorteil dieses Landes, daß sie einen schon mit sechzehn Auto fahren lassen – und will kein Risiko eingehen, obwohl die Situation es sicherlich gerechtfertigt hätte.

*Was für eine Situation?* fragt sie sich selbst und versucht, nicht so schwarz zu sehen. *Vielleicht ist alles in Ordnung. Vielleicht haben sie nur keine Gelegenheit zum Anrufen gehabt. Kleinere Schwierigkeiten könnten sie aufgehalten haben.*

*Und warum ist die Telefonverbindung unterbrochen? Ist das nicht ein seltsamer Zufall? Sie sind seit neun Stunden weg, und kein Zeichen, obwohl sie versprochen haben, mich auf dem laufenden zu halten.*

Sie hätte gern eine Antwort auf all die Fragen, aber gleichzeitig fürchtet sie, sie könne etwas zu hören bekommen, das sie nicht hören will. *Das einzig Gewisse ist die Ungewißheit,* denkt sie und beschließt, es dabei bewenden zu lassen.

Der Lichtschein des Fensters im Büro des Sheriffs drängt die Dunkelheit ein wenig zurück. Das Mädchen parkt vor dem Haus, bleibt einen Moment sitzen und betrachtet sich in der dunklen Windschutzscheibe. Sie sieht das Spiegelbild einer blassen Sechzehnjährigen mit einem feingeschnittenen, zarten Gesicht, das auf eine knubbelige Weise niedlich ist und ihr als Kind immer gefallen hat. Inzwischen verträgt es sich aber nicht mehr mit dem Bild des heranreifenden jungen Mädchens; die langen braunen Haare sind nach der Fahrt ohne Verdeck wild zerzaust. In den braunen Augen, deren ruhige Tiefe sonst einen Gegenpol zu dem kindlich frechen Gesicht bildet, stehen Sorgen und böse Vorahnungen. Der Gesamteindruck erinnert sie auf merkwürdige Weise an ein kleines Kind, das kurz davor ist, in Tränen auszubrechen, sich aber größte Mühe gibt, tapfer zu sein.

Sie springt aus dem Jeep heraus. »Du bleibst hier sitzen«, sagt sie zu dem Hund, der schon erwartungsvoll aufgesprungen ist. »Ich bin gleich zurück.« Der Hund betrachtet sie verwirrt und gehorcht, aber als die Tür des Gebäudes geöffnet wird, gibt es kein Halten mehr für ihn. Er springt herunter.

Das Mädchen geht die wenigen Schritte vom Bürgersteig zur Tür des öffentlichen Gebäudes – Rathaus hätte man zu Hause wohl dazu gesagt. »Sie ist es!« hört sie Carol, die Sekretärin des Sheriffs, erleichtert ins Innere des Büros rufen. »Es ist Amy! Amy und Wolf sind gekommen!«

Der Schäferhund stürmt in das angrenzende Büro, Amy folgt ihm, während Carol die Tür schließt. Bob Healy sitzt übernächtigt an seinem Schreibtisch. Er krault mit einer Hand den Kopf des aufgeregten Hundes und sieht dem Mädchen gespannt entgegen.

»Sheriff Healy«, sagt Amy. Mehr bringt sie zuerst nicht heraus, aber ihr mühsam beherrschter Tonfall unterdrückter Nervosität verrät ihm genug. Seine Hoffnung, daß alles ein gutes Ende genommen haben könnte, ist dahin.

»Es hat nicht geklappt, richtig?« fragt er.

Das Mädchen atmete tief durch. »Richtig«, sagt sie. »Paps und Jill sind die ganze Nacht nicht nach Hause gekommen. Die Telefonverbindung zum Institut ist unterbrochen...« Ihre Stimme versagt krächzend. In ihrer Aufregung kann sie kaum genügend Speichel produzieren, um den Gaumen zu befeuchten. Healy steht auf, geht ins Nebenzimmer und kehrt wenig später mit einem Glas Wasser zurück. »Hier, Amy«, sagt er und gibt ihr das Glas. Sie trinkt es mit langen Zügen leer und stellt es auf seinen Schreibtisch.

»Und jetzt –« Er lehnt sich an die Schreibtischkante, verschränkt die Arme vor der Brust, denkt nach. Sie mag seine behäbige, gründliche Art, seine Umsicht und Besonnenheit, aber bei ihrem derzeitigen Gefühl der Angst würde sie ihn am liebsten schütteln.

»Wir müssen etwas unternehmen«, sagt sie. »Es muß etwas schiefgegangen sein.« Sie spürt, wie eine unsichtbare Hand ihr die Kehle zuschnürt, spürt ein Brennen in den Augen, das Tränen ankündigt, die sie unbedingt zurückhalten will. »Ich hoffe nur, sie haben ihn nicht umgebracht. Vielleicht halten sie ihn und Jill fest, vielleicht...«

Der Sheriff sieht sie eine ganze Weile an. Er kaut nachdenklich auf der Unterlippe und stellt ihre Geduld auf eine harte Probe. Carol betritt das Büro, sagt aber nichts, lehnt sich nur abwartend an die Wand.

»Wenn er könnte, hätte er sich bei mir gemeldet. Er weiß, daß ich mir Sorgen mache und es nicht erwarten kann, von ihm zu hören. Sheriff, bitte.« Flehend, verzweifelt. Es ist der schrille Ton eines ängstlichen kleinen Kindes, und sie haßt ihn. »Sie müssen mit mir zum Institut fahren. Nur dort können wir etwas erfahren. Und ihnen helfen, wenn sie Hilfe brauchen.«

»Amy«, sagt der Sheriff geduldig. »Rechtlich gesehen liegt das Institut auf der Gemarkung von Desert Rock. Damit bin ich zuständig. Aber ich kann nicht einfach da reinspazieren und mich umsehen. Ich brauche einen Durchsuchungsbefehl. Wir können zum Staatsanwalt, aber das dauert. Die Verdachtsmomente sind da, vielleicht würden wir sogar einen bekommen, aber was soll ich sagen? Dein Vater und Jill sind zur Arbeit gefahren, vor… acht, neun Stunden?« Sie nickt. »Zu wenig Zeit.«

»Sheriff, wir müssen hinfahren. Wenn wirklich etwas schiefgegangen ist, schweben sie in großer Gefahr… nicht nur mein Vater und Jill, auch… alle.«

»Sie hat recht.« Amy und Healy sehen überrascht zu Carol. Die Frau lehnt nach wie vor an der Wand und hält den Blicken ungerührt stand. Sie ist mittelgroß, Anfang Fünfzig, eine energische, willensstarke Frau, die die Stimme nicht zu heben braucht, um sich Gehör zu verschaffen. »Nach allem, was du mir erzählt hast, zögerst du noch, Bob?«

Healy seufzt. »Okay«, sagt er. »Wir fahren hin. Es kann nicht schaden, einmal nachzusehen, und wenn alles in Ordnung ist und sie über der Arbeit nur die Zeit vergessen haben, dann haben wir einen Ausflug gemacht, sonst nichts.« Er macht die Tür auf, dreht sich aber noch einmal um und geht zum Kleiderständer, wo seine Dienstwaffe an einem Gurt hängt. »Man kann nie wissen«, sagt er, als er den Blick des Mädchens bemerkt. Er legt den Gurt um die Hüfte und zieht die Gürtelschnalle zu. »Komm, gehen wir.«

In seiner Zeit als Sheriff von Desert Rock hat Robert Healy es noch nie mit einem wirklich gravierenden Verbrechen zu tun gehabt. Aber seit die Tochter des deutschen Forschers mit ihrer Geschichte zu ihm gekommen ist und ihn überzeugt hat, ihren Vermutungen nachzugehen, ist ihm nicht wohl in seiner Haut.

Er muß sich selbst gestehen, daß ihn seine Recherchen argwöhnisch gemacht haben. Daß das Mädchen in eine unglaubliche Sache hineingeraten ist, steht fest. Seit seinem gestrigen

Ausflug weiß Healy, daß es sich nicht um Hirngespinste handelt. So viele Ungereimtheiten, so viele Rätsel. Und alle Spuren führen zu dem medizinischen Forschungsinstitut, wo Amys Vater arbeitet.

Sie fahren schweigend auf der staubigen Wüstenstraße, Amy auf dem Beifahrersitz, der Hund auf dem Rücksitz. Wolf beansprucht die gesamte Breite der Bank für sich. Es ist stickig in dem Streifenwagen, und Healy wünscht sich erneut sehnlichst, das Auto hätte eine Klimaanlage. Die Fenster bleiben trotz der drückenden Wärme geschlossen. Wenn man sie herunterkurbelt, wird der von den Reifen aufgewirbelte Staub hereingeweht.

Healy wirft einen verstohlenen Blick zur Seite auf das Mädchen. Amy rutscht nervös auf dem Sitz hin und her. Wenn er sich vorstellt, was für eine phantastisch anmutende Geschichte sie ihm enthüllt hat und wie sie zu den Informationen gekommen ist, bekommt er fast ein wenig Angst vor ihr.

Wolf hechelt, und Healy erinnert sich, wie er den Hund zum erstenmal gesehen hat – gleich am Tag, nachdem Stefan Hellmann mit seiner Tochter in der Stadt eingetroffen war und in dem Imbißrestaurant – May's Luncheonette – einkehrte. Healy war zu Tode erschrocken, als das Tier aufsprang, zu ihm gelaufen kam und ihn begrüßte wie einen alten Freund. Wolf hatte ihm unter dem johlenden Gelächter der anwesenden Gäste die Vorderpfoten auf die Schulter gelegt und das Gesicht geleckt. Amy und ihr Vater waren ihm auf den ersten Blick sympathisch, und auch den Hund hatte er in kürzester Zeit in sein Herz geschlossen.

»Ist Ihre Waffe geladen?« fragt Amy und zerreißt das feine Gespinst seiner Erinnerungen. Ihre Stimme klingt emotionslos, bestenfalls beiläufig neugierig. »Ich meine, vielleicht müssen wir sie mit Gewalt befreien.«

Healy seufzt. »Amy, ich habe keine Ahnung, was du dir vorstellst. Ich weiß, du machst dir Sorgen, aber ich kann nicht einfach die Waffe zücken und da reinstürmen –«

Er verstummt. Der Anblick, der sich ihm bietet, erstickt seine wohlmeinenden Beruhigungen im Keim. Obwohl sie noch schätzungsweise zwei Meilen vom Institut entfernt sind, steht ein Militärposten am Straßenrand, ein Jeep, neben dem zwei Unteroffiziere mit Gewehren abgestellt sind. Die Soldaten werfen ihnen unschlüssige Blicke zu, lassen sie aber passieren. Eine Meile vom Institut entfernt sehen sie den zweiten Posten, und, als sie sich dem Gelände bis auf rund zweihundert Meter genähert haben, auf beiden Seiten der Straße weitere bewaffnete Soldaten.

Graue Dämmerung drängt die Nacht allmählich vom Horizont zurück. Die Soldaten stehen in Abständen von rund zehn Metern am Maschendrahtzaun um die Anlage herum. Das Institut ist umstellt worden.

»Sehen Sie«, sagt Amy. Sie kann den triumphierenden Unterton in ihrer Stimme kaum unterdrücken. »Ich habe gleich gesagt, daß etwas passiert ist. Sie sind gefangen.«

Healy schweigt, da er nicht weiß, was er sagen soll. Die Situation spricht für sich, Beschwichtigungen wären lächerlich. Wachsende Besorgnis erfüllt ihn, und nun betet auch er, daß Amys Vater und Jill nichts passiert ist.

Er bemüht sich, Amys Blick auszuweichen, als er das Funkgerät aus der Verankerung zieht und hineinspricht. »Carol?« sagt er. »Kannst du mich hören?«

Die Antwort kommt Sekunden später. Die Stimme tönt blechern aus dem Lautsprecher. »Ja, laut und deutlich.«

»Carol, hier stimmt was nicht. Das Militär hat das Gelände abgeriegelt. Wir fahren trotzdem weiter, aber ich möchte, daß du das FBI informierst. Die sollen so schnell wie möglich ein paar Leute schicken, um nach dem Rechten zu sehen. Erklär ihnen die Situation, aber verrate ihnen so wenig wie möglich von den Hintergründen.«

Drei olivgrüne Lastwagen – Mannschaftstransporter, die die Soldaten hergebracht haben – stehen am rechten Straßenrand. Ein uniformierter Offizier, ein Lieutenant, soweit Healy erkennen kann, gibt Handzeichen. Der Sheriff bremst den Streifenwagen ab, bringt ihn unmittelbar vor dem Tor zum Stillstand und kurbelt die Fensterscheibe herunter. Die Luft, die hereinweht, ist kaum kühler als die im Wageninneren.

Der Lieutenant kommt näher und beugt sich zu dem Fenster hinunter. Er läßt den Blick kurz über das Wageninnere schweifen, eine Sondierung, die etwas von der kalten Präzision eines Satelliten hat, aber sein besorgter Gesichtsausdruck macht den Eindruck zunichte. Er runzelte die Stirn, als er den Schäferhund sieht und wendet sich wieder dem Sheriff zu. »Was führt Sie um diese Tageszeit hierher, Sheriff? Kann ich etwas für Sie tun?«

»Sie können mir erklären, was los ist«, antwortet Healy. »Warum ist das Gelände abgeriegelt?«

»Das kann ich Ihnen nicht sagen. Ein Notfall, mehr wissen wir auch nicht. Das Gebäude ist abgeriegelt.«

»Wir sind gekommen, weil wir jemanden abholen wollen«, sagt Healy. »Wir müssen rein.«

»Ich fürchte«, sagt der Offizier und schüttelt den Kopf mit eckigen Bewegungen, »das wird nicht möglich sein.«

»Was soll das heißen, nicht möglich?« poltert Healy, besinnt sich und fährt in gemäßigterem Tonfall fort. Die Stimme der Vernunft. »Hören Sie, der Vater dieses Mädchens arbeitet dort, Dr. Hellmann. Er ist gestern abend mit einer Kollegin hergefahren, um zu arbeiten, und die ganze Nacht nicht nach Hause gekommen, und nun macht sie sich Sorgen um ihn. Sehen Sie, sein Auto parkt dort vor der Tür. Was ist passiert?«

»Tut mir leid, ich kann Ihnen nur sagen, daß es einen Störfall gegeben hat. In der Nacht wurde der Alarm ausgelöst, seither ist die ganze Anlage abgeriegelt, und wir haben Anweisung, niemanden durchzulassen, bis wir etwas Neues hören.«

»Störfall? Was für ein Störfall?« fragt Amy mit bebender Stimme. »Das ist eine medizinische Forschungseinrichtung, kein Kernkraftwerk. Was für Störfälle kann es da schon geben?« Ihr fällt auf, daß sämtliche Soldaten Stahlhelme tragen, wie bei einem Gefechtseinsatz.

»Rechtlich gesehen liegt das Institut auf städtischem Gelände und fällt damit in meinen Zuständigkeitsbereich«, sagt Healy bedächtig. Er möchte es nur feststellen, den Mann nicht provozieren. »Ich glaube nicht, daß Sie mir den Zutritt verweigern können.«

»In diesem Fall schon«, entgegnet der Offizier brüsk. Healy glaubt, daß dieser hinter seinem autoritären Auftreten eine große Unsicherheit verbirgt. »Uns wurde gesagt, daß es sich um eine Frage der nationalen Sicherheit handelt. Tut mir leid, bitte machen Sie mir keine Schwierigkeiten. Sie können sich gerne bei meinem Vorgesetzten beschweren, sobald er eintrifft.«

»Worauf Sie sich verlassen können«, sagt Healy. »Sie haben sicher nichts dagegen, wenn wir bis dahin im Pförtnerhaus warten. Ich möchte nicht die ganze Zeit im Auto sitzenbleiben.«

»Ich weiß nicht...« entgegnet der Offizier zweifelnd, doch bevor er mehr sagen konnte, gibt Healy Amy ein Zeichen und steigt aus dem Wagen aus. Er wartet nicht auf das Mädchen, sondern öffnet selbst die hintere Tür. »Komm, Wolf«, sagt er, worauf der Schäferhund sich aufrichtet und mit einem Satz ins Freie springt.

Der Offizier weicht unsicher einen Schritt zurück. »Er tut Ihnen nichts«, sagt Amy. »Aber wir können ihn nicht im Auto lassen. Wenn die Sonne aufgeht, wird es zu heiß. Und im Pförtnerhaus ist es dann wenigstens schattig.«

»Meinetwegen«, antwortet der Offizier grimmig und winkt einem Soldaten, der das Maschendrahttor ein Stück öffnet. »Aber ich muß Sie leider um eine Vorsichtsmaßnahme bitten.«

Amy, Healy und Wolf betreten das Gelände. Kaum haben sie den Zaun passiert, drückt ihnen der Offizier zwei Stahlhelme in die Hand. Ein junger Gefreiter hat sie ihm auf ein Zeichen hin gebracht. Der Gefreite entfernt sich salutierend wieder.

»Sie müssen die hier aufsetzen«, sagt der Offizier, als er sieht, wie die Besucher die Helme unschlüssig in den Händen halten, und fährt fort: »Tut mir leid, das ist ein Befehl, der ausdrücklich durchgegeben wurde.« Und zuletzt, als wollte er möglichen Fragen zuvorkommen: »Fragen Sie mich nicht, warum. Ich habe keine Ahnung.« Amy und Healy wechseln einen Blick, setzen die Stahlhelme auf und gehen ohne ein weiteres Wort ins Pförtnerhaus.

Amy gibt Wolf eine Schüssel Wasser und sucht anschließend im Nebenzimmer nach John, dem Pförtner, kann ihn aber nicht finden. Außer den Soldaten scheint niemand da zu sein.

Als sie Healy davon erzählt, zuckt er nur die Achseln und sieht weiter durch das Fenster.

Die Männer stehen reglos in der Sonne, doch obwohl den meisten der Schweiß auf dem Gesicht steht, nimmt niemand seinen Stahlhelm ab. In ihrer Reglosigkeit wirken die Männer wie erstarrt, als hätte sich die Zeit in zwei parallele Ströme geteilt. *Wir sind in zwei verschiedenen Universen*, denkt Amy. *Hier drinnen ist alles normal, aber außerhalb vergeht die Zeit langsamer.* Jede Bewegung wirkt choreografiert, zeitlupenhaft.

»Finden Sie das nicht merkwürdig? Ich meine, sonst darf der Pförtner seinen Platz nie verlassen.«

»Vielleicht haben die da draußen ihn weggeschafft«, sagt Healy mürrisch. Schlimme Ahnungen suchen ihn heim. Daß er nichts tun kann, ist am schlimmsten. »Amy, ich möchte dich nicht beunruhigen, aber ich fürchte langsam auch, daß etwas Schlimmes passiert ist. Ich weiß nicht, ob der Bursche da draußen wirklich so ahnungslos ist, wie er tut.«

Sie schaut zum Fenster hinaus, während sie überlegt, welche Möglichkeiten sie haben. Der Stahlhelm drückt, und sie verspürt bereits erste leichte Kopfschmerzen. Etwa fünfzig Meter liegen zwischen dem Pförtnerhaus unmittelbar am Drahtzaun, der das gesamte Gelände umgibt, und dem Haupteingang des eigentlichen Institutsgebäudes, eines häßlichen Betonklotzes, der, wie sie von ihrem Vater weiß, nur einen kleinen Teil der Anlage ausmacht. Ein großer Teil liegt unter der Erde, ein Labyrinth von Tunneln und Labors.

Die Klimaanlage im Pförtnerhaus ist eingeschaltet und sorgt für eine angenehme Temperatur, doch das Paralleluniversum vor der Glasscheibe bildet eine Zwielichthölle schroffer Konturen, in der sich nichts zu bewegen scheint. Mit einer fast übernatürlichen Klarheit sieht Amy die Schweißtropfen auf den Gesichtern der Männer, jeder einzelne ein Prisma, in dem sich das erste schwache Sonnenlicht des neuen Tages spiegelt und bricht; sieht ihre starren Gestalten, deren knappe Bewegungen wie unter dem Druck einer unerträglichen Schwerkraft zustande zu kommen scheinen, und begreift, daß sie es dort draußen mit einem statischen Universum zu tun hat, dem der Urknall erst noch bevorsteht. Menschen, Material, selbst das Gebäude scheinen so von potentieller Energie aufgeladen zu sein, daß Amy den Eindruck hat, als wäre alles von einer flimmernden Aura hochenergetischer Wahrscheinlichkeitswolken umgeben, die nur auf den auslösenden Moment warten, um aus dem Potential der Milliarden Zukünfte, die ihnen innewohnen, eine einzige auszuwählen und die Gase hypothetischer Möglichkeiten zur materiellen Stofflichkeit unwiderruflicher Tatsachen gerinnen zu lassen.

Als sie sich gerade umdreht, um dem Sheriff eine Frage zu stellen, erfolgt der Urknall. Die potentielle Energie des Universums vor dem Fenster wird freigesetzt und mit einem Schlag in kinetische Energie umgewandelt. Der Offizier fährt ruckartig herum, eine Zeitrafferfolge verwackelter, infinitesimaler Abläufe, die sich erst in ihrer Gesamtheit zu einer Bewegung zusammenfügen, und brüllt einen Befehl. Die Soldaten am Tor heben die Gewehre. Amy und Healy schnellen in ihrem Universum unbeeinflußten Zeitablaufs in die Höhe und sehen beide in die Richtung, wohin die Soldaten zielen.

Das Haupttor des Instituts ist aufgerissen worden, und ein Mann im grauen Anzug mit einem Stahlhelm auf dem Kopf kommt herausgelaufen. Seine Bewegungen wirken seltsam eckig, als hätte er Schwierigkeiten, die Motorik seines Körpers zu beherrschen. Er geht nur wenige Schritte auf das Tor zu, sieht die Soldaten und bleibt stehen. Sein Gesichtsausdruck schwankt zwischen Nervosität und Unbehagen. Überrascht scheint er nicht zu sein.

»Was, um alles in der Welt…« sagt Healy. Er ist mit zwei Schritten bei der Tür des Pförtnerhauses. Amy folgt ihm, und Wolf, der die plötzliche Aktivität aufgeregt verfolgt, zwängt sich zwischen ihren Beinen hindurch ins Freie.

»Bleib hier«, sagt sie und sieht von dem Mann zu den Soldaten und wieder zurück. Die beiden parallelen Zeitabläufe verschmelzen wieder zu einem synchronen Zeitstrom. Die Starre auf beiden Seiten kann nur Sekunden gedauert haben, doch Amy hat den Eindruck, als hätte sie stundenlang von den verbissenen Gesichtern der Militärs zu dem des Mannes und wieder zurück gesehen.

Healy geht ins Freie hinaus. Der Mann steht immer noch unentschlossen da, und nun sieht Amy zu ihrer grenzenlosen Erleichterung ihren Vater aus dem Gebäude kommen. Er geht zu dem Mann und wechselt ein paar Worte mit ihm. Amy möchte zu ihm laufen, doch in dem Moment kommt noch jemand heraus, ein Mann in Uniform, der eine gezückte Waffe in der ausgestreckten rechten Hand hält und sie auf den behelmten Mann richtet.

Amy sieht den Mann an, dem alle Aufmerksamkeit gilt, und in dem Bruchteil einer Sekunde, den ihre Blicke sich begegnen, glaubt sie, daß sie wie Geisterbilder andere Augen hinter seinen erkennen kann, eine Überblendung zweier unscharfer Fotografien. Aber durch die Entfernung ist sie nicht sicher. Ein Trick des Lichts, denkt sie, mehr nicht.

Wolf hat die Gunst des Augenblicks genutzt und versucht, sich dem Mann zu nähern, der immer noch zwischen dem Eingang des Instituts und dem Pförtnerhaus steht. Er dreht sich um. Sein Verfolger hält die Waffe nach wie vor auf ihn gerichtet.

»Bleiben Sie stehen!« ruft der Mann ihm zu. »Ich werde schießen, glauben Sie nicht, ich hätte Skrupel!« Der Mann wendet den Blick ab und sieht sich suchend um wie ein in die Enge getriebenes Tier.

Der große Schäferhund dreht sich um und trottet zu Amy zurück. Er kommt nicht weit, als ein Zittern durch seinen ganzen Körper läuft. »Wolf!« ruft Amy. Der Hund bleibt stehen, dreht sich um, bewegt den Kopf so linkisch, als würde eine unsichtbare Hand ihn drehen. Ein blaues elektrisches Funkeln lodert in den Tiefen seiner Augen auf, während seine Nackenhaare sich sträuben.

»Wolf?« Unsicherer jetzt, hin und her gerissen zwischen dem Wunsch, zu ihm zu laufen, und einer vagen Angst vor dem, was geschehen sein könnte. Wolf kommt noch einen Schritt auf sie zu. Das Funkeln in seinen Augen lodert heller, und plötzlich reißt er das Maul auf, fletscht die Zähne und taumelt. Schaum trieft von seinen Lefzen, und Amy denkt, daß ihr eigener Hund, der lammfromme Wolf, der keiner Fliege etwas zuleide tun kann, sich jeden Moment auf sie stürzen wird.

# I
# *Neuland*

*»You felt the chill of midnight ice,*
*As I broke your heart in two;*
*And I felt the kiss of emptiness,*
*As I watched your life turn blue.«*

Horslips
»Cu Chulainn's Lament«

*»Something is happening here,*
*but you don't know what it is,*
*do you, Mr. Jones?«*

Bob Dylan
»Ballad Of A Thin Man«

# Kapitel eins
## *Dr. Wentworth*

### 1

Dr. Stefan Hellmann warf immer wieder einen prüfenden Blick auf die Monitore, die sämtliche Gehirnfunktionen der jungen Frau ebenso wie seine eigenen überwachten, obwohl die Anzeigen alle gespeichert und nach Ende der Sitzung zur Auswertung ausgedruckt wurden. Er konzentrierte sich auf das Symbol der Karte, die er in der Hand hielt. Die junge Frau, Kathy, schloß die Augen. Die Monitore, wo die von Kathys Elektroden übermittelten Signale bildlich dargestellt wurden, zeigten das normale Alphawellenmuster im Ruhezustand, dann eine verstärkte unregelmäßige Betawellenaktivität, wie man es bei starker Konzentration erwarten durfte.

»Stern«, sagte sie, was Hellmann mit einem anerkennenden Nicken quittierte. Es war ihr siebter Treffer in Folge.

»Gut, Kathy«, sagte er. »Wir versuchen noch etwas Schwierigeres, dann lassen wir es für heute gut sein. Sie haben ausgezeichnet gearbeitet.«

Kathy sah ihn an. Er bemühte sich, dem Blick auszuweichen und sich professionell und sachlich zu geben. Kathy liebte es, ihn aus der Fassung zu bringen, und er wollte ihr keine Gelegenheit für neue Spötteleien auf seine Kosten geben. Es wäre sicher übertrieben gewesen, die Frau als ein Phänomen zu bezeichnen, dennoch schnitt sie bei den Tests – sie war heute zum drittenmal bei ihm – von allen Versuchspersonen stets mit den besten Ergebnissen ab. Sie schien ihn zu mögen, und er überlegte, ob die Gefühlsbindung, die sie scheinbar ihm gegenüber entwickelt hatte, etwas damit zu tun haben könnte. Er würde demnächst einmal parallel zur Aufzeichnung der bioenergetischen Gehirnaktivität die Funktion des limbischen Systems überwachen, um auf diese Weise festzustellen, inwieweit ihr Gefühlsempfinden die Ergebnisse beeinflußte.

Während Hellmann die oberste Karte eines anderen Stapels nahm, sah er sie an. Kathy Myers arbeitete als Kellnerin im nicht weit entfernt gelegenen Randsburg und besserte sich ihr Trinkgeld auf, indem sie gelegentlich erriet, was die Gäste bestellen wollten, ohne sie danach gefragt zu haben. Sie hatte sich auf seine Annonce hin gemeldet, als er für seine Forschungen am Institut Leute mit möglichen übersinnlichen Fähigkeiten für Tests suchte, und fuhr jeden Mittwoch mit ihrem rostigen alten Honda die wenigen Meilen nach Desert Rock. Zwischen den mattgrauen Oberflächen der Maschinen sah sie blaß und zierlich aus, unwirklich wie eine Gestalt aus einem Märchen, ein in die Jahre gekommenes Rotkäppchen im elektronischen Zauberwald moderner medizinischer Diagnostik, das sich freiwillig dem Wolf ausgeliefert hatte. *(Großmutter, warum hast du so große Maschinen? Damit ich deine Gedanken besser lesen kann.)*

Hellmann betrachtete die Fotografie eines Seesterns und bemühte sich, das Bild mit aller Konzentration zu verinnerlichen. Ein Blick auf den Monitor verriet ihm, daß Kathy die Augen geschlossen haben mußte – die bisher flache Linie ihres Alphawellenmusters schlug wieder heftiger aus. Er bemühte sich, an nichts anderes als das Bild zu denken, als er den Blick auf die junge Frau richtete und gleichzeitig versuchte, mit einem Auge auf den Monitor zu schielen.

Kathys Betawellenaktivität nahm wieder zu. Sie konzentrierte sich. »Noch … ein Stern?« sagte sie unsicher, mehr Frage als Antwort. Hellmann nickte und gab ihr mit einer Handbewegung zu verstehen, daß das noch nicht alles war. Sie dachte nach, konzentrierte sich noch einmal. »Ein Lebewesen«, murmelte sie und stellte wenig später den Zusammenhang her. »Seestern.«

Hellmann nickte. »Ich bin beeindruckt, Kathy«, sagte er, was sie zu freuen schien, und stand auf. Er war froh, als er die Elektroden von seinem Kopf lösen konnte. An der gegenüberliegenden Seite des Tischs war Kathy mit ebensolchen Elektroden an dieselben Meßgeräte angeschlossen wie er, und diese Verbindung kam ihm aus unerfindlichen Gründen stets intimer vor, als jeder körperliche Kontakt es sein konnte. Die Monitore machten das Flüstern und Raunen ihres Geistes für ihn sichtbar, setzten ihr Denken und Fühlen in elektronische Impulse um und erschlossen es damit der unzweideutigen Sprache mathematischer Gleichungen. Diese Art der Zuneigung lag ihm mehr, des emotionalen Ballastes entkleidet, auf winzige elektrische Ladungen reduziert, deren Stärke man exakt bestimmen konnte. Zumal sie das Unbehagen zu spüren schien, mit dem ihre unbekümmerte Herzlichkeit ihn erfüllte. Eine konstante Spannung schien zwischen der Kathode ihrer sorglosen Offenheit und der Anode seiner emotionalen Zurückhaltung zu fließen.

Er ging um den Labortisch mit dem Versuchsaufbau herum und löste behutsam die Elektroden von ihrer Stirn. »Sie haben acht von zehn Karten richtig erkannt, das ist ausgezeichnet. Von meinen Testpersonen ist Ihre Fähigkeit am stärksten ausgeprägt.« Er dachte kurz nach. »Was ich Sie fragen wollte, wann haben Sie eigentlich zum erstenmal etwas von Ihrer telepathischen Begabung bemerkt?«

Sie beugte sich zu ihm und flüsterte, als wollte sie ihm etwas Vertrauliches mitteilen: »Das war in der Pubertät. Da ist es zum erstenmal aufgetreten.«

Ihr Augenaufschlag hatte etwas Kokettes. Hellmann spürte ihren Atem im Gesicht und entfernte sich ein wenig. Plötzlich sah er im Geiste deutlich eine jüngere Kathy Myers, die sich nackt auf einem Bett räkelte. Er ging fast erschrocken zwei Schritte weg.

»Wie mit der Menstruation«, sagte Kathy. Ihre Augen hatten einen spöttischen Glanz, als würde sie seine Verlegenheit genießen. »Man denkt nichts Böses, und plötzlich ist es da. So bin ich zur Telepathie gekommen – wie die Jungfrau zum Kind.«

Hellmann spürte, wie ihm warm wurde. Plötzlich schämte er sich seiner Gedanken. Er wandte sich rasch ab, um sie nicht sehen zu lassen, wie er errötete, und machte sich an den Meßgeräten zu schaffen.

»Ich werde die Daten auswerten, und wenn Sie nächste Woche wiederkommen, würde ich gerne eine PET mit Ihnen durchführen«, sagte er, als er sich wieder unter Kontrolle hatte und die unerwünschten Bilder aus seinem Kopf verschwunden waren.

»Was ist das?«

»Eine Positronen-Emissions-Tomographie, die uns ermöglicht, physiologische und biochemische Aktivitäten des Gehirns sichtbar zu machen. Sie haben hinreichend bewiesen, daß Sie zu einer einfachen Form telepathischen Kontaktes fähig sind. Ihre Ergebnisse sind die besten aller Testpersonen, mit denen ich gearbeitet habe, und nun möchte ich gerne wissen, welcher Teil Ihres Gehirns sich in gesteigerter Aktivität befindet, wenn der telepathische Kontakt zustande kommt. Das kann ich mittels PET.«

»Und wie funktioniert das?«

Er führte sie zu einer Bahre vor einem großen Gerät mit einer ringförmigen Öffnung. »Sie liegen hier drauf«, sagte er, »und Ihr Kopf befindet sich in der Öffnung des Meßgeräts. Wir führen Ihnen über eine Injektionslösung eine radioaktive Substanz zu …«

Er sah ihren erschrockenen Gesichtsausdruck. »Keine Bange«, sagte er. »Es sind winzigste Mengen, nicht gefährlich. Sie müssen sich keine Sorgen machen, der Test ist schon häufig durchgeführt worden, vor allem in der Sprachforschung, um zu sehen, welcher Teil des Gehirns für die Sprache zuständig ist. Jedenfalls gelangt die radioaktive Substanz über die Blutbahn in Ihr Gehirn, und der Detektorring hier registriert die beim Zerfall frei werdende Gammastrahlung. Die Meßergebnisse setzt ein Computer dann in farbige Schnittbilder um, die uns genau zeigen, welcher Gehirnabschnitt aktiv ist. Auf diese Weise möchte ich herausfinden, was in Ihrem Gehirn passiert, wenn Sie ein Symbol in meinen Gedanken erraten – und selbstverständlich, was nicht, wenn Sie danebenliegen. Möglicherweise werde ich noch eine weitere Messung vornehmen, um zu sehen, inwieweit –« er räusperte sich verlegen, »– inwieweit emotionale Bindungen die Testergebnisse beeinflussen können.«

Sie nickte. »Einverstanden. Müssen wir dafür einen speziellen Termin vereinbaren?«

»Nein«, antwortete er, »Sie kommen nächste Woche wie gehabt am Mittwoch, das wäre der neunzehnte August. Wahrscheinlich wird die Sitzung aber etwas länger dauern.«

»Gut.« Sie ging zur Tür. Dort blieb sie einen Moment unschlüssig stehen, drehte sich um und sah ihn mit einem schnippischen Grinsen an. »Ich habe übrigens nicht nur die Symbole in Ihren Gedanken gesehen«, sagte sie.

Hellmann hob den Kopf. »So?« sagte er.

»Nein. Noch etwas ... anderes.«

»Und was wäre das?«

»Daß Sie endlich wieder ein regelmäßiges Liebesleben haben. Das finde ich gut, denn irgendwie scheint es Ihnen in den vergangenen Wochen ziemlich gefehlt zu haben.« Stefan Hellmanns Augen wurden groß. Er setzte zu einer Erwiderung an, doch sie fuhr hastig fort. »Stimmt doch, oder? Zumindest mit einer Partnerin«, fügte sie mit einem vielsagenden Augenaufschlag hinzu. »Wir sehen uns dann nächste Woche.« Damit ging sie zur Tür hinaus, und der fassungslose Hellmann konnte nicht verhindern, daß er bis unter die Haarwurzeln errötete.

## 2

Nachdem Kathy gegangen war, ließ er die Testergebnisse ausdrucken, räumte seine Unterlagen weg und ging mit dem Papierstapel unter dem Arm in die Cafeteria des Instituts. Der Raum mit seinem hellen Linoleumboden und den Möbeln – einfache quadratische Tische aus verchromten Metallrohren und unbequeme Stühle mit Sitzflächen aus schwarzlackiertem Holz – bot etwa hundert Personen Platz, machte aber einen kalten, unpersönlichen Eindruck. Die Wände waren bis auf halbe Höhe getäfelt und oberhalb mit weißen Rauhputz überzogen, in dessen Schnörkeln sich Staub abgelagert hatte. Das Holz der Paneele war zerkratzt und abgeschabt; dunkle, staubige Verkrustungen zogen sich an den Rändern entlang und verwischten den Übergang zum Verputz. Nicht ein einziges Bild schmückte die Wände, und die weiße Lacktheke mit ihrer Edelstahlplatte hätte besser in eine Schlachterei als in einen Aufenthaltsraum gepaßt.

Hellmann saß, eine Tasse Kaffee vor sich, am Tisch und hielt den Blick auf die Ausdrucke gerichtet. Aber eigentlich sah er sie gar nicht, da er ständig über Kathys anzügliche Bemerkung nachdenken mußte. Am meisten ärgerte er sich über seine eigene Verlegenheit. Wahrscheinlich hatte sie gar nichts dergleichen gesehen. Wenn überhaupt, waren die telepathischen Fähigkeiten der Testpersonen, mit denen er bislang gearbeitet hatte, schwach ausgeprägt. Sie reichten aus, um einfache Symbole zu erkennen; die Fähigkeit, komplexe gedankliche Zusammenhänge zu erfassen, erforderte ein Potential, das offenbar bei keinem seiner Fälle vorhanden war.

Schließlich ist es nicht schwer, so etwas zu erraten, dachte Hellmann verdrossen. Es ist bekannt, daß ich nur mit meiner Tochter hier wohne, fremd bin und außer Jill kaum jemanden näher kenne. Und daß ich ein paarmal mit Jill ausgegangen bin. Sie hat einfach einen Schuß ins Blaue riskiert, um mich zu ärgern. Und ich bin drauf reingefallen.

Er legte die Ausdrucke beiseite, trank einen Schluck und zog eine zerknitterte und abgegriffene Liste aller Mitarbeiter des Instituts heraus. Er hatte sie heute morgen gefunden, als er den Schreibtisch in seinem Büro verrückt hatte, damit das Sonnenlicht nicht direkt auf die Tischplatte schien und ihn beim Arbeiten blendete. Mitunter hatte er noch Schwierigkeiten, den Gesichtern der Leute, die ihm begegneten, einen Namen zuzuordnen, und dachte, es könnte seinem Gedächtnis auf die Sprünge helfen, wenn er sich die Liste durchsah und überprüfte, welcher Name ihm etwas sagte, und welcher nicht. Straczinsky, der Leiter des Instituts, stand an erster Stelle, danach folgten die Namen des wissenschaftlichen Stabs. Die Ärzte und Forscher der einzelnen Abteilungen folgten darunter, alphabetisch nach Abteilungen aufgelistet. Die Kollegen, mit denen er unmittelbar zu tun hatte, kannte er inzwischen alle. Und die Mitarbeiter der Institutsleitung selbstverständlich ebenfalls, mit einer Ausnahme. Einen Dr. Wentworth, der an dritter Stelle auf der Liste stand, hatte ihm noch niemand vorgestellt; er war ihm bisher weder begegnet, noch hatte er eine Ahnung, mit welchen Aufgaben der Mann im Institut betraut war. Das kam ihm merkwürdig vor, denn normalerweise waren die Ressorts der einzelnen Mitarbeiter jedem zugänglich. Und daß Wentworth offenbar der Abteilung angehörte, in der Hellmann inzwischen tätig war, obwohl sonst niemand von der Institutsleitung tatsächliche Forschungsarbeit leistete, sondern lediglich für Verwaltungsarbeiten zuständig war, machte die Sache um so seltsamer. Hellmann überlegte, ob der Mann vielleicht im Urlaub sein könnte, aber inzwischen arbeitete er selbst seit sechs Wochen hier, und er konnte sich nicht vorstellen, daß jemand so lange Urlaub machte, schon gar nicht in Amerika.

Ein anderer Name auf der Liste erweckte seine Aufmerksamkeit. Iain McCullogh. Ein seltsamer Bursche, aus dem Hellmann nicht schlau wurde. Der Mann war ihm von der Institutsleitung als wissenschaftlicher Koordinator vorgestellt worden, eine schwammige Bezeichnung, die alles und nichts beinhalten konnte. Ein festes Ressort schien er nicht zu haben, sondern trieb sich nur immer in allen möglichen Abteilungen herum, um den Stand der Forschungen zu erfragen. Sich selbst bezeichnete er, wenn er nach seiner Arbeit gefragt wurde, ausweichend als Mädchen für alles.

»Hallo. Darf ich mich zu Ihnen setzen?«

Hellmann schaute auf und sah in das strahlende Gesicht von Iain McCullogh, der die Cafeteria lautlos betreten und sich ebenso lautlos seinem Tisch genähert hatte. *Wenn man den Esel nennt*, dachte Hellmann. »Gerne«, sagte er, faltete die Mitarbeiterliste wieder zusammen und steckte sie ein.

McCullogh setzte sich und stellte seine Tasse ab. Er schien sich ein wenig unbehaglich zu fühlen. Mit seinem vierschrötigen Schädel wirkte er wie eine Vorstufe der menschlichen Evolution und mit seinen derben Gesichtszügen wie eine Plastik von Rodin. Seine dunklen, buschigen Augenbrauen – unheilbarer Fall von Waigel-Syndrom, dachte Hellmann bei sich – standen so weit vor, daß sie wie Knochenwülste wirkten. McCulloghs Nase mit dem schmalen Rücken hätte man altertümelnd aristokratisch nennen können, doch die Wirkung wurde von den fleischigen und viel zu breiten Nasenflügeln zunichte gemacht. Und sein längliches Kinn mit der tiefen Kerbe ragte so weit vor, daß der Mann wie eine derb geschnitzte Holzpuppe mit grotesk heruntergeklapptem Kiefer wirkte. Er schien nicht recht zu wissen, wie er eine Unterhaltung in Gang bringen sollte.

Kurz nach ihm betraten zwei junge Laborassistentinnen den Raum. Sie schenkten sich die beiden letzten Tassen Kaffee aus der Kanne ein und setzten gleich neuen auf. Die Kaffeemaschine stieß schnaubend Dampf aus wie ein feuerspeiender Drache.

»Und«, sagte McCullogh schließlich nach einem verlegenen Räuspern, »kommen Sie mit Ihrer Arbeit voran?«

»Ganz gut«, sagte Hellmann. »Ich habe gerade die bioelektrische Aktivität von Kathy Myers und meinem eigenen Gehirn bei konzentriertem telepathischem Kontakt aufgezeichnet und möchte nächste Woche eine PET durchführen, um die Forschungen zu vertiefen.«

»Verstehe«, sagte McCullogh mit einem wissenden Nicken, und Hellmann dachte: *Nein, du verstehst nicht. Du hast nicht die geringste Ahnung, wovon ich spreche.*

Hellmann fiel nicht zum erstenmal auf, daß McCullogh sich kein bißchen, auch nicht mit den einfachsten wissenschaftlichen Grundvoraussetzungen der Arbeit des Instituts, auszukennen schien, obwohl er den größten Teil seiner Zeit in den medizinischen und biologischen Abteilungen herumhing. Und es kam ihm seltsam vor, daß ein »wissenschaftlicher Koordinator« so wenig Ahnung von dem hatte, was er koordinieren sollte.

»Ich habe allerdings ein kleines Problem, bei dem Sie mir vielleicht helfen können«, sagte Hellmann, um das Thema zu wechseln. »Ich habe heute morgen eine Liste des Personals gefunden, auf der ein gewisser Wentworth verzeichnet ist. Er ist der einzige Kollege, den ich bisher noch nicht kennengelernt habe. Haben Sie eine Ahnung, wo er steckt? Ist er im Urlaub?«

McCullogh zögerte nur den Bruchteil einer Sekunde. »Oh, Dr. Wentworth«, sagte er. »Sie müssen eine von den veralteten Listen gefunden haben, die längst überholt ist. Nun... ich fürchte, da werden Sie Pech haben. Wentworth hat gekündigt. Er hat das Institut auf eigenen Wunsch verlassen; das war schon vor Ihrer Ankunft. Soweit ich weiß, arbeitet er jetzt in einer Universitätsklinik an der Ostküste. Mehr kann ich Ihnen dazu auch nicht sagen. Tut mir leid.«

»Vielleicht können Sie mir dann wenigstens sagen, woran Wentworth gearbeitet hat. Im Gegensatz zu allen anderen Forschungsprojekten sind seine Unterlagen offenbar nirgendwo abgelegt. Allem Anschein nach hat er in meiner Abteilung gearbeitet, aber ich konnte bisher keine Informationen über seine Forschungsarbeiten finden. Möglicherweise sind Sie ja für meine Arbeit von Belang.«

»Es ist schon richtig, daß er in Ihrer Abteilung gearbeitet hat«, sagte McCullogh, »aber er hatte ... ein eigenes Forschungsgebiet.« Er wandte den Blick ab, sah zum Tresen, zu der schnaubenden Kaffeemaschine, und drehte sich schließlich, da er nichts fand, woran er seine Aufmerksamkeit festmachen konnte, wieder zu Hellmann um. Es machte fast den Eindruck, als würde er nach einer Möglichkeit suchen, vom Thema abzulenken. »Hören Sie, Wentworth unterstand direkt der Institutsleitung, daher kann ich Ihnen wenig zu seiner Arbeit sagen. Sollte sie tatsächlich für Ihre Forschungen relevant sein, wird man Sie zu gegebener Zeit informieren, da bin ich ganz sicher.« Er sah auf die Uhr. »O je, schon so spät. Ich habe noch einen Termin und muß los. War nett, mit Ihnen zu plaudern.« Er stand auf und verließ eilig die Cafeteria. Sein Abgang glich mehr einer Flucht als einem geordneten Rückzug.

Hellmann sah ihm nach. McCulloghs federnder Gang, seine Haltung, die gezwungen linkisch wirkte, als wollte er nicht erkennen lassen, wie durchtrainiert er war, hätten eher auf einen Spitzensportler als einen Wissenschaftler schließen lassen. Möglicherweise ist er ein Sportfanatiker, dachte Hellmann und beschloß, es auf sich beruhen zu lassen. Doch er trank seinen Kaffee in nachdenklicher Stimmung aus.

## 3

Wenig später saß Hellmann wieder in seinem Büro. Er hatte den Schreibtisch abgeräumt und die verschiedenen EEG-Ausdrucke der letzten Sitzung mit Kathy Myers darauf ausgebreitet. Mit einem Rotstift vermerkte er den jeweiligen Zeitpunkt eines Experiments unter den entsprechenden Abschnitten auf dem Papier. Anfangs waren die bioelektrischen Gehirnaktivitäten der Testperson normal. Sie schloß die Augen – der Monitor zeigte ein gewöhnliches Alphawellenmuster. Wenn sie die Augen aufschlug, flachten die Alphawellen erwartungsgemäß ab, und wenn sie sich konzentrierte, stieg die Aktivität der Betawellen an. In zwei Fällen blieb es dabei – das war bei den beiden Karten der Fall, die sie nicht richtig erkannt hatte. In den anderen acht Fällen registrierten die Elektroden eine Änderung des elektrischen Potentials der Nervenzellen.

Parallel dazu veränderte sich auch seine eigene Hirnaktivität. Da äußere Stimuli wegfielen, konnte es sich kaum um visuell oder auditorisch evozierte Potentiale handeln; in dem Labor, wo er die Tests durchführte, herrschte ein konstantes, gedämpftes Licht, und das Summen der elektronischen Geräte bildete die einzige Geräuschkulisse. Es mußten durch Nervenreizung somatosensorisch evozierte Potentiale sein. Wenn Kathy das Bild einer Karte richtig in Hellmanns Geist sah, schlug die Nadel des Aufzeichnungsgeräts jedesmal kurz aus und zeigte in seinem eigenen EEG einzelne Krampfstromabläufe mit großen, raschen Potentialschwankungen, nicht unähnlich dem EEG eines Epileptikers, allerdings minimal und kurz, so daß die Gefahr eines epileptischen Krampfes ausgeschlossen werden konnte. Dennoch deuteten die Potentialschwankungen darauf hin, daß bei telepathischem Kontakt nicht nur im Gehirn der empfangenden, sondern auch der sendenden Person etwas in Gang gesetzt wurde.

Acht Ausschläge der Nadel in den acht Fällen, wo Kathy Myers das Symbol der Karte in seinen Gedanken gelesen hatte.

*Daß Sie endlich wieder ein regelmäßiges Liebesleben haben.*

Auftretende Krampfpotentiale bei einem kurzen, echten telepathischen Kontakt – vorausgesetzt, sie hatte die Symbole nicht einfach erraten, was man in der Häufigkeit aber ausschließen konnte.

*Zumindest mit einer Partnerin.*

»Verdammt«, sagte Hellmann und stand auf. Ihre Anzüglichkeiten lenkten ihn immer wieder ab. Da er sich offenbar ohnehin nicht konzentrieren konnte, beschloß er, die Auswertung für heute sein zu lassen.

Doch auch als er sein Büro verließ, ließen ihn die Ergebnisse seines Tests nicht los. Gleichzeitig dachte er an McCulloghs ausweichende Antwort auf seine Frage nach Dr. Wentworth, und einer plötzlichen Eingebung folgend beschloß er, mit dem Fahrstuhl in den ersten Stock zu fahren, um einen Abstecher ins Personalbüro zu machen.

Was wäre, fragte er sich, wenn er die Krampfpotentiale in seinem EEG mit einem Medikament unterdrückte, wie sie bei Epilepsiekranken angewendet wurden? Wenn er mit seiner Vermutung recht hatte und ein Zusammenhang zwischen dem telepathischen Kontakt zu Kathy und den Potentialschwankungen in seinem Gehirn bestand, dürfte ein telepathischer Kontakt nicht mehr möglich sein, sobald er krampfunterdrückende Mittel nahm. Diese These schien ihm zwar etwas weit hergeholt, aber einen Versuch war sie auf jeden Fall wert.

Hellmann hatte den Fahrstuhl erreicht und schon den Knopf für den ersten Stock gedrückt, als er den Hausmeister sah, der ebenfalls Richtung Lift kam. Er streckte rasch eine Hand aus, und die Tür, die schon halb geschlossen gewesen war, glitt mit einem resignierten Seufzen abgelassener Druckluft wieder zurück. Hellmann hatte sich vor wenigen Tagen mit dem etwas untersetzten älteren Mann angefreundet, der in seiner Drillichmontur stets etwas fehl am Platz wirkte.

»Hallo, Ramon«, sagte er. »Tut mir leid, ich habe schon gedrückt. Sie müssen warten oder mit mir nach oben fahren.«

»Kein Problem. Hab's nicht so eilig.« Er schien zu warten, daß Hellmann sich erkundigen würde, weshalb er es nicht eilig hatte, aber Hellmann war so in Gedanken versunken, daß ihm die Bemerkung gar nicht aufgefallen war. Als Ramon einsah, daß keine Reaktion kommen würde, fügte er von sich aus hinzu: »Ich muß runter ins zweite Kellergeschoß.«

Hellmann nickte freundlich. Die Fahrstuhlkabine setzte sich mit einem leisen Summen in Bewegung. Obwohl er in Gedanken mit Dr. Wentworth beschäftigt war, entging ihm nicht, daß der ältere Mann etwas auf dem Herzen hatte und es ihm so oder so erzählen würde, daher fragte er: »Und was haben Sie da unten zu tun? Was ist da unten?«

»Die Leichenhalle. Und die ganzen Seziertische und alles.« In der engen Kabine klang seine Stimme seltsam hohl und dumpf. »Irgendwie ist es da unten immer gruselig. Als würden die Geister der Leute, die sie aufgeschnitten haben, noch herumspuken.«

»Nun«, sagte Hellmann, der sämtliche Gedanken an Krampfpotentiale und Anzüglichkeiten und unbekannte Mitarbeiter aus seinem Denken verdrängte und sich bemühte, ein Lächeln zu unterdrücken, »ich denke, Sie können unbesorgt sein. Wenn einer da unten ist, tut er keinem mehr was. Aber meines Wissens ist die Halle momentan ohnehin nicht in Benutzung.«

»Nun ja, ganz stimmt das nicht«, antwortete Ramon bekümmert. »Einen haben sie schon da unten, soweit ich weiß. Jedenfalls ist eine der Kühlzellen eingeschaltet. Darum muß ich ja regelmäßig runter, um zu sehen, ob die Aggregate einwandfrei funktionieren. Ich hoffe, sie schaffen ihn bald wieder weg.«

Hellmann sah ihn mit neu erwachtem Interesse an. »Straczinsky hat mir gesagt, daß im Augenblick keine Leiche zur Obduktion im Institut ist«, sagte er. »Ist es ein Neuzugang?«

»Kaum. Ich glaube, der liegt schon seit Wochen da unten. Keine Ahnung, warum. Normalerweise werden sie schnell untersucht oder aufgeschnitten und dann wieder weggebracht.«

»Merkwürdig«, sagte Hellmann. »Aber vielleicht hat er es einfach vergessen.« Er bemühte sich, unbekümmert und sorglos zu klingen. »Wahrscheinlich hat er als Institutsleiter wichtigere Dinge im Kopf.«

»Sollte man meinen. Aber zufällig weiß ich, daß er auch unten gewesen ist. Kam mir damals schon ziemlich komisch vor, weil die Anzugtypen sich sonst nie da unten sehen lassen.«

Die Fahrstuhltür war leise zischend in die Wand zurückgeglitten, aber Hellmann ging noch nicht hinaus. »Und um wen handelt es sich? Ein Unfallopfer? Um jemanden, der seinen Leichnam der medizinischen Forschung vermacht hat?«

»Oh, darum kümmere ich mich nicht«, entgegnete Ramon, dem das Thema bei aller Redseligkeit plötzlich doch nicht mehr ganz geheuer zu sein schien. »Manchmal sind es Unfallopfer, die sie Medizinstudenten vorführen, manchmal Leute mit seltenen Krankheiten, die sie erforschen wollen. Keine Ahnung.« Er hielt die Hand vor die Selenzelle der Lichtschranke, damit sich die Fahrstuhltür nicht schloß. »In aller Regel weiß ich es nicht und will es auch nicht wissen. Ich sorge dafür, daß der Strom nicht ausfällt, das ist alles.«

»Dann will ich Sie nicht weiter von Ihren Pflichten abhalten.« Hellmann wandte sich ab. »Verlaufen Sie sich nicht da unten«, fügte er noch hinzu, eine Bemerkung, die scherzhaft gemeint war, aber der alte Mann lachte nicht.

»Wenigstens das ist kaum möglich«, sagte Ramon. »Es führt nur ein Korridor vom Fahrstuhl zur Halle. Die Tür ist direkt gegenüber vom Lift, und dann geht's immer geradeaus bis zur nächsten Tür. Man kann sich nicht verlaufen. Aber es gibt auch nur den einen Fluchtweg. Wenn der Lift weg ist, sitzt man in der Falle.«

Hellmann nickte freundlich und entfernte sich. Er sah gerade noch, wie sich die Fahrstuhltür vor Ramon schloß, der mit einem unglücklichen Gesicht herausschaute wie ein widerwilliger Odysseus, der sich nichts Schlimmeres vorstellen konnte, als in seinen betonierten Hades hinabzusteigen.

## 4

Im Gegensatz zum Rest des Instituts, das stets makellos ordentlich und aufgeräumt war, wirkte das Personalbüro wie eine Keimzelle des Chaos, das lediglich durch die stets fest verschlossene Tür daran gehindert zu werden schien, sich im übrigen Gebäude auszubreiten. Im ganzen Raum gab es keine freie Fläche. Aktenordner und Unterlagen bildeten hohe, teils windschiefe und baufällige Stapel auf Stühlen, Sesseln und Schreibtischen. An der Wand rechts von der Tür stand ein Regal mit Büchern, die so fest in die Fächer gepreßt worden waren, daß es unmöglich schien, sie je wieder herauszubekommen. In die schmalen Freiräume zwischen Büchern und dem nächsthöheren Regalbrett waren Zeitschriften und eselsohrige Schnellhefter gequetscht, die teilweise herunterhingen und die Buchrücken verbargen. Auf dem Boden türmten sich Kartons voll mit Unterlagen und Ausdrucken, und vom Schreibtisch aus, der wie eine Eisscholle aus dem Durcheinander aufragte, beherrschte ein monströser alter Computer das Zimmer.

Hellmann hätte sich keine bessere Herrscherin über diese Domäne des Chaos vorstellen können als Eleanor Sutphen. Alles an ihr wirkte immer ein wenig unordentlich. Entweder sie trug Jeans und eine Bluse mit Knitterfalten, als wäre keine Zeit zum Bügeln mehr geblieben, oder sie trug Nylonstrümpfe mit Laufmaschen; hatte sie ausnahmsweise einmal eine gestärkte und glatte Bluse an, kleckerte sie sich mit Sicherheit in der Frühstückspause Kaffee darauf, und ihr braunes Haar mit den störrischen Wirbeln erweckte immer den Eindruck, als würde es sich trotz stundenlangen Frisierens dem Einfluß jeden Kamms oder jeder Bürste entziehen. Es stand in alle Richtungen vom Kopf ab und erinnerte Hellmann stets ein wenig an Laurie Anderson. Es fiel ihm nicht schwer, sich Eleanor mit einem Mikrofon hinter dem Schreibtisch vorzustellen, wie sie mit vom Vocoder verzerrter tiefer Stimme *This is the voice of authorrrrrity* sang.

Trotz alledem war sie einer der liebenswertesten Menschen, die Hellmann je kennengelernt hatte. Es gab außer Jill kaum einen Mitarbeiter des Instituts, soweit er bisher mit ihnen bekannt gemacht worden war, in dessen Gegenwart er sich wohler fühlte. Und es war nicht das erste Mal, daß er in seiner Pause hierherkam oder mit Elly, wie sie allgemein genannt wurde – von den böseren Zungen im Hause, da alleinstehend, mitunter auch Eleanor Rigby –, in die Cafeteria ging.

»Hallo, Dr. Hellmann«, sagte sie, als er nach kurzem Anklopfen die Tür aufmachte und sich vorsichtig einen Weg zwischen Kisten und Bücherstapeln hindurch zu ihrem Schreibtisch bahnte. Sie trug Jeans und trotz der Hitze eine langärmelige weiße Bluse. Einen Ärmel hatte sie bis zum Oberarm hinaufgekrempelt, der andere hing über den Ellbogen herab, und von Zeit zu Zeit strich sie ihn mit einer Bewegung hoch, als würde sie ein lästiges Insekt verscheuchen. Ihr feines, niedliches Gesicht war ungeschminkt, und als einziges Zugeständnis an ihre Weiblichkeit hatte sie sich einen geraden Lippenstiftstrich achtlos auf den Mund gemalt. Etwas Lippenstift war auf den Zähnen verschmiert, und Hellmann betrachtete fasziniert das cremige Rot auf feuchtem, elfenbeinfarbenem Grund; er konnte den Blick kaum abwenden, obwohl es unhöflich sein mußte, sie so anzustarren.

»Ich würde Ihnen gern einen Sitzplatz anbieten, aber Sie sehen ja –« Sie zeigte mit einer Geste hilfloser Resignation auf die schwerbeladenen Stühle.

»Nicht nötig«, sagte er, »ich muß sowieso gleich wieder weiter. Ich habe nur eine kurze Frage an Sie. Vielleicht können Sie mir weiterhelfen.«

»Schießen Sie los.«

»Es geht um einen Dr. Wentworth. Ich habe alle im Institut kennengelernt, außer ihm, und –«

»Der arbeitet nicht mehr hier«, unterbrach sie ihn, und ihm schien, als wäre die Antwort mit unziemlicher Hast erfolgt. Nach einem kurzen Blick auf den Monitor speicherte sie ihre Datei ab und lehnte sich zurück. Sie ließ den Blick kurz durch den Raum schweifen, ein aufgeschrecktes Reh, das sich erst vergewissern mußte, ob seine Umgebung sicher war, ehe es sich auf die Lichtung wagte. »Er ist etwas mehr als vierzehn Tage vor Ihrer Ankunft gegangen, Mitte Juni muß das gewesen sein.« Sie schien unschlüssig, inwieweit sie sich offenbaren sollte, fügte aber nach kurzem Nachdenken hinzu: »Und das ist wirklich jammerschade. Sie können sich nicht vorstellen, was für ein faszinierender und freundlicher Mann er war. Immer höflich, immer korrekt. Niemals mißmutig, niemals ärgerlich, kein böses Wort, stets charmant …« Sie verstummte und schien zu grübeln, wahrscheinlich über die Tatsache, vermutete Hellmann, daß sie sich wie ein verknallter Backfisch anhörte. Er nutzte die Pause.

»Und wo arbeitet er jetzt?« fragte er.

»Das weiß ich nicht.« Sie glitt mit der Zungenspitze über die Lippen, wobei ein Lippenstiftkrümel von den Zähnen auf der Zungenspitze haftenblieb. Als sie weitersprechen wollte, bemerkte sie es und entfernte das Stück geistesabwesend mit der Fingerspitze. Hellmann beobachtete alles wie ein beeindruckendes Naturschauspiel.

Sie überlegte kurz und sah mit einer Verschwörermiene zu ihm auf. »Das war überhaupt eine merkwürdige Sache. Er ist von einem auf den anderen Tag verschwunden. Ich habe ihn ... lassen Sie mich überlegen ... freitags noch gesehen ... das muß der –« Sie blätterte in dem Terminplaner auf ihrem Schreibtisch zurück und fuhr mit dem Zeigefinger über eine Seite, »– der zwölfte Juni gewesen sein, wenn ich mich recht entsinne ... und am Montag darauf kam Straczinsky und hat mir gesagt, daß ich seine Akte schließen könne, weil er nicht mehr bei uns ist. Wenn Sie mich fragen –« sie winkte ihn zu sich herunter und flüsterte mit wichtiger Miene: »Dann hat er irgendwo eine bessere Stelle bekommen. Nicht jeder hier hat ihn geschätzt. Sie wissen ja, Erfolg im Beruf, beliebt bei den Frauen ... das ruft immer Neider auf den Plan. Jemand mit seinem Charisma wäre in der Öffentlichkeitsarbeit sowieso besser aufgehoben gewesen, statt andauernd hinter verschlossenen Türen in unterirdischen Labors zu sitzen. Er schien wie geschaffen dafür, vor Fernsehkameras zu stehen und beeindruckende Vorträge zu halten, die keiner versteht.«

»Dann hat er nicht gekündigt?«

»Gekündigt? Wer hat Ihnen denn das erzählt? Nun, offiziell jedenfalls nicht.« Sie befeuchtete einen Finger mit Spucke und rieb geistesabwesend über einen gelblichen Fleck am Ärmel ihrer Bluse, der immer noch über den Ellbogen herabrutschte. »Normalerweise werde ich in so einem Fall vorher informiert, und die Personalakte wird dem neuen Arbeitgeber zugeschickt. Außerdem wären gewisse Kündigungsfristen einzuhalten und so weiter, Sie wissen schon. Von einem auf den anderen Tag verschwinden Leute nur bei einer fristlosen Kündigung. Und um fristlos gekündigt zu werden, muß man schon ordentlichen Mist bauen. Davon war aber nie die Rede. Soweit ich weiß, hielt die Geschäftsleitung ebenfalls große Stücke auf ihn.«

»Und haben Sie eine Ahnung, woran genau er gearbeitet hat?«

»Leider nicht. Außer Straczinsky selbst hat das hier offenbar niemand gewußt.«

»Verstehe. Nun, ich kann ja immer noch Straczinsky selbst fragen. Wenn er es nicht weiß, wer dann?«

»Das können Sie versuchen. Aber ich habe immer ein bißchen den Eindruck gehabt, als wäre ihm das Thema nicht gerade angenehm. Besonders zuletzt.« Sie machte eine nachdenkliche Pause. »Wenn ich es recht bedenke, vielleicht ist doch etwas vorgefallen. Aber gesagt hat niemand etwas.«

Hellmann drehte sich um, achtete darauf, keinen der Stapel umzustoßen, und ging zur Tür zurück. Mit einem Bein im Flur blieb er stehen, drehte sich noch einmal um und sagte: »Übrigens, Elly, ich brauche neue Papierrollen für die Ausdrucke. Können Sie mir sagen, wo ich die bekomme?«

»Sicher. Die können Sie sich selbst im Materiallager holen. Das ist unten im ersten Kellergeschoß. Sie fahren mit dem Lift runter, gehen nach links und den ersten Korridor wieder links. Ist ein Schild an der Tür.«

»Schlüssel?«

»Brauchen Sie nicht. Die Tür ist nicht abgesperrt.« Sie wandte sich wieder ihrem Bildschirm zu, sah aber noch einmal auf, als er ihr noch eine Frage stellte.

»Wie sieht es mit Medikamenten aus? Ich brauche eventuell ein Mittel für meine Versuche.«

»Oh, wenn Sie Medikamente brauchen, die Apotheke befindet sich auch da unten, nur drei Türen weiter.«

»Und die Tür ist auch offen? Jeder hat Zutritt und kann sich einfach holen, was er braucht?«

»Nein, in dem Fall nicht. Während der regulären Arbeitszeit sitzt jemand unten. Und falls Sie Überstunden machen, müssen Sie sich an den Hausmeister wenden. Der schließt

Ihnen auf. Sie müssen das Datum und das Medikament in die Ausgabeliste eintragen. Wenn Sie Arzneimittel für Ihre Tests verwenden, steht das in Ihrem Bericht; auf diese Weise läßt sich nachprüfen, ob die Mittel, die Sie holen, tatsächlich mit denen übereinstimmen, die Sie verwenden.« Sie schien seine fragend gerunzelte Stirn als Mißbilligung zu betrachten und sah – vermeintlich in die Defensive gedrängt – Anlaß, das System zu verteidigen. »Hören Sie, Dr. Hellmann, außer den Ärzten und Forschern bekommt niemand Medikamente ausgehändigt. Wir hatten bisher noch nicht einen Fall von Mißbrauch.«

»Das wollte ich auch nicht andeuten.« Er überlegte kurz. »Vielleicht sollte ich mich in dem Fall doch besser genau vorab informieren, was ich brauche. Dürfte ich kurz an Ihren PC?«

»Aber sicher, kein Problem. Ich wollte sowieso eine kurze Pause machen.«

Hellmann setzte sich an ihren Schreibtisch und zauberte den Bildschirmschoner, der sich inzwischen aktiviert hatte, mit einer kurzen Bewegung der Maus weg. Danach rief er die pharmazeutische Datenbank auf. Vor blauem Hintergrund leuchtete ein Menü auf, das ihm eine Vielzahl von Auswahlmöglichkeiten bot.

Er zog die Liste mit der Bildlaufleiste bis zum Buchstaben E und klickte zweimal auf den Menüpunkt Epilepsiemedikamente, während er sich zu erinnern versuchte, was er über die Behandlung dieser Krankheit wußte. »Epanutin«, sagte er schließlich. »Soweit ich mich erinnere, ist das ein Mittel, um Krämpfe zu unterdrücken. Aber wie heißt das hierzulande?« Er tippte das Wort ein und wartete einen Augenblick, während der Computer seine Datenbank durchforschte und ihn informierte, daß das Medikament in den USA unter der Bezeichnung DilantinSodium vertrieben wurde.

»Alles klar«, sagte er zu Eleanor und stand wieder auf. Die Sekretärin hatte inzwischen versucht, ein wenig Ordnung zu machen. Sie stand mit einem dicken Stapel Ordnern mitten in ihrem Büro und sah sich hilflos um. Als Hellmann die Tür erreicht hatte, warf sie einen triumphierenden Blick auf den Stuhl, den er geräumt hatte, und legte den Stapel darauf. Erst dann schien ihr aufzufallen, daß es sich um ihren eigenen Sitzplatz handelte. Hellmann grinste in sich hinein, nachdem die Tür hinter ihm ins Schloß gefallen war.

## 5

In der Stille des Kellerflurs glich jeder seiner Schritte einer präzise berechneten minimalen Explosion, deren abgehackte Detonationen sich vervielfachten, bis es sich anhörte, als wäre ihm eine ganze Armee auf den Fersen. Ellys Beschreibung folgend war er dem linken Flur gefolgt, bis ihm nach etwa vierzig Schritten eine massive Stahltür den Weg versperrte. Rechts führte ein grell ausgeleuchteter Flur schnurgerade bis zu einer Glastür, deren Aufschrift Hellmann nicht erkennen konnte, aber ein Hinweisschild direkt an der Gabelung verriet, daß es sich um die biochemischen Labors – Zutritt nur mit Ausweiskarte – handelte. Hellmann bog links ab, wo Deckenleuchten in regelmäßigen Abständen kleine Lichtinseln in der porösen Finsternis bildeten. Der Gang war so schmal, daß Hellmann beide Wände berühren konnte, wenn er die Arme ausstreckte. Die nackten Betonwände hatten etwas Beklemmendes, als würden die Enge und der meterdicke Stahlbeton den Innendruck des Untergeschosses erhöhen, und das trübe Licht schuf eine erstickende, unterseeische Atmosphäre. Gelbe, selbstleuchtende Richtungspfeile, schwebten in unregelmäßigen Abständen wie mutierte Meeresbewohner an den Wänden, als müßten sie die unzureichende Helligkeit durch eine innere Elektrizität ausgleichen. Echos des kalten Krieges durchdrangen die Korridore wie geisterhafte Schemen, obwohl das Gebäude, das einst zum nahe gelegenen Militärstützpunkt Eagle's Point gehört hatte, schon vor Jahren vom Forschungsinstitut zur zivilen Nutzung übernommen worden war. Zu den Klängen von Marschmusik, die nur in seinem Kopf ertönte und ein zwischen Geringschätzung und Heiterkeit oszillierendes Lächeln auf seine Lippen zauberte, marschierte Hellmann weiter. In Abständen tauchten die unzureichend übermalten olivgrünen Buchstaben einstiger Schriftzüge wie dunkle Fische aus einem weißen Meer empor. Hellmann zählte fast einhundert Schritte und fragte sich schon, ob er doch den falschen Flur genommen hatte und umkehren sollte, als rechter Hand eine Tür auftauchte. MATERIALLAGER verkündete ein winziges Aluminiumschild daneben.

Hellmann öffnete die Tür, und stellte fest, daß das Licht brannte. Vielleicht hat es jemand vergessen, dachte er und betrat nach kurzem Zögern einen großen Raum, fast schon eine Halle, die von Regalen in ein fast unüberschaubares Labyrinth verschachtelter enger Gänge unterteilt wurde. Jemand hatte mit schwarzem Filzstift einen groben Plan des Raums gezeichnet und die einzelnen Blocks sorgfältig mit zierlichen Großbuchstaben beschriftet.

Als er nach längerem Suchen die Papierrollen für die EEG-Ausdrucke gefunden hatte, machte er sich wieder auf den Weg zum Ausgang, nahm im Vorbeigehen noch eine Handvoll Kugelschreiber mit und wollte gerade das Licht löschen, als er ein Geräusch in dem Raum hörte.

Hellmann blieb wie angewurzelt stehen. Er wandte sich in die Richtung, aus der er glaubte, das Geräusch wahrgenommen zu haben, und horchte auf. Als er sich dem engen Korridor zwischen zwei Metallregalen näherte, hörte er etwas entfernt leise Schritte. Er sah an der Regalreihe entlang. Hatte er es sich nur eingebildet, oder war tatsächlich gerade jemand um die hintere Ecke verschwunden? Er ging zwei Reihen zurück und blieb erneut lauschend stehen. Ja, ohne Zweifel war jemand im Raum und ging mit leisen Schritten Richtung Ausgang.

Hellmann wartete und erblickte schließlich eine hochgewachsene, etwas schlaksige junge Frau, die einen weißen Labormantel trug. Als sie ihn sah, wurden die Augen der Frau groß. Sie blieb einen Moment unschlüssig stehen.

»Haben Sie keine Angst«, sagte Hellmann. »Ich wollte Sie nicht beunruhigen. Ich glaube, Sie haben mir sogar einen größeren Schrecken eingejagt.« Die junge Frau nickte mit einem nervösen Lächeln, kam näher und zwängte sich an Hellmann vorbei.

»Mein Name ist Stefan Hellmann«, sagte er. »Nichts für ungut.«

»Macht nichts«, sagte die Frau leise. »Ich hatte nur nicht damit gerechnet, hier unten jemanden anzutreffen.«

»Wissen Sie, ich auch nicht –« begann Hellmann, aber die Frau ging ohne ein weiteres Wort zur Tür hinaus. Hellmann hörte, wie sie mit raschen Schritten davonlief.

Nicht gerade ein Muster an Freundlichkeit, dachte er, löschte das Licht und trat auf den Flur hinaus. Von der jungen Frau war schon nichts mehr zu sehen; auch ihre Schritte waren verklungen.

Hellmann ging weiter den Korridor entlang. Die nächste Tür lag zwanzig Schritte entfernt – er hatte wieder genau mitgezählt –, doch zu seiner großen Enttäuschung hatte jemand ein Pappschild mit der Aufschrift »Bin erst morgen wieder da. In dringenden Fällen Hausmeister suchen« daran festgeklebt. Hellmann stand unentschlossen vor der Tür und sagte sich, daß ihm wohl nichts anderes übrigbleiben würde, als am nächsten Tag noch einmal wiederzukommen. Das Epanutin, oder DilantinSodium, brauchte er ohnehin erst nächste Woche. Er beschloß, in sein Büro zurückzugehen, um sich der weiteren Auswertung seiner Testergebnisse zu widmen. Als er sich dem Fahrstuhl näherte, registrierte er, daß die kühle Atmosphäre der Gänge sich allmählich aufwärmte, je weiter er die Tiefen des Kellers hinter sich ließ. Auf dem Rückweg zählte er seine Schritte nicht.

## 6

Kaum hatte die junge Frau ihre Abteilung erreicht, griff sie zum Telefon und wählte. Es war die Nummer von Iain McCulloghs Büro hier im Haus.

»Dr. Hellmann hat mich gesehen«, sagte sie, als McCullogh sich gemeldet hatte. »Durch Zufall. Ich war gerade unten im Materiallager, als er reingekommen ist. Ich konnte mich nicht verstecken, das wäre zu auffällig gewesen.« Sie erklärte die Situation hastig, wie unter Druck, und dachte bei sich, daß sie sich zu sehr anhörte, als wollte sie sich rechtfertigen.

»Hat er etwas gemerkt?« fragte McCullogh nur.

»Nein«, antwortete sie. »Ich hatte mir einen weißen Kittel übergestreift.« Kurze Pause. »Wahrscheinlich hat er mich für eine Laborassistentin gehalten.«

»Gut«, sagte McCullogh. »Machen Sie sich keine Gedanken.«

## 7

Durch die grelle Beleuchtung des unheilvollen Halbdunkels beraubt, wirkte der Korridor nicht mehr bedrohlich, sondern strahlte nur noch eine Atmosphäre nüchterner Zweckdienlichkeit aus, als Hellmann der Apotheke am Tag darauf noch einmal einen Besuch abstattete.

Er war schon den ganzen Vormittag nachdenklicher Stimmung. Die beiden unterschiedlichen Versionen von Dr. Wentworths Kündigung gingen ihm nicht aus dem Sinn. Außerdem fand er es merkwürdig, daß keinerlei Unterlagen über Wentworths Arbeit aufzutreiben waren und niemand zu wissen schien, womit er sich genau beschäftigt hatte. Er beschloß, Jill danach zu fragen. Es kam ihm seltsam vor, daß sie Wentworth nie erwähnt hatte, aber schließlich hatte das auch kein anderer Mitarbeiter des Instituts getan, und wenn er die alte Mitarbeiterliste nicht gefunden hätte, wüßte er vielleicht immer noch nichts von der Existenz des Mannes.

Der Assistent, der die Aufsicht über die Medikamentenvorräte hatte, saß über eine Zeitschrift gebeugt an seinem Schreibtisch. Er begrüßte Hellmann nachlässig, als wäre es eine Ungeheuerlichkeit, daß er in seiner Ruhe gestört wurde. Mit der linken Hand strich er sich eine schwarze Haarlocke aus dem schmalen Gesicht und sah Hellmann abweisend an. Als er feststellte, daß dieser seinem finsteren Blick standhielt, rang er sich doch dazu durch, ihn nach dem Grund seines Besuches zu fragen. »Was kann ich für Sie tun?«

Hellmann räusperte sich. Er fühlte sich durch das Verhalten des Mannes in die Defensive gedrängt und überlegte kurz, ob er die Situation durch eine scherzhafte Bemerkung entkrampfen sollte, beschloß aber, es sein zu lassen. Sollte der Assistent gereizt oder überheblich auf seine Worte reagieren, würde möglicherweise eine peinliche Situation entstehen. »Dilantin-Sodium«, sagte er daher nur knapp und so neutral wie möglich. »Und Einwegspritzen.«

»Augenblick.« Der Assistent ging zu seinem Schreibtisch und blätterte in einer umfangreichen Liste. Seine Finger schabten über das Papier. Nach wenigen Augenblicken kam er zurück und zuckte gleichgültig die Achseln. »Tut mir leid, sagte er. »Einwegspritzen können Sie gleich mitnehmen, aber DilantinSodium hab' ich nicht vorrätig. Müßte ich bestellen. Morgen nachmittag.«

»Ich brauche es erst nächsten Mittwoch.«

»Morgen nachmittag«, wiederholte der Assistent, als glaubte er, Hellmann hätte ihn nicht richtig verstanden oder nicht zugehört. »Nach vierzehn Uhr.«

»Hauptsache, es ist nächsten Mittwoch hier.«

»Ich ruf' gleich an«, sagte der Assistent. »Sie können es holen, wann Sie wollen. Auf welchen Namen?«

Hellmann sah ihn einen Augenblick verständnislos an. »Ihren Namen, bitte«, sagte der Assistent ungeduldig.

»Oh. Hellmann. Dr. Hellmann«, fügte er dann noch hinzu, als wäre diese Legitimation erforderlich, damit er das Medikament auch wirklich bekam.

Als sich der junge Mann an seinen Schreibtisch gesetzt und zum Telefonhörer gegriffen hatte, ließ Hellmann den Blick über den Tresen schweifen. Etwas weiter hinten lag eine dicke schwarze Kladde. Hellmann vermutete, daß die Ausgabe von Medikamenten darin quittiert wurde. Er ging zwei Schritte zur Seite und stellte fest, daß ihn der Assistent nicht mehr sehen konnte, da er nun von einem hohen Regal verborgen wurde. Er schlug das Buch so geräuschlos wie möglich auf. Der letzte Eintrag stammte vom vorherigen Tag. Er blätterte mehrere Seiten zurück. Juli ... Juni.

*Mitte Juni muß das gewesen sein*, hatte Elly gesagt. *Der zwölfte*

*Juni, wenn ich mich recht entsinne.* Hellmanns Blick glitt über das linierte Papier. Wentworths Name fiel ihm sofort ins Auge, als hätte er nur nach diesem speziellen Reiz gesucht. Am zwölften Juni, einem Freitag, war er hier gewesen und hatte sich drei Ampullen Myotoxin geholt.

»Dr. Hellmann?« Er sah erschrocken auf. Der Assistent stand hinter dem Tresen und sah ihn gleichgültig an. »Alles klar«, sagte er. »Ihr Präparat ist morgen da.« Er streckte die Hand aus und hielt ihm einen kleinen weißen Zettel mit einer Nummer darauf hin. »Sie bekommen es gegen diesen Schein.«

Hellmann bemühte sich, keinen schuldbewußten Eindruck zu machen, als er die Kladde zuschlug, seinen Abholzettel entgegennahm und sich zum Gehen wandte. Der Assistent ging zu seinem Schreibtisch, nahm die Zeitschrift zur Hand und schien froh zu sein, daß er den Störenfried endlich los war.

## 8

Hellmann saß in seinem Büro am Computer, rief die pharmazeutische Datenbank noch einmal auf und gab bedächtig das Wort »Myotoxin« ein. Als er sah, worum es sich handelte, pfiff er leise durch die Zähne.

Myotoxin, ein Digitoxin, war ein kardiogenes Medikament für Herzpatienten. Das wäre an sich nicht ungewöhnlich gewesen, aber Hellmann konnte sich keinen Reim darauf machen, wozu das Medikament dienen sollte. Das Institut war eine reine Forschungseinrichtung, Patienten wurden nicht behandelt, es sei denn, um seltene Krankheiten zu erforschen, zu denen Herzleiden ganz sicher nicht gehörten. Und drei Ampullen hätten in jedem Fall ausgereicht, um einen Menschen zu töten, auch einen gesunden.

Seine Gedanken wurden von einem Klopfen an der Tür unterbrochen, kurz darauf betrat McCullogh den Raum. Er studierte Hellmanns Büro, bis er auf den an der Pinnwand festgesteckten Abholschein der Apotheke stieß. »Man hat mir gesagt, daß Sie ein Epilepsiemedikament angefordert haben«, sagte er unvermittelt. »Dürftc ich fragen, ob Sie es für Ihre Arbeit brauchen? Sie haben doch hoffentlich nicht –«

»Selbstverständlich nicht«, sagte Hellmann. »Es ist nicht für mich, ich brauche es tatsächlich für meine Arbeit. Ich habe bei der Auswertung des Tests mit Kathy Myers festgestellt, daß sich in allen Fällen, wo sie eine Karte richtig erkannt hat –« Er verstummte und sah McCullogh an. »Sie sind mit dem Kartentest vertraut?«

McCullogh nickte.

»Gut. Jedesmal, wenn ich eine Karte angesehen habe und sie hat sie richtig erkannt, zeigt mein EEG ein erhöhtes Krampfpotential, wie es bei Epileptikern nicht untypisch ist.« McCullogh, der den Kopf gesenkt hatte, sah ihn rasch und mit einem skeptischen, durchdringenden Blick an. »Keine Sorge, die Potentialschwankungen sind minimal, es besteht keinerlei Befürchtung, daß es zu einem echten epileptischen Anfall kommen könnte. Ich möchte wissen, ob tatsächlich ein Zusammenhang zwischen diesen Krampfpotentialen besteht. Aus diesem Grund werde ich bei der nächsten Sitzung das DilantinSodium nehmen.« Er machte eine Pause und sah McCullogh an. Als er fortfuhr, hatte sein Gesicht einen nachdenklichen Ausdruck angenommen, und ein Funkeln leuchtete in seinen Augen. »Das Medikament lähmt die inhibitorischen Zentren des Gehirns. Wenn ich recht habe und ein Zusammenhang zwischen den erhöhten Krampfpotentialen und ihrem telepathischen Kontakt besteht, müßte dieser Kontakt weitaus leichter vonstatten gehen und eine noch höhere Trefferquote erzielen.«

McCullogh nickte. »Ich verstehe«, sagte er. Hellmann forschte in seinem Gesicht nach einer Reaktion, einer verborgenen Erkenntnis, einem Argwohn, fand aber nichts. Der Mann schien überhaupt nicht zu begreifen, daß Hellmann ihm gerade völligen Unsinn erzählt hatte.

»Nun, das klingt alles ausgesprochen interessant«, sagte McCullogh. »Ich bin gespannt auf Ihren Bericht.«

»Ich hoffe, ich konnte Ihre Fragen klären. Falls Sie noch mehr wissen wollen, Kathy kommt nächsten Mittwoch wieder. In einer Woche dürften die Ergebnisse vorliegen.«

McCullogh verabschiedete sich und ging zur Tür. Hellmann sah ihm nach. »Mr. McCullogh«, rief er, als der Mann das Zimmer schon fast verlassen hatte. McCullogh drehte sich im Türrahmen um.

»Ja?« sagte er.

»Können Sie mir sagen, ob Dr. Wentworth einen Herzfehler hatte?«

»Ob er einen …? Wie kommen Sie darauf?«

»Ich dachte mir, da Sie offensichtlich genauestens darüber informiert zu sein scheinen, was die einzelnen Mitarbeiter des Instituts tun und lassen, könnten Sie mir vielleicht erklären, weshalb sich Dr. Wentworth ausgerechnet an seinem letzten Arbeitstag hier im Institut größere Mengen eines kardiogenen Medikaments geholt hat, das man normalerweise Herzkranken verabreicht.« Er verstummte kurz und überlegte, worauf er, teils als wissentliche Provokation, noch hinzufügte: »In einer Dosierung, möchte ich betonen, die auch einen gesunden Menschen töten würde.«

McCullogh sah Hellmann mit einem stechenden Blick an, der ihn zu durchbohren drohte. Er kam zwei Schritte in das Zimmer zurück. »Dr. Hellmann«, sagte er. »Sie scheinen mir ein ungesundes Interesse für Dr. Wentworth zu entwickeln. Ich habe nicht die geringste Ahnung, ob er einen Herzfehler hatte, und ich kann Ihnen nichts weiter über den Mann sagen. Außer, daß er nicht mehr hier arbeitet. Ich bin sicher, wenn die Situation es erfordert, wird man Sie mit Wentworths Forschungen vertraut machen. Ich denke, bis dahin wäre es besser für Sie, Ihre Energie auf die Arbeit zu konzentrieren, für die Sie bezahlt werden. Guten Tag.«

Hellmann sah ihm fassungslos nach. Daß sich McCullogh offenbar hinter seinem Rücken über seine Aktivitäten erkundigte und nicht einfach zu ihm selbst kam, schien ihm an sich schon eine Ungeheuerlichkeit zu sein, aber daß er mehr oder weniger unverhohlen eine Drohung gegen ihn aussprach, und als solche empfand er McCulloghs Worte fast gegen seinen Willen, erfüllte ihn mit einem Gefühl des Irrationalen. Er kam sich bespitzelt, hintergangen und belogen vor. Die Atmosphäre seiner neuen Wirkungsstätte schien sich mit einem Mal verdüstert zu haben.

Hinzu kam, daß McCullogh nicht gemerkt hatte, daß er ihm gerade eben völligen Unsinn über die Wirkung von Epanutin erzählt hatte. Was immer der Mann sein mochte, eines war er mit Sicherheit nicht: Wissenschaftler.

## 9

Am nächsten Tag fuhr Hellmann eine Minute nach vierzehn Uhr mit dem Lift ins erste Kellergeschoß hinab, zeigte dem Assistenten in der Apotheke – diesmal handelte es sich um einen anderen jungen Mann, der weitaus freundlicher zu sein schien – den Abholschein, unterschrieb, bekam sein Medikament und seine Einwegspritzen ausgehändigt und machte sich auf den Rückweg. Als er den Fahrstuhl wieder betrat, zögerte er. Er verweilte mit dem Finger über dem Knopf für das Erdgeschoß, schien einen Entschluß zu fassen und drückte statt dessen den Knopf mit der Bezeichnung B2.

Unwillkürlich sah er sich verstohlen um, ob ihn jemand beobachtete. Das war unmöglich – Schritte hallten laut in den Korridoren; wenn ihm jemand gefolgt wäre, hätte er ihn hören oder sehen müssen.

Die seltsamen Begleitumstände von Dr. Wentworths Weggang vom Institut ließen ihm keine Ruhe. Die unterschiedlichen Versionen, die McCullogh und Elly ihm erzählt hatten, störten ihn nicht besonders; er wußte, wie schnell Gerüchte und Halbwahrheiten die Runde machten, wenn etwas Unvorhergesehenes geschah. Doch er hatte den Eindruck gehabt, als wäre McCulloghs ausweichende Art kalkuliert gewesen. Der Mann wußte mehr, als er sagen wollte. Nicht zu vergessen die unterschwellige Drohung. Und die Tatsache, daß sich Wentworth an seinem letzten Tag im Institut ein Medikament geholt hatte, das in der entsprechenden Dosierung praktisch zum sofortigen Tod führte, trug nicht dazu bei, Hellmanns Argwohn zu zerstreuen. Und dann der Hinweis, daß sich ein Toter in der Pathologie befand, die, wie man ihm von unterschiedlicher Seite versichert hatte, derzeit angeblich gar nicht in Benutzung war; das alles hatte eine Kette unheilvoller Assoziationen ausgelöst, die ausnahmslos um den geheimnisvollen Dr. Wentworth kreisten.

Die Fahrstuhlkabine kam zum Stillstand. Dunkelheit kroch unter dem Türschlitz herein. Die Tür ging auf und gab den Blick in eine undurchdringliche Finsternis frei. Das schwache Licht der Deckenlampe in der Kabine besaß nicht genügend Kraft, auch nur einen Umkreis von zwei Metern um die Tür herum in erträgliches Halbdunkel zu tauchen. Zögernd, hin und hergerissen zwischen dem Wunsch, einfach alles auf sich beruhen zu lassen und wieder nach oben zu fahren, und seinem Wunsch, dem Rätsel auf den Grund zu gehen, ging Hellmann einen Schritt aus der Liftkabine hinaus und tastete mit den Händen rechts und links von der Tür nach einem Lichtschalter, fand aber nur den Rufknopf für den Lift.

Er blieb weiter unentschlossen stehen. Die Luft war stickig und abgestanden, wirkte zäh und dicht, als würde sie von den Gesteins- und Sandmassen ringsum und den oberen Stockwerken des Instituts zusammengedrückt. Hellmann dachte an Ramons Worte. *Es führt nur ein Korridor vom Fahrstuhl zur Halle*, hatte der Hausmeister gesagt. *Die Tür ist direkt gegenüber vom Lift, und dann folgt man nur dem Flur bis zur nächsten Tür. Man kann sich nicht verlaufen.*

Hellmann holte tief Luft und ging entschlossen weiter in die Finsternis. Die Lifttür schloß sich mit einem leisen Zischen. Er hatte das Gefühl, als wäre er endgültig und unwiderruflich von der Welt abgeschnitten worden. Es fiel ihm schwer, sich in der Dunkelheit zu orientieren, doch er bemühte sich, geradeaus zu gehen, damit er die Tür gegenüber nicht verfehlte. Nach zehn Schritten drehte er sich um. Die winzige Lampe über der Fahrstuhltür bildete seinen einzigen Orientierungspunkt, ein lichtschwacher Leitstern in einem schwarzen, orientierungslosen Raum. Nach weiteren zehn Schritten erlosch auch er. Hellmann streckte die Hände vor sich aus, damit er nicht gegen die Tür stieß, die sich direkt vor ihm befinden sollte. Obwohl er die Füße bewegte, wußte er nicht, ob er überhaupt vom Fleck kam. Seine Umgebung schien sich nicht zu verändern. In der undurchdringlichen Finsternis hatte er keinen Anhaltspunkt. Dreißig Schritte. Fünfunddreißig. Bei vierzig stieß seine ausgestreckte rechte Hand auf eine glatte Metalloberfläche. Er strich mit der Handfläche darüber, bis er einen Griff gefunden hatte.

Zum erstenmal kam ihm in den Sinn, daß sich jemand in der Leichenhalle aufhalten könnte. Was sollte er sagen, um seine Anwesenheit zu erklären? Andererseits, wenn sich jemand hier unten aufhalten würde, wäre mit Sicherheit die Beleuchtung eingeschaltet worden.

Er drückte den Türgriff nieder, zog die schwere Tür auf und betrat den Korridor dahinter. Schwache Neonröhren einer unzureichenden Notbeleuchtung erstreckten sich in regelmäßigen Abständen rechts und links an den Wänden entlang. Sie schienen sich einander anzunähern und verschmolzen weit entfernt zu einem einzigen, kaum mehr erkennbaren Streifen. Unmittelbar hinter der Tür verlief ein dickes Stromkabel vertikal von der Decke bis zum Boden. Hellmann definierte das Kabel als Y-Achse eines Koordinatensystems und bewegte sich auf der X-Achse des Korridors die Skaleneinheiten der Lampen entlang, womit er das schwarze Einstein-Kontinuum des dunklen Raumes endgültig hinter sich ließ und wieder ein Newtonsches Universum definierter und meßbarer Bewegung relativ zu einem gegebenen Bezugssystem betrat.

Der Korridor erstreckte sich über eine Länge von rund zwanzig Metern, dann folgte eine zweite Metalltür, die sich, weiß lackiert, wie ein Gespenst aus dem Halbdunkel schälte. Die Buchstaben der Aufschrift PATHOLOGIE darauf wirkten unnatürlich schwarz, wie mit Säure eingeäzte Löcher in einer Emailleplatte. Hellmann öffnete die Tür und betrat einen weiteren finsteren Raum, in dem lediglich ein winziges rotes Licht leuchtete, das ihn wie ein Zyklopenauge ansah. Es gelang ihm tastend den Lichtschalter zu finden, aber als er darauf drückte, tat sich nichts. Offenbar wurde die gesamte Beleuchtung dieses Kellergeschosses von einem zentralen Sicherungskasten aus geschaltet.

Hellmann wußte nicht, ob er noch einmal die Nerven aufbringen würde, sich in den Keller zu wagen, wenn er jetzt nach oben zurückkehrte, um entweder die Beleuchtung einzuschalten oder sich eine Taschenlampe zu holen. Er suchte in seinen Taschen und fand schließlich ein Streichholzheft – ein Werbegeschenk des Imbißrestaurants in der Stadt, wo er ab und zu mit Amy aß. Er brach ein Streichholz ab und zündete es an.

Der Zündkopf glitt mit einem Geräusch wie reißendes Papier über die Reibefläche. Beißender Schwefelgeruch stieg Hellmann in die Nase, aber keine Flamme loderte auf. Er versuchte es erneut und mußte an Fingernägel denken, die über einen Teller kratzten, als er das Streichholz zum zweitenmal über die Reibefläche zog. Hellmann bekam eine Gänsehaut. Vorsichtig hielt er das brennende Streichholz mit einer Hand und drehte sich mit ausgestrecktem Arm einmal um sich selbst.

Drei Wände waren vom Boden bis zur Decke gekachelt. Makellos polierte Chromtische mit Abflußrinnen für Blut standen in der Mitte des Raumes. Ein schwacher Restgeruch nach Formaldehyd und Desinfektionsmitteln hing in der Luft. Gegenüber eine zweite Tür, unbehandeltes Metall mit einem Sichtfenster. Hellmann ging hin und sah hinein. Die klobigen, vagen Umrisse eines Ofens zur Einäscherung sterblicher Überreste, mit denen nicht einmal die Wissenschaft mehr etwas anfangen konnte, beherrschten die kleine angrenzende Kammer. Hellmann drehte sich zur vierten Wand um und schüttelte das Streichholz aus. Er wartete einen Augenblick, während er in die Dunkelheit horchte, aber nur seinen eigenen Herzschlag laut in den Ohren pochen hörte, und steckte das abgebrannte Hölzchen in die Tasche seines weißen Laborkittels, da er keine Spuren hinterlassen wollte.

*Wahrscheinlich fängt der Stoff Feuer*, dachte er bei sich. *In wenigen Sekunden brenne ich lichterloh, der Feueralarm und die Sprinkleranlage werden ausgelöst, und innerhalb von zwei Minuten steht das halbe Personal da und fragt mich, was ich hier zu suchen habe.*

Türen, etwa achtzig mal sechzig Zentimeter groß, fünf in einer Reihe, vier Reihen übereinander, beherrschten die vierte Wand, wie er im schwachen Licht des zweiten Streichholzes erkennen konnte. Jede Tür war mit einem halbkugelförmigen Licht versehen, aber nur eines davon brannte – das rotglühende Zyklopenauge, das er beim Eintreten gesehen hatte.

Zögernd schritt Hellmann auf die Kühlfächer zu. Eine gewisse Angst vor seiner eigenen Courage erfüllte ihn. Aber nachdem er so weit gekommen war, wollte er nicht unverrichteter Dinge wieder umkehren. Mit einer entschlossenen Bewegung zog er die Tür des Kühlfachs auf. Das Streichholz erlosch in dem Luftzug.

Kälte schlug ihm entgegen. Eine Gestalt lag mit einem Leichentuch bedeckt in dem Fach. Hellmann zog die Rollbahre ein Stück heraus und rieb das dritte Streichholz mit einer ruckartigen Bewegung des Handgelenks an dem Heftchen. Der Kopf brach ab und fiel hinunter. Fluchend zündete Hellmann ein weiteres an und bückte sich, konnte das abgebrochene Stück aber nirgends sehen. Er beschloß, keine weiteren Hölzer für die Suche zu vergeuden, da er nicht wußte, wie viele er insgesamt bei sich hatte, und beugte sich wieder über die Rollbahre.

Als er das nächste Streichholz anzündete, sah er im Licht der Flamme, wie sein Atem, den er in das Kühlfach blies, in der Kälte kleine Kondenswölkchen bildete. Die Wölkchen strichen wie Bodennebel über das weiße Leichentuch dahin, von dessen Stoff sie schließlich aufgesogen wurden. Die Umrisse eines Menschen zeichneten sich überdeutlich unter den Falten des Tuches ab. Hellmann rollte die Bahre noch ein Stück heraus und hob das Tuch in die Höhe.

Ein Mann lag nackt unter dem Stoff. Auf den ersten Blick schien er keinerlei äußere Verletzungen aufzuweisen. Hellmann zog die Bahre ganz heraus und ließ den Blick über den Toten schweifen, mied aber das Gesicht, so gut er konnte, als fürchtete er, seines unrechtmäßigen Eindringens wegen strafende oder mißbilligende Blicke zu ernten. Der Körper sah wächsern und gelblich aus, wahrscheinlich von der Kälte. Ein vorschriftsmäßiger Identifikationszettel hing an einem um die große Zehe des rechten Fußes gebundenen Faden, doch bevor Hellmann lesen konnte, was darauf stand, spürte er

Hitze an den Fingern und schüttelte heftig die Hand. Das Streichholz erlosch.

Hellmann steckte es in die Tasche, zündete ein weiteres an und legte das Heft auf den Toten. Er hob den Zettel am Fuß hoch und entzifferte ohne große Überraschung den Namen. SAMUEL WENTWORTH stand dort in eckigen schwarzen Großbuchstaben.

# Kapitel zwei
## *Neue Ufer*

### 1

Die schlechten Stoßdämpfer des Autos verstärkten sämtliche Unebenheiten der Straße zu einem unablässigen Schaukeln, das Amy an schwachen Seegang bei einer milden Brise erinnerte. Sie saß auf dem Rücksitz, und in ihrer Reglosigkeit gelang es ihr nicht mehr, Erschöpfung und Müdigkeit zu entfliehen, die sie zuvor die ganze Zeit durch kontinuierliche Bewegung auf Distanz gehalten hatte. In der Nacht vor ihrem Abflug hatte sie vor Aufregung keinen Schlaf gefunden, und inzwischen war sie seit über fünfundzwanzig Stunden auf den Beinen und konnte kaum noch die Augen offenhalten.

Wolf hatte sich neben ihr auf der Rückbank ausgestreckt, den Kopf auf ihrem Schoß liegend, und schnaufte leise. Obwohl es in dem Auto drückend heiß war und sie mit Wolf an ihrer Seite noch mehr schwitzte, schob sie ihn nicht weg. Er hatte während des Fluges genug durchgemacht, und sie freute sich, daß sie ihn wiederhatte.

Das wechselhafte Licht- und Schattenspiel der Sonne, die durch das Laub von Bäumen schien und eine Zeitlang dunkle Flecken auf das Rot hinter Amys geschlossenen Lidern gezaubert hatte, war längst einem konstanten, gleißenden Leuchten gewichen. Wenn sie die überreizten Augen kurz aufschlug und einen Blick nach draußen riskierte, sah sie nur verkrüppelte Büsche und Stauden am Straßenrand, deren Umrisse als blitzende, blauweiße Phantombilder auf den Innenseiten ihrer Lider tanzten, wenn sie die Augen wieder schloß. Die Vegetation, an die sie sich erinnerte – Schnörkel grüner Girlanden, die über den Sandboden gespannt zu sein schienen –, war längst hinter ihnen zurückgeblieben. Sie konnte nicht lange hinausschauen, nicht nur wegen des blendenden Lichts, sondern weil es ihr in ihrer Müdigkeit vorkam, als würde ihr aller Sand von draußen auf die Netzhäute geweht werden.

Inzwischen mußten sie den Flughafen von Los Angeles, wo sie vor einer, zwei, einer halben oder auch drei Stunden mit dem Flugzeug aus Deutschland eingetroffen waren, schon viele Kilometer hinter sich gelassen haben. Aus einem unerfindlichen Grund betrachtete sie diesen Flughafen als letzte Verbindung zu ihrer alten Welt, ihrem alten Leben, und sie sah sich selbst am Ende einer langen Nabelschnur, die sich von den Schalterhallen des Terminalgebäudes bis hierher in dieses fremde Auto erstreckte – eine Nabelschnur, die sich mit jedem verrinnenden Kilometer weiter dehnte und dünner wurde. Amy wußte, der Augenblick, an dem die Verbindung endgültig reißen würde, konnte nicht mehr in allzu ferner Zukunft liegen.

Sie erinnerte sich an einen fernen Tag in einem anderen Land, einer anderen Zeit. Sie selbst war zehn, Wolf gerade ein Jahr alt geworden, ein pelziges, quirliges Energiebündel, das den ganzen Tag beschäftigt sein wollte. Es regnete, und Amy saß den ganzen Samstagvormittag am Fenster und wartete, bis es aufhören würde. Ab und zu stand Wolf auf, lief zur Kiste mit seinen Spielsachen und brachte ihr einen Ball. Wenn sie nicht gleich hinsah, drückte er ihr das Spielzeug so lange an die Hüfte, bis sie ihm ihre Aufmerksamkeit schenkte, und sah sie mit einem vorwurfsvollen Blick seiner braunen, feuchtglänzenden Augen an, als wollte er sie darauf hinweisen, daß es längst Zeit für einen Spaziergang war.

Sie versuchte, den Hund so gut es ging zu beschäftigen, indem sie ihm den Ball durch die Zimmer warf, aber es war nur ein kümmerlicher Ersatz für wilde Jagden über Wiesen und Felder. Schließlich hörte der Regen auf, und sofort zog Amy Gummistiefel und ein Regencape an. Sie streifte Wolf das Halsband über und lachte, weil er schon erwartungsvoll an der Haustür stand und mit dem Schwanz wedelte, als sie aus der Küche zurückkam, wo sie ihrer Mutter gesagt hatte, daß sie spazierengehen würde.

Sie lief mit dem Hund die Straße entlang, die zum Ortsrand führte. Die Regenrinne am Haus der Hamsuns war kaputt; um das Ablaufrohr herum hatte sich eine große Pfütze in dem sandigen Boden gebildet. Die ersten Vögel, die sich nach dem Regen wieder aus ihren Verstecken wagten, tummelten sich in dem dunkelbraunen Wasser und putzten ihr Gefieder. Wolf sah zuerst die Vögel an, aufgeregt und erwartungsvoll, dann schaute er fragend zu Amy auf, die den Kopf schüttelte. Nein sollte das heißen, keine Vögel jagen. Wolf zögerte einen Moment, fügte sich aber schließlich und trottete ihr hinterher, nicht ohne mehrmals sehnsüchtige Blicke zurück auf die badenden Vögel zu werfen.

Kaum hatte Amy den Ortsrand hinter sich gelassen, schien sie eine andere Welt zu betreten. Überall roch es nach nassem Gras, graue Regenwolken hüllten die Felder und den nahen Waldrand in geheimnisvolle Schatten, aber unmittelbar über ihr war die Wolkendecke bereits aufgebrochen; die Sonne schien mit der grellen, stechenden Intensität, die man häufig nach Gewittern beobachten konnte. Ihr Licht spiegelte sich in Millionen Regentropfen auf Grashalmen und Blättern, Ästen und Zweigen, so daß ein smaragdfarbenes Funkeln die Wiesen einhüllte.

Für Wolf gab es kein Halten mehr. Er lief den Weg entlang, verließ ihn aber schon nach wenigen Schritten und preschte über die Wiese. Amy sah, wie er von einem grünen Strahlenkranz eingehüllt wurde. Er versetzte Grashalme in Bewegung, die ihre Regenlast abschüttelten und, ihres märchenhaften Zaubers beraubt, wieder zu gewöhnlichem Gras auf einer gewöhnlichen Wiese wurden. Nicht lange, und der Hund warf sich in das hohe Gras und wälzte sich vor Wonne ächzend und schnaubend darin. Als Amy leise pfiff, sprang er in die Höhe und schüttelte sich das Wasser aus dem Fell.

Sie schlenderte mit Wolf am Waldrand entlang. Der Hund schnupperte an jedem Zentimeter des Bodens und sog die neuen, interessanten Gerüche von feuchter Erde, nassem Laub und unbekannten Pilzen auf.

Als Amy die nächste Biegung des Weges umrundete, wo die nassen Äste der Nadelbäume den Blick auf die weitläufige Wiese freigaben, blieb sie wie angewurzelt stehen. Das regennasse Gras erstreckte sich bis zu den Bäumen, die die Wiese auf der anderen Seite begrenzten. Helles Sonnenlicht schien vom

Himmel herab. Die Wolken waren teilweise aufgebrochen und bildeten ein phantastisches Panorama zerklüfteter Gebirge und terrassenförmiger Hochebenen mit prachtvollen japanischen Gärten. Wasserfälle dunstiger Wolken fielen von hohen Berggipfeln herab und lösten sich als Gischt in den Vorgebirgen der Wolkenmassive auf. Schräge Bergwiesen lagen einsam unter schroffen Zinnen und Steilhängen, deren Wasserdampfklippen im Sonnenschein solide und seltsam scharfkantig wirkten.

Der Weg, sah Amy, führte direkt zu einer Öffnung in der Wolkendecke am Horizont, und sie schritt unbeirrt darauf zu, da sie sich einbildete, wenn sie nur weit genug gehen würde, könnte sie die Erde verlassen, das Wolkenreich betreten und zwischen den weißen, leuchtenden Landschaften dahinlaufen. Es war ein verlockender Gedanke, ein Land ganz für sich allein zu haben, und sie stellte sich vor, daß sie einsam wie Robinson Crusoe, dessen Abenteuer ihr Vater ihr abends vor dem Einschlafen im Bett vorgelesen hatte, durch die flauschigen Weiten schreiten und die Wunder der unbekannten Länder erforschen würde.

Doch so weit sie auch ging, der Zugang zu dem Land der Verheißung schien stets von ihr wegzurücken. Er blieb unerreichbar fern am Horizont. Amy fühlte sich in Wolfs Begleitung sicher, doch als sie den Ortsrand nur noch vage als rote Ziegeldächer vor grünem Grund erkennen konnte, rief sie ihren Hund und machte sich auf den Rückweg.

Wolf überholte sie und tollte vor ihr her, sie aber warf immer wieder einen Blick zurück. Eine Zeitlang verweilten die Wolken scheinbar am Himmel, als wollten sie sie einladen, doch noch zu kommen, dann verwehte der Wind sie langsam, und der Eingang zu dem flüchtig erblickten Märchenreich schloß sich wieder.

Obwohl es Amy nicht gelungen war, das verzauberte Land am Himmel zu erreichen, vergaß sie es nie wieder, und später, in Zeiten der Einsamkeit, wenn Probleme sie plagten oder Sorgen sie quälten, besuchte sie es häufig in ihrer Phantasie. Wolkenland nannte sie es, und es war stets für sie da, wenn sie der Wirklichkeit einmal für eine kurze Zeit entfliehen wollte.

Amy schüttelte die Erinnerung ab und bemühte sich, ihren schläfrigen Verstand in die Gegenwart zurückzuholen. Sie schlug die Augen auf und sah sich um. Vor ihr, vor der Windschutzscheibe, erstreckte sich eine scheinbar endlose, schnurgerade schwarze Linie, und der Blick durch die Heckscheibe zeigte ihr ebenfalls nur das endlose schwarze Band der asphaltierten Straße, die ockerfarbene Sanddünen durchschnitt. Rechts und links erstreckte sich eine sandige Wüstenlandschaft, die einförmig und zweidimensional vorüberzog. Wir bewegen uns gar nicht, dachte Amy. Der Motor läuft, und das Auto steht still, und irgend jemand zieht eine bemalte Kulisse vorbei, um den Eindruck von Bewegung zu erzeugen. Einen Augenblick fühlte sie sich fast wie in einen Roman von Philip K. Dick, dann kicherte sie kurz und lehnte sich wieder zurück.

Ihr Vater unterhielt sich mit der Frau, die sie am Flughafen abgeholt hatte – Jill Sowieso –, aber Amy bekam nur Bruchstücke des Gesprächs mit. »… übermüdet …« verstand sie, und »… seit einer Ewigkeit auf den Beinen … Hund … erschöpft …« Sie wollte fragen, wer Gegenstand der Unterhaltung war, sie oder Wolf, wollte entrüstet von sich weisen, daß sie erschöpft und übermüdet sei, wo es doch die Wunder eines neuen und fremden Landes zu bestaunen galt, doch irgendwie schien die Zunge ihr nicht recht gehorchen zu wollen, und je länger sie sich bemühte, eine Antwort zu artikulieren, desto weniger schien es ihr der Mühe wert zu sein.

Der Himmel über Kalifornien war makellos blau und klar, und so sehr sie auch suchte, sie fand kein Wolkenland, das sie besuchen konnte. Sie sah noch einmal zur Heckscheibe hinaus in die wirbelnde Staubwolke und spürte, daß die Nabelschnur zum Flughafen, und damit zu ihrer alten Heimat, im Lauf der letzten paar Minuten unbemerkt gerissen war. Nun waren sie und ihr Vater wirklich allein und auf sich gestellt in diesem unbekannten, staubigen Niemandsland.

## 2

Trotz ihrer Müdigkeit konnte Amy nicht mehr schlafen. Wolf atmete gleichmäßig auf ihrem Schoß und zuckte ab und zu träumend mit den Pfoten. Eine Zeitlang folgte sie der Unterhaltung ihres Vaters mit der Frau, die offenbar Ärztin war… Shepherd, dachte sie. Die Frau hatte sich als Jill Shepherd vorgestellt. Das Institut, wo Amys Vater in zwei Wochen seine neue Stelle antreten sollte, hatte die Frau geschickt, um sie beide am Flughafen abzuholen.

Als die Straße eine leichte Biegung machte, spiegelte sich das Sonnenlicht gleißend in der Seitenscheibe des Autos, und dieses Gleißen löste eine andere Erinnerung in Amy aus. Sie lehnte sich zurück, während das Gespräch der beiden auf dem Vordersitz zu einem gedämpften Murmeln wurde und schließlich völlig verstummte. Die gleißenden Fensterscheiben…

Die gleißenden Fensterscheiben des Flughafens von Los Angeles sahen im Sonnenschein aus wie funkelnde Diamanten. Amy wandte den Blick ab und versuchte, sich auf die Hinweisschilder zu konzentrieren. Nicht, daß es notwendig gewesen wäre. Absperrungen und Geländer aus fleckigem Chrom, in das sich die fettigen Fingerabdrücke ganzer Heerscharen von Passagieren unentfernbar eingefressen hatten, teilten die Durchgänge ab, so daß man wenig Möglichkeiten hatte, sich zu verlaufen. Sie stolperte erschöpft von dem langen Flug hinter ihrem Vater her, der sich an den Richtungspfeilen zur Gepäckausgabe – »Luggage claim« las sie im Vorbeigehen – orientierte.

Rings um sie herum strömten die Passagiere des Fluges von Frankfurt an ihr vorbei und verbreiteten den Geruch von ungelüfteter Kleidung vermischt mit dem Zitronenduft der heißen Erfrischungstücher, die ihnen die Stewardessen kurz vor der Landung gebracht hatten. Murmelnde Stimmen erwartungsvoller Vorfreude waren allerorten zu hören, doch Amys Stimmung war seltsam gedämpft. Sie fühlte sich ein wenig verloren in den einförmigen Durchgängen, von denen einer dem anderen glich, und da es ihr schwerfiel, sich zu orientieren, folgte sie ihrem Vater blind.

Sie wußte nicht, wie viele Ecken und Abzweigungen sie hinter sich hatten, als sie die große Halle der Gepäckausgabe erreichten. Ihre Sohlen klebten an dem schmutzigen schwarzen Fließenboden, aber sie war froh, daß sie wenigstens den geschmacklos grellbunten Teppichboden der Ankunftshalle nicht mehr sehen mußte. Ihr Vater suchte gewissenhaft nach ihrer Flugnummer über den Gepäckförderbändern. *Dort, wo alle anderen Passagiere auch anstehen,* wollte sie ihm sagen, ließ es aber.

Eine ansehnliche Menschenmenge hatte sich um das Förderband ihres Fluges versammelt. Amy erkannte das junge Paar mit den beiden Kindern, die unmittelbar vor ihnen gesessen hatten, doch der größte Teil der Leute war ihr fremd, obwohl sie über acht Stunden auf engstem Raum mit ihnen verbracht hatte.

Sie ließ den Blick schweifen, und es dauerte ein wenig, bis sie merkte, daß ihr Vater zu ihr sprach. Sie drehte sich zu ihm um. »Bitte?« entgegnete sie verschlafen.

»Ich sagte, du setzt dich am besten da drüben auf einen der Stühle«, sagte Stefan Hellmann und nickte zu einer Reihe von schwarzen Plastikstühlen zwischen zwei Betonsäulen.

»Ich habe gerade acht Stunden gesessen«, erwiderte Amy, aber da ihr Vater nur weiter freundlich in Richtung der Stühle nickte, war sie nicht sicher, ob sie es tatsächlich laut ausgesprochen hatte. Sie fügte sich wortlos und schlurfte zu der Stuhlreihe. Das Sitzen tat dennoch gut, und irgendwie schaffte sie es sogar, ihre bleischweren Füße zu sich zu ziehen und unter der Sitzfläche zu verschränken, damit niemand im Vorbeigehen darüber stolpern würde.

Nach einer Weile wurde ihr langweilig, und als die ersten Gepäckstücke aus der Wandöffnung auf das Förderband purzelten, das sich summend in Bewegung setzte, vertrieb sie sich die Zeit damit, zu erraten, welches Gepäckstück zu wem gehören mochte.

Ein riesiger brauner Überseekoffer, der wie ein Veteran zahlreicher Fernreisen aussah, verkantete sich in der Öffnung, wodurch sich ein Rückstau bildete. Als der Koffer schließlich doch herunterrutschte, lag er feist und verbissen wie ein grimmiges Walroß auf dem schwarzen Gummibelag und schien mit seinem Mißmut die kleineren Reisetaschen und Gepäckstücke – darunter Schminkköfferchen und zwei verschnürte Pappkartons – in respektvoller Distanz zu halten. Am hinteren Ende des Förderbands stand ein vierschrötiger und stiernackiger Mann mit dem albernsten Filzhut, den Amy je gesehen hatte, und sie dachte sich, daß das Kofferungetüm nur ihm gehören konnte. Als der Mann den Riesenkoffer tatsächlich unter Mühe vom Förderband wuchtete und obendrein auf Rollen am Handgriff hinter sich herzog wie einen widerspenstigen Hund, lachte sie laut auf, verstummte aber gleich wieder verlegen, als einige der anderen wartenden Passagiere in ihre Richtung sahen und zu ergründen versuchten, was ihren Heiterkeitsausbruch ausgelöst haben könnte.

Eine altjüngferliche Frau in einem Kostüm, wie es irgendwann einmal modisch gewesen sein mochte, möglicherweise vor dem Krieg oder während der letzten Eiszeit, sah sich suchend um. Amy ließ den Blick über das Förderband schweifen und teilte ihr einen schlanken, blitzsauber geputzten Damenkoffer zu, der aufrecht und hochnäsig mit Abstand zu allen anderen im Kreis herumfuhr, aber zu ihrer Enttäuschung nahm die Frau eine faltige Reisetasche aus blauem Stoff und warf sie achtlos auf einen Kofferkuli.

Ein Mann in mittleren Jahren, an den sich Amy deutlich aus dem Flugzeug erinnerte, weil er in der letzten Reihe der Nichtraucherabteilung gesessen und sämtliche Raucher mit finsteren Blicken bedacht hatte, als könnte er sie dadurch bewegen, ihrer Gewohnheit abzuschwören, rückte sich die ohnehin perfekt sitzende Krawatte zurecht, ließ seine Frau und ihre drei Kinder in einer Reihe antreten – das jüngste, das unentwegt quengelte, nahm die Frau auf den Arm – und strich sich die Falten seines Jacketts glatt, als er ans Förderband trat, wo er sorgfältig darauf achtete, nicht mit den anderen Passagieren in Kontakt kommen, als fürchtete er, deren zerknautschte und schmuddelige Kleidung könnte irgendwie ansteckend sein und seinen gebügelten Anzug mit einem Knitter-Virus infizieren.

Ganz klar, dachte Amy. Zwischen den zahlreichen Gepäckstücken verteilt befanden sich insgesamt vier schwarze Samsonite-Koffer, allesamt in tadellosem Zustand, jeder fein säuberlich mit einem Etikett beschriftet, auf dem ohne Zweifel Name und Anschrift des Besitzers stand. Die können nur dir gehören, Bügelfalte, dachte sie und sah den Mann noch einmal an. Und ich wette, du legst auch dein Klopapier rechtwinklig zusammen, bevor du es benützt. Auch dieser Gedanke löste einen unbändigen Heiterkeitsausbruch aus, doch diesmal hielt Amy in weiser Voraussicht beide Hände vor den Mund.

Sie hielt nach ihrem Vater Ausschau, aber offenbar waren ihre Koffer noch nicht beim ersten Schwung dabei. Es waren ohnehin nur zwei kleine Koffer mit dem Allernotwendigsten, da der größte Teil ihrer Sachen schon vor fast sechs Wochen von einer Spedition abgeholt und mit dem Schiff nach Amerika transportiert worden war. Wenn alles glattgegangen war, müßten sie bereits in dem neuen Haus eingetroffen sein, wo Amy und ihr Vater zukünftig wohnen sollten. Als sie wieder aufsah, marschierten Bügelfalte und seine Familie gerade Richtung Zollabfertigung, alle ordentlich in einer Reihe wie bei einer Militärparade. Die vier schwarzen Samsonite-Koffer kreisten nicht mehr auf dem Förderband.

Nach einer Weile verlor Amy das Interesse an dem Spiel, zumal ihre Trefferquote zunehmend sank, und legte das Kinn auf die Brust. Sie hatte versucht, im Flugzeug ein wenig zu schlafen, aber auf den engen Sitzen und durch die konstante Geräuschkulisse war es ihr unmöglich gewesen. Außerdem mußte sie die ganze Zeit an Wolf denken, der irgendwo im Rumpf der Maschine saß und sich wahrscheinlich zu Tode ängstigte. Der Tierarzt hatte ihm am Flughafen in Frankfurt eine Beruhigungsspritze gegeben, bevor er in einen Transportcontainer verfrachtet wurde. Das war eine Standardvorgehensweise; nicht alle, aber die meisten Tiere wurden vor Langstreckenflügen mit einem Sedativum ruhiggestellt, aber die Wirkung hielt nicht allzu lange an. Manchmal hatte Amy sich sogar eingebildet, sie könnte ihren Hund im Frachtraum heulen hören, aber das war selbstverständlich Unsinn, da sie schon die Unterhaltungen eine Reihe vor ihr wegen des Motorenlärms kaum mitbekam.

Mit dem Kinn auf der Brust döste sie ein wenig, verlor aber durch das Summen des Förderbands, das Murmeln der Fluggäste und das Quietschen und Knarren der Koffer auf den Transportwägen nie den Kontakt zu ihrer Umgebung. Erst allmählich, ganz leise, fiel ihr ein anderes Geräusch auf, ein leises Fiepsen, dem sie zunächst keine Beachtung schenkte. Doch so sehr sie versuchte, sich auf etwas anderes zu konzentrieren, das Fiepsen blieb als gleichbleibendes, hartnäckiges Geräusch im Hintergrund präsent und zehrte mit der Zeit an ihren Nerven.

Sie schlug die Augen auf und sah sich um. Ihr Vater hatte den ersten der beiden Koffer neben sich stehen und wartete auf den zweiten. Die Zahl der Passagiere, die um das Förderband standen, hatte schon sichtlich abgenommen. Offenbar hörte niemand außer ihr ein außergewöhnliches Geräusch. Sie drehte den Kopf nach hinten, und das Fiepsen schien lauter zu werden.

Etwa zweieinhalb Meter hinter der Stuhlreihe ragte eine graue Betonwand auf. Zwischen Stuhlreihe und Wand befand sich etwa in der Mitte ein feinmaschiges Lüftungsgitter im Boden, das auf der einen Seite von einem Abfalleimer und auf der anderen von der Lehne des ersten Plastikstuhls verdeckt wurde. Amy reckte sich ein wenig, damit sie über die Stuhllehne sehen konnte, aber ihr fiel nichts Ungewöhnliches auf. Dennoch war sie überzeugt, daß das Fiepsen von dort kommen mußte.

Sie wollte gerade aufstehen, um fast gegen ihren Willen nachzusehen, als sie merkte, daß es in der Halle totenstill geworden war. Sie drehte sich erschrocken wieder nach vorn. Das Durcheinander am Förderband war zu einem reglosen Stilleben gefroren. Niemand bewegte sich mehr, alle standen wie erstarrt, und Amy hatte den Eindruck, als würde alles, die Wände, die Menschen, der Boden und die Decke, langsam zur Unsichtbarkeit verblassen. Schon schien das Sonnenlicht durch die ersten Passagiere und machte sie zu gespenstischen Phantomen in einer verblaßten, altersgrauen Fotografie. Und über allem hing die unnatürliche Stille, von der auch das nervtötende Fiepsen aufgesogen wurde …

Tatsächlich riß die Stille, das Fehlen unterschwelliger Geräusche, an die sie sich im Lauf der Fahrt gewöhnt hatte, Amy aus ihrem Tagtraum: das konstante Brummen des Motors war nicht mehr zu hören, die Reifen übertrugen die sanfte Vibration der Bodenunebenheiten nicht mehr ins Innere des Fahrgastraums, und die Unterhaltung zwischen ihrem Vater und Jill Sowieso – Shepherd, sie hieß Shepherd, warum konnte sie sich das nicht merken? –, die die Geräuschkulisse der Leute auf dem Flughafen untermalt hatte wie ein Traum in einem Traum, war ebenfalls verstummt. Das Bild der Gepäckausgabe am Flughafen von Los Angeles löste sich langsam auf und schwebte bruchstückhaft wie Nebelschwaden vor ihrem inneren Auge davon.

Als sie die Traumbilder abgeschüttelt hatte und in die Wirklichkeit zurückkehrte, fiel Amy als erstes auf, daß Wolf nicht mehr auf ihrem Schoß lag. Sie erschrak und schaute sich ängstlich um. Etwas Weiß-Rotes ragte unmittelbar vor dem Fenster des Autos auf. Amy betrachtete gebannt die winzigen Rostflecken darauf, merkte aber erst nach einigen Sekunden, daß es sich um eine Zapfsäule handelte. Ein Blick durch das hintere rechte Seitenfenster zeigte ihr, daß die Frau, Jill, den Wagen gerade volltankte. Amy schaute auf der anderen Seite hinaus die Straße entlang, und da sah sie ihren Vater mit Wolf. Er war ein Stück mit dem Hund spazierengegangen, aber offenbar schon wieder auf dem Rückweg.

Als Jill mit Tanken fertig war und bezahlt hatte, kam sie mit drei Dosen Cola zurück und hielt eine davon Amy hin. »Ich sehe, du weilst wieder unter uns«, sagte sie freundlich. Amy mochte die Frau. »Hier«, fuhr sie fort und schwenkte die Dose kurz. Amy nahm sie dankbar. Sie fühlte sich von der Hitze wie ausgedorrt und konnte sich im Augenblick kaum etwas Köstlicheres vorstellen als das eiskalte Getränk in ihren Händen.

»Ist es noch weit?« fragte sie, nachdem sie die Dose abgesetzt hatte.

Jill schüttelte den Kopf. »Den größten Teil haben wir hinter uns. Ich schätze, in einer Stunde werden wir da sein.«

Wolf sprang auf die Rückbank und klopfte mit dem Schwanz laut gegen die Rückenlehne des Vordersitzes, so sehr schien er sich zu freuen, Amy wach und munter vorzufinden. Der Hund leckte ihr einmal quer übers Gesicht und legte sich wieder hin.

Amy ließ sich nach hinten fallen und schloß die Augen. Sie hörte, wie alle Türen zugeschlagen wurden, dann ließ Jill den Motor an, und sie fuhren los. Beim Anfahren strich sie aus Versehen über den Schalter des Scheibenwischers. Die Wischblätter fuhren einmal über die Scheibe und gaben ein leises Fiepsen auf dem trockenen Glas von sich. Amy, die schon wieder eindöste, hörte es im Unterbewußtsein. Das Fiepsen erinnerte sie an etwas, das ihr gerade erst durch den Kopf gegangen war. Sie erinnerte sich, daß sie erwacht war, bevor die Bilder gänzlich an die Oberfläche kommen konnte. Jetzt bedrängte die schreckliche Erinnerung sie erneut, und diesmal gab es kein Entrinnen, so sehr sie sich innerlich dagegen sträubte …

## 3

Die harte Rückenlehne des Plastikstuhls drückte sich schmerzhaft in Amys Oberkörper. Sie drehte sich hin und her und sah zur Wand mit dem Lüftungsgitter, von wo das Fiepsen erklungen war. Sie horchte angestrengt, und nun konnte sie es ganz deutlich wahrnehmen. Das Fiepsen ertönte hinter dem Abfalleimer. Sie sah nach ihrem Vater, der immer noch auf den zweiten Koffer wartete, obwohl mittlerweile keine zehn Leute mehr um das Förderband standen. Langsam stand sie auf und ging um die Stuhlreihe herum.

Das feinmaschige Lüftungsgitter klirrte leise metallisch, als sie mit dem Fuß darauftrat. Das Fiepsen verstummte nach dem Klirren kurzzeitig, setzte aber gleich wieder ein. Amy setzte vorsichtig einen Fuß vor den anderen. Das Fiepsen wurde lauter und bekam einen deutlich verzweifelten Unterton … wie von einem in die Enge getriebenen Tier.

Wie recht sie mit ihrer Vermutung hatte, zeigte sich in dem Augenblick, als sie unmittelbar vor dem Abfalleimer stand und sich über dessen Rand beugte, um nachzusehen, was sich dahinter verbarg. Der Gestank von faulenden Lebensmitteln und Asche schlug ihr aus dem Eimer entgegen. Sie würgte und hielt den Atem an, beugte sich aber trotzdem weiter vornüber und biß die Zähne zusammen, um nicht laut aufzuschreien. Auf dem Lüftungsgitter saß eine Ratte im Schatten des Abfalleimers, ein fettes Geschöpf mit struppigem braunem Fell und einem nackten rosafarbenen Schwanz, der sich wie ein gehäuteter Wurm hinter ihr schlängelte. Ein Fuß des Tiers hatte sich in einer Masche des Gitters verfangen; es konnte sich nicht mehr befreien. Die Ratte zog und zerrte verzweifelt, bekam den Fuß aber nicht aus dem feinen Netz heraus.

Als das Tier Amys Gegenwart spürte, hielt es vorübergehend in seinen Bemühungen inne und hob den Kopf. Der Blick seiner schwarzen Knopfaugen bohrte sich in Amys Augen, und Amy hatte den Eindruck, als würde sie darin versinken. Ihr wurde schwindelig vom Gestank des Abfalls, und beim Anblick der Ratte, die sich wieder abwandte und panischer als zuvor versuchte, sich zu befreien, als ginge eine Gefahr von dem Mädchen aus, drehte es ihr den Magen um. Als sie genauer hinsah, fiel ihr auf, daß das Tier eine blutige Schnauze hatte.

Weit entfernt, in der Wirklichkeit außerhalb der schläfrigen Traumwelt von Amys Erinnerungen, stieß Wolf ein kurzes, leises Bellen aus. Amy hörte es, während ihr noch die Bilder von der Gepäckausgabe durch den Kopf gingen, und es lenkte den Strom ihrer Gedanken barmherzigerweise in eine andere Richtung. Wolf bellte …

Wolf bellte von dem Augenblick an in seiner Transportkiste, als Amy und ihr Vater die Tür zur Tiertransportstelle öffneten, die in einem Nebenflügel der Gepäckausgabe lag. Amys Vater ging an den Tresen, wo ein kräftiger, etwas untersetzter Zollbeamter wartete. Der Mann hatte die Augen zugekniffen und zuckte mit den Händen, als würde er überlegen, ob er sich die Ohren zuhalten sollte. Wolfs Bellen hallte von den schmucklosen grauen Betonwänden wider, und die Echos verschmolzen zu einem ohrenbetäubenden Chor, bis es sich anhörte, als würde eine ganze Hundemeute im Zwinger auf ihre Befreiung warten. Der Zollbeamte sagte etwas zu ihrem Vater, aber in dem Lärm war kein Wort zu verstehen.

Amy bat um Erlaubnis, hinter den Tresen kommen zu dürfen, um den Hund zu beruhigen. Der Zollbeamte nickte widerwillig und öffnete eine Klappe für sie. Als Amy vor der Transportkiste in die Hocke ging und die Hand zwischen den Gitterstäben auf der Vorderseite durchstreckte, verstummte Wolf und leckte ihr freudig die Hand. Sie sah besorgt in die Kiste, doch der Hund schien unverletzt zu sein. Ein schwacher Geruch von Urin schlug ihr durch das Gitter des Plastikcontainers entgegen, und Wolf legte sich auf alle vier Pfoten, schlug die Augen nieder und winselte leise und schuldbewußt, als hätte er ihre Gedanken erraten. »Macht nichts, Junge«, sagte sie. »Niemand hat erwartet, daß du es dir acht Stunden verkneifen kannst.«

Amy bekam die Unterhaltung zwischen ihrem Vater und dem Zollbeamten kaum mit, so erleichtert war sie, daß der Hund die Reise offenbar unbeschadet überstanden hatte. Sie sah, wie ihr Vater Wolfs Gesundheitsattest vorzeigte, das der Zollbeamte gründlich studierte. Sie fragte sich beiläufig, ob der Mann überhaupt ein Wort verstand, da das Dokument in deutsch ausgestellt war. Schließlich jedoch schien er zufrieden zu sein und kam zu Amy, die immer noch vor dem Transportcontainer kauerte.

Er zögerte unschlüssig. »Ist es ungefährlich, die Klappe zu öffnen?« fragte er schließlich mit einem nervösen Blick auf den großen schwarzbraunen Hund.

Amy beruhigte ihn und versicherte, daß Wolf keiner Menschenseele etwas tun würde. Das schien die Zweifel des Mannes nicht ganz auszuräumen, aber er öffnete die beiden Laschen an der Seite, mit denen die Kiste verschlossen war.

Amy hatte damit gerechnet, daß Wolf sofort herausstürmen und durch den Raum springen würde, aber er schlich vorsichtig heraus und beschnupperte jeden Fleck des Bodens gründlich, bevor er eine Pfote darauf setzte. Amy ging zu der Klappe im Tresen und ließ sich von ihrem Vater die Leine aus dem Handgepäck geben.

»Da wäre noch etwas«, sagte der Zollbeamte verlegen, als

Amy mit ihrem Vater und Wolf schon fast an der Tür angelangt war. Stefan Hellmann blieb stehen und drehte sich um.

»Ja?« sagte er fragend.

»Man müßte den Container saubermachen«, sagte der Mann und zeigte ins Innere des Transportbehälters. Amy wollte ihrem Vater die Leine in die Hand drücken, aber er winkte ab. »Laß nur, das mach ich. Geh mit Wolf raus und warte draußen.«

»Putzmittel sind da drüben in dem Spind«, sagte der Zollbeamte und zeigte auf einen grauen, zerkratzten Metallschrank an einer Wand des Raums, während Amy sich zum Gehen wandte. Sie wollte nicht hinaus, wollte nicht allein in der Gepäckausgabe warten, da die Erinnerung an das gräßliche Bild der Ratte noch frisch in ihrem Gedächtnis war. Sie blieb einen Moment unschlüssig an der Tür stehen, doch weder ihr Vater, der Wischlappen und ein Reinigungsmittel aus dem Schrank geholt hatte, noch der Zollbeamte, der sich gesetzt hatte und Dokumente auf seinem Schreibtisch studierte, beachteten sie, und so verließ sie schweren Herzens den Raum.

Sie setzte sich auf den äußersten Stuhl der Reihe, um so weit wie möglich von dem Abfalleimer entfernt zu sein, wie sie nur konnte. Inzwischen hatten sich die Passagiere ihres Fluges alle mit ihren Gepäckstücken entfernt, aber die Nummer des nächsten Fluges leuchtete am benachbarten Transportband auf, und die ersten neuen Passagiere, die die Paßkontrolle passiert hatten, strömten herein.

Sie bemühte sich krampfhaft, nicht an das gefangene Tier hinter dem Eimer zu denken, sein Fiepsen nicht zu hören, und nach einer Weile stellte sie fest, daß sie es tatsächlich nicht mehr hören konnte. Entweder war die Ratte zu erschöpft, um noch einen Laut von sich zu geben, oder sie hatte sich resignierend in ihr Schicksal gefügt, oder es war ihr gelungen, sich zu befreien.

Obwohl sich Amy vor dem Anblick ekelte, ließ ihr das Schicksal des Tiers keine Ruhe. Sie schlang Wolfs Leine um die Stange, auf der die Plastiksitze befestigt waren, ließ den Karabinerhaken einrasten und stand langsam auf.

Mit zaghaften Schritten näherte sie sich dem Abfalleimer, hielt die Luft an und beugte sich darüber. Die Ratte war nicht mehr da. Um ganz sicherzugehen, beugte sich Amy noch weiter über die Tonne. Das Tier war tatsächlich verschwunden, doch aus dem neuen Blickwinkel sah sie unter dem Lüftungsgitter etwas rosa schimmern. Ihre Augen wurden groß. Sie sah sich um, ob sie wirklich niemand beobachtete, dann ließ sie sich auf die Knie nieder, kroch ein Stück hinter den Abfalleimer und brachte das Gesicht dicht über den Boden. Die Hinterpfote der Ratte, die eingeklemmt gewesen war, lag blutverschmiert auf dem schmutzigen rußig-schwarzen Boden des Lüftungsschachts, und als Amy genauer hinsah, schien es ihr, als würden die abgetrennten Krallen noch zucken. Sie hob den Kopf ein wenig und bemerkte eine Fährte winziger Blutspuren, die sich an der Wand entlang bis zur nächsten Ecke des Raums erstreckte.

»Amy?«

Sie schreckte so unvermittelt hoch, daß sie sich den Kopf an der Mülltonne anstieß. Ihr Vater stand bei Wolf neben den schwarzen Plastikstühlen und sah zu ihr herüber.

»Hast du was verloren?«

»Nein«, brachte sie hervor und richtete sich verlegen auf. »Nichts.« Sie verspürte den Wunsch, die Halle auf dem schnellsten Weg zu verlassen. »Können wir gehen?«

Ihr Vater warf ihr einen fragenden Blick zu, aber sie wandte das Gesicht ab und löste Wolfs Leine. Sie konnte die Ratte nirgends sehen, als sie die Gepäckausgabe verließen, ebenso wenig die Blutspur, doch auf dem ganzen Weg durch das Terminalgebäude dachte sie an das braune Nagetier, das sich selbst verstümmelt hatte, um die Freiheit wiederzuerlangen, und dreibeinig durch die Halle hinkte.

## 4

Wieder schlug Amy in dem Moment die Augen auf, als die konstanten Erschütterungen des Autos aufgehört hatten. Sie sah zum Fenster hinaus und stellte fest, daß sie vor einem Maschendrahtzaun standen, der sich in beide Richtungen erstreckte. Unmittelbar vor dem Auto befand sich ein Tor, daneben ein flaches, rechteckiges Gebäude. Jill unterhielt sich durch die heruntergekurbelte Scheibe mit einem untersetzten Mann in Uniform. Amy bekam von dem Wortwechsel kaum etwas mit, nur so viel, daß es sich offenbar um die neue Arbeitsstätte ihres Vaters handelte und Jill eigens einen Umweg gemacht hatte, um ihm den Ort seiner künftigen Tätigkeit zu zeigen. Amy sehnte sich nach einer Dusche und einem weichen Bett und wäre am liebsten direkt in ihr neues Haus gefahren, sagte aber nichts. Sie mußte den gesamten letzten Teil der Fahrt verschlafen haben und konnte sich nur vage an weite Wüstenlandschaften erinnern, an karge Vegetation und einige dunkle Felsen, die wie kariöse Zähne in einem lückenhaften Gebiß am Horizont aufragten, wußte aber nicht, ob es sich dabei um echte Erinnerungen oder Bilder aus ihren seltsamen Träumen handelte.

Der Mann draußen nickte, wobei ihm die Mütze auf seinem kahlen Kopf etwas verrutschte, und trat zurück. Er schleppte seine massige Gestalt zum Tor und machte es unter Ächzen auf, damit Jill mit dem Wagen auf das Gelände fahren konnte. Jill fuhr so ruckartig an, daß Amy etwas nach vorn geschleudert wurde und ihre Zähne mit einem vernehmlichen Klacken aufeinanderschlugen. Kurz hinter dem Tor bremste Jill ebenso ruckartig und machte den Motor aus.

Als ihr Vater und Jill ausstiegen, beschloß Amy, sich ebenfalls ein wenig die Beine zu vertreten. Sie wußte nicht, wie lange sie auf dem Rücksitz des Autos gesessen hatte, aber es mußten mehrere Stunden gewesen sein. Dem Stand der Sonne nach zu urteilen, war die Mittagszeit bereits vorüber. Amy machte die hintere Tür auf, streckte stöhnend die verkrampften, eingeschlafenen Beine und stieg mühsam aus. Kaum war sie draußen, folgte Wolf ihr und blieb neben ihr stehen.

Ein konturloses, dreistöckiges Betongebäude ragte in geringer Entfernung auf. Die Jalousien sämtlicher Fenster waren der Sonne wegen heruntergelassen, so daß man nicht erkennen konnte, was sich im Inneren abspielte. Amy reckte sich und entfernte sich ein paar Schritte von dem Wagen. Jill zeigte auf das Gebäude und unterhielt sich dabei leise mit Amys Vater, aber Amy konnte nicht hören, worüber sie sprachen.

Sie gesellte sich zu ihnen, wartete eine Gesprächspause ab und fragte: »Kann ich mit Wolf einmal um das Gebäude herumgehen?« Ihr Vater sah Jill an, die nickte, worauf Amy dem Hund rief und sich in Bewegung setzte. Wolf trabte hechelnd und mit hängender Zunge hinter ihr her.

Die Größe des Gebäudes überraschte Amy. Sie ging bis zur ersten Ecke, wo Wolf das Bein hob, drehte sich noch einmal zu ihrem Vater um und schritt dann an der Seitenwand entlang. Ostwärts, wenn sie sich nicht irrte. In einiger Entfernung – sie konnte Entfernungen schlecht schätzen, es mußten zwanzig, dreißig Meter sein, vielleicht etwas mehr – sah sie ein Nebengebäude, einen einstöckigen Bungalow mit grauen Betonwänden und Flachdach. Das Licht spiegelte sich in zwei Fenstern, die Vorhänge des dritten waren zugezogen. Amy bog Richtung Süden ab, ging an der Rückwand entlang und zählte hundertundzwanzig Schritte bis zur nächsten Ecke, was bedeutete, das Haus mußte etwa sechzig Meter lang sein, wenn sie fünfzig Zentimeter für einen Schritt rechnete. In der Nachmittagssonne erreichte die Hitze ein fast unerträgliches Ausmaß. Amy, die keine Sonnenbrille bei sich hatte, kniff die Augen zu, bog um die Ecke und ging an der Seitenwand entlang nach Westen. Achtzig Schritte, also rund vierzig Meter. Als sie um die nächste Ecke kam, konnte sie das Tor mit dem Auto und ihren Vater neben Jill sehen. Sie winkte, aber die beiden bemerkten es nicht.

Amy lief an der Vorderseite des Gebäudes entlang zurück, bis ihr auffiel, daß Wolf ihr nicht mehr folgte. Sie drehte sich um, konnte ihn aber nicht sehen. »Wolf?« rief sie einmal, dann: »Wolf, komm her!« Als der Hund sich nicht sehen ließ, kehrte sie um.

Der Schäferhund stand im Schatten der Seitenwand und sah sich mit zwischen die Beine geklemmtem Schwanz um. Amy bemerkte, daß sich seine Nackenhaare aufgerichtet hatten und er fast unmerklich die Zähne fletschte, während er gebannt von dem Gebäude weg in Richtung Zaun und der dahinter liegenden Wüstenlandschaft mit ihrer kargen Vegetation blickte.

»Wolf?« fragte sie unsicher und sah sich um. Möglicherweise hatte er ein Tier gesehen, vielleicht eine giftige Schlange.

Sie lief ängstlich zu ihm, aber es war weit und breit nichts zu sehen. »Was ist los?« fragte sie und kraulte ihn zwischen den Ohren. »Was hat dich erschreckt?«

Wolf sah zu ihr auf und wieder in die Ferne, auf eine Stelle außerhalb des Zauns, doch so sehr Amy sich bemühte, sie konnte nicht das Geringste sehen. Das Fleckchen Sand, in das sich Wolfs Blick zu bohren schien, unterschied sich nicht vom Rest des Geländes. »Na komm«, sagte sie schließlich. »Die anderen warten auf uns. Wir fahren nach Hause. In unser neues Zuhause, weißt du«, fügte sie nach einer kurzen Pause hinzu. »Ich schätze, du wirst dich daran gewöhnen. Hoffe ich. Wir werden uns alle daran gewöhnen müssen.«

Als sie sich umdrehte und wieder nach vorn ging, folgte ihr der Hund zögernd und widerwillig, drehte sich aber alle paar Schritte um. »Komm jetzt«, sagte Amy ungeduldig. Sie wollte aus der Hitze. Nicht, daß es im Inneren des Autos kühler gewesen wäre, aber wenigstens spendete das Dach ein bißchen Schutz vor dem unerträglichen Sonnenlicht. Wolf folgte ihr.

Jill und ihr Vater winkten Amy zu, daß sie zum Auto kommen sollte, und sie ging etwas schneller. Auf halbem Weg drehte sie sich noch einmal um und versicherte sich, ob Wolf ihr folgte. Der Hund stand geduckt da und hatte die Lefzen gefletscht, so daß man seine Zähne sehen konnte, die elfenbeinfarben und feucht in der Sonne glänzten. Er zitterte am ganzen Körper. Amy sah unsicher von dem Hund zu ihrem Vater und wieder zurück. »Wolf, wirst du jetzt ...«

Sie verstummte. Ein Raunen schien durch die Luft zu gehen wie ein leises Flüstern. Gleichzeitig spürte Amy einen kalten Windhauch, der trotz Hitze und Sonne eisig über ihre Haut strich, und hörte deutlich eine leise Stimme sagen:

*Ich bin kein Mörder.*

Amy drehte sich einmal im Kreis herum. Obwohl sie die Worte klar und deutlich verstanden hatte, konnte sie niemand entdecken. Sie sah Wolf an. Der Hund schien sich wieder etwas beruhigt zu haben. Seine Nackenhaare hatten sich geglättet und er fletschte die Zähne nicht mehr, aber nun schaute er sich ebenso verwirrt um wie Amy selbst. Sie erschauerte und stellte fest, daß sie trotz der Gluthitze eine Gänsehaut bekommen hatte. Wolf knurrte leise, und da hörte sie die Stimme noch einmal, ebenso deutlich, aber schwächer, als hätte sie sich in der Zwischenzeit weiter entfernt.

*Ich bin kein Mörder.*

Als sie weiterging, überlegte sie, ob sie ihrem Vater von dem Vorfall erzählen sollte, doch der unterhielt sich unbekümmert mit Jill. Inzwischen war der Pförtner zu ihnen getreten, dem Stefan Hellmann freundlich die Hand schüttelte, und auch er schien nichts bemerkt zu haben. Die drei plauderten miteinander, als wäre überhaupt nichts geschehen, bis Jill sich schließlich verabschiedete und zum Auto zurückging.

Amy warf einen kritischen Blick zum Himmel. Die Sonne brannte gnadenlos herunter. *Vielleicht habe ich einen Sonnenstich*, dachte sie. *Vielleicht bin ich so übermüdet, daß ich schon im Stehen schlafe und träume.* Sie beschloß, nichts zu sagen. Möglicherweise hätten die Erwachsenen sie sowieso für verrückt erklärt. *Wo ist denn Ihre reizende Tochter, Mr. Hellmann? Oh, tut mir leid, aber ich mußte sie in das Sonnenschein-Sanatorium für die außerordentlich Nervösen einweisen lassen. Sie hat Stimmen gehört.*

Jill sah sie an, als sie sich den drei Erwachsenen näherte. »Jetzt fahren wir zu eurem neuen Zuhause«, sagte sie freundlich. »Ich wette, du freust dich schon darauf.«

Amy nickte wortlos. »Hat niemand etwas gehört?« Sie konnte sich die Frage doch nicht verkneifen. Jill hob den Kopf und sah sie an. »Was gehört?« fragte sie.

Amy überlegte einen Moment, ließ den Blick über die Sanddünen schweifen, sah ins Wageninnere, wo ihr Vater bereits Platz genommen hatte, und schüttelte den Kopf. »Nichts«, sagte sie. »Ist nicht wichtig.«

Sie ließ sich auf dem Rücksitz nieder, und Wolf sprang zu ihr herein. Er legte sich hin, den Kopf, wie gehabt, auf Amys Schoß. Der Hund schien sich wieder völlig beruhigt zu haben, was Amy in der Überzeugung bestärkte, daß sie sich den Vorfall nur eingebildet hatte. Dennoch mußte sie während der ganzen Fahrt zu ihrem neuen Wohnort daran denken, und im Geiste hörte sie immer wieder die sanfte Stimme die rätselhaften Worte sprechen:

*Ich bin kein Mörder.*

# Kapitel drei

## *Verbündete*

### 1

Als Jill Shepherd nach ihrer Rückkehr aus San Francisco am Montagmorgen ihr Büro betrat, fand sie es unverändert vor. Aus einer bunten Dose ragten die Enden von Kugelschreibern, Bleistiften und Filzschreibern; eine Schere und ein Lineal überragten sie wie hohe Bäume niederes Unterholz. Unterlagen und Zeitschriften lagen als ordentliche Stapel exakt rechtwinklig zur Tischplatte – die Post der vergangenen Tage, die jemand achtlos auf die Tischplatte geworfen hatte, bildete eine Ausnahme –, und nur die schrägen Streifen des Schattenmusters der heruntergelassenen Jalousien fügte sich nicht in die geometrische Ordnung.

Sie stellte ihre Handtasche neben dem Schreibtisch auf den Boden, schaute sich im Zimmer um, setzte sich und ließ den Blick dann über ihre wohlgeordneten Papiere gleiten. Als erstes nahm sie die Unterlagen des Seminars aus der Handtasche und legte sie auf zwei Ausgaben medizinischer Fachzeitschriften, die sie noch lesen mußte. Draußen, auf den Fluren, herrschte eine Ruhe wie selten in dem Gebäude. Nur wenige Institutsmitarbeiter waren Frühaufsteher und teilten Jills Neigung, den Arbeitstag frühzeitig zu beginnen. Die meisten trafen erst gegen neun ein, und bei manchen konnte es mitunter halb zehn werden. Auch Stefan Hellmann war einer der Kandidaten, die morgens schlecht in die Gänge kamen, und normalerweise begegnete sie ihm selten vor der Kaffeepause um zehn Uhr, die zu den Konstanten in ihrem Tagesablauf gehörte.

Heute jedoch klopfte es an die Tür, als sie gerade die erste Zeitschrift aufgeschlagen hatte. Sie hob erstaunt den Kopf, und ihr Erstaunen schlug in eine Art von amüsierter Fassungslosigkeit um, als Hellmann ihr Büro betrat.

»Hallo«, sagte sie fröhlich. »Mit allen hätte ich gerechnet, nur mit dir nicht.« Sie grinste gutmütig. »Oder hast du es nicht erwarten können, mich wiederzusehen? Ich würde mich geschmeichelt fühlen, zumal ich nur fünf Tage weg war.«

Das mußte der Grund für sein frühes Erscheinen sein. Wahrscheinlich wollte er sich von ihrem Ausflug nach San Francisco berichten lassen, zu dem er sie liebend gern begleitet hätte. Sie stellte sich vor, wie sie ihm den Mund mit detaillierten Schilderungen ihrer Einkaufsbummel in San Francisco wässerig machte. »Ich konnte nicht widerstehen«, würde sie ihm erzählen, »mir bei Forever After in der Haight Street zwei Erstausgaben von Jack Kerouac zu kaufen«, und allein bei dem Wort »Erstausgaben« würde ein interessiertes Funkeln in seinen Augen aufleuchten. »Und für Amy habe ich das neue Buch von Dean Koontz mitgebracht.«

Selbstverständlich würde er sie nie und nimmer fragen, aber sie würde seine fragenden Blicke genießen und ihn zappeln lassen, bevor sie ihm verriet, daß sie auch für ihn etwas mitgebracht hatte. Die Tasche mit den Schallplatten, die ihm in seiner Sammlung noch fehlten – mühsam in den Secondhand-Plattenläden von Haight-Ashbury zusammengesucht – stand bei ihr zu Hause. Sie wollte ihn zum Essen einladen und sie ihm dann überreichen, und bis dahin würde sie ihn auf die Folter spannen und seine Neugier genießen.

Er erwiderte ihr Lächeln knapp und, wie sie fand, mehr höflichkeitshalber als aufrichtig, und da fiel der erste Wermutstropfen des Unbehagens ins klare Wasser ihrer arglos-naiven Freude. Keine Fragen nach ihrem Ausflug, keine herzlichen Worte zur Begrüßung. Statt dessen betrachtete er sie mit einem ernsten und betrübten Gesichtsausdruck, wie sie ihn noch nie bei ihm gesehen hatte. »Ist etwas passiert?« fragte sie. »Doch nichts mit Amy oder …?«

»Nein«, sagte er und hob beschwichtigend die Hände. »Mit uns ist alles in Ordnung, aber ich muß über etwas mit dir reden, das mir Kopfzerbrechen macht. Hast du Zeit?«

Sie sah auf die Uhr. »Ich bitte dich, es ist Viertel nach sieben. Ich habe gedacht, daß mir das Institut bis neun allein gehören würde, vielleicht abgesehen von Ramon. Ich habe um zehn einen Termin bei Straczinsky, um ihm etwas über das Seminar zu erzählen. Bis dahin gehöre ich ganz dir.«

»Gut.« Er zog einen Stuhl zu ihrem Schreibtisch und setzte sich. Jill beugte sich nach unten, hob die Handtasche auf und holte eines der Pfefferminzbonbons heraus, die sie lutschte, seit sie zu rauchen aufgehört hatte.

»Was weißt du über Dr. Wentworth?«

Die Frage traf sie vollkommen unerwartet. Sie hatte sich in den Wochen seit Wentworths Versetzung bemüht, nicht mehr an das alte Ekel zu denken, um ihn, wenn möglich, ganz zu vergessen, was ihr beinahe gelungen wäre. Mit seiner Frage rührte er an Dinge, die sie lieber vergessen hätte. »Wie kommst du ausgerechnet auf den? Ist er etwa wieder aufgetaucht?«

Hellmann kicherte, als hätte sie einen Scherz gemacht, aber sein Kichern klang eine Spur zu schrill und nervös, um echte Heiterkeit auszudrücken. Und es war ganz gewiß kein Scherz gewesen. Sie wünschte sich von ganzem Herzen, daß ihr der Mann in ihrem Leben nicht noch einmal unter die Augen kommen würde. »In gewisser Weise könnte man das so sagen«, antwortete er. »Ich werde dir alles erklären, aber vorher solltest du mir meine Fragen beantworten. Bitte.« Er strich mit beiden Händen das graumelierte Haar an seinen Schläfen zurück, das sie so anziehend fand, und ließ den Blick durch den Raum schweifen. »Also«, sagte er, als er mit seiner Bestandsaufnahme fertig war und seine Augen wieder auf ihr ruhten. »Was weißt du über ihn?«

»Wenig. Er hatte ein eigenes Projekt hier, über das niemand sonst Bescheid wußte, außer Straczinsky. Er wurde kurz vor deiner Ankunft versetzt und arbeitet nicht mehr hier.« Pause. »Was, dies nur nebenbei, niemanden hier besonders bekümmert hat. Am allerwenigsten mich.«

Darauf sah er sie durchdringend an, und sein Blick bohrte sich in ihre Augen, als wollte er alle Antworten auf seine Fragen direkt aus ihnen herausziehen, weil es ihm nicht schnell genug ging. »Ich hatte ganz im Gegenteil den Eindruck, als wäre er von einigen Leuten geschätzt worden. Was hast du gegen ihn?«

Sie räusperte sich und wich seinem Blick aus. »Er war ein widerliches altes Ekel«, antwortete sie, und, nach einem erneuten Räuspern: »Aber darüber würde ich, wenn es dir recht ist, lieber nicht sprechen.«

»Na gut. Lassen wir es vorerst dabei bewenden. Was weißt du über sein geheimnisvolles Projekt?«

»Nichts. Ich glaube, niemand weiß etwas darüber.« Ein Schattenstreifen der Jalousie fiel über Hellmanns Augen. »Wie gesagt, er hatte sein eigenes Projekt, über das er nur der Geschäftsleitung Rechenschaft ablegen mußte. Wenn es um seine Arbeit ging, war er ein heimlichtuerischer Einzelgänger und ...« sie zögerte kurz und schien zu überlegen, wie sie ihre Worte am besten wählen sollte, »... und ein Ekel.« Als er den Mund aufmachte, hob sie abwehrend die Hände. »Oh, ich weiß, daß manche Leute hier große Stücke auf ihn gehalten haben. Der gutaussehende Charmeur, der Frauenheld. Ich nehme an, wenn man naiv genug ist, kann man auf diese Masche hereinfallen. Aber ich nicht. Andere vielleicht, aber ich nicht. Es gab sogar den einen oder anderen, der ihn gehaßt hat.«

Jill wußte nicht, ob sie sein Schnauben als Zeichen von Heiterkeit deuten sollte. Er beugte sich ein wenig nach vorn. Der Schatten auf seinen Augen wanderte über seine Stirn und sprang von seinem Scheitel an die Wand hinter ihm. »So sehr gehaßt«, sagte er, »daß ihn jemand ermorden und seine Leiche verstecken würde?«

»Ermordet? Wieso ermordet?« Er zuckte nicht unter ihrem prüfenden Blick. »Er ist versetzt worden. An ein anderes Institut. Wieso sollte ihn jemand ermorden?« Sie kicherte mit einem Unterton von Hysterie, weil sie seine Bemerkung tatsächlich ernst nahm. Gewiß machte er nur einen bizarren und geschmacklosen Scherz. Einen Moment fühlte sie sich wie eine Figur in einem surrealistischen Theaterstück, in dem die Personen zusammenhanglose Dialoge führten, bei denen Fragen und Antworten nicht das geringste miteinander zu tun hatten. *Das alles ist ein Traum,* dachte sie und war froh, des Rätsels Lösung so schnell gefunden zu haben. *Ja, genau, ein Traum. Ich bin erschöpft von dem Seminar nach Hause gekommen und ins Bett gefallen, und da bin ich jetzt noch. Jeden Moment wird der Wecker läuten, ich werde aufwachen, aufstehen, duschen und ins Institut fahren.*

»Ich weiß nicht«, sagte er. Erleichterung erfüllte Jill, da er seine Worte schon wieder zu relativieren schien, doch die Seifenblase ihrer Selbsttäuschung zerplatzte, als er fortfuhr. »Ich weiß nur eines, daß seine Leiche unten in einem Kühlfach der Pathologie liegt, obwohl jeder behauptet, daß er versetzt wurde oder gekündigt hat. Schon allein darüber kursieren zwei unterschiedliche Versionen.«

Jill stand auf. Sie stützte sich auf die Schreibtischplatte und betrachtete die Zebrastreifen von Licht und Schatten an der Wand. Ihr Blick fiel auf den Kalender neben der Tür, und sie ging langsam hin. Sie nahm das Kalenderblatt vom Donnerstag, dem 13. August, und riß es ab, ebenso die nachfolgenden, bis sie beim Montag, dem 17., angekommen war. Die abgerissenen Blätter knüllte sie nervös in der Hand zusammen. Obwohl sie Stefans Blick im Rücken spürte, zögerte sie, sich zu ihm umzudrehen, wie von der vagen Hoffnung erfüllt, daß er einfach verschwinden würde, wie das in Träumen manchmal geschah. Aber als sie schließlich doch herumwirbelte, unverhofft, um gerade noch aus dem Augenwinkel zu sehen, wie er verblassen und sich auflösen würde, sah er sie immer noch mit seinem ernsten Gesicht an.

»Jill«, sagte er, »ich weiß, das klingt unglaublich, aber du mußt mir glauben.« Und dann erzählte er ihr alles, was in der letzten Woche passiert war, angefangen mit der alten Personalliste bis hin zu seinem Ausflug in den Keller, zur Pathologie, wo Dr. Wentworths Leichnam lag. Sie hörte sich alles geduldig an, und je mehr Einzelheiten er der Geschichte hinzufügte, desto unwahrscheinlicher erschien es ihr, daß er sich einen bizarren und geschmacklosen Scherz mit ihr erlaubte.

»Und ich möchte, daß du mir einen Gefallen tust«, sagte er abschließend, als er zum Ende seines Berichts kam. »Ich möchte, daß du mit mir hinuntergehst und Wentworths Leiche untersuchst. Du bist Ärztin, ich nicht. Er hat am Tag vor seinem offiziellen Verschwinden, also möglicherweise an dem Tag, als er gestorben ist, ein Digitoxin in tödlicher Dosis aus der Apotheke geholt, und ich will wissen, ob er daran gestorben ist oder ob äußere Einflüsse vorliegen.« Sie sah ihn lange an. Sein Gesicht zeigte eine ernste Miene und wirkte abgespannt, als hätte er schlecht geschlafen. Vage dunkle Stellen zeichneten sich auf seinen Wangen ab und verliehen seinem Kopf das Aussehen eines Totenschädels. Mit wässerigen Augen blickte er benommen herum, als wäre er nur zum Teil in dieser Welt.

»Hast du schon mit jemand anderem darüber gesprochen?« fragte sie.

»Nein. Ich habe mich bei McCullogh nach Dr. Wentworth erkundigt, und der hat mir die Version von der Versetzung erzählt. Aber am Ende hat er fast schon so etwas wie eine Drohung ausgestoßen, daß es gesünder für mich wäre, wenn ich mich nicht weiter um Wentworth kümmern würde.« Er machte eine Pause, um die Wirkung seiner Worte auf Jill zu studieren, doch das Gesicht der Ärztin blieb ausdruckslos. »Ich habe keine Ahnung, was hier los ist«, fuhr er fort. Er sprach nicht mehr zu ihr, sondern schien mehr mit sich selbst zu reden, als versuchte er, etwas zu verarbeiten, mit dem er noch nicht ins reine gekommen war. »Aber ich sollte es herausfinden. Ich werde das Gefühl nicht los, daß es etwas mit meiner Aufgabe hier zu tun hat, denn ich kann mir kaum vorstellen, daß Straczinsky jemanden für viel Geld aus Deutschland holt, nur damit er hier gelangweilte Studenten Karten lesen läßt.« Sie zeigte immer noch keine Reaktion, daher fuhr er beschwörend fort, als müßte er das Vakuum ihrer Ungläubigkeit so lange mit Worten füllen, bis auch der letzte Rest ihrer Zweifel ausgeräumt war. »Irgend etwas verheimlichen sie mir.« Und: »Straczinsky und McCullogh lügen. Ich wette, daß sie über alles informiert sind. Zumindest McCullogh, aber ich traue auch Straczinsky nicht über den Weg. Sie verschweigen die Wahrheit über Wentworth und sein Verschwinden.« Und zu guter Letzt, mit einem fast flehentlichen Unterton: »Wirst du mir helfen?«

Direkt angesprochen, mußte sie etwas antworten. »Und was genau soll ich tun?« fragte sie.

»Mit mir in die Pathologie gehen und Wentworth untersuchen«, antwortete er. »Wenn wir wissen, woran er gestorben ist, bringt uns das möglicherweise weiter.«

»Jetzt gleich?« fragte sie. Sie blinzelte, immer noch perplex darüber, daß sie seine abenteuerliche Geschichte ohne weiteres akzeptierte.

»Nein«, sagte er. »Wir werden beide unseren normalen Tätigkeiten nachgehen und uns so unauffällig wie möglich benehmen. Ich möchte auf keinen Fall, daß jemand Verdacht schöpft. Besonders McCullogh nicht, der mir sowieso schon nachspioniert. Wir warten bis heute abend, bis alle gegangen sind. Ich ruf' dich an.«

Als er sich verabschiedet und das Zimmer verlassen hatte, rollte Jill mit ihrem Stuhl zurück. Sie sah lange Zeit zum Fenster und betrachtete die Streifen blauen Himmels zwischen den Lamellen der Jalousie, dann griff sie nach einer der Zeitschriften und fing an zu lesen, aber obwohl sie die Buchstaben und Worte deutlich vor sich sah, wollten sie sich nicht logisch zusammenfügen. Sie fröstelte und erhob sich, um die Jalousie weiter zu öffnen, und als sie das tat, schmolzen die Schatten auf ihrem Schreibtisch zusammen und wurden zu schmalen Linien, die wie schwarze Risse in der Oberfläche der Wirklichkeit aussahen.

## 2

Ihr Bericht über das Seminar fiel recht konfus aus. Jill saß in Straczinskys Büro in einem bequemen Polstersessel vor dem Schreibtisch des Allmächtigen und vermied es so gut sie konnte, ihm direkt in die Augen zu sehen. Sie fand die unpersönliche Eleganz des Büros schon unter den günstigsten Umständen niederschmetternd, aber heute wirkte die dunkle, polierte Holztäfelung an den Wänden so einengend und bedrängend, daß sie mitunter fast einen Würgereflex unterdrücken mußte. Sie hatte den Eindruck, daß die Maserung des Holzes sich bewegte, wenn sie nicht hinsah, und warf von Zeit zu Zeit verstohlene Seitenblicke auf die Paneele, aber selbstverständlich blieben sie stets unverändert.

Straczinsky hörte sich ihre zusammenhanglosen und sprunghaften Ausführungen eine Zeitlang an, bis er sich besorgt ein wenig nach vorn beugte. Jill hatte in den zwei Stunden seit Hellmanns Besuch über die Geschichte von Dr. Wentworth nachgedacht, und inzwischen kam sie ihr unwahrscheinlicher denn je vor. Sie hatte schon überlegt, ob sie Straczinsky einfach direkt danach fragen sollte, brachte es aber nicht über sich. Wenn sich Hellmann einen bizarren Scherz erlaubt hatte – eine Möglichkeit, an die sie eigentlich weder glauben konnte noch wollte –, würde sie schön dumm dastehen, und wenn er recht hatte, konnte es fatal sein, damit herauszurücken. Es fiel ihr schwer, in dem zugegebenermaßen kalten, berechnenden und stets distanzierten Straczinsky mit seinen grauen Augen und pomadisierten Haaren den Mitwisser oder gar Mittäter eines Verbrechens zu sehen. Andererseits war ihr schon immer seltsam vorgekommen, daß Wentworths Projekt Gegenstand so übertriebener Geheimhaltung war, zumal das Institut zu gleichen Teilen aus öffentlichen und privaten Mitteln finanziert wurde und regelmäßig Rechenschaft über die Verwendung der Gelder abgelegt werden mußte.

»Jill …?« Sie sah auf. »Ist Ihnen nicht gut? Sie sehen blaß aus.«

Sie räusperte sich. »Die Hitze, nehme ich an.« Und als ihn das noch nicht hinreichend zu überzeugen schien, fügte sie hinzu: »Bitte entschuldigen Sie, ich habe gestern nacht nicht besonders gut geschlafen.«

Straczinsky lehnte sich unverzüglich wieder zurück, als fürchtete er eine mögliche Ansteckung. »Nun«, sagte er, »wenn Sie sich nicht wohlfühlen, sollten Sie sich vielleicht freinehmen …«

»Nicht nötig«, sagte sie. »Wenn Sie gestatten, werde ich mich in mein Büro verziehen und meinen Vortrag für morgen vorbereiten. Ich kann Ihnen ja die Unterlagen über das Seminar dalassen, und wir unterhalten uns ein andermal darüber.«

Er nickte und nahm die Mappe, die sie ihm entgegenstreckte, mit einer zaghaften Bewegung. So sehr er sich um eine teilnahmsvolle Miene zu bemühen schien, es gelang ihm nicht.

## 3

Zu ihrer eigenen Überraschung schaffte sie es dann doch noch ganz gut, sich auf den Vortrag zu konzentrieren. Das Institut selbst bildete zwar nicht aus, hielt aber von Zeit zu Zeit Vorlesungen über spezielle medizinische Aspekte ab, zu denen die Universitäten von Bakersfield, Barstow, Lancaster und Pasadena ihre Studenten schickten. Sie sollte morgen vor zwanzig Medizinstudenten aus Bakersfield über die Grundlagen neurochirurgischer Operationen sprechen. Da es sich ohnedies um ihr Spezialgebiet handelte, waren umfangreiche Vorarbeiten nicht nötig, zumal der Text des Vortrags im wesentlichen vorlag. Sie wollte jedoch einige Bemerkungen über neue operative Verfahren mit aufnehmen, von denen sie in ihrem Seminar erfahren hatte.

Sie arbeitete bis in den frühen Nachmittag hinein und beschloß erst gegen vierzehn Uhr, eine Pause zu machen. Durch die Tür zur Cafeteria sah sie Hellmann im Inneren. Er hatte ihr den Rücken zugedreht. Sie hätte sich gern noch einmal mit ihm unterhalten, aber zwei Tische weiter saßen zwei Männer – Biologen, wenn sie nicht alles täuschte – und eine Laborassistentin, die sich unterhielten. Aus Angst, die drei könnten mithören, würde sie das Thema Dr. Wentworth ohnehin nicht zur Sprache bringen können. Daher setzte sie sich mit einem unverbindlichen »Hallo« an seinen Tisch. Einige Leute im Institut wußten, daß sie sich auch privat trafen, daher wäre es auffällig gewesen, wenn sie einen anderen Tisch gewählt hätte.

Sie sah, daß er Notizen auf kleine Zettel kritzelte und erkundigte sich nach seiner Arbeit, während sie im Geiste staunte, welches Ausmaß ihre Paranoia in den Stunden seit seiner Eröffnung angenommen hatte, wobei sie immer noch nicht wußte, wieviel seiner Geschichte sie für bare Münze nehmen sollte.

»Ich bereite meine nächsten Tests mit Kathy Myers vor«, sagte er, während hinter seinem Rücken Eleanor Sutphen die Cafeteria betrat. Obwohl Jill sich gut mit Elly verstand, verstärkte die Anwesenheit der Verwaltungsangestellten heute ihr Unbehagen noch. Jill hörte mit einem Ohr Hellmanns Erläuterungen zu und beobachtete derweil, wie Elly sich eine Tasse Kaffee einschenkte. Auf dem Weg zum Ecktisch, so weit von allen anderen Anwesenden entfernt, wie es nur ging, schwappte etwas von dem Kaffee über den Rand der Tasse auf den Unterteller. Fußbad, dachte Jill. Elly bemühte sich, nicht noch mehr zu verschütten, als sie die Tasse auf den Tisch stellte. Sie setzte sich mit dem Rücken zur Wand, so daß sie den ganzen Raum im Auge hatte, und Jill fühlte sich unwillkürlich beobachtet. Sie drehte sich hastig zu Hellmann um.

Offenbar hatte er seine Ausführungen beendet, denn er sah sie schweigend an, aber sie hatte kein Wort von dem mitbekommen, was er gesagt hatte. Sie nickte, ohne zu wissen, ob es die richtige Reaktion war, und hoffte, er würde ihr die Nervosität nicht anmerken.

Er beugte sich zu ihr und wisperte. »Ich würde sagen, wir treffen uns zwischen fünf und halb sechs. Dann müßte die Luft rein sein.« Sein Flüstern vertiefte ihren Eindruck, Mitwisserin in einer Verschwörung zu sein. Sie kam sich vor wie eine Geheimagentin in einem schlechten Spionagefilm und konnte gerade noch ein Kichern unterdrücken, als sie sich vorstellte, er würde noch etwas Absurdes hinzufügen, zum Beispiel: »Mein Name ist Hellmann, Stefan Hellmann«, und: »Uhrenvergleich.« Oder »Ihr Deckname ist Roter Milan und ich bin Wanderfalke.« Aber er klaubte nur seine Notizzettel zusammen, verabschiedete sich, stand auf und ging hinaus. Jill lutschte ein Pfefferminzbonbon und wartete eine Zeitlang, dann erhob auch sie sich, um sich endlich einen Kaffee zu holen.

Als sie die Cafeteria später verließ, drehte sie sich in der Tür noch einmal um und ließ den Blick durch den Raum schweifen. Die Laborassistentin war gegangen, die beiden Biologen saßen einander schweigend gegenüber. Elly führte in der Ecke die Tasse zum Mund, wobei sich ein Tropfen von der feuchten Unterseite löste und auf ihre Bluse tropfte, wo er mit beängstigender Geschwindigkeit zu einem Fleck von erstaunlichen Dimensionen wuchs.

# 4

Als Iain McCullogh und Straczinsky um Viertel nach fünf immer noch in der Halle bei den Aufzügen standen, konnte Stefan Hellmann ein Gefühl der Unruhe nicht unterdrücken. Er sah immer wieder auf die Uhr, nur um festzustellen, daß sich der Minutenzeiger nur unwesentlich zu bewegen schien. Er kehrte zum drittenmal in sein Büro zurück und hoffte, daß ihn die beiden Männer nicht gesehen hatten, da ihm keine plausible Erklärung für sein Verhalten einfiel. Fünf Minuten später beschloß er, über das Haustelefon in Jills Büro anzurufen und den Ausflug in den Keller abzusagen, falls die beiden Männer immer noch in ihr Gespräch vertieft sein sollten, doch als er erneut nachsah, war die Halle verlassen. Offenbar waren sie gegangen.

Er fuhr ein Stockwerk hinauf zu Jills Büro, das in der medizinischen Abteilung des Instituts lag. Als er sie reden hörte, glaubte er zunächst, sie hätte Besuch. Er blieb zögernd stehen und drückte ein Ohr an die Tür.

»Was die vorzugsweise Lage eines Hautschnitts für eine Trepanation angeht, gibt es durchaus gewisse Richtlinien, die jedoch keine starren, unbedingt einzuhaltenden Gebote sind«, hörte er Jills Stimme dumpf durch die Tür. »Unter besonderer Berücksichtigung von Lage und Verlauf der Nerven und Gefäße in Haut und Knochen, um unbeteiligte Hirnteile zu schonen, und nicht zuletzt, um günstigste Voraussetzungen für Wundverschluß und Heilung zu schaffen, ist es sinnvoll, bereits präoperativ das im jeweiligen Falle günstigste Vorgehen zu bestimmen. Die Größe des Hautschnitts sollte sich auf jeden Fall nach der voraussichtlichen Größe der Trepanation richten, denn schließlich erscheint es wenig sinnvoll, den Patienten wegen eines winzigen Eingriffs vollständig zu skalpieren ...«

»Das«, sagte Hellmann, als er die Tür aufgemacht hatte, »wird dir auf jeden Fall einen Lacher deiner Zuhörer einbringen.«

Sie sah von ihrem Skript auf, offenbar ein Vortrag, den sie gerade einstudierte, und tatsächlich glaubte er sich zu erinnern, wie sie ihm von einer Vorlesung erzählt hatte, die sie halten mußte. »Du hast gelauscht«, sagte sie vorwurfsvoll.

»Man ist nie zu alt, um etwas dazuzulernen.«

»Und wenn ich nun Besuch gehabt hätte?«

»In dem Fall hätte ich mich selbstverständlich diskret zurückgezogen.« Er wurde wieder ernst. »McCullogh und Straczinsky haben das Institut gerade verlassen. Bist du bereit?«

Sie nickte, obwohl sie im Inneren das Gegenteil sagen wollte. Nein, sie war ganz und gar nicht bereit, in den Keller des Instituts hinabzusteigen, wo angeblich die Leiche eines Mitarbeiters lag, der laut offizieller Verlautbarung einfach nur die Stelle gewechselt hatte.

»Wahrscheinlich wirst du eine Gewebeprobe nehmen müssen. Vielleicht solltest du die entsprechenden Geräte bereithalten.«

Sie sah ihn noch einmal fragend an und schien immer noch zu prüfen, ob er es ernst meinte, doch als sie seinen Gesichtsausdruck sah, waren ihre Zweifel wie weggeblasen. »Gut«, sagte sie, »aber dazu muß ich noch kurz im OP vorbei. Du kannst schon vorgehen. Wir treffen uns im Erdgeschoß bei den Fahrstühlen.« Er ging zur Tür hinaus, als sie ihm noch nachrief: »Und vergiß nicht, im Hausmeisterzimmer das Kellerlicht einzuschalten.«

*Bestimmt nicht,* dachte er und erinnerte sich an seinen ersten Ausflug in völliger Dunkelheit. Er machte die Tür hinter sich zu. Das hohle Geräusch beim Schließen und das klickend einrastende Schloß erinnerten ihn an ein Exekutionskommando beim Durchladen. Gedankenverloren schritt er den Flur entlang. Auf dem Weg zum Fahrstuhl atmete er tief durch und wappnete sich für den zweiten Abstieg in das Verlies der Pathologie.

## 5

Iain McCullogh verabschiedete sich auf dem Institutsparkplatz von David Straczinsky und stieg in sein Auto ein. In letzter Zeit kam es immer häufiger zu Streitigkeiten zwischen ihm und dem Institutsleiter, und heute war, wie schon einige Male zuvor, Stefan Hellmann Gegenstand ihrer Auseinandersetzung gewesen. Straczinsky fand, daß es an der Zeit war, den deutschen Forscher mit seinem eigentlichen Arbeitsgebiet vertraut zu machen, aber McCullogh traute Hellmann nach wie vor nicht über den Weg. Er hielt es für unklug, einen Fremden, obendrein mit einer nicht ganz unproblematischen Vergangenheit, mit einem streng geheimen Projekt zu betrauen. Daß er durch einen dummen Zufall über Wentworths Namen gestolpert war, machte die Sache nicht einfacher, auch wenn es sich über kurz oder lang kaum vermeiden lassen würde, ihn mit Wentworths Projekt vertraut zu machen.

Immerhin schien Hellmann mit seinen Forschungen richtig zu liegen, soweit McCullogh das beurteilen konnte. Nicht, daß er eine große Ahnung von fachlichen Dingen gehabt hätte. Er wurde bezahlt, dafür zu sorgen, daß die Befehle seiner Vorgesetzten in die Tat umgesetzt wurden und das Projekt, das ihnen allen so sehr am Herzen lag, konkrete Früchte trug. Das erledigte er so konsequent und nachdrücklich, wie er konnte. Um Nebensächlichkeiten kümmerte er sich nicht weiter.

Er lächelte freundlich, als er an dem Pförtner vorbei zum Tor hinausfuhr, und überlegte sich, daß das eine seiner besten Eigenschaften war: Er hatte für jede Situation die passende Grimasse parat, die er aufsetzen konnte wie ein Schauspieler eine Maske, einerlei, wie er sich im Innersten fühlte.

Auch bei Straczinsky hatte er seine lächelnde Maske aufbehalten, ohne sich jedoch auf etwas Verbindliches einzulassen. Selbstverständlich, hatte er gesagt, müsse das Projekt weiter vorangetrieben werden, aber er hätte nach wie vor Zweifel, ob der deutsche Wissenschaftler der richtige dafür sei. Sicher, sein Ruf war über jeden Zweifel erhaben, und die Ergebnisse, die er bisher erzielt hatte, erwiesen sich als vielversprechend, aber dennoch ... ein Ausländer, und obendrein mit seinem politischen Hintergrund. Die Geldgeber des Projekts wären nicht sicher, was Hellmanns Person betraf. Selbstverständlich würde man sich gern eines Besseren belehren lassen, aber Straczinsky müsse verstehen, daß McCullogh diese Entscheidung auf gar keinen Fall allein treffen konnte. Er würde den Verantwortlichen noch am selben Abend Hellmanns Ergebnisse präsentieren und deren Entscheidung akzeptieren, auch wenn er persönliche Ressentiments überwinden müßte.

Er warf einen Blick auf den Beifahrersitz und die Rückbank und stellte fest, daß er die Mappe mit den Kopien von Hellmanns Unterlagen im Institut vergessen hatte. Fluchend trat er auf die Bremse. Der Wagen kam schlitternd in einer Staubwolke zum Stillstand. McCullogh wendete mit erboster Miene und fuhr zum Institut zurück.

## 6

Als Stefan Hellmann mit der zögernden Jill Shepherd im Schlepptau aus dem Fahrstuhl im zweiten Kellergeschoß trat und sich umsah, schämte er sich fast ein wenig seiner Empfindungen vom vergangenen Donnerstag. Im Licht der Neonröhren, die den Vorraum mit dem Fahrstühlen bis in den letzten Winkel ausleuchteten, konnte er sehen, daß er sich letztendlich nur in einem muffigen und schlecht gelüfteten Keller befand, dessen schmucklose betonierte Wände von winzigen Luftlöchern durchzogen waren, die sich wie Narben alter, schlecht verheilter Wunden ausnahmen.

Jill drückte ihre Arzttasche an sich wie ein schutzbedürftiges Kind und folgte ihm zu der Metalltür, die er aufzog, um ihr den Vortritt zu lassen. Sie folgten dem Korridor bis zur Tür der Pathologie. Er sah Jill an, die unmerklich nickte, und machte die Tür auf.

Es entging ihm nicht, wie Jills Blick die Reihen der Kühlfächer abtastete und auf demjenigen ruhen blieb, wo das rote Licht brannte.

»Da drin?« fragte Jill und wies mit dem Kopf in Richtung der Türklappe. Hellmann beantwortete ihre Frage mit einer knappen Neigung des Kopfes. Er hatte sie die ganze Zeit gedrängt und ihr zugeredet, aber jetzt, wo sie tatsächlich hier waren, schien er unentschlossen und unsicher zu sein und nicht recht zu wissen, was er machen sollte. Mit suchendem

Blick studierte er den Fußboden, bückte sich schließlich und hob etwas auf.

»Was hast du da?« fragte sie, worauf er ihr ein Streichholz zeigte. Die obere Hälfte war verkohlt und gekrümmt, die untere unversehrt.

»Das ist mir am Donnerstag runtergefallen«, antwortete er. »Gott sei Dank scheint seither niemand mehr diesen Raum betreten und es gefunden zu haben. Sonst wüßten sie, daß jemand hier gewesen ist.«

Jill verkniff sich die Frage, wen er mit »sie« meinte. Sie stellte die Tasche ab – die metallverstärkten Kanten erzeugten einen hohlen, scheppernden Laut auf dem Blech des Untersuchungstischs –, ging zu dem Fach und zog am Griff, mit dem man es öffnete. Sie zog die Bahre heraus. Obwohl sie längst nicht mehr an einen Scherz glaubte – die Sache war für einen Spaß viel zu weit gegangen –, registrierte sie doch ein wenig erstaunt, daß tatsächlich jemand in dem Fach lag. Nachdem sie einmal tief durchgeatmet hatte, schlug sie mit einer entschlossenen Bewegung das Leichentuch zurück und konnte nicht verhindern, daß sie leise aufschrie.

Hellmann, der den Toten erstmals bei Licht sah, konnte ein Stöhnen ebenfalls nicht unterdrücken. Der Mann auf der Bahre mochte Anfang bis Mitte Sechzig sein. Seine bleiche Haut schien wie Ölpapier von einem feuchten Film überzogen zu sein. Blaue, geplatzte Äderchen überzogen den Bauch- und Leistenbereich; sie bildeten seitlich, über den Rippen, wo das Bindegewebe schwach war, ein Muster, das wie die Straßenkarte eines übervölkerten Kleinstaates aussah, und Hellmann fiel trotz seines Schocks ein alter Bilderwitz ein, den er einmal gelesen hatte, über einen Mann, dessen Brust- oder Schamhaar in der Form des Kontinents Afrika wuchs. Die Finger der flach an den Körper gepreßten Hände, deren nachgewachsene, gelblich verfärbte hornige Nägel an die Klauen einer urweltlichen Echse erinnerten, waren verkrümmt und so verkrampft, daß sich selbst im Tod noch alle Sehnen straff gespannt unter der blutleeren Haut abzeichneten.

Den schlimmsten Anblick aber bot das Gesicht. Die Augen des toten Wissenschaftlers waren so weit aufgerissen, daß sie aus den Höhlen zu quellen schienen. In gläserner Starre waren sie blicklos zur Decke des Raums hinauf gerichtet. Wentworth hatte den Mund weit aufgerissen, als habe er im Augenblick seines Todes noch zu schreien versucht. Striemen getrockneten Speichels zogen sich von den Mundwinkeln über Wangen und Kinn bis zum Unterkiefer, der in seiner unnatürlichen Haltung wie ausgerenkt wirkte. Unter der gläsernen Oberfläche der Augäpfel schwammen braune Pupillen mit geweiteter Iris. Man konnte nichts in diesen toten Augen sehen, und doch fühlte sich Hellmann durch die Gesichtszüge verleitet, einen Ausdruck unvorstellbaren Entsetzens hineinzuinterpretieren.

»Großer Gott«, sagte er, und Jill riß sich wie unter Anstrengung von der verzerrten Fratze los und sah ihn an.

»Ich dachte«, sagte sie, und Hellmann war nicht sicher, ob die brüchige und unsichere Stimme tatsächlich ihr gehörte, »du hast ihn schon gesehen.«

»Habe ich«, entgegnete er, »aber nur im Dunkeln. Ich habe das Schild am Fuß gelesen, die Decke wieder über ihn gezogen und bin raus. Was glaubst du, wie ich mich gefühlt habe?«

Sie schien es als rhetorische Frage zu betrachten und antwortete nicht. Mit sachlicher Nüchternheit auf das Unvorstellbare zu reagieren war ihr stets als eine gute Vorgehensweise erschienen, und aus diesem Grund drehte sie sich auch jetzt zu ihrer Tasche um. »Fangen wir an«, sagte sie so pragmatisch wie möglich.

»Wir … wir sollten ihn als erstes …« Hellmann verstummte und schien sich zu fragen, ob er ihr sein Vorhaben tatsächlich zumuten konnte. »… als erstes auf Spuren von Einstichen untersuchen. Von einer Spritze«, fügte er hinzu, als er ihren fragenden Blick sah.

»Wieso?«

»Ich habe dir doch gesagt, daß er an seinem letzten Tag hier eine große Dosis eines Digitoxins aus der Apotheke geholt hat. Eine tödliche Dosis, und ich möchte wissen, ob er sich damit möglicherweise selbst umgebracht hat.«

»Und dann hat er sich auf die Bahre gelegt, noch ein bißchen Gesichtsgymnastik gemacht und die Tür von innen zugezogen?« Sie sah von Hellmann zu dem Toten auf der

Rollbahre und wieder zurück. Der sarkastische Klang ihrer Stimme überraschte sie, zumal er in krassem Gegensatz zu ihrer Stimmung lag. »Ein Digitoxin würde Herzstillstand herbeiführen«, fuhr sie fort. »Schau dir sein Gesicht an – sieht so jemand aus, der freiwillig aus dem Leben gegangen ist?«

»Vielleicht hat ihm jemand anders die Spritze gegeben und ihn ermordet«, sagte Hellmann. Er beugte sich über den Toten und betrachtete Arme und Oberschenkel, konnte aber keine Spur eines Einstichs finden. Als sie jeden Quadratzentimeter Haut gründlich begutachtet hatten, half Jill ihm, den Leichnam herumzudrehen, obwohl ihr der Widerwille deutlich im Gesicht geschrieben stand. Sie wollte diesen Mann nicht anfassen, wollte nicht einmal in seiner Nähe sein, tot oder lebendig.

»Nichts«, sagte sie nach hinlänglichem Studium von Wentworths Rücken und Nacken. »Damit scheint deine erste Theorie zumindest verworfen zu sein. Woran er auch immer gestorben sein mag, mit einer Spritze hat es nichts zu tun.«

»Nimm trotzdem eine Gewebeprobe und laß sie auf das Digitoxin untersuchen«, bat er sie. »Und wenn es nur ist, um diese Möglichkeit auszuschließen.«

Jill klappte ihre Arzttasche auf und holte ein Skalpell und ein Probenglas heraus. Sie fügte dem Toten an mehreren Stellen des Körpers winzige Einschnitte zu und streifte das auf diese Weise gewonnene Gewebe in das Glas, das sie anschließend sorgfältig verschraubte.

»Und weiter? Was sollen wir jetzt tun?« Sie hatte sich mit fragendem Blick zu ihm umgedreht. »Sollen wir Straczinsky Bescheid sagen? Die Behörden einschalten?«

»Auf gar keinen Fall«, antwortete er. »Straczinsky ist hier unten gewesen, daß weiß ich von Ramon. Da er offensichtlich auch falsche Informationen über Wentworths Verbleib verbreitet, muß er Bescheid wissen. Wir lassen Wentworth in dem Kühlfach und versuchen, uns nichts anmerken zu lassen. Und ganz besonders solltest du dich vor McCullogh hüten. Er hat es wegen Wentworth sowieso schon auf mich abgesehen, und ich traue ihm noch weniger als Straczinsky.«

Mit Jills Hilfe drehte er Wentworths Leichnam wieder auf den Rücken. Fast gegen seinen Willen sah er noch einmal in das verzerrte Gesicht des Toten, der aussah, als hätte er den Teufel höchstpersönlich gesehen. Der aufgerissene Kiefer drückte die Haut unter dem Kinn zu drei bleichen Wülsten zusammen, auf denen ein Schatten dunkelgrauer Stoppeln wuchs. Nicht einmal bei den schlimmsten Anfällen hatte er je eine derartige Fratze gesehen.

Er sah eine ganze Weile nachdenklich in Wentworths Gesicht, bis Jill ihn anstieß und fragte, ob sie gehen könnten. Sie rieb sich die Oberarme und schien zu frösteln. Kalte Luft strömte aus dem offenen Kühlfach heraus. »Mir ist gerade etwas eingefallen«, sagte er. »Du mußt unbedingt noch eine Probe seines Hirngewebes nehmen.«

## 7

Iain McCullogh steckte die Mappe mit den kopierten Unterlagen Hellmanns in die Aktentasche und verließ sein Büro im Erdgeschoß. Er schritt durch die Flure zum Eingang zurück und hatte den Eingangsbereich und das Zimmer des Hausmeisters fast passiert, als er stutzte und noch einmal umkehrte. Die Tür von Ramons Zimmer war angelehnt, und als McCullogh davor stand, stellte er fest, daß ein schwaches rotes Leuchten durch die Milchglasscheibe im oberen Teil zu sehen war.

Er schloß die Tür und sah nach der Lichtquelle. Unmittelbar hinter der Tür befand sich ein Sicherungskasten, wo ein rotes Kontrollicht aufleuchtete, was bedeutete, daß sich noch jemand im zweiten Untergeschoß aufhielt oder vergessen haben mußte, in einem der Kellerräume das Licht auszumachen. McCulloghs Blick streifte das kleine Kästchen mit dem roten Knopf an der Wand rechts von der Tür. Es war der Schalter, mit dem sich das gesamte Gebäude in Notfällen abriegeln ließ.

Er beugte sich über das winzige Schild unter dem roten Licht am Sicherungskasten und las das Wort »Pathologie.«

Alarmsirenen heulten in seinem Kopf auf. Der Hausmeister, der um diese Zeit als einziger etwas dort zu suchen gehabt hätte, war in die Stadt gefahren, um Einkäufe für das Institut zu erledigen. McCullogh fragte sich, wer sich in den Keller geschlichen haben mochte, nachdem so gut wie alle Institutsmitarbeiter nach Hause gegangen waren. Außer dem Hausmeister, ihm selbst und Straczinsky wußte niemand, daß eines der Kühlfächer der Pathologie belegt war, und es gab niemanden, der da unten etwas verloren gehabt hätte. Er wußte nicht, wer dort herumspionierte, aber er konnte es sich denken, und seine Ahnung war so stark, daß sie fast einer Gewißheit gleichkam.

## 8

»Das kann ich nicht«, sagte Jill zu ihm. Sie bemühte sich immer noch, den Schock der Ereignisse zu verkraften. Ihr war kalt, die bedrückende Atmosphäre der Leichenhalle nahm ihr den Atem, und wegen der Kälte mußte sie inzwischen dringend auf die Toilette. Ihr Mißmut war so groß, daß sie Hellmann zunächst nicht einmal nach dem Grund für diese Bitte fragte. Aber sein Gesicht und die dämmernde Erkenntnis darin erschreckten sie zutiefst.

»Warum nicht?« fragte er, aber sie sah, daß er nur halb bei der Sache war. Er betrachtete Wentworths verzerrtes Gesicht, als wäre es das Tor zu einer Schreckenskammer unvorstellbarer Geheimnisse. Sie folgte seinem Blick, konnte aber beim besten Willen nichts daran erkennen, das irgendeinen Hinweis liefern würde. »Ich dachte, du bist Chirurgin.«

»Ich kann es jetzt und hier nicht«, sagte sie. »Ich brauche spezielle Instrumente dafür, und die habe ich nicht dabei. Ich konnte nicht ahnen ...«

»Nein, natürlich nicht«, sagte er. »Ich wußte ja selbst nicht ...«

Er schien wieder in seine eigene private Welt abgetaucht zu sein und eher Selbstgespräche zu führen, als sich mit ihr zu unterhalten. Hellmann drehte sich noch einmal zu dem Toten auf der Bahre um. Jill hatte Wentworth nicht ausstehen können, als er noch lebte, und erinnerte sich nur mit Unbehagen an die wenigen Begegnungen mit ihm, doch nun sah sie ihm ins Gesicht und studierte die verzerrten Züge. Sie fragte sich, was für einen Tod jemand gehabt haben mußte, der sterbend so aussah, und erschauerte. Gänsehaut überzog ihre Oberarme, und sie rieb die Haut durch den Stoff ihrer Bluse. Offenbar hatte Hellmann eine Vermutung, die er ihr vorenthielt, und das verletzte Jill. Immerhin hatte er sich an sie gewandt, damit sie ihm helfen sollte, und sie glaubte, ein Recht darauf zu haben, alles zu erfahren. »Kannst du mir nicht sagen, was ...« begann sie, aber er ließ sie nicht ausreden.

»Noch nicht«, sagte er. »Bitte laß die Gewebeproben untersuchen und nimm eine Probe des Hirngewebes. Wenn du die Analysen abgeschlossen hast und mein Verdacht sich bestätigt, werde ich dich einweihen, ich verspreche es dir. Bis dahin bitte ich dich um etwas Geduld.« Er schien ihr die Zweifel im Gesicht anzusehen. »Bitte«, fügte er noch hinzu und sah sie mit diesem flehentlichen Jungenblick an.

*Keine Frau kann diesem Blick widerstehen*, dachte sie, *und ich wette, das weißt du auch ganz genau. Ich frage mich, wie viele nach diesem Blick schon schwach geworden sind.*

»Na gut«, sagte sie seufzend. »Vielleicht ist es auch besser so. Ich glaube, für diesen Tag habe ich mehr als genug erlebt und weiß nicht, ob ich noch einen weiteren Schock verkraften würde.« Sie half ihm, das Tuch über Wentworths Leichnam zu ziehen, danach schoben sie die Bahre in das Kühlfach zurück. Die Rollen an der Unterseite quietschten leise in ihren Schienen.

»Komm«, sagte sie. »Laß uns gehen. Ich werde die Probe zur Analyse geben und die Instrumente für die Entnahme der Gehirnprobe besorgen. Wenn die Ergebnisse vorliegen, sehen wir weiter.«

## 9

Als Iain McCullogh den Fahrstuhl hörte, machte er die Tür des Büros einen winzigen Spalt auf und spähte hinaus. Er hatte sich gleich das erste Büro des Korridors ausgesucht, da er von dort aus die Fahrstuhltür beobachten konnte, und angeklopft. Zur Sicherheit hatte er ein zweites Mal geklopft, und da niemand geantwortet hatte, war er hineingegangen, hatte sich kurz umgesehen und gewartet. Als der Aufzug sich in Bewegung setzte, mußte McCullogh den Kopf an den Türrahmen pressen und den Rücken krümmen, damit er die Fahrstuhltür sehen konnte. Es war eine ausgesprochen unbequeme Haltung, aber zum Glück würde er nicht allzulang darin verharren müssen.

Wenige Sekunden später glitt die Fahrstuhltür langsam beiseite. McCullogh nickte befriedigt, als er die Gestalt von Stefan Hellmann aus der Kabine treten sah. Er wollte sich schon abwenden, hielt aber inne, als Hellmann sich umdrehte. McCullogh unterdrückte den Impuls, leise zwischen den Zähnen zu pfeifen, als er eine blasse und sichtlich erschütterte Jill Shepherd aus dem Fahrstuhl treten sah. Hellmann sagte ein paar Worte zu Jill, die nickte, die Kabine wieder betrat und weiter nach oben fuhr. Hellmann selbst ging Richtung Ausgang, kehrte kurz darauf wieder zurück und verschwand in einem der Flure. McCullogh wartete ein paar Minuten, bevor er den Raum verließ, und versicherte sich dann, daß die rote Kontrolleuchte für das Kellerlicht erloschen war.

## 10

Bevor Jill Shepherd am nächsten Tag ihren Vortrag hielt, übergab sie die Gewebeproben einer Laborantin von der Biochemie, sagte ihr, wonach sie suchen sollte und bat die junge Frau, das Ergebnis nur ihr persönlich mitzuteilen und vorerst niemand anderem davon zu erzählen. Das Mädchen sah sie fragend an, nickte aber und entfernte sich mit dem Probenglas.

Jill brachte den Vortrag mechanisch und uninspiriert hinter sich, verlor mehrmals den Faden und verhaspelte sich, aber ihre Zuhörer schien das nicht weiter zu stören. Verhaltener Applaus folgte nach ihrer alles andere als bravourösen Darbietung, und sie war froh, als sie den Vortragssaal wieder verlassen konnte. Von bangen und, wie sie wußte, höchstwahrscheinlich unbegründeten Hoffnungen erfüllt, wartete sie den ganzen Nachmittag lang auf das Analyseergebnis. Als es an der Tür klopfte, erschrak sie und rechnete damit, daß es Iain McCullogh oder Straczinsky sein würden, um sie zu fragen, weshalb, um alles in der Welt, sie Gewebeproben eines Unbekannten auf Spuren eines Digitoxins untersuchen ließ, und atmete erleichtert auf, als sie das Gesicht der Laborantin sah. Das Mädchen grüßte, drückte Jill ein Blatt Papier in die Hand und ging wieder.

Jill betrachtete das Blatt eine ganze Weile, ohne es anzurühren. *Du mußt unbedingt noch eine Probe seines Hirngewebes nehmen,* hatte Stefan Hellmann zu ihr gesagt und damit praktisch das Eingeständnis geliefert, daß er selbst nicht mehr recht an die Möglichkeit glaubte, Wentworth könnte mit dem Herzmedikament ermordet worden sein, das dieser selbst aus der Institutsapotheke geholt hatte. Sie hoffte, daß er sich irrte, doch als sie das Analyseergebnis studierte, zerschlug sich ihre Hoffnung. Die Laborantin hatte keine Spuren des Medikaments nachweisen können.

Jill seufzte, legte das Blatt wieder auf den Schreibtisch und lehnte sich zurück. Es half alles nichts, sagte sie sich. So sehr ihr davor graute, sie mußte noch einmal in den Keller hinunter und Wentworths Leichnam untersuchen.

# Kapitel vier

## *Die Schöne und die Bestie*

*Die Schöne und die Bestie*. An dieses Märchen mußte Ellen Davies oft denken, wenn sie ihren Dienst in der Unterkunft der Bestie antrat. Zugegeben, diese Unterkunft hatte keine Ähnlichkeit mit dem phantastischen Märchenschloß der alten Filmversion, keine lebenden Arme, die flackernde Kerzen hielten, keine Gemälde, die den Besucher im Vorbeigehen anzustarren schienen. Die Unterkunft war kalt, nüchtern und schmucklos, und auch sonst, überlegte sich Ellen häufig, schien sich alles ins Gegenteil verkehrt zu haben. Sie selbst war mit ihrer zu großen Nase, den zu eng beieinanderstehenden schrägen Augen mit der unbestimmten und unansehnlichen, irgendwo in einem Niemandsland zwischen Braun und Grün gelegenen Farbe, dem kantigen Kiefer und ihrem zu groß geratenen schlaksigen Körper eine glatte Fehlbesetzung in der Rolle der Schönen – ein Typ, den man im besten Falle als herbe Schönheit hätte bezeichnen können, und selbst das wäre einer beschönigenden Umschreibung gleichgekommen. Die Bestie dagegen war – zumindest äußerlich – ein Engel.

Als Ellen ihren Platz eingenommen hatte, vor den Monitoren, aber so weit wie irgend möglich von dem Fenster entfernt, hinter dem die Bestie sich befand, versuchte sie, sich weitere Einzelheiten zu überlegen, die nichts mit dem romantischen Märchen gemeinsam hatten, von dem sie in ihrer Kindheit nicht genug hatte bekommen können und das ihre Mutter ihr stets mit der Ergebenheit, die nur wahrhaft liebevolle und geduldige Eltern aufbringen, immer wieder vorgelesen hatte.

Der augenscheinlichste Unterschied war der, daß Ellen nicht kam, um die Bestie mit ihrer Liebe zu erlösen und zu befreien, sondern um dafür zu sorgen, daß sie auf keinen Fall die Freiheit erlangte. Das durfte niemals geschehen. Die Bestie hatte gemordet, grausam gemordet, und sollte sie die Gelegenheit bekommen, erneut zu morden, würde sie sich keinesfalls von der Macht der Liebe besänftigen lassen und sich in einen Märchenprinzen verwandeln, sondern es wieder tun und auch Ellen töten – ohne mit der Wimper zu zucken.

Sie war nicht die einzige, die die Bestie bewachte. Insgesamt sechs Bewacher wechselten sich schichtweise ab, und doch bildete sie sich in düsteren Tagträumen in der Unterkunft, wo die Zeit stillzustehen schien, stets ein, daß sie etwas Besonders war, eine Auserwählte, und die Bestie, sollte sie jemals zuschlagen, ihre Schicht abwarten würde.

Nicht, daß die Bestie eine Chance haben würde, ihr etwas anzutun. Wie das Tier im Märchen wurde sie von einem Zauber in Bann gehalten, und dieser Zauber hieß Methohexitol. Solange niemand den Zauber brach, war sie sicher, aber dennoch blieb sie vorsichtig. Bestien waren heimtückisch und verschlagen und konnten sich alle Arten von Täuschungen einfallen lassen, um ihre ahnungslosen Opfer in Sicherheit zu wiegen.

Heute hatte Ellen Davies die Nachtschicht. Nicht, daß es in der Unterkunft der Bestie eine Rolle gespielt hätte, welche Tages- oder Nachtzeit herrschte. Hier existierte keine Zeit, und Ellen verbrachte einen einzigen achtstündigen Augenblick allein mit dem Ungeheuer, über dessen Befinden und Regungen ihr lediglich die elektronischen Geister Auskunft gaben, die sie sorgfältig im Auge behielt. Aber ...

Ellen seufzte. Ihre Kopfbedeckung drückte, und sie hätte sie gern abgezogen, doch das verboten die Sicherheitsvorschriften strengstens. Manchmal, wenn sie in einem Mikrofragment ihres achtstündigen Augenblicks Gelegenheit fand, über ihr Leben nachzudenken, lächelte sie nur verächtlich. Die vielen Kämpfe, die erforderlich gewesen waren, damit sie ihre Laufbahn einschlagen konnte, ein mit Auszeichnung abgeschlossenes Medizinstudium – und alles nur, um am Samstagabend unter einem Stahlhelm zu sitzen und die Bestie zu bewachen.

Selbstverständlich passierte niemals etwas. In den zahlreichen Schichten, die sie schon auf ihrem einsamen Wachtposten hinter sich gebracht hatte, hatte die Bestie nie auch nur eine Regung erkennen lassen. Ihre Kollegen, die anderen Hüter des Monsters, hatten ihr gesagt, daß man sich ein wenig beunruhigt zeigte, weil die Monitore in den vergangenen Tagen mehrmals geringfügige und rätselhafte Aktivitäten der Bestie angezeigt hatten, die sich niemand erklären konnte. Während die Bestie reglos blieb, schlugen die Monitoranzeigen aus, unmerklich zuerst, mitunter heftiger, aber stets nur kurz. Ellen selbst hatte etwas Derartiges noch nie erlebt und wußte nicht, ob sie den Gerüchten glauben sollte. Die Berichte und Meßdaten verschwanden nach jeder Schicht; nur die Vorgesetzten bekamen umfassenden Einblick in die Aktivitäten der Bestie und sorgten dafür, daß niemand etwas davon erfuhr. Daß man diesen winzigen Regungen, so sie nicht überhaupt ins Reich der Legende zu verweisen waren, eine derartige Bedeutung beimaß, war für Ellen Davies ein deutlicher Beleg für die Nervosität und Angst, mit denen man der Bestie generell begegnete.

Wenn sie tief in ihr Innerstes horchte, mußte sie sich eingestehen, daß es ihr schwerfiel, vor dem Ungeheuer mit seinem engelhaften Äußeren Angst zu empfinden, und doch kannte sie alle Fakten und wußte, wie gefährlich es war. Sie würde sich ganz bestimmt nicht zu Leichtsinn hinreißen lassen, oh, nein. Ellen wußte über Bestien Bescheid und kannte ihre listenreichen Wege.

Ein leiser, aber schriller Pfeifton, der die stickige Luft durchbohrte wie eine Nadel und die stillstehende Zeit mit einem Ruck in Bewegung setzte, riß Ellen aus ihren Gedanken und veranlaßte sie, den Kopf zu heben. Einer der Monitore an der Konsole vor ihr zeigte Aktivität. Die nahezu gleichförmige Linie hatte sich in ein zerklüftetes Gebirge verwandelt, dessen Gipfel immer höher hinaufschossen.

Das Blut schoß Ellen in den Kopf, als sie nach ihrem Kugelschreiber griff, auf die Uhr sah und das Protokollblatt näher zu sich rückte. »Samstag, 4. Juli« hatte sie schon an den oberen Rand geschrieben, und nun fügte sie mit unsicherer und krakeliger Handschrift in der Rubrik »Vorkommnisse« hinzu: »Um 22:46 Uhr unerklärliche Aktivität...« Sie hielt inne. »Der

Bestie« hätte sie um ein Haar geschrieben, besann sich aber. In welches Licht hätte dieser Ausdruck im Protokoll sie gerückt? Ein abergläubisches und hysterisches Dummchen, das beim ersten geringfügigen Vorkommnis in Panik geriet. Sie überlegte einen Moment. »... des Subjekts«, schrieb sie dann auf das Papier, so neutral ihr wachsendes Unbehagen es zuließ. Unterdessen wechselte ihr Blick unablässig und nervös von den Monitoren zu der Glaswand und wieder zurück auf das Papier. Sie rechnete damit, daß die Aktivitäten jeden Augenblick nachlassen würden und leistete im Geiste zerknirscht Abbitte an alle Kollegen, deren Berichten sie mißtraut hatte. Aber die Aktivitäten ließen nicht nach. Die zackigen Kurven auf dem Bildschirm blieben. Erst nach einigen Augenblicken ebneten sie sich wieder ein, erreichten aber nicht mehr das einförmige Niveau von vorher.

Ellen entspannte sich ein wenig, ließ den Monitor aber von nun an nicht mehr aus den Augen, abgesehen von gelegentlichen nervösen Blicken zu der Glasscheibe. Sie rechnete damit, das Antlitz der Bestie jeden Moment zur Fratze verzerrt dort auftauchen zu sehen, mit Mordlust in den Augen, doch das war selbstverständlich unmöglich. Gerade sie als Ärztin sollte das wissen. Aber dennoch: Lag nicht im Nebenzimmer der sich sämtlichen Theorien und gesicherten Fakten entziehende lebende Beweis dafür, daß nichts unmöglich war? Der Zauber, der die Bestie gefangenhielt, war stark und unüberwindbar und hatte noch nie versagt. Und doch ... Und doch hätte das, was sie gerade vor sich sah, gar nicht geschehen dürfen. Der Zauber des Methohexitols sollte gerade das verhindern, was sich eben direkt vor ihren Augen abspielte. Und wenn dieser Zauber versagte, gab es keine Sicherheit mehr auf der Welt.

Um 23:05 Uhr fegte ein wahrer Orkan von Ausschlägen über den Monitor, und der Schreiber, der die Kurve zusätzlich auf Papier festhielt, kratzte nervtötend über das rosa Millimeterpapier, das mit leisem Rattern durch die Maschine gezogen wurde. Ellen umklammerte den Sitz ihres Stuhls so fest, daß ihre Knöchel sich als weiße Punkte unter der straff gespannten Haut abzeichneten. Neben dem Monitor, dem Protokoll und der Glasscheibe hatte sie mittlerweile einen vierten

Fixpunkt gefunden, zu dem ihr Blick immer häufiger wanderte: das Telefon, mit dem sie ihre Vorgesetzten informieren konnte, sollten sich unvorhergesehene Komplikationen ergeben.

Sie beherrschte sich, da die Angst, sich der Lächerlichkeit preiszugeben, ihre Angst vor der Bestie noch relativierte, doch die Waagschalen verschoben sich zunehmend. Mit einer langsamen Handbewegung öffnete sie eine Schublade am Tisch, nahm die Pistole heraus, die dort verstaut war, und legte sie vor sich auf den Tisch. Sie betrachtete die Waffe einen Moment, dann hob sie sie, einer plötzlichen Eingebung folgend, hastig noch einmal auf und entsicherte sie, bevor sie sie wieder auf den Tisch zurücklegte. Staunend und fassungslos verfolgte sie die Peaks der Kurve, die es eigentlich gar nicht geben durfte, und ihr wurde klar, daß ihre Situation überhaupt nichts Amüsantes hatte. Und wenn sie sich der Lächerlichkeit preisgab, na und? Lächerlichkeit war etwas Vergängliches und schnell wieder vergessen. Darüber hinaus bezweifelte sie, daß es ihr unter den gegebenen Umständen jemand verübeln würde, wenn sie es mit der Angst zu tun bekam. Der Tod dagegen war endgültig, und wenn sie erst einmal ein Opfer der Bestie geworden und eines qualvollen Todes gestorben war …

Um 23:28 Uhr schloß Ellen Davies mit ihrem Leben ab. Die Ausschläge erfolgten so heftig, daß der Schreiber oben und unten an die Führungsschienen stieß und das Papier die Peaks der Kurve nicht mehr fassen konnte. *Jetzt*, dachte sie. *Jetzt ist es soweit.* Sie hatte verabsäumt, jemanden zu informieren, solange noch Zeit war, und wenn ihre Ablösung kam, würde sie tot auf dem Boden liegen. *Am 4. Juli um exakt 23:28 Uhr wurde Ellen Davies, geboren in Garden Acres, Kalifornien, ein Opfer der Bestie.* So sollte die Meldung in der Zeitung lauten, aber selbstverständlich würde es dazu nie kommen. Die Existenz der Bestie war ein gehütetes Geheimnis, das nicht preisgegeben werden würde, nur weil eine unbedeutende kleine Ärztin ums Leben gekommen war.

Ellen stand ruckartig auf. Der Stuhl, auf dem sie gesessen hatte, kippte um. Das blecherne Scheppern erschreckte sie so sehr, daß sie herumfuhr. Der Stahlhelm, der ihr solche Kopfschmerzen bereitete, rutschte herunter, doch sie riß sofort die Hände in die Höhe und schob ihn wieder an Ort und Stelle. Sie wußte, wenn sie ihn verlieren würde, wäre sie der Bestie vollkommen schutzlos ausgeliefert und nichts würde sie mehr retten können.

Ellen Davies drückte sich mit aufgerissenen Augen und verzerrtem Gesicht an die Wand gegenüber der Monitorkonsole, beobachtete die zerklüfteten Gebirge der Kurve und wartete von Furcht erfüllt auf das Ende. In einem unterschwelligen Teil ihres Verstandes, wo sich ein Rest vernünftigen Denkens erhalten hatte, schalt sie sich selbst wegen ihrer Angst. In diesem Teil ihres Verstandes wußte sie, daß die Bestie ihr nichts tun konnte, daß schon andere vor ihr Aktivitäten gesehen und überlebt hatten, um davon zu erzählen, aber dieser Teil war so winzig, so von Ängsten überlagert, daß seine leise Stimme ungehört verhallte.

Zwanzig Minuten später hörte der Spuk so unvermittelt auf, wie er angefangen hatte. Zu dem Zeitpunkt war Ellen an der Wand hinuntergerutscht, saß in der Hocke auf den Boden, umklammerte die Beine mit den Armen und preßte die Stirn so fest auf ihre Knie, daß es weh tat. Sie hörte das Kratzen der Schreibernadel nicht mehr, weigerte sich aber zunächst, diese Tatsache zur Kenntnis zu nehmen. Als sie wagte, wieder aufzublicken, zeigte der Monitor wie zu Beginn eine ebenmäßige, fast flache Linie. Was auch immer die Bestie getan haben mochte, sie hatte sich wieder beruhigt. Ihr Zorn hatte jemand anderem gegolten, und sie, Ellen, war noch einmal davongekommen.

Schlag Mitternacht richtete sich Ellen auf, strich ihre Kleidung zurecht und wischte sich den Schweiß von der Stirn. Die Geisterstunde hatte begonnen, doch die Geister in der Unterkunft der Bestie hatten sich paradoxerweise schon wieder zurückgezogen. Erneut kehrte die trügerische Ruhe der vergangenen Tage ein. Ellen Davies stellte ihren Stuhl auf, setzte sich zaghaft darauf und schrieb mit zitternden Fingern ihre Eintragungen in das Protokoll.

# Kapitel fünf
## *Erkenntnisse*

### 1

Kathy Myers traf pünktlich auf die Minute um zehn Uhr ein. Hellmann hob den Kopf, als es an seiner Tür klopfte, sagte geistesabwesend »Herein«, und stand auf, als er sah, um wen es sich handelte.

Kathy hatte ihr braunes Haar heute streng nach hinten gekämmt und zu einem Pferdeschwanz gebunden; es umrahmte ihr braungebranntes, markantes Gesicht wie eine enganliegende Bademütze. Hellmann bat sie um ein wenig Geduld, während er zusammensuchte, was er für die Sitzung mit ihr brauchen würde: sein Kartenset, die Ampullen mit dem DilantinSodium aus der Apotheke, eine Ampulle mit radioaktiver Lösung für die PET, zwei Einwegspritzen nebst Nadeln, seinen Notizblock. Ihm fiel auf, daß Kathy ihn während der ganzen Prozedur des Zusammensuchens kritisch beobachtete, als würde sie ihm auf einmal nicht mehr trauen. Vermutlich lag es daran, daß er heute, entgegen sonstigen Gepflogenheiten, nicht nur die Karten und seinen Block nahm und mit ihr ins Labor ging. Die Spritzen schienen ihr nicht geheuer zu sein, aber da er sie bei ihrem letzten Besuch vor einer Woche auf den heutigen Test vorbereitet hatte, kam ihm ihr argwöhnischer Gesichtsausdruck ein wenig übertrieben vor. Dennoch folgte sie ihm widerspruchslos, als er durch den Flur zu seinem Labor schritt.

Dort angekommen, plauderte er zwanglos ein wenig mit ihr, um ihr die Nervosität zu nehmen, aber in Wirklichkeit mindestens ebenso sehr, um sich selbst abzulenken. Er mußte die ganze Zeit an Dr. Wentworths Leichnam unten in der Pathologie denken, dessen Anwesenheit er förmlich spüren konnte. Psychische Schockwellen schienen von dem Toten auszugehen, pochend und pulsierend wie die Schmerzen in einer entzündeten Geschwulst. *Schlechtes Karma*, dachte er lächelnd. Selbstverständlich war der Gedanke albern, schließlich lag Wentworth möglicherweise seit Wochen da unten, schon vor Hellmanns Ankunft im Institut. Und bevor er auf den Leichnam gestoßen war, hatte er auch keinerlei Schwingungen oder Schockwellen gespürt. Obwohl er sich bemühte, sich auf die bevorstehenden Tests und Untersuchungen zu konzentrieren, kehrten seine Gedanken ständig wieder zu dem toten Wissenschaftler zurück – wie man nach dem Zähneziehen immer wieder mit der Zunge in dem entstandenen Loch herumstochert, obwohl es weh tut.

»Ich hatte Ihnen schon letzte Woche gesagt, daß ich heute gern zwei Testreihen mit Ihnen durchführen möchte«, sagte er zu Kathy, und bat sie, sich auf einen Stuhl zu setzen und einen Arm freizumachen, während er die Spritze mit der radioaktiven Lösung aufzog. Sie sah ihn unverwandt an und ließ ihn auch nicht aus den Augen, als sie den Ärmel ihrer Bluse hochrollte. »Bei der ersten werde ich einen PET-Scan Ihrer Gehirnaktivität durchführen. Erinnern Sie sich noch, was ich Ihnen dazu gesagt habe?« Als sie nickte, fuhr er fort: »Gut. Ich spritze Ihnen jetzt diese Lösung, dann müssen wir ein paar Minuten warten, bis sich die Substanz verteilt hat.« Sie sah ihm fasziniert zu, wie er ihr eine Druckmanschette anlegte, ein paarmal auf den Gummiball drückte, um die Manschette aufzupumpen, sorgfältig die Vene suchte und die Nadel der Spritze hineinstach. Er drückte mit dem Daumen auf die Spritze und beobachtete, wie der Pegel der farblosen Flüssigkeit immer weiter sank. Als er die Spritze herauszog, preßte er ihr ein alkoholgetränktes Stück Mull auf die Armbeuge und bat sie, es einen Moment festzuhalten, während er die Einwegspritze wegwarf.

»Gut«, sagte er noch einmal. »Nun legen Sie sich bitte auf die Bahre hier.« Er führte sie zur Rollbahre des PET-Scanners. Die lange Metallröhre mit der kreisrunden Öffnung des Detektorrings erinnerte an den Brennofen eines Krematoriums, ein Eindruck, den die helle Beleuchtung zwar abschwächte, aber nicht völlig vertreiben konnte. Als sie sich auf die Bahre gelegt hatte, schob Hellmann sie so weit hinein, daß Kathys

Kopf genau in dem Detektorring lag, der die Gammastrahlung des Isotops messen würde.

»Das Problem bei der Telepathie«, sagte er, wieder mehr, um sich selbst abzulenken, »besteht darin, daß niemand genau weiß, wie sie funktioniert.« Er lachte kurz auf. »Manche Leute bezweifeln sogar generell, daß sie funktioniert, aber das wissen wir beide besser, was?« Obwohl sie selten eine Gelegenheit ausließ, mit ihm zu scherzen, ging sie heute nicht auf seine Bemerkungen ein, sondern betrachtete ihn nur mit einem konzentrierten, schielenden Blick unter dem Detektorring hervor.

»Ich möchte heute feststellen, welche Regionen Ihres Gehirns aktiv sind, wenn tatsächlich ein Kontakt zustande kommt, das heißt, wenn Sie erkennen können, was für eine Karte ich betrachte. Bitte versuchen Sie, sich zu entspannen.« *Denken Sie sich schon mal warm*, wollte er hinzufügen, und es lag ihm schon auf der Zunge, aber dann ließ er es doch unausgesprochen. Er kam sich häufig albern vor, wenn er mit anderen Leuten spaßte, und seine niedergeschlagene und geistesabwesende Stimmung – die Kathy offenbar auch spürte – lud sowieso nicht zu Scherzen ein.

Um seine Meßergebnisse der letzten Woche noch einmal zu bestätigen, legte auch er sich die Meßelektroden an, obwohl ihn die Kabel bei der Bedienung des PET-Scanners hinderten und er sich ständig darin verhedderte.

Als er bereit war, nahm er die erste Karte von dem Stapel und betrachtete sie so konzentriert, daß das abgebildete Fünfeck vor seinen Augen zu flimmern schien. »Es kann losgehen«, sagte er zu Kathy.

Das Mädchen drehte suchend den Kopf in dem Detektorring hin und her.

»Bitte, Kathy, nicht bewegen«, sagte er. »Sie müssen den Kopf stillhalten, damit der Detektor die Bilder Ihrer Gehirnaktivitäten aufzeichnen kann. Oder haben Sie Schwierigkeiten, sich darin zu konzentrieren?«

Sie schüttelte einmal kurz den Kopf, dann hielt sie ihn still und konzentrierte sich. Ein kurzer Blick auf den EEG-Monitor zeigte Hellmann ein Absinken der Alphawellenaktivität. Sie hatte die Augen geschlossen.

Hellmann wartete eine ganze Weile und versuchte dabei an nichts anderes als an das Fünfeck zu denken. Sobald er spürte, daß seine Gedanken abschweifen wollten, sah er die Karte in seiner Hand an und konzentrierte sich erneut. Von Kathy kam keine Reaktion.

»Kathy ...« sagte er, als ihm die Wartezeit zu lang wurde. »Gibt es Probleme? Können Sie ...«

»Bitte ...« sagte sie und versuchte wieder, den Kopf zu heben.

Hellmann legte die Karte weg und zog die Bahre ein Stück heraus. Kathy atmete erleichtert auf, erhob sich und stützte sich auf die Ellbogen.

»Konnten Sie die Karte nicht erkennen?«

»Nein ... doch«, sagte sie. Er ließ den Blick zum Schreiber schweifen, der sein eigenes EEG aufzeichnete. Der winzige Ausschlag des Krampfpotentials war deutlich zu sehen.

»Ich sehe, daß ein Kontakt stattgefunden haben muß«, sagte er. »Sie müssen etwas gesehen haben.« Er hob die Karte hoch und zeigte sie ihr. »Es war ein Fünfeck. Ja?«

»Ich weiß, daß es ein Fünfeck war«, sagte sie mit einer Stimme, die sich gezwungen normal anhörte. »Aber es stimmt etwas nicht. Sie sind unkonzentriert, als würden Sie versuchen, nicht ständig an etwas anderes zu denken. Etwas beschäftigt Sie, und Sie geben sich die allergrößte Mühe, nicht daran zu denken.«

Hellmann seufzte. »Ich fürchte, da haben Sie recht«, sagte er. »Aber ich kann es Ihnen leider nicht erklären. Es hat auf jeden Fall nichts mit Ihnen zu tun.« Er räusperte sich. »Lassen Sie uns bitte trotzdem weitermachen. Ich werde mich am Riemen reißen und versuchen, mich nur auf die Karten zu konzentrieren.«

## 2

Jill Shepherd saß in ihrem Büro und kaute nervös auf einem Kugelschreiber. Immer wieder schweifte ihr Blick durch den Raum zum Fenster, aber besonders zur Tür. Sie wußte nicht genau, wen sie erwartete, aber ihre Ahnungen und Schuldgefühle suggerierten ihr beständig, daß sie sich in Gefahr befand, daß jeden Moment jemand eindringen und sie abholen würde, weil sie ein Geheimnis kannte, das von der Institutsleitung sorgfältig gehütet wurde.

Je länger sie darüber nachdachte, desto unheilvollere Dimensionen gewann die mysteriöse Angelegenheit um den angeblich versetzten Dr. Wentworth, der tot im Keller lag. Sie sagte sich, daß Stefan recht haben mußte – es schien schwer vorstellbar, daß sich ein derartiges Ereignis im Institut abspielte, ohne daß zumindest Straczinsky informiert war. Nach einem längeren Gespräch mit Stefan besaß sie eine Menge Puzzlesteine, die sich allerdings noch nicht zu einem logischen Gesamtbild zusammenfügen wollten.

Wentworth hatte an einem Projekt gearbeitet, über das niemand sonst im Institut Bescheid wußte – mit Ausnahme von Straczinsky und höchstwahrscheinlich McCullogh. Das an sich war schon ungewöhnlich genug, und sie fragte sich, warum sie sich vorher nie Gedanken darüber gemacht hatte. Schließlich sollte es im Interesse der Verwaltung liegen, Projekte und erzielte Fortschritte publik zu machen. Denn je mehr Publicity ein Projekt brachte, desto größer war die Wahrscheinlichkeit, daß weitere Mittel dafür zur Verfügung gestellt wurden. Nur über Wentworths Arbeit hatte seltsamerweise niemand Bescheid gewußt.

Und nun war Wentworth tot. Die tödliche Dosis Digitoxin, die er in der Apotheke geholt hatte, war verschwunden, in Wentworths Leichnam selbst keine Spuren davon nachweisbar. Was hatte er damit vorgehabt? Selbstmord? Mord? Wenn ja, wen hatte er ermorden wollen? Und was war ihm dann selbst zugestoßen, daß seine Gesichtszüge derart gräßlich verzerrt aussahen?

Die entscheidende Frage aber war und blieb für sie insgeheim, was wußte Stefan Hellmann? Daß er zumindest etwas ahnte, bewies seine Bitte, Wentworths Gehirn zu untersuchen. Aber was versprach er sich von der Untersuchung? Welche Vermutungen und Befürchtungen hegte er, die eine Untersuchung von Wentworths Gehirn zur Gewißheit machen konnte? Seine Heimlichtuerei trieb sie zum Wahnsinn.

Sie seufzte. Alles in allem besaß sie wenig Fakten, aber dafür jede Menge ungelöste Fragen. Sie sah in die Ecke auf den Boden, wo ihre Arzttasche mit sämtlichen Instrumenten stand, die sie benötigte, um eine Gehirnprobe Wentworths zu entnehmen. Offenbar würde ihr tatsächlich nichts anderes übrigbleiben, als die Untersuchung durchzuführen und Stefan dann noch einmal zur Rede zu stellen. Sobald sich die Gelegenheit bot...

Wie sich herausstellte, bot sich zumindest die Gelegenheit, Wentworth erneut zu untersuchen, schneller, als sie gedacht hatte. Kurz nach elf Uhr stand sie auf, und während sie rastlos zwischen Fenster und Tür hin und her ging, sah sie Iain McCullogh über den Vorplatz des Instituts zu seinem Auto gehen. Sie wußte, daß Straczinsky geschäftlich unterwegs war, was bedeutete, daß die beiden Hauptverdächtigen in der mysteriösen Angelegenheit das Feld geräumt hatten und die Luft rein war.

Sie nahm ihre Tasche vom Boden auf. Vielleicht war es wirklich am besten, jetzt gleich zu handeln, solange ihre Neugier die Bedenken überwog. Bevor ihre Willenskraft verfliegen konnte, faßte sie den Entschluß, bei Stefan vorbeizuschauen, um ihn zu bitten, mit ihr in den Keller zu kommen.

Sie klopfte an die Tür seines Büros, aber er antwortete nicht. Sie machte die Tür auf und sah hinein. Alle möglichen Papiere lagen in der für ihn typischen Weise in dem Raum verteilt, auf dem Schreibtisch, auf Büchern in den Regalen, auf Stühlen. Seltsamerweise wirkte der Gesamteindruck nicht so unordentlich, wie man vermuten konnte. Im Gegensatz zu ihr hatte er die Angewohnheit, sämtliche Bücher und Unterlagen, die er zum Arbeiten brauchte, in Reichweite um den Schreibtisch herumzulegen und dort zu lassen, bis er fertig war. Sie selbst schlug nach, was sie nachschlagen mußte, und stellte die Bücher immer gleich in die Regale zurück. Immerhin, dachte sie mit einem schiefen Grinsen, war es ihm in der kurzen Zeit, seit er hier arbeitete, gelungen, dem Büro die unverwechselbare Note seiner Persönlichkeit aufzuprägen.

Sie überlegte sich, wo er stecken konnte, und dann fiel ihr ein, daß Mittwoch war und er seinen Termin mit Kathy Myers hatte. Bestimmt arbeitete er mit ihr in einem der Labors. Sie verweilte unschlüssig an der Tür und überlegte sich, was sie tun sollte. Dann entschied sie sich, die Untersuchung auf einen anderen Tag zu verschieben.

Auf dem Rückweg zu ihrem eigenen Büro dachte sie, daß es jammerschade wäre, die günstige Gelegenheit verstreichen zu lassen. Selbstverständlich hätte sie warten können, bis Kathy Myers gegangen war, aber möglicherweise tauchte McCullogh bis dahin wieder auf, möglicherweise würde es auffallen, wenn sie mehrmals nach Feierabend im Gebäude blieben, und möglicherweise würde ihr Wille, die Untersuchung durchzuführen, nicht so lange vorhalten. Kurzerhand machte sie kehrt und ging zum Fahrstuhl. Sie war jetzt entschlossen, daß sie nicht auf Stefan Hellmann warten, sondern allein ins zweite Untergeschoß fahren und eine Probe des Hirngewebes von Dr. Wentworth entnehmen würde.

## 3

»Wellen«, sagte Kathy Myers. Hellmann wandte den Blick von der Karte mit den darauf abgebildeten drei Wellen ab und dem Monitor zu. Gelb-rote Wolken erblühten auf dem Bildschirm und zogen verblassend über die graublauen Hemisphären des abgebildeten Gehirns.

Hellmann hatte sich bemüht, den Karten so gut es ging seine ungeteilte Aufmerksamkeit zu schenken, was ihm offenbar gelungen war, denn Kathy hatte sich nicht mehr über Ablenkungen beschwert und neun von zehn Karten richtig erraten. Soweit er die Monitore im Auge behalten hatte, zeigten sie die erwarteten Ergebnisse an und bestätigten nochmals seine Tests der vergangenen Woche. Bei jeder richtig erkannten Karte wies sein eigenes EEG das bekannte kurze Krampfpotential auf. Die PET-Daten bedurften einer gründlicheren Auswertung, schienen aber ebenfalls zu bestätigen, was er bereits vermutete.

Hellmann löste die Elektroden von seiner Haut, legte sie sorgfältig beiseite, damit die Kabel sich nicht verhedderten, und ging zum Scanner, um Kathy auf der Bahre aus dem Detektorring herauszurollen.

»Ganz ausgezeichnet, Kathy«, sagte er, als die junge Frau sich aufrichtete. »Wenn Sie gestatten, werden wir nun noch einmal einen Test wie gehabt durchführen, ohne PET. Allerdings mit einem kleinen Unterschied.«

Sie schwang die Beine von der Bahre, schien nicht zu wissen, was sie tun sollte, und blieb unentschlossen sitzen. Sie wartete, daß Hellmann ihr die Elektroden abnehmen würde, aber er lief zum Labortisch und zog dort eine zweite Spritze auf. »Was soll ich tun?« fragte sie schließlich.

»Bleiben Sie einfach sitzen«, sagte er. »Ich bin gleich wieder bei Ihnen.« Er drehte sich mit der Spritze in der Hand um und kam zu ihr. Ihr Blick wanderte unbehaglich von der Spritze in seiner Hand zu dem winzigen roten Pünktchen des Einstichs in ihrer Armbeuge.

Hellmann bemerkte ihren Blick und lachte leise. »Keine Bange«, sagte er. »Die ist für mich.« Als sie ihn fragend ansah, fuhr er fort: »Sehen Sie, bei jedem telepathischen Kontakt« – er hielt die Ausdrucke der gerade beendeten Sitzung hoch und zeigte sie ihr – »kommt es hier zu einer winzigen Schwankung des bioelektrischen Musters, einem Krampfpotential, das gewisse Ähnlichkeit mit epileptischen Potentialschwankungen aufweist.« Er vergewisserte sich, ob sie ihm folgen konnte. Als sie bestätigend nickte, setzte er seine Erläuterung fort.

»Das hier« – er hielt die Spritze hoch – »ist ein Mittel, wie man es Epileptikern zur Unterdrückung der Krampfpotentiale verabreicht. Wenn meine Theorie richtig ist, müßte dieses Mittel eigentlich verhindern, daß Sie erkennen können, welche Karten ich betrachte.«

»Das heißt, diesmal soll ich keine Treffer landen?«

Er lächelte. »Sie sollen es versuchen. Wenn es Ihnen gelingt, sieht es ziemlich schlecht um meine Theorie aus. Wenn Sie es nicht schaffen, dann werde ich meine bisherigen Forschungen zusammenfassen, auswerten und veröffentlichen. Vielleicht werden Sie berühmt, Kathy.«

»Nein, danke. Verzichte«, sagte sie offenbar aus tiefstem Herzen. Sie sah ihm zu, wie er den Ärmel hochkrempelte und sich selbst die Druckmanschette anlegte.

Als die Venen an seinem Oberarm deutlich genug vorstanden, drückte er wenige Tropfen aus der Spritze heraus und stach sich die Nadel in die Armbeuge.

Die Luft entwich mit einem lauten Zischen aus der Druckmanschette. Hellmann streifte die Manschette achtlos über seinen Arm und warf sie auf die rotgekachelte Oberfläche einer Laborbank an der Wand. Er legte den Stapel der Karten auf den Tisch, nahm die Elektroden, die er kurz zuvor entfernt hatte, wieder hoch und befestigte sie erneut an seinen Schläfen. Er setzte sich.

Kathy hatte alles wortlos verfolgt. »Das Medikament wirkt schnell«, sagte er. Die leuchtenden Skalen der Anzeigen spiegelten sich in ihren Augen wie die Lichter einer fernen Stadt in einem See. Sie erwiderte seinen Blick immer noch schweigend. »Bitte geben Sie sich große Mühe. Dieser Test ist sehr wichtig.«

Kathy nickte. »Von mir aus kann es losgehen«, sagte sie.

Hellmann mischte die Karten, legte den Stapel hin, rückte ihn ein wenig zurecht und hob die oberste Karte auf. Er drehte sie um, sah sie an und versuchte, so konzentriert er konnte, an nichts anderes als das Bild zu denken. »Gut«, sagte er. »Fangen wir an.«

## 4

Es war kalt in der Leichenhalle. Jill Shepherd atmete ruckartig aus, aber ihr Atem kondensierte nicht. Sie drehte den Kopf und betrachtete alle vier Wände. Das rote Auge des Kontrolllichts über dem Fach, in dem Dr. Wentworth lag, folgte jeder ihrer Bewegungen mit gleichmütigem Blick.

Sie stellte ihren Instrumentenkoffer auf einen der Untersuchungstische und zuckte zusammen, als die blechverstärkten Kanten an der Unterseite ein metallisches Klirren auf der Edelstahlplatte erzeugten. An der Tür der Kühlkabine, wo das Licht ihre Hände mit einem roten Film überzog, zögerte sie einen Moment, faßte sich aber, drückte den Griff mit einer entschlossenen Bewegung nach unten und ließ die Tür aufschwingen. Kältere Luft schlug ihr entgegen, und als sie die Bahre herauszog und in das enge Fach hineinatmete, konnte sie die weiße Wolke ihres kondensierten Atems sehen.

Bilder von Wentworth, wie er zu Lebzeiten ausgesehen hatte, gingen ihr durch den Kopf. Sie erinnerte sich deutlich an die hochgewachsene, so selbstbewußte Gestalt, als er den Institutsmitarbeitern vorgestellt wurde. Sie erinnerte sich an die Blicke, die die Mitarbeiterinnen ihm im Vorübergehen zuwarfen, allen voran Eleanor, die ihn immer wie ein schwärmerisches Schulmädchen anstarrte. Und während sie an das alles dachte, wuchs ihre Wut. Vor allem Wut auf sich selbst, denn, so wenig sie es sich eingestehen wollte, auch sie hatte ihm nachgeblickt, hatte ihn bewundert, anfangs zumindest, als er Gesprächsthema Nummer eins gewesen war, ein gutaussehender Mann, den niemand je bei der Arbeit sah, den man immer nur auf Fluren traf, auf dem Weg zur Verwaltung oder zurück in die unterirdischen Forschungslabors, oder in der Cafeteria, wo er meist für sich allein saß und alle mit seinem sardonischen Lächeln musterte, das so abstoßend war und doch so anziehend wirkte. O ja, sie hatte ihn angehimmelt wie alle anderen, alberne Ziege, die sie gewesen war, bis zu jenem Tag, als er versucht hatte …

Aber daran wollte sie nicht denken. Sie versuchte, sich auf ihren Abscheu zu konzentrieren, auf den Ekel, den sie ihm gegenüber empfand, aber es gelang ihr nicht in dem Maß, wie sie es sich gewünscht hätte. Sein Gesicht, die grauen Brauen hochmütig emporgezogen, im vollen Wissen der Wirkung, die er auf andere ausübte, verweilte hartnäckig vor ihrem geistigen Auge, und sie konnte es nicht verdrängen, bis sie sich schließlich aus ihren Gedanken riß und das einzige Gegenmittel einsetzte, das ihr einfiel: Mit einer ruckartigen Bewegung schlug sie das Leichentuch zurück und beugte sich ein wenig über den Toten, damit sie ihn genau sehen konnte.

Der Anblick des verzerrten Gesichts schockierte sie genauso wie beim erstenmal, aber die Schocktherapie half. Das leblose Stück Fleisch auf der Bahre übte keine Faszination mehr aus. Doch so sehr sie sich bemühte, Mitleid mit ihm zu empfinden, es gelang ihr nicht. Sie sah ihm noch einen Moment in die Augen, in denen die Pupillen schwammen wie in geronnenem Eiweiß, und bevor sich der Gedanke in ihrem Kopf formen konnte, den sie auf gar keinen Fall denken wollte, auf gar keinen Fall -

*– Ich gönne dir deinen gräßlichen Tod. O ja. Du hast ihn verdient –*

– tastete sie mit einer Hand nach der Instrumententasche hinter ihr.

»Ich hasse dich«, flüsterte sie dem Toten zu und schob das Tuch noch weiter zurück, bis es auf den Oberschenkeln Falten warf. Und mit einer Art kindlichem Trotz: »Und es tut mir nicht leid, daß du gestorben bist.«

*Mach dich nicht lächerlich,* hörte sie seine spröde und brüchige Stimme antworten, und obwohl ihr klar war, daß er nur in ihrem Geist gesprochen hatte, konnte sie ein Erschauern nicht unterdrücken. *Wetten, du kannst es kaum erwarten, mich zu berühren? Wieso hättest du das Tuch sonst so weit zurückgeschlagen? Um meinen Kopf zu untersuchen, wäre es nicht nötig gewesen, oder?*

Hör auf damit, ermahnte sie sich ärgerlich, war aber nicht sicher, ob sie damit seine Stimme meinte, die so täuschend lebensecht in ihrem Kopf sprach, oder ihre blühende Phantasie, die ihr diese Stimme vorgaukelte. Sie drehte sich unsicher um. Das kalte Klirren der chirurgischen Instrumente in ihrer Tasche lenkte sie ab.

Sie hätte, wie in der Pathologie üblich, einfach ein Segment der Schädeldecke heraussägen können, aber da sie keine Spuren hinterlassen wollte, entschied sie sich gegen eine Gigli-Säge. Sie nahm einen winzigen Spatel, eine Pinzette und ein Skalpell sowie ein Paar Gummihandschuhe aus der Tasche und drehte sich wieder zu dem Leichnam um.

Nachdem sie tief Luft geholt hatte, legte sie die drei Instrumente griffbereit auf die Bahre, zog die hauchdünnen Gummihandschuhe an und beugte sich dicht über die erstarrte Fratze des Gesichts. Mit den Fingern teilte sie das Haar über der Schädelbasis und machte in der Schädelmitte, auf der verlängerten Linie des Nasenbeins, einen kurzen Einschnitt mit dem Skalpell. Bei einer Operation hätte sie die Stelle des Einschnitts vorher rasiert, aber sie dachte, daß sie die Haare anschließend über die Wunde legen konnte, damit der Schnitt nicht gleich auf den ersten Blick auffallen würde.

Sie legte das Skalpell beiseite, hob die Pinzette hoch und spreizte damit die Hautlappen der Kopfhaut ein klein wenig auseinander. Mit den Fingern der linken Hand hielt sie die Hautlappen fest, während sie mit der rechten nach dem Spatel griff, den sie vorsichtig in die Hautöffnung einführte. Mit behutsamen Bewegungen schabte sie eine winzige Vertiefung in die Schädelecke, an der sie später den Bohrer ansetzen konnte. Das Geräusch, als würden stumpfe Zähne aufeinander mahlen, verschaffte ihr erneut eine Gänsehaut, und sie sah dem Toten wieder zaghaft ins Gesicht, als befürchtete sie, er könnte sich über die Behandlung beschweren, die sie ihm widerfahren ließ.

*Ganz recht, Süße, so ist es,* sagte Wentworths Stimme in ihrem Kopf, *ist das eine Art, einen alten Freund zu behandeln? Ein wenig zärtlicher könntest du schon sein.* Sie verzog die Lippen zu einer Grimasse, die seiner wahrscheinlich nicht unähnlich war und widmete sich verbissen ihrer Arbeit. *Los, komm, ich weiß, daß du es auch willst.*

Mit leicht schielendem Blick konzentrierte sie sich auf die Stelle, wo sie den Schädelknochen abschabte, als wäre diese Stelle die größte Sehenswürdigkeit der Welt. Wenn sie ihm nur nicht ins Gesicht sehen mußte. Bei allem Groll und allen trotzigen Beteuerungen, mußte sie feststellen, daß sie es doch kaum ertragen konnte, dieses Gesicht zu sehen, oder besser, das Zerrbild, das der Tod daraus gemacht hatte.

Als ihr die Vertiefung ausreichend schien, richtete sie sich auf und zog den Spatel aus der Öffnung in der Kopfhaut. Winzige Knochenspäne klebten daran. Sie legte ihn mit gleichmütiger Miene beiseite, beschloß aber dann, die Instrumente, die sie nicht mehr brauchte, vorsorglich gleich wegzuräumen.

Da sie keine Zeit damit verschwenden wollte, sie zu reinigen, ließ sie sie in eine Plastiktüte gleiten, den Spatel zuerst, dann die Pinzette, und zuletzt mit besonderer Vorsicht, um die Tüte nicht zu beschädigen, das Skalpell.

Sie wandte sich wieder ihrer Instrumententasche zu und kramte darin, bis sie den Kugeltrepan gefunden hatte. Sie nahm den Trepan und spannte ihn in eine Handleier ein. Schon bei der Zusammenstellung der Instrumente hatte sie sich gegen einen elektrischen Bohrer entschieden. Die Handhabung der Handleier war etwas anstrengender, aber leiser, und nun mußte sie trotz ihrer Nervosität lächeln. Als ob hier unten jemand etwas hören könnte, dachte sie.

Sie setzte den Bohrer über der Einkerbung an, die sie gemacht hatte, und fragte sich, ob es nicht besser gewesen wäre, einen Hohlbohrer zu nehmen. Das hätte ihr die Möglichkeit gegeben, den herausgebohrten Knochenstöpsel nach Beendigung der Probenentnahme wieder in die Schädelplatte einzusetzen, was dazu beigetragen hätte, die Spuren zu verwischen. Es war eine Methode, die bei Operationen aus kosmetischen Gründen angewendet wurde, aber, dachte sie und konnte ein gehässiges Grinsen kaum unterdrücken, darüber mußte sich Wentworth ganz bestimmt keine Gedanken mehr machen.

Als sie den Bohrer in der Vertiefung des Schädels plaziert hatte, drehte sie die Handkurbel langsam. Sie hatte sich wieder über Wentworths Kopf gebeugt und beobachtete fast hypnotisiert, wie sich der Metallbohrer langsam in die Schädeldecke fraß. Das leise, quietschende Knirschen des Knochens schien anzuschwellen, bis es das einzige Geräusch auf der Welt darstellte, und Jill biß die Zähne zusammen und konzentrierte sich mit beinahe masochistischer Wonne darauf, bis ihr ein anderes, lauteres Geräusch auffiel. Es schien aus einiger Entfernung zu kommen, von der Decke, ein elektrisches Summen, das vorher nicht dagewesen war und das sie nicht einordnen konnte. Sie wollte nachsehen, aber das hätte bedeutet, von ihrem Eingriff abzulassen, und sie war fest entschlossen, die Bohrung zu Ende zu bringen.

*Die Neonleuchte*, dachte sie nach einer Weile, *das Summen muß von der Neonleuchte kommen*, und kaum hatte sie den Gedanken zu Ende gedacht und zur Decke geschielt, wobei sie sorgfältig darauf achtete, daß ihr der Bohrer nicht abrutschte, da folgte dem Summen ein helles *Pling*, nicht unähnlich einer reißenden Angelschnur, und das Neonlicht erlosch.

*O Gott, nein*, dachte sie, *nicht ausgerechnet jetzt, bitte nicht*. Sie hielt den Bohrer fest und bemühte sich, die Kurbel gleichmäßig weiterzudrehen, während ihre Gedanken durcheinanderwirbelten. Doch es schien, als hätte das Schicksal ein Einsehen mit ihr, denn wenige Sekunden später flackerte das Neonlicht wieder auf. Offenbar war die Röhre kaputt, denn das Flackern ließ nicht mehr nach. Die Röhre ging mit einem sirrenden Geräusch an und aus, aber das Licht reichte Jill, um ihre Arbeit zu beenden. Als sie den Widerstand des Knochens nicht mehr spürte, drehte sie den Bohrer langsam in die entgegengesetzte Richtung wieder heraus.

Jill richtete sich langsam auf, stöhnte, legte den Bohrer ab und rieb sich den schmerzenden Rücken. Fast gegen ihren Willen saugte sich ihr Blick wieder an Wentworths Gesicht fest. Im flackernden Licht wirkte der offene Mund wie eine dunkle Höhle. Sie ließ den Blick langsam nach unten gleiten, über das graue Haar, das sich zum Nabel hin verjüngte und unterhalb des Nabels in dichtes Schamhaar überging, über den Penis, der wie ein verschrumpelter Wurm auf dem stark geschrumpften Hodensack lag, über die muskulösen Oberschenkel und wieder zurück. Sie betrachtete die Finger von Wentworths rechter Hand, die seitlich am Körper lag, und wich entsetzt zurück. Die Finger hatten sich bewegt.

Jill schlug eine Hand vor den Mund und versuchte, ihre aufsteigende Panik niederzuringen. Selbstverständlich hatten sich die Finger *nicht* bewegt. Wie sollten sie auch, der Mann war tot, schon seit Wochen.

Die Finger des Toten zuckten wieder unmerklich. Jill hatte den Eindruck, als wäre die Temperatur in dem Raum um zehn Grad gefallen. Sie hatte am ganzen Körper eine Gänsehaut und mußte alle Selbstbeherrschung aufbieten, um nicht schlotternd zur Tür zu stürzen, während die defekte Neonröhre ihre monotone Geräuschkulisse beisteuerte.

*Pling.*

Wieder bewegten sich die Finger.

*Pling.*

Ein fast unmerkliches Zucken der Hand.

Jill kniff die Augen fest zu und sah wieder hin. Die Hand lag unverändert an der Seite des Leichnams.

Sie atmete erleichtert auf. Natürlich hatte sich der Tote nicht bewegt. Das Licht war schuld. Durch die Stroboskopwirkung der blinkenden Neonröhre sah es nur so aus, als würde Wentworth die Hände bewegen. Als würde er alle Anstrengung aufbieten, um die Finger nur noch einmal eine Winzigkeit zu öffnen.

*Um nach mir zu grapschen,* dachte sie, *was? Das würde dir gefallen.* Sie holte eine etwa zehn Zentimeter lange, hohle Metallröhre aus der Tasche hinter ihr, mit der sie die Gewebeprobe entnehmen wollte. Das Neonlicht blinkte, als sie sich zu ihm umdrehte, und es schien, als hätte er den Kopf um einen Millimeter gedreht.

*Und dir auch, gib es zu.* Sie stellte sich nicht ohne ein Gefühl des Unwohlseins links neben die Bahre und setzte die Metallröhre über der Öffnung in der Schädeldecke an.

*Warum hast du mich ganz aufgedeckt?* fragte er, und Jill dachte: *Hör auf damit.* Es half nichts, auch wenn sie sich mit der ganzen Kraft ihres Verstandes sagte, daß sie sich alles nur einbildete, und sie wünschte sich, sie wäre nicht allein in den Keller gekommen. Die Metallröhre glitt in die Öffnung im Knochen, und Jill zögerte.

*Meinen Pimmel hast du dir angesehen, gib's zu. Na los doch, genier dich nicht. Faß ihn an. Ich weiß, daß du es willst. Du hast es immer gewollt, auch wenn du es vorgezogen hast, die Unnahbare zu spielen.*

Im blinkenden Licht sah es so aus, als würde er die verzerrten Lippen bewegen. Seine Stimme hörte sich zu Jills Erstaunen verzerrt und undeutlich an, wie die eines Patienten nach einem schweren Schlaganfall, der Mühe hat, mit seinen tauben Lippen Worte zu formen, und sie staunte über die Präzision ihrer Einbildungskraft.

*Los doch. Faß ihn an. Laß es uns endlich tun, hier und jetzt. Es wird höchste Zeit, und vielleicht ergibt sich keine bessere Gelegenheit mehr. Ich garantiere dir, wenn du einmal einen toten Mann gehabt hast, willst du keinen anderen mehr. Und weißt du auch, warum?*

Jill schloß die Augen und konzentrierte sich ganz auf das Gefühl des kalten Metallstifts in ihren Fingern.

*Weil wir steifer sind als Lebende*, sagte Wentworth, und dann lachte er, ein schrilles Altmännerlachen, das Jill durch Mark und Bein ging. Sie hatte es immer gehaßt, dieses Lachen, auch als er noch lebte. Es hatte nie zu seiner angenehmen Stimme gepaßt, und es hatte einen gemeinen Unterton, der sie abstieß.

Deine Stimme, dein Benehmen, alles wohl einstudiert und perfekt, aber dein Lachen, das hat dich immer verraten. Immer, dachte Jill. Und stieß das Metallröhrchen mit einer knappen, festen Bewegung so tief sie konnte in die weiche Hirnmasse, während die defekte Neonröhre ihren monotonen Kommentar abgab und das flackernde Licht die Kacheln, Metalltische und Schubfächer mit ihren Edelstahltüren ein- und ausblendete.

## 5

Stefan Hellmann sah Kathy an und war sich nicht sicher, ob das Funkeln in ihren Augen Tränen waren, und wenn, ob es sich um Tränen der Wut oder Frustration handelte. Er hatte gerade die siebte Karte von seinem Stapel genommen, und Kathy hatte nicht eine einzige davon erkennen können. Einen Treffer hatte sie gelandet, aber er ging davon aus, daß es sich dabei um Zufall handelte, denn das Krampfpotential seines eigenen EEG war ausgeblieben. Im selben Maß wie Kathys Niedergeschlagenheit wuchs, nahm sein Hochgefühl zu, denn es handelte sich um genau das Ergebnis, mit dem er gerechnet hatte.

Es gelang ihm nicht, seine Freude zu unterdrücken, und da er nicht sicher war, ob Kathy sie nicht falsch interpretierte, beschloß er, sie zu erlösen.

»Ich glaube«, sagte er und wandte sich ihr zu, »wir können es damit gut sein lassen. Ich habe ausreichend Daten, die meine Theorien bestätigen. Hören Sie auf, sich zu quälen, Kathy. Ich sagte Ihnen doch ...«

»Es geht nicht«, unterbrach sie ihn frustriert und in einem Tonfall, als könnte sie es selbst noch nicht fassen. »Ich habe gedacht, Sie erlauben sich einen Scherz mit mir, aber ich kann mich konzentrieren, so sehr ich will, ich schaffe es einfach nicht.«

»Kathy«, begann er und bemühte sich, keinen übertrieben altväterlichen Ton anzuschlagen, um sie nicht noch mehr zu reizen, »ich sagte Ihnen doch, es ist exakt das Ergebnis, das ich wollte. Und es liegt nicht an Ihnen, es liegt an dem Medikament.«

Sie seufzte. »Ich weiß«, sagte sie, »trotzdem ist es so *frustrierend*.«

Hellmann löste die Elektroden von seinen Schläfen, ging zu ihr und befreite auch sie von den Kabeln. Erinnerungen an die früheren Tests, an die Tomographiebilder, an die neuesten Ergebnisse wirbelten durch seinen Kopf und formten sich allmählich zu einem Bild, das einen ungeheuren Verdacht nahelegte.

»Nächste Woche wieder?« fragte Kathy, die aufgestanden war und ihr Kleid zurechtzupfte.

Hellmann hob in Gedanken den Kopf und sah sie an. »Nein, Kathy«, sagte er. »Ich denke, wir sind vorerst fertig. Ich habe genügend Daten gesammelt. Ich denke, ich werde sie alle auswerten und eine Reinschrift der Ergebnisse anfertigen.« Er sah die Enttäuschung in ihrem Gesicht. »Keine Bange, ich melde mich wieder bei Ihnen, sobald ich fertig bin. Und ich werde Ihnen die Arbeit vor der Veröffentlichung auf jeden Fall vorlegen. Immerhin sind Sie die Hauptperson. Und Sie waren wirklich phantastisch, Sie haben mir sehr geholfen.«

»Soll das heißen, Sie wollen mich nie mehr wiedersehen?« fragte sie mit einem spöttischen Lächeln. »Wie alle Männer: Rein, raus, schönen Dank noch, Maus. Und tschüs.«

Hellmann verspürte erneut Unbehagen. Er mochte es nicht, wenn sie solche Spielchen mit ihm trieb, auch wenn sie scherzhaft gemeint waren. Und sie wußte genau, wie sehr sie ihn damit aus der Fassung brachte. Es war eine kalkulierte Provokation. Doch als er den aufrichtig wehmütigen Blick in ihren Augen sah, verrauchte sein Zorn. Er bemühte sich, sie aufzumuntern und ihre niedergeschlagene Stimmung zu vertreiben, während er sie durch die Flure zum Ausgang begleitete, aber in Wahrheit waren seine Gedanken bereits wieder mit seinen Forschungen beschäftigt. Alles hatte sich so logisch zusammengefügt, die Krampfpotentiale, die krampfunterdrückende Wirkung des DilantinSodiums … und auch Dr. Wentworths Schicksal paßte wahrscheinlich genau in das Bild. Welche Auswirkungen das hatte, darüber mochte er allerdings im Augenblick lieber nicht nachdenken.

»Auf Wiedersehen, Dr. Hellmann«, sagte Kathy an der Tür des Instituts und sah ihm in die Augen. »Es war schön, mit Ihnen zu arbeiten, und ich würde mich freuen, wenn Sie sich tatsächlich melden würden.«

»Bestimmt, Kathy, ganz bestimmt werde ich das.« Sie ging über den Vorplatz zu den parkenden Autos und ihrem Job, ihrem Leben zurück, während Stefan Hellmann an der Glastür stehenblieb und ihr nachsah. Er sah vor seinem geistigen Auge ihren stechenden Blick, wenn sie sich auf die Karten konzentrierte, sah die bioelektrischen Aktivitäten, die sich als Bewegung der Nadeln seiner Meßinstrumente ausdrückten, und plötzlich sah er, wie die Ausschläge immer heftiger wurden, bis sie über die Ränder des Millimeterpapiers hinausschossen … und er sah einen Mann, nicht sich selbst, der sich in heftigen Krämpfen wand und eines qualvollen Todes starb, während er vergeblich versuchte, sich Elektroden von den Schläfen zu reißen. Wer aber befand sich auf der anderen Seite des Meßgeräts? Nicht Kathy, das stand fest, aber wer oder was, das wagte er sich nicht einmal ansatzweise vorzustellen.

Hellmann wandte sich seufzend von der Tür ab und beschloß, mit der Ausarbeitung eines Berichts zu beginnen, den er der Institutsleitung vorlegen konnte. Aber was dann? Sollte er Straczinsky mit seinen Ergebnissen konfrontieren? Sollte er ihn auf Dr. Wentworth ansprechen? Und was würde dann geschehen? Würde man ihm reinen Wein einschenken? Oder würden bald zwei Tote in den Kühlkammern der Pathologie liegen?

Er seufzte erneut und dachte an Jill, wo immer sie gerade sein mochte. Konnte er das Risiko eingehen, sie ebenfalls in Gefahr zu bringen? Immerhin hatte er sie zur Mitwisserin seines Geheimnisses gemacht, hatte sie sogar in die Sache hineingezogen.

»Was immer geschieht«, sagte er leise zu sich selbst, »ich glaube, die Entscheidung wird nicht mehr lange auf sich warten lassen.« Spätestens wenn er seine Ergebnisse vorlegte, würde die Institutsleitung Farbe bekennen müssen. Sie konnten ihn nicht für alle Zeiten Kartenversuche mit Freiwilligen durchführen lassen, und seine Gewißheit wuchs, daß die Ergebnisse seiner Untersuchungen der Schlüssel zu Dr. Wentworths Schicksal waren.

## 6

Jill Shepherd wußte nicht, zum wievielten Mal sie durch das Mikroskop sah und das Zellgewebe der Probe betrachtete, die sie im Keller geholt hatte, aber so oft sie durchsah, das Ergebnis blieb stets dasselbe.

Sie dachte an ihre Rückkehr aus der Pathologie, die einer Flucht geglichen hatte. Im Wechselspiel von Licht und Schatten hatte sie das Metallröhrchen mit der Gewebeprobe aus der Schädelöffnung herausgezogen und es in einem Reagenzglas verstaut, das sie mit einem Gummipfropf verschlossen und in ein Seitenfach ihrer Instrumententasche gesteckt hatte. Sie war die ganze Zeit damit beschäftigt, endlich aufzuhören, sich selbst mit imaginären Gesprächen und eingebildeten Bewegungen nervös zu machen.

Sie hatte sich bemüht, Wentworths Haar so gut es ging über die Stelle der Schädelbohrung zu kämmen, aber inzwischen war ihr einerlei gewesen, ob jemand die Spuren ihrer Tat sehen würde. Sie ekelte sich davor, ihn zu berühren, und sie wollte so schnell es ging aus dem halbdunklen, fensterlosen Keller hinaus, frische Luft schnappen und das Tageslicht wieder sehen.

Sie hatte Wentworths Leichnam zugedeckt (und die brüchige Stimme unterdrückt, die sich erneut in ihrem Geist zu Wort melden wollte), die Bahre in das Fach zurückgeschoben und die Tür geschlossen. Erst danach, so absurd es war, hatte sie sich richtig sicher gefühlt.

Hastig hatte sie den Weg zum Fahrstuhl zurückgelegt, immer von der Angst verfolgt, daß ihr jemand den Weg versperren und sie fragen würde, was sie hier zu suchen hatte.

Aber es hatte ihr niemand den Weg versperrt. Sie war unbemerkt nach oben in ihr Büro gelangt, wo sie die Tasche aufgeklappt und die Probe nebst den Instrumenten herausgenommen hatte. Sie hatte sich auf den Weg zu den biologischen Labors gemacht. Dort angekommen, hatte sie das Reagenzglas gekennzeichnet und unter den fragenden Blicken mehrerer Laborassistentinnen in den Kühlschrank gestellt. Aber niemand hatte tatsächlich Fragen gestellt, und sie gab auch keinen Kommentar ab – Jill beschloß, mit der Untersuchung zu warten, bis sie das Labor für sich allein hatte. Sie desinfizierte die gebrauchten Instrumente und verstaute sie wieder an ihrem Platz.

Tatsächlich hatte sich die Gelegenheit zur Analyse erst zwei Tage später ergeben, weil entweder Jills Pflichten sie abhielten, oder das Labor von Biologen und Assistenten bevölkert wurde.

Am Freitag – es war der einundzwanzigste August – fuhr sie in aller Frühe ins Institut und suchte das Labor auf, bevor sie ihr eigenes Büro betrat. Die Probe stand noch im Kühlschrank, wie sie sie zurückgelassen hatte, und sie nahm das Reagenzglas behutsam heraus, trug es zu einem der Labortische und bereitete einen Objektträger vor, auf den sie mit einem Mikrospatel eine winzige Menge der Hirngewebeprobe auftrug.

Diesen Vorgang hatte Jill mittlerweile dreimal wiederholt, aber das Ergebnis blieb stets dasselbe. Sie überlegte sich, ob sie eine vierte Untersuchung durchführen sollte, beschloß aber, es bei den dreien bewenden zu lassen. Eine vierte würde auch kein anderes Ergebnis bringen, und es wurde Zeit, das Labor zu räumen. Es konnte nicht mehr lange dauern, bis die ersten Mitarbeiter eintreffen würden, und sie wollte keine Fragen beantworten.

Sie warf den Objektträger einfach in den Müll, verschloß das Reagenzglas wieder und stellte es in den Kühlschrank zurück.

Bevor sie zu ihrem Büro ging, machte sie einen Abstecher zu dem von Stefan, der allerdings noch nicht da war, was sie nicht weiter verwunderte. Sie sah auf die Uhr. Halb acht, wahrscheinlich würde es noch mindestens eine Stunde dauern, bis er sich sehen ließ. Sie hatte ihn am Mittwoch nach seiner Sitzung mit Kathy Myers kurz gesprochen und ihm gesagt, daß sie die Probe genommen hatte, und obwohl er ihr versicherte, daß er das Ergebnis kaum erwarten konnte, schien er gedankenverloren und nicht besonders aufgeregt zu sein ... als würde ihn Dr. Wentworths Schicksal plötzlich nicht mehr interessieren ... oder als wüßte er bereits, was mit ihm geschehen war. Sie legte ihm eine kurze Notiz auf den Schreibtisch, daß er sie anrufen sollte, sobald er eintraf, dann ging sie in ihr eigenes Büro und wartete ungeduldig.

Das Telefon läutete wenige Minuten vor neun Uhr, und Jill mußte sich in ihrer Ungeduld zurückhalten, um nicht sofort mit dem Ergebnis ihrer Untersuchung herauszuplatzen. Sie absolvierte das Ritual der Begrüßung mit erzwungener Gelassenheit, doch als er zu einer seiner umständlichen Abschweifungen über den Stand seiner eigenen Forschungen ansetzen wollte – offenbar hatte er die Ausarbeitung, an der er seit zwei Tagen saß, weitgehend abgeschlossen –, unterbrach sie ihn und sagte: »Hör zu, ich habe heute morgen die Probe von Wentworths Hirngewebe untersucht. Ich habe das Ergebnis vorliegen.«

Einen Moment herrschte Schweigen am anderen Ende der Leitung. Sie stellte sich sein nachdenkliches Gesicht vor, leicht verwirrt, weil er so unvermittelt unterbrochen und von seinem Thema abgebracht worden war, und wollte bereits nachhaken, als er sich zu einem »Und?« bequemte.

Sie holte tief Luft. »Sämtliche Gehirnzellen sind abgestorben«, sagte sie. »Ich habe die Untersuchung dreimal wiederholt, und es besteht kein Zweifel.«

»Der Mann ist tot«, sagte seine Stimme im Hörer. »Sollte man da nicht erwarten, daß die Gehirnzellen abgestorben sind?«

»Nein, du verstehst nicht«, sagte sie und bemerkte in ihrem Eifer seinen ironischen Tonfall nicht. »Die Gehirnzellen sind nicht abgestorben, weil er tot ist. Ursache und Wirkung. Er ist tot, weil die Gehirnzellen abgestorben sind. Das war die

Todesursache – das Absterben der Gehirnzellen. Ich kann mir aber beim besten Willen nicht erklären ...«

»Ich weiß«, sagte er. »Trotzdem paßt es genau ins Bild.«

*Welches Bild?* wollte sie fragen, aber er ließ sie nicht zu Wort kommen. »Ich denke, ich kann seinen Tod erklären. Laß mir noch das Wochenende über Zeit, um eine hieb- und stichfeste Präsentation auszuarbeiten, die ich nächste Woche Straczinsky vorlegen kann.« Nach einer kurzen Pause fuhr er fort: »Nächste Woche wird eine Entscheidung fallen.«

»Willst du Straczinsky sagen, daß wir über Wentworth Bescheid wissen?« fragte sie.

Er räusperte sich und machte wieder eine Pause. Sie stellte sich vor, wie er nachdenklich zum Fenster hinaussah. »Ja und nein. Ich glaube, das wird sich nicht vermeiden lassen. Es paßt einfach alles zu gut zusammen. Und wir können die Angelegenheit nicht ewig auf sich beruhen lassen, oder? Aber ich werde ihm nur sagen, daß ich Bescheid weiß. Dich werde ich nicht erwähnen. Du weißt so gut wie ich, daß sie uns irgend etwas verschweigen. Und ich glaube, genau das, was sie uns verschweigen, ist der wahre Grund, warum sie mich hierher an das Institut geholt haben.«

»Und was meinst du, wie sie reagieren werden?«

»Keine Ahnung. Ich hoffe immer noch, daß sich die Angelegenheit irgendwie zum Guten wendet.« Er schien ihre Unsicherheit zu spüren und versuchte, sie zu beruhigen. »Keine Bange. Ich bin sicher, alles wird sich aufklären. Vielleicht gibt es eine Erklärung für alles; wir müssen nicht unbedingt ein Verbrechen vermuten. Trotzdem möchte ich nicht, daß du mit in die Sache hineingezogen wirst. Ich werde alleine hingehen und meine Theorie vorlegen, und dann werden wir sehen.«

»Ich habe Angst.« Nun war es heraus, obwohl sie es gar nicht hatte sagen wollen. Sie wartete auf seine Antwort, wartete auf weitere tröstende Worte, aber diesmal tat er ihr den Gefallen nicht. »Ich auch«, sagte er leise. Sie hörte ihn einmal entschieden ein- und ausatmen. »Nächste Woche«, sagte er. »Nächste Woche wissen wir mehr – so oder so.«

# Kapitel sechs
## *Träume*

### 1

Amy saß auf dem Fenstersims ihres Zimmers im ersten Stock und ließ den Blick über die weite und ebene Wüstenlandschaft schweifen. Die Vorhänge hatte sie zur Seite gezogen. Der tote Baum vor dem Fenster versperrte ihr teilweise die Sicht auf die Straße, die zu dem abgelegenen Farmhaus führte, aber sie wußte, daß dahinter, im Westen jenseits des dunstigen Horizonts, in gerader Linie der Los Padros National Forest und die Küstenstadt Santa Barbara lagen. Und dahinter das Meer. Sie spitzte die Ohren und lauschte angestrengt, bis sie glaubte, es Rauschen hören zu können, und stellte sich vor, wie es Tag für Tag, Nacht für Nacht, unermüdlich an die Küste brandete.

Tagsüber konnte sie die moosbewachsenen Äste des Baums als skelettartige Umrisse vor dem blauen Himmel erkennen, und nachts, wenn sie im Bett lag, warfen sie bei Mondschein ihre langen Schatten in das Zimmer.

Genau zwanzig Tage waren seit ihrer Ankunft in Los Angeles vergangen, aber Amy kam sich immer noch vor, als würde sie in einem seltsamen Niemandsland fernab der Wirklichkeit leben. Sie hatte den größten Teil der Fahrt verschlafen und besaß nur bruchstückhafte Erinnerungen daran. Die kalifornische Landschaft ihrer Vorstellung war eine seltsam konturlose Realität, in der Pappmaché-Felsen aus einer glatten ockergelben Wüstenlandschaft ragten und sukkulente Blattpflanzen und Kakteen am Straßenrand wuchsen, die an krakelige Wachsstiftkritzeleien eines Kindes erinnerten. Nach der Ankunft hatte ihr Vater ihr die Etappen der Fahrt geschildert, und einige seiner Schilderungen weckten Assoziationen, von denen Amy aber nicht genau sagen konnte, ob sie real oder Bilder ihrer Phantasie waren: Am deutlichsten hatte sie die seltsame Untertassenkonstruktion des Flughafens von Los Angeles vor Augen, die sie besonders gut von einem angrenzenden Parkplatz aus gesehen hatten. Irgendwo hatte sie vor gar nicht langer Zeit gelesen, daß sich inzwischen eine Nobeldisco darin befand. Außerdem erinnerte sie sich an eckige und häßliche graue Betonparkhäuser. Hinter der Untertassenkonstruktion, die mit ihren vier Beinen aussah wie eines der marsianischen Raumschiffe aus *Krieg der Welten*, ragte der Kontrollturm auf.

Sie stiegen in Jills Auto ein, wo Wolf sich sofort zu ihr auf den Rücksitz legte, und fuhren los. Zunächst auf dem Interstate Highway 405 aus Los Angeles hinaus, danach weiter auf dem State Highway 14 Richtung Palmdale, Lancaster und Rosamond. Kurz vor Mojave hörte der State Highway auf und ging in eine einfache gepflasterte Straße über, der sie folgten, bis sie auf eine befestigte Sandstraße abbogen, und schließlich auf einer noch schmaleren Straße, die man zu Hause bestenfalls als Feldweg bezeichnet hätte, Desert Rock erreichten.

Das waren die Fakten. Erinnerungen, die ihnen Leben eingehaucht hätten, besaß Amy nur wenige. Ihr Vater hatte ihr zwar sämtliche Namen der Orte aufgezählt, durch die sie gefahren waren oder die sie passiert hatten, aber sie hatte sich damals, kurz nach der Ankunft, kaum welche merken können, und noch weniger konnte sie etwas damit verknüpfen.

Mittlerweile kannte sie wenn nicht alle, so doch die meisten Namen der Orte zwischen Desert Rock und Los Angeles, und sie kannte in groben Zügen die Geschichte ihrer neuen Heimat.

Desert Rock war Anfang des Jahrhunderts von Siedlern gegründet worden, die aus Bakersfield kamen, der heutigen Hauptstadt von Kern County, die rund einhundertundzwölf Meilen nördlich von Los Angeles im südlichen Teil des San Joaquin Valley am Kern River lag. Als 1899 Öl im Gebiet um den Fluß gefunden wurde, erlebte die Region eine erste Blüte, von der Anfang des Jahrhunderts auch Desert Rock profitiert hatte, als Glücksritter in Scharen in die Stadt eingefallen waren. Offenbar hatte der abseits gelegene Ort seinen Bewohnern wenig zu bieten gehabt und war weitgehend aufgegeben worden. Vor dem Schicksal, zur Geisterstadt zu werden, hatte ihn lediglich die Tatsache bewahrt, daß das Militär Anfang der fünfziger Jahre einen Stützpunkt der Luftwaffe errichtet hatte – Eagle's Point –, um Piloten auszubilden, die über dem bevölkerungsarmen Wüstengelände ungestört ihre ersten Flugstunden absolvieren konnten. Anfang der siebziger Jahre hatte das Militär einen Teil des Komplexes verkauft, in den das Institut für Humanwissenschaften, an dem Amys Vater inzwischen arbeitete, eingezogen war. Seitdem kamen auch Zivilisten, vorwiegend Ärzte, Biologen und Biochemiker, nach Desert Rock, das bis dahin überwiegend vom militärischen Personal des Stützpunkts und dessen Angehörigen bewohnt gewesen war. Heute bildete der Fremdenverkehr eine nicht unerhebliche Einnahmequelle des Ortes, der vor allem von Touristen auf der Durchreise zum Tal des Todes oder nach Nevada besucht wurde, wo die Spielcasinos von Las Vegas moderne Glücksritter anlockten, die anders als ihre Vorgänger ohne nennenswerte Arbeit zu Reichtum kommen wollten.

Das alles waren lexikalische Informationen, die Amy aus einem Buch über die Region entnommen hatte, und sie fühlte sich immer noch, als würde sie an der Oberfläche des Landes leben, ohne daß es ihr gelang, in seine Tiefe vorzustoßen und seine Seele zu ergründen. Amy war froh, als sie schließlich in der Ferne eine Staubwolke sah. Sie wußte, das mußte Jill sein, die kam, um ihren Vater abzuholen.

Sie drehte sich um und ließ den Blick durch ihr Zimmer schweifen. Die dunklen Holzmöbel schienen das Licht und den freien Raum förmlich aufzusaugen und ließen das Zimmer viel kleiner und dunkler erscheinen, als es in Wirklichkeit war. Sie hatten das Haus möbliert übernommen, und ihr Vater schwor ihr jeden Tag aufs neue, daß sie bei Gelegenheit andere Möbel aussuchen würden, aber da er bisher weder Zeit noch Gelegenheit dazu fand, mußten sie sich vorerst mit den vorhandenen begnügen.

Amy fand nicht nur die Möbel in ihrem Zimmer abscheulich, sondern im ganzen Haus – überall klobige, rustikale Kommoden und Schränke, wuchtige Stühle und Sessel, die im Weg standen, wohin man sie auch schob, und eine Couch im

Wohnzimmer, die so weich gepolstert war, daß sie einen regelrecht zu verschlucken drohte, wenn man sich darauf setzte. Die Krönung aber war auf jeden Fall die Küche mit ihrer unvorstellbar häßlichen Specksteinspüle und einem wahren Monstrum von Kühlschrank, Modell Anno Tobak, in dem eine vierköpfige Familie stehend Platz gefunden hätte und der aussah, als wäre er allein für fünfzig Prozent des Ozonlochs verantwortlich.

Sie überlegte sich, ob sie nach unten gehen und Jill begrüßen sollte, entschied sich aber dagegen. Sie wollte ihrem Vater den Vortritt lassen. Seit der Trennung ihrer Eltern hatte er stets ein wenig bedrückt gewirkt, und Amy war froh, daß er jemanden kennengelernt hatte, den er zu mögen schien. Ein Gefühl, das hoffentlich auf Gegenseitigkeit beruhte.

Amy stieg über Wolf hinweg, der es sich auf dem Bettvorleger bequem gemacht hatte, legte sich auf das Bett, kraulte den Hund zwischen den Ohren und griff nach dem Buch, das sie auf dem Nachttisch liegen hatte. Es war der dritte Band einer auf vier Bände angelegten Science-fiction-Saga. Die beiden ersten hatte sie zu Hause gelesen, auf deutsch, doch den dritten wollte sie in der Originalausgabe lesen, da sie dachte, es könne nicht schaden, sich etwas mit der englischen Sprache vertraut zu machen. Ein Wörterbuch lag ebenfalls auf dem Nachttisch.

Der Roman begann damit, daß ein Reiseführer auf einem fernen Planeten drei Besucher von anderen Welten auf einen Jagdausflug begleitete. Mit von der Partie war seine Hündin Izzy, die auf den ersten Seiten so häufig und überdeutlich erwähnt wurde, daß Amy sicher war, ihr würde etwas geschehen. Sie blätterte einige Seiten weiter und tatsächlich: Einer der Jäger erschoß die Hündin bei einem unvorsichtigen Manöver gegen den ausdrücklichen Befehl des Jagdführers, der den unwahrscheinlichen Namen Raul Endymion trug.

Amy blätterte zurück und las fieberhaft weiter. Sie hoffte die ganze Zeit, daß es sich um einen Irrtum handelte, daß sie falsch gelesen oder etwas falsch verstanden hatte. Raul Endymion hing offenbar sehr an seiner Hündin, und sie wünschte weder ihm noch dem Tier etwas Böses. Aber als sie schließlich wieder zu der entsprechenden Textstelle kam, nachdem sie die dazwischenliegenden Seiten hastig gelesen hatte, ohne sich die Mühe zu machen, die Worte nachzuschlagen, die sie nicht verstand, war die Situation unverändert. Izzy wurde tatsächlich erschossen. Der Jagdführer legte den Leichnam seiner Hündin in sein Boot. Es war die traurigste Szene, die Amy je gelesen hatte. Sie legte das Buch auf die Bettdecke, und bemühte sich, den Kloß hinunterzuschlucken, der ihr plötzlich die Kehle zuschnürte. Sie beugte sich zu Wolf und umarmte den verblüfften Hund fest. »Oh, Wolf«, sagte sie, »ich hoffe nur, daß dir nie etwas zustoßen wird. Wenn dir etwas geschehen würde, ich wüßte nicht, was ich tun sollte. Schließlich bist du mein einziger Freund hier.« Wolf leckte ihr freudig die Hand, aber als die Klingel unten ertönte, sprang er auf, warf ihr einen unsicheren Blick zu, und als sie nickte, lief er zur Tür hinaus und die Treppe hinunter.

## 2

Jill stieg aus dem Wagen und ging die wenigen Schritte zur Holzveranda vor der Natursteinfassade des Hauses. An der schweren, dunklen Massivholztür blieb sie stehen, läutete einmal und wartete. Bevor sie Schritte hörte, ertönte ein Poltern, das sich im Höllentempo der Tür näherte, und Jill wußte, das mußte der Hund sein. Wenige Augenblicke später ging die Tür auf, Wolf zwängte sich schwanzwedelnd an Stefan Hellmann vorbei und sprang an ihr hoch.

»Nicht, Wolf«, sagte Hellmann, »nicht springen.« Wolf blieb unschlüssig stehen, sah von ihr zu Hellmann und wieder zurück, schien zu überlegen und mögliche Folgen abzuwägen und sprang dann doch nochmals an Jill hoch. Sie mußte sich am Verandageländer festhalten, damit sie unter dem Gewicht des Schäferhunds nicht die Treppe hinunterstürzte. Hellmann griff mit einer Hand nach dem Nacken des Tiers und mit der anderen besorgt nach Jills Arm, aber sie fing sich, streichelte Wolf den Kopf und wartete, bis er wieder von ihr abließ.

»Bitte entschuldigen Sie vielmals«, sagte Hellmann. »Das ist etwas, das wir ihm einfach nicht abgewöhnen können.«

»Macht doch nichts«, sagte sie. Als er sich umgedreht hatte, sah sie verstohlen an sich hinunter, ob der Hund Pfotenabdrücke auf ihrer Kleidung hinterlassen hatte, konnte glücklicherweise aber keine finden.

»Kommen Sie doch herein«, bat Hellmann und gab den Türrahmen frei, damit sie eintreten konnte. Sie betrat die Diele des Hauses, einen Raum ohne Fenster, dessen einzige Lichtquelle die vier rechteckigen Glasscheiben in der Haustür bildeten. Das Deckenlicht, ein vierarmiger Leuchter aus dunklem Holz mit nach oben offenen Lampenschirmen aus Milchglas, in denen man die Schattenrisse toter Fliegen sehen konnte, war eingeschaltet. Wolf dicht auf den Fersen, folgte Jill Hellmann in die Küche.

»Nehmen Sie Platz«, sagte er. »Ich muß nur noch schnell etwas anderes anziehen, dann können wir los. Kann ich Ihnen etwas anbieten?«

Jill schüttelte den Kopf. »Nein, danke«, sagte sie. Sie beobachtete den Schäferhund, der sich erwartungsvoll vor den Kühlschrank gesetzt hatte. Als niemand ihn beachtete und sich auch sonst nichts tat, ließ er sich langsam niedersinken und legte sich so hin, daß er sowohl den Kühlschrank wie auch Jill und Hellmann im Auge behalten konnte.

»Gut. Ich werde Amy bitten, Ihnen ein wenig Gesellschaft zu leisten.« Stefan Hellmann drehte sich um und griff im Vorübergehen in eine Tüte mit Hundekuchen. Kaum hörte Wolf das Rascheln, sprang er erwartungsvoll auf. Hellmann machte einen großen Satz zur Küchentür hinaus. Wolf sprang auf und rannte ihm hinterher. Erst als es zu spät war, sah das Tier Hellmann aus den Augenwinkeln direkt neben der Tür stehen; der Hund hatte so viel Schwung, daß er auf dem glatten Holzboden fast durch die ganze Diele rutschte, ehe er umkehren konnte. Jill hörte deutlich seine Krallen über den Holzboden kratzen. Inzwischen hatte sich Hellmann schon wieder lachend in die Küche geflüchtet. Er ging in die Knie und wartete, bis der empört bellende Hund zu ihm kam, dann gab er ihm den Hundekuchen und raufte ihm das Fell.

Jill lächelte. »Sie lieben den Hund sehr, nicht wahr?« fragte sie.

Hellmann kraulte dem Hund weiter das Fell, und Jill war nicht sicher, ob er die Frage überhaupt gehört hatte. »Zu Hause«, sagte er schließlich nach längerem Schweigen und mit einem nachdenklichen Ausdruck in den Augen, »hatten wir noch eine Katze«, und nun war sie nicht sicher, ob er die Frage verstanden hatte.

»Ich habe mich immer bemüht, die beiden anständig zu behandeln«, fuhr er fort. Er seufzte und sah sie mit einem düsteren Blick an. »Ich dachte mir immer, auf diese Weise habe ich, wenn ich einmal vor meinen Schöpfer treten und mein Leben rechtfertigen muß, wenigstens zwei Fürsprecher, die sagen: ›Zu uns ist er immer gut gewesen.‹«

Jill war nicht sicher, ob das eine Antwort auf ihre Frage war, wußte in ihrer Ratlosigkeit aber auch nicht recht, was sie darauf erwidern sollte. »Sind Sie ein religiöser Mensch?« fragte sie ihn.

»Nein«, sagte er, »überhaupt nicht.«

## 3

Jill saß nur kurz allein in der düsteren Küche. Von der Treppe hörte sie eine kurze, gemurmelte Unterhaltung, und dann kam Amy die Treppe herunter, um ihr Gesellschaft zu leisten.

Das Mädchen hatte die braunen, in der Mitte gescheitelten Haare hinter die Ohren gesteckt, damit sie ihr nicht ins Gesicht fielen, sie lächelte, und ihre braunen Augen leuchteten, als sie Jill sah. »Hallo«, sagte sie, »schön, Sie zu sehen, Mrs. Shepherd.«

Sie schaltete das Licht ein, ging zum Küchentresen neben der Spüle und schenkte sich ein Glas Mineralwasser ein. Wortlos drehte sie sich um und hielt fragend die Flasche hoch. Jill schüttelte den Kopf. Im Schein der Deckenlampe fiel ihr ein feuchter Glanz in Amys Augen auf; sie zögerte einen Moment unsicher und wußte nicht, ob sie das Mädchen darauf ansprechen sollte. Sie überlegte sich, daß es vielleicht besser wäre, es zu lassen, aber dann tat sie es doch. »Amy … hast du geweint? Ist irgendwas?«

Amy nahm ihr Glas und setzte sich zu Jill an den Tisch. »Nein, nichts. Es ist zu albern. Ich habe vorhin ein Buch angefangen zu lesen, und gleich auf den ersten Seiten stirbt der Hund des Helden. Das ist so traurig ...«

Sie verstummte verlegen und lächelte Jill zaghaft an. »Ich hoffe, Sie halten mich nicht für eine alberne Heulsuse, Mrs. Shepherd, aber es war echt traurig.«

»Nein«, sagte Jill lächelnd, »keineswegs.« Sie war erleichtert, daß die Spuren von Amys Tränen keinen ernsteren Hintergrund hatten. »Und noch etwas ... du kannst mich ruhig Jill nennen. Das klingt nicht so förmlich.«

»Danke, Mrs. ... Jill.« Amy trank einen Schluck aus ihrem Glas und schwenkte das Mineralwasser selbstvergessen im Mund, bis ihr einzufallen schien, daß sie nicht allein war. Sie schluckte es hastig hinunter.

»Wissen Sie schon, wohin Sie mit Paps gehen?« fragte sie Jill. »Ich sollte Sie warnen, wenn es um Essen geht, kann er ziemlich wählerisch sein.«

»Ich denke, es wird ihm gefallen«, sagte Jill. »Ich weiß natürlich nicht, wie wählerisch er ist, aber Armand's ist so ziemlich das vornehmste, was wir in Desert Rock haben.« Sie lächelte dem Mädchen zu und zwinkerte. »Immerhin ist es sein erstes Rendezvous hier.«

Amy lachte. »Stimmt. Ich freue mich, daß er wieder unter Leute kommt. Irgendwie bekommt ihm das Alleinsein nicht besonders.«

»Und dir?« fragte Jill. »Fühlst du dich nicht auch schrecklich einsam hier draußen? Weißt du, du kannst uns gerne begleiten, wenn du möchtest.«

Amy schüttelte den Kopf. »Nein, lieber nicht. Und so schlimm ist es gar nicht. Ich habe Wolf« – der Hund, der immer noch am Kühlschrank lag, hob kurz den Kopf, als er seinen Namen hörte, ließ ihn aber gleich wieder auf die Pfoten sinken und schaute von unten zu Amy und Jill auf – »und jede Menge Bücher zu lesen. Außerdem werde ich zur Schule gehen, sobald wir uns ein wenig eingelebt haben und die Formalitäten erledigt sind. Und nicht zu vergessen die Fahrstunden.«

»O ja«, sagte Jill. »Dein Vater hat mir davon erzählt, aber ich hatte es ganz vergessen. Wie klappt es denn?«

»Ganz gut. Ich habe ein paar Schwierigkeiten mit der Theorie, weil ich nicht alles verstehe, aber ich habe immer ein Wörterbuch dabei, damit ich nachschlagen kann. Und fahren kann ich schon ziemlich gut. Schließlich gibt Paps mir auch privat Fahrunterricht.« Sie sah Jill mit einer Unschuldsmiene an und fügte hinzu: »Aber niemandem verraten.«

Jill lachte. »Nein, bestimmt nicht«, sagte sie, und nach einer kurzen Pause: »Und ... hast du schon Freunde in deiner Fahrschulklasse gefunden? Oder anderswo?«

»Na ja, ich habe ein paarmal mit Sheriff Healy gesprochen.« Amy verstummte einen Moment und fing an zu kichern. Dabei verzog sie die Stupsnase, und mit den Fältchen, die sich an den Nasenflügen bildeten, sah sie unvorstellbar süß aus, fand Jill. »Das war lustig, wie wir den kennengelernt haben. Am zweiten Tag nach unserer Ankunft sind wir in die Stadt gefahren und haben in einem Imbißrestaurant gegessen, May's Luncheonette, das ist ein ziemlich komischer Name, vielleicht kennen Sie es ... ist auch egal, auf jeden Fall hatten wir den Hund dabei, weil wir ihn nach der langen Fahrt nicht allein in dem fremden Haus lassen wollten, und er saß die ganze Zeit brav neben uns und hat sich nicht geregt, wer auch hereinkam, aber kaum kam Sheriff Healy zur Tür herein, ist Wolf aufgesprungen und zu ihm gelaufen.« Sie verzog wieder das Gesicht, und Jill lauschte versonnen dem atemlosen Wortschwall von Amys Englisch, das sie so überaus korrekt aussprach und dennoch den deutschen Akzent nicht verbergen konnte. Amy bezauberte sie mit ihrer offenen Art so sehr, daß sie sich konzentrieren mußte, um den Faden der Geschichte nicht zu verlieren.

»... an ihm hochgesprungen und hat ihm die Pfoten auf die Schultern gelegt«, fuhr Amy fort. »Das macht er dauernd, mit allen Leuten, wir können es ihm einfach nicht abgewöhnen, einmal hat er sogar einer Frau kreuz und quer über das Gesicht geleckt, bevor wir ihn wegziehen konnten. Paps war es fürchterlich peinlich, und alle in dem Lokal haben gelacht, wie der Sheriff stocksteif dagestanden und Wolf direkt ins Gesicht gesehen hat. Aber dann hat Sheriff Healy selbst gelacht und sich zu uns gesetzt. Ich glaube, jeden anderen hätte Wolf umgeworfen«, sagte sie mit einem Blick zu dem bärenhaften Schäferhund, der immer noch auf dem Boden lag und von unten blinzelnd von einem zum anderen sah.

»Ja«, stimmte Jill zu, »ich schätze, das hätte er wohl. Ein Glück, daß Bob so kräftig ist.«

»Kann man wohl sagen«, erwiderte Amy und prustete angesichts der Erinnerungen in ihr Glas. Dann wurde sie wieder ernst und sah Jill an. »Ich glaube, er ist unser erster Freund hier. Er ist ein netter Mann, oder nicht?«

»O ja«, sagte Jill. »Ich kenne keinen anständigeren Menschen als ihn, und er ist der zuverlässigste Freund, den man sich wünschen kann.«

Amy schwieg einen Moment. »Und da ist ein Junge, der mich in der Fahrschule ständig anstarrt, wenn er glaubt, daß ich nicht hinsehe. Er heißt William, den Nachnamen weiß ich nicht mehr, aber alle nennen ihn Billy. Ich glaube, er mag mich.«

»Und, ist er auch dein Freund?«

Amy zuckte die Schultern. »Schwer zu sagen, ich kenne ihn ja kaum. Ich denke immer, daß er mich ansprechen möchte, es aber doch nicht fertigbringt. Irgendwie scheint er ziemlich eigenbrötlerisch zu sein. Mal sehen. Vielleicht traut er sich irgendwann.« Sie trank wieder einen Schluck Wasser, und Jill sah an ihr vorbei zum Küchenfenster. Die Sonne stand bereits tief am Himmel; der Schatten von Jills Auto erstreckte sich grotesk langgezogen über den Sandboden.

Jill sah verstohlen auf die Uhr, aber Amy entging es nicht. »Paps kommt bestimmt gleich«, sagte sie.

Jill nickte. Sie ließ den Blick durch die Küche schweifen, sah die dunkelbraunen Tür- und Fensterrahmen, die ockergelb gestrichenen Wände, die braunen Holzpaneele, die vom Boden bis etwa zur halben Höhe der Wände reichten, die schweren Möbelstücke und überlegte sich, daß sie an Hellmanns Stelle als erstes alles weiß streichen und neu einrichten würde. Bevor das Schweigen zu einer peinlichen Gesprächspause werden konnte, wandte sie sich wieder an Amy und suchte fieberhaft nach einem neuen Gesprächsthema. »Amy ist kein deutscher Name«, sagte sie, um irgend etwas zu sagen. »Wie bist du dazu gekommen – oder ist es ein Spitzname?«

Amys Gesicht wurde einen Moment finster, und Jill bedauerte, daß sie gefragt hatte. Aber das Mädchen antwortete trotz der mürrischen Miene unbekümmert. »Könnte man sagen, daß es ein Spitzname ist. Aber eigentlich ist es mehr eine Kurzform, die ich selbst gewählt habe. Ich hasse meinen Namen.«

»Und wie heißt du richtig?« fragte Jill.

Amy zögerte kurz. »Meine Mutter hat mich nach ihrer Mutter genannt, meiner Großmutter.« Sie schien erneut zu zögern und sah Jill ins Gesicht. »Amelia«, sagte sie schließlich resigniert.

»Aber Amely ist doch ein sehr schöner Name...«

»Nicht Amely... Amelia. Und das ist kein schöner Name. Ich hasse ihn. Bei uns zu Hause heißen Kühe so.«

Jill wußte nicht, was sie darauf antworten sollte und war froh, als sie Stefan Hellmanns Schritte die Treppe herabkommen hörte. Sie stand auf und ging zur Küchentür. Amy folgte ihr, stellte sich auf Zehenspitzen und sah ihr über die Schulter.

Stefan Hellmann hatte die Jeans angelassen, die er bei Jills Ankunft getragen hatte, aber statt des weiten weißen Sweatshirts ein hellblaues Jeanshemd und eine grellrote Kordkrawatte angezogen. Darüber trug er ein braunes Kordjackett und dazu schwarze Schuhe. Jill sah Amy an.

»Scheußlich, nicht?« flüsterte Amy. Sie wechselte einen wissenden Blick mit Jill – der wohl »Männer!« oder etwas ähnliches ausdrücken sollte, und Jill mußte ein Grinsen unterdrücken. »Er nennt es sein ›Zugeständnis an bürgerliche Kleidungskonventionen‹. Machen Sie ihm bloß keine Komplimente bezüglich seines Oufits, sonst bringen wir ihn nie dazu, sich etwas anderes zu kaufen.«

## 4

Amy blieb mit Wolf auf der Veranda stehen und sah unter dem Vordach hervor zu, wie Jills Auto langsam am Horizont verschwand. Draußen herrschte ein tiefblaues Halbdunkel, aber nennenswert abgekühlt hatte es nicht. »Weißt du, Susanne«, sagte sie, »ich wünsche mir wirklich irgendwie, daß aus den beiden was wird. Wäre doch schön, oder? Jill ist nett, und ich glaube, Paps mag sie auch.« Sie senkte den Kopf, und als Wolf sie fragend ansah, biß sie sich auf die Zunge. »Verdammt«, sagte sie ein wenig wütend auf sich selbst. »Daß ich mir das einfach nicht abgewöhnen kann.«

Susanne – Susanne Hausner – war zu Hause ihre beste Freundin gewesen. Die beiden hatten so viel Zeit miteinander verbracht, wie sie konnten, sie hatten zusammen gelernt, waren ins Kino gegangen und hatten keinerlei Geheimnisse voreinander gehabt. Susanne fehlte ihr mehr als alles andere, und in den vergangenen Wochen hatte sie sich angewöhnt, imaginäre Gespräche mit ihr zu führen, ihr alles zu erzählen, was sie bedrückte und sich vorzustellen, was das bodenständige und pragmatische Mädchen aus ihrer Klasse zu diesem oder jenem sagen würde. Manchmal fragte sie sich, ob sie langsam durchdrehte, aber die Gespräche mit der nicht vorhandenen Susanne, die Tausende Kilometer entfernt war, halfen ihr, die Einsamkeit wenigstens ein bißchen erträglicher zu machen.

Sie ging mit Wolf ins Haus, setzte sich im Wohnzimmer auf das Sofa und schaltete den Fernseher auf der Suche nach einer Nachrichtensendung ein. Schließlich fand sie eine, verstand aber kaum ein Wort vom nuschelnden Schnellfeuergewehrenglisch des Sprechers. Die Bilder wenigstens unterschieden sich kaum von denen der Nachrichten zu Hause, und was sie an den Kommentaren nicht verstand, konnte sie sich mühelos ausmalen. Sie ging wieder nach oben, um Musik zu hören und weiter in ihrem Buch zu lesen.

Anfangs schlug sie die Wörter nach, die sie nicht kannte, und das Bett quietschte jedesmal, wenn sie sich zum Nachttisch herumdrehte und das Wörterbuch aufhob, doch nach einer Weile ließ sie sich so in die Geschichte hineinziehen, daß sie aufs Nachschlagen verzichtete. Sie konnte dem Gang der Handlung auch so folgen – Raul Endymion wurde zum Tode verurteilt, weil er den Mörder seiner Hündin getötet hatte, wurde aber auf mysteriöse Weise gerettet. Wolf lag die ganze Zeit neben dem Bett und döste. Irgendwann, es war schon nach zehn Uhr, stand er auf und trottete die Treppe hinunter zu seinem bevorzugten Schlafplatz auf dem Küchenboden. Amy las noch eine Zeitlang weiter, bis ihr die Augen zufielen und sie sich kaum noch erinnern konnte, was sie vor wenigen Sekunden gelesen hatte. Obwohl sie todmüde war, stand sie noch einmal auf, ging ins Bad, um sich die Zähne zu putzen, und kehrte nur mit einem leichten T-Shirt bekleidet wieder zurück.

Ein leichter Wind bauschte die Vorhänge in ihrem Zimmer; sie ging zum Fenster, sah hinaus und erblickte zu ihrem Erstaunen einige dunkle Wolken, die sich im Westen gebildet hatten und landeinwärts zogen. Es waren die ersten Wolken, die sie hier zu Gesicht bekam, daher verweilte sie einen Moment ungläubig am Fenster und betrachtete sie. Der Mond war aufgegangen und überzog die ganze Wüstenlandschaft mit einem blau-silbernen Schimmer, was einen optischen Eindruck von Frost vermittelte, der aber durch die schwülwarme Luft, die zum Fenster hereinwehte, rasch zunichte gemacht wurde. Im Mondlicht wanderten die Wolkenschatten langsam über den Sandboden und schienen wie pirschende Tiere auf das Haus zuzukriechen. »Was meinst du, Susanne, ob es ein Gewitter gibt?« fragte sie und biß sich auf die Zunge. Sie warf einen letzten Blick zum Himmel und ging achselzuckend zu Bett. Eine Weile lag sie noch wach und sah zur Decke, bis der Schlaf sie übermannte. Der letzte Blick auf ihren Wecker zeigte ihr, daß es 22:40 Uhr war.

Bruchstückhafte Bilder gingen ihr durch den Kopf. Sie wälzte sich ein paar Minuten auf dem Bett hin und her, bis die Versatzstücke sich zusammenfügten und ein zusammenhängendes Bild ergaben: Sie befand sich wieder auf dem Flughafen und saß mit Wolf in der Halle, während ihr Vater die Transportkiste saubermachte, in der das Tier den Überseeflug verbracht hatte. *Ich bin schon einmal hier gewesen*, dachte sie und wartete wie in Trance auf das Geräusch, das gleich einsetzen mußte. In Erwartung dieses Geräuschs, das sie nicht aus dem Kopf bekam, so sehr sie es sich wünschte, und sich mitunter zu den unpassendsten Zeiten im Gedächtnis einstellte, bekam sie eine Gänsehaut. Sie fragte sich verwundert, ob man im Traum eine Gänsehaut bekommen konnte – seltsamerweise wußte sie, daß es sich um einen Traum handeln mußte – und wollte an sich hinabsehen, aber es ging nicht, und so wartete sie stumm und ergeben und dachte: *Jetzt. Jetzt. Jeden Moment.*

Tatsächlich hörte sie es Sekunden später, ein leises, gequältes Fiepsen. Sie sah sich um, wollte feststellen, ob die anderen Passagiere des Fluges es ebenfalls hören konnten, aber zu ihrem Schrecken mußte sie erkennen, daß sie ganz allein in der Schalterhalle war. Die Förderbänder standen still, nichts regte sich, und das schreckliche Fiepsen wurde immer lauter. Zuvor hatte sie den Kopf nicht bewegen können, um an sich hinabzusehen, und auch jetzt gehorchte ihr der Körper nicht, als sie sich gegen ihren Willen umdrehte. Sie hob den Kopf und sah hinter die Reihe der Plastikstühle. *Ich will das nicht sehen,* dachte sie, *auf keinen Fall will ich das noch einmal sehen,* und wußte doch, daß sie es sehen würde, daß es keine andere Wahl gab. Ihre Augen schienen wie aus eigenem Antrieb groß zu werden, und sie sah die Ratte, deren Fuß sich im Lüftungsgitter verfangen hatte. Das Tier wand und krümmte sich und fiepste noch panischer, als es Amy sah. Sie versuchte, die Augen zu schließen, doch auch das war nicht möglich. *Oh, bitte,* dachte sie, *ich will es nicht sehen, ich will nicht sehen, wie sie sich selbst den Fuß abbeißt, um sich zu befreien, bitte nicht ...*

Aber die Ratte schaffte es nicht, sich den Fuß abzubeißen. Das Tier wand sich und zappelte, und Amy sah, wie Blut aus der rosa Pfote zu fließen begann, aber es konnte sich nicht befreien. Erst nach einer Weile bemerkte Amy ein anderes Geräusch, ein leises Tapsen zaghafter Schritte. Sie schielte zur Seite – den Kopf konnte sie nicht abwenden – und sah aus den Augenwinkeln eine zweite Ratte unter den Plastikstühlen hervorkriechen. Das andere Tier schnupperte argwöhnisch in alle Richtungen, ehe sie sich vorsichtig dem ersten näherte.

Nein, wollte Amy einwenden, so ist es nicht gewesen, das stimmt nicht, aber sie konnte nichts sagen, und so beobachtete sie die beiden Tiere einfach weiter. Das zweite umkreiste das erste langsam und bedächtig, beschnupperte es und schien sich die Falle zu betrachten, in die sein Artgenosse geraten war. Die freie Ratte beugte sich über den Fuß der gefangenen und machte sich eine Zeitlang daran zu schaffen. Amy konnte glücklicherweise nicht sehen, was sie tat, aber anhand der schmatzenden Kaugeräusche war es unschwer zu erraten. Es dauerte nicht lange, bis die erste Ratte ein gequältes Winseln ausstieß ... und dann langsam auf drei Beinen an der Wand entlang davonhinkte, eine winzige Blutspur hinter sich auf dem Fliesenboden zurücklassend, an die Amy sich so deutlich erinnerte. Die zweite Ratte drehte langsam den Kopf und schaute zu Amy auf.

Als erstes bemerkte Amy die blutverschmierten Nagezähne, die sie voll angeekelter Faszination betrachtete. Die zweite Ratte hatte ihrem gefangenen Artgenossen den Fuß abgebissen, um ihn aus der Falle zu befreien. Die Ratte sah Amy direkt in die Augen, und plötzlich schien eine Veränderung mit ihr vonstatten zu gehen. Das Tier stellte sich auf die Hinterbeine und reckte sich ihr entgegen, und da sah Amy, daß das Rattengesicht langsam zu zerfließen schien wie Eis in der Sonne. Die schwarzen Knopfaugen verschwanden in der weichen, feuchtglänzenden Masse, ebenso die spitze rosa Nase. Nur die blutverschmierten Zähne blieben, aber Amy stellte zu ihrem Entsetzen fest, daß es gar keine Nagetierzähne mehr waren, sondern menschliche Schneidezähne in einem Mund, der trotz des spitz zulaufenden Tierschädels überraschend menschlich aussah. Amy betrachtete die roten Lippen, die Zähne, das entstellte und unfertige Antlitz auf dem Rattenkörper und schrie. Das Gesicht, das mit blutverschmiertem Mund vom Boden zu ihr aufschaute, war ihr eigenes.

## 5

Hellmann wirkte die ganze Fahrt über abwesend, sprach kaum ein Wort und zupfte unablässig imaginäre Fusseln von seinem scheußlichen braunen Kordjackett. »Ich frage mich, ob es eine gute Idee war, Amy allein zu lassen«, sagte er schließlich, als sie ihn darauf ansprach und nach dem Grund für seine Unruhe fragte. »Sie ist viel zu oft allein, und in letzter

Zeit scheint sie etwas zu bedrücken. Ich wünschte, sie würde mit mir darüber reden.« Jill sah ihn von der Seite an, konzentrierte sich aber gleich wieder auf die Straße. »Ich frage mich, ob es richtig war, sie mitzunehmen. Sie kennt keine Menschenseele hier, und das abgelegene Haus fördert Kontakte auch nicht gerade.« Er seufzte. »Ich hoffe, das wird sich ändern, wenn sie den Führerschein hat.« Er drehte sich zu Jill um, und seine Miene hellte sich einen Moment auf. »Ich habe einen Jeep bestellt«, sagte er zu ihr, und eine ungekünstelte, jungenhafte Fröhlichkeit vertrieb den düsteren Ausdruck von seinem Gesicht, »einen knallroten Geländewagen. Als Überraschung, wenn sie die Fahrprüfung bestanden hat. So einen hat sie sich immer gewünscht.«

Jill erwiderte sein Lächeln. »Das nenne ich ein Geschenk, alle Achtung«, sagte sie.

»Ich habe mir gedacht, dann kann sie in die Stadt fahren, wann sie will, und ist nicht immer auf mich angewiesen. Wenn sie sich freier bewegen kann, findet sie vielleicht eher neue Freunde.«

»Ich würde mir an Ihrer Stelle keine Gedanken machen. Ich bin sicher, sobald sie in die Schule geht, wird sie genügend Leute in ihrem Alter kennenlernen. Außerdem hat sie mir vorhin gestanden, daß sie Bob Healy schon zu ihren Freunden zählt. Und es scheint in der Fahrschule einen Jungen zu geben, der ihr schöne Augen macht.«

»Oh«, antwortete Hellmann und schien nicht fassen zu können, daß Jill etwas wußte, das seine Tochter ihm vorenthielt.

Jill hatte nicht lange Zeit, sich zu fragen, ob es klüger gewesen wäre, das nicht zu erwähnen. Sie hatten den Ortsrand von Desert Rock erreicht und fuhren die Main Street entlang, vorbei an den vertrauten Fassaden der Geschäfte und Imbißrestaurants der Stadt, in der sie die letzten acht Jahre ihres Lebens verbracht hatte.

Armand's, das Restaurant, in das sie ihn eingeladen hatte, lag am entgegengesetzten Stadtrand. Sie näherten sich dem geräumigen Platz im Zentrum, wo sich die Straße gabelte und im Kreisverkehr um eine kleine Grünanlage mit gepflasterten Gehwegen und Bänken herumführte. Jill wartete, bis die

Ampel von Rot auf Grün umsprang und fuhr an der Anlage vorbei. Am Scheitelpunkt des Halbkreises lag das Rathaus, ein imposanter weißer Säulenbau mit hohen Fenstern und einem roten Ziegeldach. Das Büro des Sheriffs befand sich in diesem Gebäude, und Jill konnte Licht in Bob Healys Büro sehen.

»Was sind das für Büsche?« fragte Hellmann kurz darauf, als sie den Plattenweg zum Eingang entlanggingen und er die Stauden betrachtete, die den Weg rechts und links säumten. »Manzanitasträucher«, antwortete sie, schenkte ihnen aber nur kurz Aufmerksamkeit.

»Ist nicht wahr«, sagte Hellmann mit großen Augen und blieb stehen. Er betrachtete die Büsche, als hätte er noch nie in seinem Leben Grünpflanzen gesehen. »Und wo ist das Efeu, das sich um ihre Stämme rankt?« fragte er, worauf sie stehenblieb und ihn verblüfft lächelnd ansah.

»Oh«, sagte sie, »keine Ahnung. Daran hat wohl niemand gedacht.« Sie machte eine kurze Pause, dann fragte sie: »Mögen Sie die Dead?«

»Ist der Papst katholisch?« entgegnete er. Sie setzte sich lachend wieder in Bewegung, und als er ihr folgte, hörte sie ihn leise den Text des Songs singen und bei jeder betonten Silbe mit den Füßen aufstampfen. »UN-derfoot the GROUND is patched with CLIMB-ing arms of ivy wrapped a-ROUND the manzanitas trunk…« Jill schüttelte den Kopf und betrat das Restaurant.

»Warum sind Sie nach Amerika gekommen?« fragte Jill. Sie hatten sich gesetzt, Hellmann hatte sich beruhigt und die Kellnerin hatte den Aperitiv gebracht.

Er trank einen Schluck, blies die Wangen ein wenig auf, damit der Sherry seinen Geschmack im Mund entfalten konnte, und sah ihr direkt in die Augen, als müßte er einen Moment über ihre Frage nachdenken.

»In Deutschland gibt es einen schönen Witz«, sagte er. »Er wird auf englisch erzählt und geht folgendermaßen: Ein Amerikaner und ein Deutscher treffen sich. Der Amerikaner platzt vor Stolz und sagt: ›We have Bill Clinton. And under Bill Clinton we have Stevie Wonder, Bob Hope, Johnny Cash.‹ Der

Deutsche läßt den Kopf hängen, und als der Amerikaner ihn fragt, wen sie in Deutschland hätten, seufzt er und antwortet: ›We have Helmut Kohl. And under Helmut Kohl we have no wonder, no hope, no cash.‹«

Jill sah ihn verwirrt an und wartete auf mehr, aber er ließ den Kopf sinken und sagte nichts mehr. »Meine Frage lautete…« begann sie, und er schaute wieder auf.

»Das ist der Grund, weshalb ich hierhergekommen bin. Es ist in Deutschland unmöglich geworden, vernünftig Forschungen zu betreiben, speziell wenn man sich, wie ich, mit etwas so Abseitigem wie Telepathie und Psi-Phänomenen beschäftigt. Parapsychologischen Forschungen haftet immer der Ruch von Scharlatanerei an, und es ist fast unmöglich, Mittel dafür zu bekommen. Aus diesem Grund habe ich mich in den letzten Jahren auch nur zum Zeitvertreib damit beschäftigt, wenn Sie so wollen, und mein Geld hauptsächlich mit populärwissenschaftlichen Psychologiebüchern verdient.«

»Richtig. Laut Ihrem Lebenslauf waren Sie zuletzt gar nicht mehr in der Forschung tätig.«

»Stimmt«, sagte er. Sie wunderte sich, daß er nicht auf den Gedanken kam, sie zu fragen, woher sie seinen Lebenslauf kannte. Sie hatte schon vor seiner Ankunft in Ellys Büro einen Blick in seine Unterlagen geworfen, die er der Institutsleitung eingereicht hatte. »Aus eben diesem Grund. Sie wissen vielleicht, daß ich eine Zeitlang in Freiburg am Institut für Grenzgebiete der Psychologie und Psychohygiene gearbeitet habe. Dort habe ich Eberhard Bauer kennengelernt, den Herausgeber der *Zeitschrift für Parapsychologie und Grenzgebiete der Psychologie*, in der ich einige Artikel zum Thema veröffentlicht habe. Er ist nur unwesentlich älter als ich, und wir haben uns ziemlich gut verstanden. Das IGPP wird zwar überwiegend aus privaten Mitteln finanziert, aber die wurden leider auch immer knapper, und als es darum ging, einige Abteilungen zu verkleinern, habe ich freiwillig gekündigt.« Er lächelte, aber es war ein humorloses Lächeln. »Es gab Leute dort, die auf die Arbeit angewiesen waren. Ich habe mit meinen Büchern nicht schlecht verdient und konnte es mir leisten, zu kündigen. Außerdem hatte ich die Möglichkeit, eine psychologische Praxis in Karlsruhe zu übernehmen, und zugegriffen. Damit, und mit den Tantiemen meiner Bücher, konnte ich ganz gut leben, auch wenn sie wenig getaugt haben.«

Er hatte, das wußte sie, rund ein Dutzend populärwissenschaftliche Bücher über psychologische Themen veröffentlicht, aber auch zwei anspruchsvolle wissenschaftliche Werke, in denen er über außersinnliche Wahrnehmung und übersinnliche Fähigkeiten spekulierte. Eines davon, *Bausteine einer Theorie telepathischer Phänomene*, war auch in Amerika erschienen und hatte Straczinskys Aufmerksamkeit erweckt, als im Institut neben rein medizinischen und biologischen Forschungen eine kleine Abteilung für die wissenschaftliche Erforschung von Psi-Kräften gegründet worden war.

»So schlecht können sie auch nicht gewesen sein«, sagte sie. »Immerhin ist man im Institut durch Ihre Bücher auf Sie aufmerksam geworden.«

»Danke«, sagte er lächelnd. »Aber Sie sprechen von meinen Arbeiten zu Telepathie und Psi. Dazu stehe ich. Meine psychologischen Bücher schätze ich gering ein, weil es mir nie besonders Spaß gemacht hat, sie zu schreiben. Die meisten waren reiner Broterwerb. Nur die Telepathie, die hat es mir angetan.«

Er verstummte, als die Kellnerin die erste Vorspeise servierte. Als er Messer und Gabel nahm und den Fisch mit einer gezierten, fast zärtlichen Bewegung durchschnitt, sah sie ihn eindringlich an, das graumelierte sandfarbene Haar, die blauen Augen, die unmerklichen Fältchen in den Augenwinkeln. Gerade seine jungenhaften Augen und seine kindliche Begeisterungsfähigkeit bezauberten sie immer wieder. Sie war sich noch nicht eindeutig sicher, was sie zu ihm hinzog, und hoffte nur, daß es keine mütterlichen Instinkte waren.

»Wie alt sind Sie?« fragte sie und wußte selbst nicht, warum sie es fragte. Vielleicht nur, um das Thema zu wechseln, über das er nicht besonders gern zu sprechen schien, vielleicht nur, um etwas zu sagen.

»Fünfzig«, antwortete er nach einer kurzen Pause, nachdem er geschluckt und wieder etwas getrunken hatte. »Vor kurzem geworden.«

Sie verzog das Gesicht ein wenig. »Ich habe die große Fünf noch vor mir, aber auch nicht mehr lange.« Sie kostete die Vorspeise ebenfalls und sagte: »Demnach sind Sie auch in den wilden sechziger Jahren groß geworden.«

»O ja«, antwortete er, und sie grinste über den versonnenen Gesichtsausdruck, den er so unvermittelt zur Schau stellte, »die Sechziger.« Er schien einen Moment konzentriert nachzudenken, dann sagte er: »Manchmal frage ich mich, ob diese Zeit überhaupt real gewesen ist oder nur ein gigantischer kollektiver Traum von ein paar Leuten, die die Realität nicht sehen wollten. ›Die Naivität, anzunehmen, das Unmögliche könnte geschehen, machte die Sixties überhaupt möglich.‹«

»Tom Wolfe«, sagte sie, was ihr ein anerkennendes Lächeln seinerseits einbrachte. »Vielleicht war es einfach die Zeit für große Träume. Eine rebellische Zeit ist es auf jeden Fall gewesen ...«

»›There was music in the cafes at night and revolution in the air‹«, warf er grinsend ein. Dann wurde er wieder ernst und ließ den Blick durch das Restaurant schweifen. Sie konnte ihm nicht ansehen, ob ihm der Raum mit den dunklen Teakholzmöbeln, den Messinggeländern und Messingleuchtern und dem plüschigen rosa Teppichboden gefiel, aber in Wahrheit interessierte sie das auch nicht besonders. Sie hatte geglaubt, daß er sich in der eleganten Umgebung des Restaurants mit den steifen Kellnern unwohl fühlen würde, aber zu ihrer großen Überraschung gab er sich ausgesprochen weltgewandt.

»Sie scheinen ein großer Popmusik-Freund zu sein«, sagte sie, nachdem er sein Zitat zum besten gegeben hatte.

»O ja«, antwortete er lächelnd. »Das war besonders zu Beginn meiner Ehe ständig Anlaß für Streitereien. Ich war ein leidenschaftlicher Plattensammler. Meine Frau hat nie verstanden, wieso man viel für Platten von Gruppen ausgibt, die kein Mensch kennt. Ich weiß noch, ich habe mir einmal auf einer Plattenbörse für eine enorme Summe das Rising-Sons-Album gekauft, und als ich voller Stolz nach Hause gekommen bin, sagte sie nur: ›Die hättest du für dreißig Mark als CD haben können.‹« Er lachte schallend, als wäre das ein guter Witz gewesen.

# 6

Um ein Haar wäre Amy durch ihren eigenen Schrei aus dem Schlaf erwacht. Sie wälzte sich auf der Bettdecke, drehte den Kopf auf dem Kissen von einer Seite auf die andere und stöhnte leise. Das Bild der Flughafenhalle löste sich langsam vor ihrem inneren Auge auf. Ihre Gesichtszüge entspannten sich, und sie schlug tatsächlich einmal kurz die Augen auf. Der Wecker zeigte 23:02 Uhr. Amy sah es, registrierte es aber nicht. Ihre Augen fielen zu, sie drehte sich auf die Seite und versank sofort in einen weiteren Traum.

Sie befand sich auf einer weiten nächtlichen Ebene. Der Sand unter ihr war schwarz, und sie konnte sehen, daß ihre Füße den Boden nicht berührten, obwohl sie mit wachsender Geschwindigkeit darüber hinwegglitt. Sie hob den Kopf. Es war schwer, in der Dunkelheit etwas zu erkennen, aber sie glaubte, vage Gestalten zu sehen, die in einiger Entfernung am Wegrand standen und ihr zuwinkten, um sie zurückzuhalten. Als sie nach vorn sah, erblickte sie weit entfernt einen pechschwarzen Streifen zwischen dem Sand der Wüste und dem sternenlosen Himmel, und diesem Streifen näherte sie sich unerbittlich. Leises Murmeln erklang außerhalb ihres Gesichtsfelds. Es waren die Gestalten, die sie nun deutlicher erkennen konnte. Sie ruderten mit den Armen und schienen ihr etwas zuzurufen, aber Amy konnte es nicht verstehen, so sehr sie auch ihr Gehör anstrengte.

Sie raste dicht über dem dunklen, rissigen Wüstenboden dahin auf den schwarzen Streifen zu, und plötzlich sah sie, daß es sich um einen fernen Gebirgszug handelte. Der obere Rand des Streifens löste sich in zerklüftete Gipfel auf, und immer noch flog Amy den Bergen entgegen. Ihre Haare wurden vom Wind nach hinten geweht. Die Gestalten rechts und links winkten immer heftiger und nachdrücklicher, aber Amy stellte fest, daß sie nicht bremsen oder anhalten konnte.

Die Umrisse der Berge wurden immer deutlicher, und mit der Zeit konnte Amy einen dunklen Fleck in dem Massiv erkennen, eine dunklere Schwärze auf der Schwärze des Felsgesteins. Schließlich ragten die Berge himmelhoch vor ihr auf, und sie sah, daß es sich bei dem dunklen Fleck in Wahrheit um den Eingang einer Höhle oder eines Stollens handelte.

Sie versuchte, sich nicht in die dunkle Öffnung einsaugen zu lassen, aber es gelang ihr nicht. Der schwarze Umriß kam unaufhaltsam näher. Es handelte sich um den Eingang zu einem alten Bergwerksstollen; verfaulte Holztüren mit erodierten Griffen hingen schief an rostigen Scharnieren, dahinter glänzten feucht dunkle Felswände im Inneren.

Als sie die verfallene Tür hinter sich gelassen hatte, herrschte undurchdringliche Finsternis ringsum. Einmal berührte sie in ihrer rasenden Vorwärtsbewegung die Felswände, die kalt wie Eis waren, und erschauerte. Plötzlich ging es steil bergab. Amy erschrak und hatte das Gefühl, als würde ihr Magen bis unter das Kinn gedrückt werden. Dann begann eine steile Achterbahnfahrt durch enge Schächte und Stollen, die teils so schmal wurden, daß sie mit den Schultern an den Wänden entlangstreifte. Seltsamerweise verletzte sie sich dabei nicht und verspürte keine Schmerzen. Sie versuchte, die Dunkelheit mit den Augen zu durchdringen, aber es gelang ihr nicht. Erst allmählich, als sie sich in einem waagerechten und schnurgeraden Abschnitt des unterirdischen Tunnelsystems befand, glaubte sie, weit, weit entfernt einen schwachen Lichtschimmer zu sehen, der an Deutlichkeit gewann, je mehr sie sich der Stelle näherte.

Nicht lange, und das Leuchten wurde zu einem rötlichen Flackern, das über die Felswände spielte. Amy bekam es erneut mit der Angst zu tun und fürchtete, sie könnte direkt in ein Feuer hineinrasen, aber der Stollen mündete in einer riesigen Felsenhöhle, deren Wände, Boden und Decke sich in schwarzer Unergründlichkeit verloren, und mitten in dieser Höhle schwebte ein gigantisches blutrotes Herz, das schlug und pulsierte und den Feuerschein verströmte, den sie schon lange vorher gesehen hatte.

Amy rechnete damit, daß es heiß sein würde, aber als sie unaufhaltsam darauf zu gesogen wurde, spürte sie keine Hitze, lediglich der rote Schimmer wurde immer greller. Sie kniff die Augen zu, aber es half nichts; das rote Licht drang durch ihre Lider hindurch und schien sie von Innen zu blenden. Sie versuchte, die Sekunden zu zählen, bis sie in das schlagende Herz eintauchen würde, doch als sie bis zwanzig gezählt hatte und nichts geschah, machte sie die Augen wieder auf. Die rote Wand des Herzens ragte unmittelbar vor ihr auf, und sie wappnete sich für das Eintauchen. Vielleicht, überlegte sie, würde sie auch dagegen prallen und daran zerschellen, doch als sie nur noch wenige Meter entfernt war, brach das riesige Herz mit einem knirschenden Donnergrollen entzwei. Die beiden Hälften schwebten langsam und majestätisch auseinander, eine Kontinentaldrift, die durch nichts mehr aufzuhalten war. Amy stürzte in die Lücke dazwischen und kam taumelnd auf der anderen Seite heraus. Sie hatte erwartet, daß die schwarze Höhle dort weitergehen würde, aber sie irrte sich. Amy sah, was sich hinter dem zerbrochenen Herzen befand, und ihre Augen wurden groß.

## 7

»Und warum ist Ihre Ehe in die Brüche gegangen?« fragte Jill und sah ihren Gesprächspartner mit einer Mischung aus Argwohn und Belustigung an. Sie hatten den Hauptgang serviert bekommen, Lammfilet mit grünen Bohnen und Kartoffelgratin, zu dem der Rotwein, den er ausgesucht hatte, ausgezeichnet paßte. Jill verglich ihre Unterhaltung inzwischen mit einem Hindernislauf. Er schweifte ständig ab, sprach nicht selten in Rätseln und leistete sich mitunter unerklärliche Gedankensprünge in seinen Schilderungen, als würde er sich einen bestimmten Teil der Unterhaltung nur denken, aber nicht aussprechen.

Nach den ersten Bissen des Lammfilets hatte sie ihn gefragt, wie es ihm schmeckte. »Ganz ausgezeichnet«, hatte er darauf geantwortet und dann zu ihrer Überraschung hinzugefügt: »Falls Sie je einmal mit mir nach Deutschland kommen, werde ich mich revanchieren. Nicht weit entfernt von meinem letzten Wohnort, meinem Haus ... meinem Ex-Haus, schätze ich, wo meine zukünftige Ex-Frau noch wohnt... gibt es ein kleines Restaurant, das Steverding's Isenhof heißt. Wenn Sie mich besuchen oder mich begleiten, müssen wir da unbedingt hin. Wenn Sie dort kein Lamm gegessen haben, wissen Sie nicht, wie Lamm schmeckt.«

Sie fragte sich nur kurz, ob das in seiner seltsam indirekten Sprache heißen sollte, daß er möglicherweise eine gemeinsame Zukunft für sie beide sah, obwohl dieses Thema trotz offenkundiger Sympathien noch nicht einmal ansatzweise angeschnitten worden war. Dann hatte sie sich auf die Begriffe Ex-Haus und Ex-Frau konzentriert und vorsichtig nachgefragt, aus welchen Gründen seine Ehe gescheitert war.

»Wir haben uns ein Haus in einem Ort zwanzig Kilometer von Karlsruhe entfernt gekauft, als ich die Praxis dort übernommen hatte, und da haben wir dann gewohnt«, sagte er. »Meine Frau, Amy, Wolf und die Katze.«

Jill dachte an Dustin Hoffman in *Rain Man*, der Fragen, die sein Bruder ihm in einem Augenblick stellte, mit Antworten auf andere Fragen beantwortete, die vielleicht vor Stunden, Tagen oder gar Wochen gestellt worden waren, und sie fragte sich mit einem seltsamen Gefühl wonniger Bosheit, ob es vielleicht eine autistische Ader in Stefan Hellmanns Persönlichkeit gab.

»Das sagten Sie schon«, entgegnete sie und lächelte fast gegen ihren Willen, als sie daran dachte, wie er in der Küche seines Hauses mit Wolf gespielt hatte, »aber ich verstehe nicht, was …«

»Ich glaube, daran ist meine Ehe gescheitert«, sagte er ungeduldig.

»An Ihrer Katze?« fragte sie und dachte, daß die Unterhaltung eindeutig eine Wendung zum Surrealistischen nahm.

»Aber nein«, sagte er mit einem väterlichen Lächeln, das ihr ein wenig die Zornesröte ins Gesicht trieb. »Sehen Sie, meine Frau, und ich haben uns, übrigens stilecht für die sechziger Jahre, bei einer Demonstration kennengelernt und danach ziemlich viel politische Arbeit zusammen gemacht. Nur habe ich irgendwann einmal eingesehen, daß wir Schiffbruch erlitten hatten. Wir haben die Gesellschaft nicht verändern können, und darauf folgte bei mir der Rückzug ins Private. Das Haus, meine Frau, Amy, die Katze … das war meine private

Utopie. Natürlich hat letztendlich nicht einmal sie funktioniert.« Sein Lächeln war erstaunlich verbittert und auch eine Spur wehmütig, fand sie.

»Es war nicht die klassische Trennung«, fuhr er fort, »keine andere Frau, keine Affären … nur ein konstantes Auseinanderleben, das Jahre gedauert hat.« Er dachte kurz nach. »Vielleicht hat es auch nur Jahre gedauert, bis wir es uns eingestanden haben. Sie konnte sich einfach nicht an die veränderten Zeiten anpassen und war immer wütend, wenn ich ihren störrischen Aktionismus nicht mitmachen wollte.« Er lächelte. »Natürlich hat sie das ganz anders gesehen. Für sie bin ich ein langweiliger Spießer geworden.«

»Bei mir war es die klassische Trennung«, sagte sie unvermittelt. Er fühlte sich nicht wohl in seiner Haut, das sah sie ihm an, daher wollte sie ihn nicht zwingen, weiter von sich zu erzählen. »Eine klassische kalifornische Trennung. Ich hatte nicht einmal gemerkt, daß mit meiner Ehe etwas nicht stimmte, bis Jefferson, mein Mann, eines Tages mit einer Göre zu mir nach Hause kam, die seine Tochter hätte sein können, und mir eröffnete, daß ich seine Selbstfindung stören und seine spirituelle Entwicklung behindern würde.« Sie trank einen Schluck Wein und stellte das Glas so heftig auf den Tisch zurück, daß ein paar Tropfen über den Rand schwappten. »Das ist so abgedroschen *kalifornisch*, daß man kotzen könnte.« Sie sah über sich selbst erschrocken auf. »Bitte entschuldigen Sie, das ist mir so rausgerutscht.« Aber er machte nur eine wegwerfende Handbewegung.

»Ich nehme an, die spirituelle Entwicklung hat sich überwiegend in ihrem Bett abgespielt. Auf jeden Fall hat er ernst gemacht, ein paar Sachen gepackt und ist mit ihr nach Los Angeles gezogen.«

»Muß schlimm für Sie gewesen sein«, sagte er.

Sie schüttelte den Kopf. »Eigentlich nicht. Ich bin schon immer der pragmatische Typ gewesen. Und im Gegensatz zu vielen Frauen mußte ich mir keine Sorgen um meine Existenz machen. Ich hatte meinen Beruf, und wir haben uns außergerichtlich geeinigt. Er hat mir das Haus überschrieben, und sonst habe ich keine Forderungen gestellt. Ich wollte nichts mit ihm zu tun haben, wollte sein Geld nicht. Er war Partner in einer Werbeagentur, und ich habe später erfahren, daß er seinen Anteil am Geschäft verkauft hat. Während er an seiner spirituellen Entwicklung arbeitete, hat sie sich die Schauspielschule von ihm bezahlen lassen. Und als er völlig abgebrannt war, hat sie ihn sitzenlassen.« Sie schüttelte melancholisch den Kopf. »Man sollte meinen, daß einem so etwas eine späte Befriedigung verschafft, aber um ehrlich zu sein, hat er mir nur leid getan, als er ein Jahr später wieder vor der Tür stand und gefragt hat, ob ich es noch einmal mit ihm versuchen wollte.«

»Was Sie nicht getan haben.«

»Natürlich nicht«, sagte sie.

»Und was ist aus ihm geworden?«

Sie zuckte die Schultern. »Keine Ahnung. Ich habe gehört, daß er nach San Diego gezogen ist, und danach hat er sich nicht mehr gemeldet.«

Hellmann zögerte eine ganze Weile, bis er das Schweigen brach. »Ist wenigstens eine Schauspielerin aus ihr geworden?« fragte er schließlich.

»Sie hat den Namen Meg Ryan angenommen und eine tolle Karriere gemacht«, antwortete Jill. Sie sah seinen fassungslosen Gesichtsausdruck und mußte lachen. »War nur ein Witz«, sagte sie. »Soweit ich weiß, arbeitet sie allerdings in der Filmbranche – als Platzanweiserin in einem Kino.«

## 8

Wolf hob in der dunklen Küche den Kopf und spitzte die Ohren. Im ganzen Haus herrschte Totenstille. Das Herrchen war vor einer undefinierbaren, nach Wolfs Dafürhalten unverantwortlich langen Zeitspanne weggegangen und nicht zurückgekommen, und Amy hatte sich nach oben verzogen und schlief. Doch die Geräusche, die er hörte, schienen aus ihrem Zimmer zu kommen.

Er stand auf. Das Kratzen seiner Pfoten auf dem muffigen Holzboden – alles in diesem neuen Heim schien irgendwie nach totem Wald zu riechen – übertönte die Geräusche ein wenig, doch kaum waren sie verklungen, konnte er sie wieder hören.

Langsam lief Wolf zur Küchentür, wo er erneut stehenblieb und horchte. Tatsächlich. Amy schien Laute von sich zu geben. Wolf stand unschlüssig unter der Tür, dann beschloß er, nach oben zu gehen, obwohl er seinen Namen nicht gehört hatte. Er trottete die Treppe hinauf, stieß die Tür ihres Zimmers mit der Schnauze auf und tapste hinein.

Vor ihrem Fenster waren die dunklen Wolken deutlich zu sehen. Lautloses Leuchten zerriß die Dunkelheit einen Moment, und Wolf sah, wie Amy sich auf dem Bett wälzte. Große Schweißperlen standen ihr auf der Stirn, und sie bewegte die Lippen. Wolf lief auf sie zu und erstarrte.

Vage Erinnerungen an eine lange Autofahrt und drückende Hitze stiegen in ihm auf. Kurz vor Ende dieser langen Fahrt, während einer kurzen Pause, hatte er ihn zum erstenmal gespürt, den Fremden, eine ungreifbare Präsenz, flüchtig und kurz. Und nun war der Fremde wieder hier. Wolf spürte ihn so deutlich wie eine Berührung von Amy. Er sah sich in dem Zimmer um, konnte aber niemanden erkennen. Verwirrt ging er noch einen Schritt auf das Bett zu, dann noch einen. Er blieb stehen und schnupperte, aber außer dem beißenden Schweißgeruch, der von Amy ausging, und den üblichen Gerüchen von Staub und altem Holz konnte er nichts wittern.

Draußen erhellte neuerliches Wetterleuchten den Himmel, und in diesem Augenblick warf sich Amy herum. »Wer bist du?« rief sie mit einer verzerrten, gequälten Stimme, die Wolf erschreckte. Er legte den Kopf schief und spitzte die Ohren. Seine Nase berührte fast das Gesicht von Amy, die in diesem Augenblick flatternd die Lider öffnete. Sie hatte die Augen so verdreht, daß nur das Weiße zu sehen war. »Komm ...« flüsterte sie mit einer Stimme, die Amy kalte Schauer über den Rücken laufen ließ. »Komm zu mir ...« Und sie hob einen Arm und streckte ihn suchend aus.

Die Präsenz des Fremden wurde übermächtig. Die Luft in dem Zimmer schien elektrisch aufgeladen zu sein; Wolf spürte, wie sich seine Nackenhaare aufrichteten. Langsam wich er Schritt für Schritt rückwärts von dem Bett zurück. Seine Lefzen bebten, dann fletschte er die Zähne und stieß ein tiefes, kehliges Knurren aus.

## 9

»Ich nehme nicht an, daß Amy Ihre Leidenschaft für Musik teilt«, sagte Jill. Sie wollte den Abend nicht mit einem Blick zurück auf gescheiterte Beziehungen ausklingen lassen, sei es nun im Zorn oder in Melancholie. »Oder haben Sie denselben Geschmack?«

»Nein, nein«, sagte er, »das wäre auch verwunderlich, oder? Hatten Sie denselben Musikgeschmack wie Ihre Eltern? – Nein«, nahm er ihre Antwort vorweg, »aber gewisse Überschneidungen gibt es schon. Sie steht auf Nirvana und Project Pitchfork und solche Sachen. Und Patti Smith. Die mögen wir beide.«

Er schwenkte sein Glas und trank den letzten Rest Rotwein bedächtig und konzentriert wie ein Forscher, der ein wichtiges Experiment durchführt. »Für Sie muß es ja das Paradies gewesen sein. In San Francisco aufzuwachsen, meine ich.«

»O ja«, sagte sie, »in dieser Hinsicht schon. Damals gab es andauernd Konzerte, und ich habe sie alle live erlebt. Die Doors, Janis Joplin, Jimi Hendrix, Jefferson Airplane. Und natürlich die Dead – ich kann nicht mehr sagen, wie oft ich in den letzten fünfundzwanzig Jahren deren Konzerte besucht habe.«

Seine Augen leuchteten. »Es gab Zeiten, da hätte ich meinen rechten Arm gegeben, um hier zu sein. Jim Morrison auf der Bühne«, sagte er kopfschüttelnd und sah sie mit einem Blick an, in dem fast so etwas wie Neid mitzuschwingen schien.

»Wissen Sie«, sagte sie, »mit der Zeit hat die Begeisterung für Konzerte auch nachgelassen. Bei mir jedenfalls. Irgendwann bin ich dann lieber ins Theater gegangen und habe mir die ganzen zeitgenössischen Dramatiker angesehen. Albee, Pinter ... waren Sie auch oft im Theater?«

»Meine Frau hat das Theater geliebt. Nicht nur Schauspiel, auch Opern«, sagte er mit einer wegwerfenden Handbewegung. Er schwieg einen Moment. »Albee ... sagte er dann, als wüßte er den Namen nicht richtig einzuordnen. »Nein, das moderne Theater hat mich nie besonders interessiert. Haben Sie je Mystery Trend live gesehen?« fragte er so unvermittelt, daß Jill von dem plötzlichen Themenwechsel fast schwindlig wurde.

»Wen?« fragte sie.

»Mystery Trend. Die müssen Mitte, Ende der sechziger Jahre eine lokale Attraktion gewesen sein. Leider gibt es nur eine einzige Single von ihnen, ›Johnny Was A Good Boy‹. Tolles Stück«, fügte er hinzu. »Eigentlich haben mich die weniger bekannten Gruppen immer mehr interessiert. Die Rising Sons, die Chocolate Watch Band, Love –«

»Love kenne ich«, sagte sie, aber er schien ihr nicht zuzuhören.

»– die Flower Pot Men.« Er schwieg lange, ließ den Blick wehmütig durch das Lokal und zu den Fenstern schweifen, aber sie hatte den Eindruck, daß er nichts von alledem sah, sondern in weite Ferne zu blicken schien. »Sie können sich nicht vorstellen, wie ich Sie darum beneide, hier aufgewachsen zu sein. Aber wahrscheinlich ist es besser, daß ich es nicht bin. Ich hätte mein Leben höchstwahrscheinlich mit Konzerten und Platten und Underground-Comics verplempert.«

»›Ich vertat mein Leben kaffeelöffelweis/Ich kenn die Stimmen, schmachtend und zum Tod verbannt/In der Musik, die fern im Raume klagte.‹«

Er sah sie verständnislos an.

»Nun, T. S. Eliot scheinen Sie nicht gelesen zu haben«, sagte sie und konnte ein verhaltenes Grinsen nicht unterdrücken. »Anscheinend ist nicht nur das moderne Theater nicht Ihre starke Seite. Moderne Lyrik auch nicht.«

»Nein«, sagte er und sah sie an, als hätte sie etwas Unverständliches gesagt. »Für Lyrik habe ich mich nie interessiert, weder für klassische noch für moderne.« Er drehte sich um und winkte der Kellnerin.

# 10

Amy betrachtete fassungslos und mit großen Augen das Bild, das sich ihr bot. Eine taufeuchte grüne Wiese lag im strahlenden Sonnenschein vor ihr. Weiße Wolken türmten sich am Himmel auf; Sonnenstrahlen fielen schräg zwischen ihnen hervor und säumten die Wiese wie Säulen purer Helligkeit. Vor ihr erstreckte sich ein Weg, kaum mehr als ein Trampelpfad, der bis zum Horizont reichte. Sie schritt ihn langsam entlang und konnte dabei den Blick nicht von den flauschigen weißen Gebirgen und Hochebenen abwenden. *Mein Wolkenland*, dachte sie staunend.

Sie ging schneller (und bemerkte nur am Rande, daß ihre Füße wieder den Boden berührten und sie, anders als in der schwarzen Wüstenlandschaft, tatsächlich ging und nicht schwebte), und ihr Herz pochte vor Hoffnung, obwohl sie wußte, daß das Land eine Illusion war, daß sie es niemals erreichen konnte.

Aber Amy irrte sich. Mit der Zeit merkte sie, daß sie den Wolken immer näher kam, daß sie nicht vor ihr zurückwichen, und schließlich stellte sie fest, daß der Weg, auf dem sie sich befand, direkt in die Wolkenlandschaft hineinzuführen schien. Sie folgte ihm und spürte, wie er langsam anstieg, immer höher und höher hinauf, und je höher sie kam, je näher die Wolken rückten, desto heftiger schlug ihr Herz.

Es dauerte nicht lange, und sie ging mitten zwischen Wolken, die den Wegrand säumten wie weiße Watte. Ob es Zuckerwatte ist? fragte sie sich kichernd. Ob sie süß schmecken, wenn man daran leckt? Aber sie beschloß, es nicht auf einen Versuch ankommen zu lassen.

Schließlich sah sie etwas Dunkles in einiger Entfernung, und als sie näher kam, konnte sie erkennen, daß es sich um ein schwarzes, schmiedeeisernes Tor handelte. Die Scharniere schienen direkt an den weißen Wolken befestigt zu sein, und Amy überlegte gerade, wie sie wohl halten mochten, als sie ein Geräusch hörte und ruckartig stehenblieb.

Da war jemand. Undeutlich konnte sie eine Gestalt hinter dem schwarzen Tor erkennen. Sie ging zögernd auf sie zu, aber die Gestalt hielt sich so gut es ging hinter den Wolken verborgen. Amy kniff die Augen zusammen, damit die weiße Umgebung sie nicht zu sehr blendete, und sah derbe schwarze Stiefel, Jeans, ein kurzärmliges rot-gelbes Batik-T-Shirt, einen Arm, auf dem dünne Härchen golden im Licht schimmerten. Nur das Gesicht der Gestalt konnte sie nicht erkennen.

»Komm näher«, flüsterte die Gestalt, und Amy konnte hören, daß es sich um die Stimme eines Jungen handelte. Sie näherte sich dem Tor zaghaft, und da endlich beugte sich der Junge nach vorn. Er hatte blonde Haare und dunkle, fast schwarze Augen, die wie Kohlen in dem blassen Gesicht leuchteten. »Komm«, sagte er und winkte.

Amy trat auf ihn zu, ohne den Blick von seinem Gesicht und seinen dunklen, unergründlichen Augen abzuwenden. Plötzlich fürchtete sie, in diesen Augen zu versinken wie in einem grundlosen See und nie mehr aufzutauchen.

Schließlich stand sie unmittelbar vor dem Gittertor und legte die Hände an zwei der gedrehten Stäbe. Der Junge sah sie unverwandt und stumm an. Mit ihren Blicken tastete sie das Tor nach einem Griff ab, aber es schien nicht einmal ein Schloß zu haben. Sie zog daran, aber es gab nicht nach. »Wer bist du?« fragte sie den Jungen, der auf der anderen Seite stand, zum Greifen nah und doch unerreichbar fern, solange sich das Tor nicht öffnen ließ.

Der Junge antwortete zunächst nicht. Er warf unsicher einen Blick hinter sich. Unmittelbar hinter ihm machte der Weg eine Biegung, und die weißen Wolken verbargen die Sicht. Als er sich wieder umdrehte, hatte sein Gesicht einen furchtsamen Ausdruck angenommen. »Bitte …« flüsterte er und sah sie flehentlich an. »Bitte, hilf mir …«

Ein Knurren, leise und unterschwellig, gerade an der Grenze des Wahrnehmbaren, schien jenseits der Biegung zu ertönen. »Hilf mir …« wiederholte er, diesmal drängender, mit einem flehentlichen Unterton. Amy erschauerte.

»Wer bist du?« wiederholte sie.

Er schien sich zu konzentrieren, als müßte er Kräfte für die Antwort sammeln. »Danny«, brachte er schließlich heraus.

»Ich heiße Danny.« Das Knurren hinter der Kurve wurde definitiv lauter. Der Junge – Danny – drehte den Kopf noch einmal kurz um. Als er sie wieder ansah, stand ein ängstlicher, fast panischer Ausdruck in seinen Augen. »Bitte«, sagte er. »Ich bin in großer Gefahr. Hol mich hier raus ...«

Das Knurren nahm bedrohliche Ausmaße an. Es schien wie Donner zwischen den weißen Wolken zu hallen. Amy rüttelte ängstlich an dem Eisentor, doch es ließ sich keinen Millimeter bewegen. Und erst allmählich merkte sie, daß das Knurren, das sie hörte, nichts mit dem Jungen und dem Traum zu tun hatte – denn es war ein Traum, das wußte sie seltsamerweise, obwohl der Junge und das Tor äußerst real wirkten. Es schien von außerhalb zu kommen, und sie merkte, wie sie langsam aus dem Traum erwachte, wie sie von dem Tor und dem Jungen fortgezogen wurde in eine andere, fernere Realität.

»Nein«, sagte der Junge, aber sie hörte ihn kaum noch. »Geh nicht weg. Bitte. Hol mich hier raus!«

Amy bemühte sich verzweifelt, nicht zu erwachen, in dem Traum zu bleiben, so lange sie konnte, aber das allgegenwärtige Knurren, das das ganze Universum zu erfüllen schien, riß sie fort. »Komm ...« rief sie dem Jungen ängstlich zu. »Komm zu mir ...« Aber er blieb an dem Tor zurück, das wie die Wolken allmählich verblaßte, und sah ihr mit einem traurigen Blick seiner schwarzen Augen nach. Und sie wußte, daß sie diese Augen nie wieder vergessen würde, solange sie lebte.

Amy drehte sich auf dem Bett herum und schlug die Augen auf. Sie stellte fest, daß sie die leichte Decke weggestrampelt hatte. Das Laken, auf dem sie lag, war schweißnaß, und sie selbst spürte Schweißperlen im Gesicht und am ganzen Körper.

Wolf saß in der Zimmerecke zwischen Kommode und Bücherregal, so weit von ihrem Bett entfernt, wie er nur konnte, und sah aus, als würde er sich am liebsten in die Holzwand hineindrücken. Er knurrte noch einmal, und sie begriff, daß sein Knurren sie aufgeweckt hatte. Als er sah, daß sie wach war, fing er lautstark zu bellen an.

»Oh, Wolf«, sagte sie und sah die dunklen Augen und das blasse Gesicht des Jungen aus ihrem Traum deutlich vor sich. »Einen schlechteren Zeitpunkt hättest du dir wirklich nicht aussuchen können.«

## 11

Während Jill darauf wartete, daß die Kellnerin die Rechnung brachte, betrachtete sie Stefan, der leise mit den Fingern den Rhythmus eines Musikstücks, das nur er hören konnte, auf der Tischplatte trommelte, und ließ den Abend mit ihm Revue passieren.

Der kindliche Stolz auf sein Spezialwissen hatte etwas Rührendes. Andererseits hatte er sie mehrmals so auf die Palme gebracht, daß sie am liebsten laut geschrien hätte.

*Kennen Sie Mystery Trend?* dachte sie und mußte ihre Gesichtszüge eisern unter Kontrolle halten, um ihn nicht nachzuäffen. Daß er sie auf dem Gebiet amerikanischer Popkultur schlug, die sie im Gegensatz zu ihm aus erster Hand kannte, erboste sie. Wie sollte sie aber auch obskure Bands aus San Francisco kennen, die nicht einmal hier einen nennenswerten Bekanntheitsgrad erlangt hatten?

Sie legte die Kreditkarte auf den Teller mit der Rechnung. Stefan schaute zum Fenster hinaus, aber in der Dunkelheit konnte man nichts erkennen, außer ihren eigenen Spiegelbildern in der Scheibe.

Als die Kellnerin den Kreditkartenbeleg gebracht hatte, legte Jill Trinkgeld auf den Teller, stand auf und ging zur Garderobe. Stefan folgte ihr, half ihr in die Jacke und trottete hinter ihr her.

Sie hatten das Restaurant als letzte verlassen. Die anderen Gäste waren längst gegangen. Draußen schlenderte Jill an Hellmanns Seite zum Auto. Sie schloß auf und setzte sich ans Steuer. Als er sich neben ihr auf den Beifahrersitz gesetzt hatte, tastete er sein Jackett ab und zog eine Kassette aus der inneren Brusttasche. »Darf ich?« fragte er, worauf sie geistesabwesend nickte und den Zündschlüssel herumdrehte.

Er schob die Kassette in den Rekorder, als Jill den Blinker setzte und losfuhr. Es war nach zwölf, und sie mußte gestehen, daß sie kaum gemerkt hatte, wie schnell die Zeit vergangen war.

Die Musik, die aus den Lautsprecherboxen tönte, klang seltsam quälend und zerdehnt, aber nicht unangenehm. Jill war so sehr mit ihren Gedanken beschäftigt, daß sie kaum etwas mitbekam. Die Stücke schienen überwiegend von Drogen zu handeln, ab und zu durchdrangen Textfragmente wie »High all the times« oder »Jumping like an amphetamine gazelle« die Mauer ihrer Gedanken. Sie kannte die Band nicht, aber als sie sich auf der Straße zu seinem Farmhaus befanden und die Musik immer noch lief, wußte sie zumindest, daß es sich nicht um Mystery Trend handeln konnte, denn die hatten schließlich nur eine Single aufgenommen, richtig?

Sie hätte ihn selbstverständlich fragen können, hütete sich aber davor. Einerseits, weil sie befürchtete, es könnte sich auch wieder um eine Band aus San Francisco handeln, die sie eigentlich kennen müßte, und diese Blöße wollte sie sich nicht noch einmal geben, andererseits, weil sie Angst hatte, er könnte wieder einen seiner langen Monologe beginnen und vom Hundertsten ins Tausendste abschweifen. Ihr schwirrte ohnehin schon der Kopf, und im Augenblick wollte sie wirklich nichts mehr hören.

## 12

Die leichte Brise trocknete den Schweiß auf Amys Gesicht. Sie stand am Fenster ihres Zimmers und sah nach unten. Die dunklen Wolken hatten sich weitgehend verzogen. In der elektrischen Spannung, die in der Luft lag, schienen Amys Haare zu knistern. Es war doch nicht zu einem Gewitter gekommen; die erwartete Entladung war ausgeblieben, weshalb nach wie vor eine unheimliche Atmosphäre über der nächtlichen Wüstenlandschaft zu liegen schien.

Ihr Vater und Jill standen vor Jills Auto. Jill lehnte an der Fahrertür, und Amys Vater war zu ihr getreten und hatte einen Arm um sie gelegt. Als sie die beiden so sah, vergaß sie einen Moment ihre Träume und mußte an ihre Mutter denken. Ihre Eltern hatten sich auch einmal so umarmt, aber irgendwann nicht mehr. Irgendwann hatten sie nur noch nebeneinanderher gelebt, über Belangloses gesprochen und waren sich aus dem Weg gegangen.

Sie versuchte sich zu erinnern, wann der langwierige Prozeß der Trennung für die beiden angefangen haben mochte, konnte aber kein bestimmtes Datum ausmachen. Seltsam, dachte sie, der ganze Vorgang war so schleichend vonstatten gegangen, daß sie sich nicht an den Anfang erinnerte. An das Ende freilich erinnerte sie sich genau, so lange lag es schließlich noch nicht zurück. Es war ein Dienstag gewesen, der einundzwanzigste April, als ihr Vater sie ins Wohnzimmer gebeten hatte, wo er und ihre Mutter auf sie warteten; er stehend, mit ernster Miene, ihre Mutter auf dem abgenutzten braunen Sofa sitzend, wo sie eine Miene zwischen Trotz und Niedergeschlagenheit zur Schau stellte. »Amy«, hatte ihre Mutter sie angesprochen, »wir müssen dir etwas sagen«, worauf sie mit einem Seufzer zu ihrem Vater gesehen hatte, und er sprach es aus, gelassen, emotionslos, als würde er etwas von geringer Tragweite von sich geben: »Amy, deine Mutter und ich haben beschlossen, uns zu trennen. Ich habe ein Angebot aus den USA erhalten, in einem Forschungsinstitut zu arbeiten, und ich werde die Stelle annehmen. Du kannst mit mir kommen oder bei deiner Mutter bleiben.« Sie hatte beide mit großen Augen angesehen, allerdings nicht wirklich überrascht. Aber daß er nach Amerika gehen wollte, das hatte sie nicht gewußt, nicht einmal geahnt, und es war ein ziemlicher Schock gewesen.

»Du mußt dich nicht gleich entscheiden«, hatte er sanft hinzugefügt. »Laß dir Zeit. Wir wollten nur, daß du es weißt und dir Gedanken darüber machen kannst.« Beherrscht und sachlich, und sie hatte sich, in diesem Moment und lange danach, manchmal heimlich die Frage gestellt, ob einem von beiden wirklich etwas an ihr lag.

Sie hätte sich etwas mehr Emotionen gewünscht, etwas mehr Schmerz und Zweifel und Unsicherheit, etwas mehr Leidenschaft, die ihr zeigte, daß die Eltern sie wirklich liebten, daß keiner der beiden sie verlieren wollte. Letztendlich war eines abends ihr Vater in ihr Zimmer gekommen, obwohl er und ihre Mutter sich feierlich geschworen hatten, keine Versuche zu unternehmen, sie in ihrer Entscheidung zu beeinflussen. »Amy«, hatte er gesagt, »du weißt, daß wir dich selbst entscheiden lassen wollen, aber ich denke, Amerika könnte für uns beide ein neuer Anfang werden. Überleg es dir. Eine ganz neue Welt. Und ich möchte nicht, daß du den Rest deines Lebens Brot aus selbstgeschrotetem Getreide backen und Häkeldeckchen aus Naturfasern besticken mußt.« Sie hatte gelacht und vermutet, daß es seine Art war, ihr zu sagen, daß er sie liebte, weil er es deutlicher nicht über die Lippen brachte. Und auch wenn er sie danach nicht mehr darauf angesprochen hatte, gab das den Ausschlag.

Tatsächlich ging ihre Mutter ihr mit ihrer rechthaberischen Art immer öfter auf den Wecker. Es nervte Amy, ihren Schrank immer so einräumen zu müssen, wie ihre Mutter es für richtig hielt. Sie hätte sich gern einmal etwas Gewagtes zum Anziehen gekauft, wie ihre Mitschülerinnen, und hatte es satt, zu jedem Weihnachtsfest einen Pullover aus Baumwolle zu bekommen. Sie hatte sich überlegt, daß ihr in Amerika möglicherweise nicht nur geographisch eine neue Welt offenstand, und darum hatte sie sich entschieden, mit ihm zu kommen. Und jedesmal, wenn ihr die Einsamkeit und das Fremde, das sie allerorten bedrängte, zuviel wurde und sie Zweifel an der Weisheit ihrer Entscheidung bekam, wenn sie traurig wurde und Heimweh sie quälte, dachte sie an bestickte Häckeldeckchen aus Naturfasern und lachte und wußte, es war kein Fehler gewesen.

Amy beschloß, den beiden da unten ihren Augenblick der Intimität zu gönnen, obwohl sie natürlich nicht wußten, daß sie beobachtet wurden, und ging wieder in ihr Bett. Sie legte sich hin, stützte den Kopf auf den Arm und betrachtete eine weiße Stelle auf dem Kopfkissen neben sich. »Was meinst du, Susanne?« fragte sie. »Glaubst du an Liebe auf den ersten Blick?«

Sie wartete einen Moment, während sie interessiert ihr Kissen betrachtete, dann nickte sie. »Dachte ich mir«, sagte sie.

»Ich eigentlich auch nicht. Bis heute. Aber weißt du, dieser Junge aus meinem Traum, der war so süß ...« Sie drehte sich auf den Rücken, sah zur Decke, zur Wand mit ihrem Bücherregal, zu den Büchern auf dem Nachttisch. »Dabei fällt mir ein, er heißt Danny«, sagte sie und drehte sich wieder zur Wand um, »wie dieser Junge aus *Shining* ... Hör mal, Susanne, glaubst du, daß ich mir das alles nur einbilde?« Sie seufzte. »Vielleicht verliere ich den Verstand vor Einsamkeit und schaffe mir eine Phantasiewelt mit Leuten aus den Büchern, die ich gelesen habe, wäre das nicht echt daneben?«

Susanne gab keine Antwort, und Amy wandte sich verlegen von ihrem Kopfkissen ab. *Du solltest damit aufhören,* sagte sie seufzend zu sich. *Irgendwann wirst du mitten durch die Stadt laufen, mit Freundinnen sprechen, die gar nicht da sind, und Jungs suchen, die es nur in deinen Träumen gibt.*

Sie konnte nicht anders, sie mußte laut lachen, und in diesem Moment kam Wolf die Treppe herauf. Als er das Auto gehört hatte, war er nach unten gelaufen, wo er wahrscheinlich die ganze Zeit aufgeregt vor der Haustür gewartet hatte, und weil niemand kam, war ihm die Zeit zu lang geworden.

»Na, Wolf«, sagte sie zu dem Hund, als er in ihr Zimmer kam. »Du findest es auch albern, sich in einen Jungen zu verlieben, den es gar nicht gibt, was?«

»Wau!« antwortete Wolf mit Nachdruck, aber was hätte er auch anderes sagen sollen?

## 13

Jill lehnte an ihrem Auto und sah Stefan Hellmann direkt in die Augen. Er stand unentschlossen und ein wenig linkisch vor ihr und schien nicht recht zu wissen, was er tun sollte, was sie von ihm erwartete. »Ich«, sagte er und räusperte sich, »ich danke Ihnen für die Einladung und den schönen Abend. Ich hoffe, es hat auch Ihnen gefallen, selbst wenn ich eine Menge Unsinn erzählt habe.«

Und zu ihrer großen Überraschung stellte sie fest, daß sie den Abend wirklich genossen hatte. Es war lange her, seit sie zuletzt mit einem Mann aus gewesen war, und noch länger, seit sie sich in der Gesellschaft eines anderen so wohl gefühlt hatte. Sie fragte sich, ob sie verliebt war, entschied aber, daß es für eine Antwort darauf noch zu früh war.

»Mir hat es sehr gefallen«, sagte sie. Als er immer noch unschlüssig blieb, hob sie ihm den Kopf entgegen. »Na los«, flüsterte sie, »trau dich«, und er kam unbeholfen einen Schritt näher und legte einen Arm um ihre Taille. Sie beugte sich langsam ein wenig nach vorn, bis er den Kopf senkte und seinen Mund sanft auf ihren drückte. Sie machte die Augen zu und bildete sich ein, einen Hauch von Wein und bitterem Kaffee auf seiner Zunge zu schmecken, als er die Lippen öffnete, und sie genoß den Augenblick. Aber er zog sich schnell, allzu schnell wieder zurück. In seiner Verlegenheit wirkte er jungenhaft und süß. »Und?« fragte er heiser.

»Immerhin ein Anfang«, sagte sie.

»›I spent my life with endless beginnings‹«, sagte er, und sie hätte ihm am liebsten den Schädel eingeschlagen.

# Kapitel sieben
## *Gipfeltreffen*

### 1

Am Morgen des vierundzwanzigsten August betrat Stefan Hellmann das Institutsgebäude noch später als gewöhnlich. Er hatte seine Testergebnisse gründlich ausgearbeitet, eine Präsentation vorbereitet und war fest entschlossen, sie Straczinsky vorzulegen, aber nicht sicher, wie er anschließend zu dem heiklen Thema überleiten sollte.

So sehr er es auf eine Konfrontation ankommen lassen wollte und so sehr er Jill versprochen hatte, für klare Verhältnisse zu sorgen und das Rätsel um Wentworths vertuschten Tod aufzuklären, inzwischen war er nicht mehr so sicher, wie er es bewerkstelligen sollte.

Er überlegte sich, daß es das Beste wäre, um eine Audienz bei Seiner Heiligkeit selbst zu bitten, Straczinsky wissen zu lassen, daß er erste Ergebnisse vorlegen konnte, und wenn er die Chance bekam, sie ihm zu präsentieren, einfach gerade heraus zu sagen, daß er Wentworths Leichnam gefunden hatte. Und selbstverständlich mit der Vermutung herauszurücken, die sich nach seinen Entdeckungen und Jills Untersuchungsergebnissen förmlich aufdrängte.

Wie sich herausstellte, hätte er sich keine Gedanken über seine Vorgehensweise machen müssen. Als er sein Büro betrat und die Aktentasche auf den Schreibtisch stellte, fand er eine Notiz auf der Schreibunterlage:

> Lieber Dr. Hellmann,
> wenn ich richtig informiert bin, haben Sie erste Ergebnisse vorliegen. Wären Sie in der Lage, Sie mir heute (24. 8.) um 10:30 Uhr kurz vorzulegen? Bitte kommen Sie in den Sitzungssaal im zweiten Stock.
> Herzliche Grüße
> Straczinsky

Mann, dachte Hellmann und sah sich nervös um, die Wände haben hier aber wirklich Ohren. Dann sah er auf die Uhr und fluchte leise. Es war Viertel nach zehn; ihm blieb kaum mehr eine Viertelstunde, um seine Unterlagen zu ordnen und den Sitzungssaal aufzusuchen. Er überlegte, ob er Jill kurz anrufen sollte, entschied aber, daß das seine ohnehin knappe Zeit noch mehr verkürzen würde. Und schließlich hatte er versprochen, sie so weit es ging rauszuhalten. Er konnte sie anschließend in aller Ruhe informieren.

Zehn Minuten später ging er mit einer Mappe unter dem Arm zum Fahrstuhl, fuhr in den zweiten Stock hinauf und sagte sich, daß er eigentlich im ersten Stock war, nur wurde hier das Erdgeschoß bereits als erster Stock gezählt. Seltsam, um welche unwichtigen Einzelheiten Gedanken kreisen können, wenn man versucht, sich wichtigere Fragen vom Leib zu halten, dachte er, als er aus dem Fahrstuhl trat und zum Sitzungssaal ging.

Die Bezeichnung Sitzungssaal schien mehr als schmeichelhaft, in Wahrheit handelte es sich um einen nicht besonders großen Raum, rund vierzig Quadratmeter, schätzte Hellmann, in dem etwa zwanzig Stühle an hufeisenförmig angeordneten Tischen standen. An der Wand vor dem offenen Ende des Hufeisens befand sich eine große weiße Projektionsfläche, daneben ein Overheadprojektor und ein Pult. Hellmann war gerade dabei, die Folien für den Projektor bereitzulegen und seine Notizen auf dem Pult zu ordnen, als er hörte, wie die Tür aufging und Straczinsky eintrat. Hellmann lächelte freundlich, doch sein Lächeln gefror ein wenig, als er McCullogh hinter Straczinsky erkannte.

»Guten Tag, Dr. Hellmann«, begrüßte Straczinsky ihn freundlich, und McCullogh wiederholte die Floskel mit einer Freundlichkeit, die zu gezwungen wirkte, um echt zu sein.

Hellmann erwiderte den Gruß und schüttelte beiden die Hand, worauf er sich wieder seinen Notizen zuwandte. Der Institutsleiter und seine rechte Hand beobachteten ihn einen Moment schweigend; schließlich räusperte sich Straczinsky und sagte: »Wie ich sehe, sind Sie wirklich bereit, einen ersten Bericht über Ihre Arbeit vorzulegen.«

*Als ob dich das überrascht hätte,* dachte Hellmann empört, sagte aber nur: »Tatsächlich habe ich am Wochenende eine kleine Präsentation der Zwischenergebnisse vorbereitet. Was die Ergebnisse der Telepathie-Tests anbetrifft, denke ich, sind sie sogar bereits in einer Form, daß man einen Artikel in der Fachpresse darüber veröffentlichen könnte. Ich glaube, die Endfassung des Artikels könnte ich Ihnen noch im Laufe dieser Woche vorlegen. Wenn Sie Ihr Okay geben, steht einer Veröffentlichung nichts mehr im Wege, auch wenn es sich zugegebenermaßen nur um eine Zwischenbilanz handelt.«

McCullogh warf Straczinsky einen unsicheren Blick zu. Der Institutsleiter winkte jovial ab, während er Hellmann antwortete. »Sehen wir uns an, was Sie bis jetzt herausgefunden haben«, sagte er. »Ich denke, wir werden später noch genügend Zeit haben, uns über eine Veröffentlichung Ihrer Forschungsarbeit Gedanken zu machen.«

Hellmann ging nach vorn, legte die erste farbige Folie auf den Projektor und schaute auf. Die beiden verfolgten seine Vorbereitungen mit erwartungsvollen, aber nicht besonders gespannten Mienen. *Als wüßten sie bereits, was ich ihnen zu sagen habe,* dachte Hellmann, und schwankte, ob er den Gedanken als zu paranoid verwerfen oder als gesicherte Tatsache behandeln sollte. »Nun«, fuhr er nach einer kurzen Pause fort, trat an das Pult und ließ den Blick einmal durch das Konferenzzimmer schweifen. »Von mir aus können wir anfangen.«

»Darf ich Sie noch um ein klein wenig Geduld bitten?« sagte Straczinsky, der sich an die Kopfseite des Hufeisens gesetzt hatte, und hob die Hand. Er nickte McCullogh zu, der ebenfalls nickte und den Raum verließ. »Ich möchte gerne, daß noch jemand an der Sitzung teilnimmt. Natürlich nur, falls Sie keine Einwände haben.«

»Selbstverständlich nicht«, sagte Hellmann. Er fragte nicht, wen Straczinsky zu der Sitzung bitten wollte, denn tief in seinem Innersten ahnte er es nicht nur, er wußte es.

Er beugte sich über das Pult und tat so, als würde er seine Unterlagen studieren. In Wahrheit hatte er sich seine Ergebnisse so sehr eingeprägt, daß er auf die schriftlichen Unterlagen ganz hätte verzichten können. Er hatte sie nur mitgebracht, falls Straczinsky etwas Schriftliches mitnehmen wollte.

»Ich denke, ich bin mit den Kartentests fertig, die ich bisher durchgeführt habe«, sagte er nach einer Weile zu Straczinsky, nur um etwas zu sagen. »Vielleicht sollten wir uns einmal Gedanken darüber machen, wie meine weitere Forschungsarbeit aussehen könnte?«

»Bitte haben Sie noch etwas Geduld, Dr. Hellmann«, sagte Straczinsky. »Glauben Sie mir, am Ende dieser Sitzung werden sich neue Perspektiven für alle Beteiligten ergeben.« Er legte den Kopf schief und horchte. Schritte erklangen auf dem Flur. »Ah«, sagte er. »Unser Gast kommt.«

Hellmann drehte sich um und sah zur Tür. McCullogh öffnete sie und trat beiseite, um die ihm folgende Person hereinzulassen. Eine ernste und sichtlich nervöse Jill Shepherd betrat den Raum, McCullogh folgte ihr und gab der Tür mit dem Fuß einen Stoß. Sie schlug mit einem lauten Knall zu wie eine Falle.

## 2

Jill schaute Hellmann nur ganz kurz in die Augen, aber sie sah dieselben Befürchtungen darin, die sie hegte, seit McCullogh vor wenigen Minuten an die Tür ihres Büros geklopft hatte. *Sie wissen es*, sagte sein Blick. *Sie wissen alles, und unsere ganzen Versuche, es geheimzuhalten, waren vergebens.*

Jill nickte ihm mit einer knappen Geste zu, wußte aber selbst nicht, ob es als Begrüßung oder Bestätigung seines Verdachts gemeint war. Sie sagte Straczinsky guten Tag und setzte sich mit einem gewissen Sicherheitsabstand zu Straczinsky und McCullogh an den Tisch.

»Nun, Dr. Hellmann«, sagte Straczinsky nach abermaligem Räuspern, und Jill drehte den Kopf in seine Richtung. »Ich denke, wir können anfangen.«

## 3

Hellmann stellte sich hinter das Rednerpult – eine alberne, schutzsuchende Geste, sagte der Psychologe in ihm –, warf einen kurzen Blick auf seine Notizen und begann.

»Wie Sie sicher wissen«, sagte er und sah Straczinsky kurz an, »habe ich mit insgesamt drei Personen Testreihen durchgeführt.« Er hob ein Blatt Papier hoch und las ab. »Joseph Sherman, Student aus San Francisco, der seine Semesterferien hier verbrachte. Fred Patrick, Angestellter in einer Gebrauchtwagenhandlung in Bakersfield, und Kathy Myers, Kellnerin in Randsburg. Alle drei hatten sich auf eine Annonce hin gemeldet, mittels der ich Personen mit telepathischen Fähigkeiten für eine wissenschaftliche Testreihe gesucht habe.« Er sah Iain McCullogh, der das alles wußte, ungeduldig nicken. »Ich habe die besten Ergebnisse mit Kathy Myers erzielt und werde mich daher in der Folge einzig und allein auf die Experimente mit ihr beschränken.«

Er ließ den Blick in die Runde schweifen, als erwartete er Einwände; da keine kamen, fuhr er fort. »Logischerweise habe ich zunächst die Gehirnströme der Freiwilligen bei telepathischem Kontakt gemessen, aber zu einem wirklich interessanten Ergebnis bin ich erst gekommen, als ich auch meine eigenen untersucht habe.« Er ging zur Fensterreihe und drückte den Knopf, der die Jalousien elektrisch herunterließ, dann zum Projektor, den er mit einer schnellen und eckigen Bewegung einschaltete. Das grelle Licht strahlte sein Gesicht von unten an und verlieh ihm im plötzlichen Halbdunkel etwas Körperloses. Eine EEG-Kurve wurde überdimensional hinter ihm an die Wand projiziert. »Dies ist das EEG von Kathy Myers während des Tests. Sie sehen die normalen Alphawellenmuster und hier« – er zeigte mit dem Finger auf die Projektionsfläche – »den Anstieg der Betawellen, als sie sich konzentriert. Und nun zu meinem EEG beim vierten Test.« Er wechselte die Klarsichtfolie. Ein anderes Wellenmuster erschien an der Wand. »Wie Sie sehen, haben wir bei jedem Kontakt – und die Trefferquote bei Ms. Myers lag stets zwischen achtzig und hundert Prozent – ein winziges Krampfpotential.

Diese Krampfpotentiale weisen eine gewisse Ähnlichkeit mit epileptischen Krampfpotentialen auf, und da äußere Einflüsse ausgeschlossen werden konnten, blieb keine andere Erklärung dafür, als die, daß Ms. Myers sie verursachte, wenn sie sozusagen meinen Geist berührte.« Er sah kurz auf und bemerkte gerade noch, wie Straczinsky und McCullogh einen vielsagenden Blick wechselten. Das brachte ihn kurz aus der Fassung; er verhaspelte sich und setzte noch einmal neu an.

»Das brachte mich auf die Idee, eine weitere Testreihe durchzuführen, bei der ich ein krampfunterdrückendes Mittel einnehmen würde. Sollte sich meine Vermutung als zutreffend erweisen, hätte es in diesem Fall keinen Kontakt geben dürfen. Und tatsächlich kam es so. Bei einer ersten Testreihe erzielte Kathy neun von zehn Treffern, und nachdem ich mir das Epilepsiemittel DilantinSodium gespritzt hatte, nur noch einen einzigen, bei dem es sich um einen Zufallstreffer gehandelt haben könnte.« Er warf einen Blick zu McCullogh und erwartete Widerspruch, aber der Mann blieb still und sah ihn nur ausdruckslos an.

## 3

Jill saß unruhig auf ihrem Stuhl und betrachtete Stefan, hörte seinen Ausführungen aber nur mit halbem Ohr zu. Sie fragte sich die ganze Zeit, weshalb Straczinsky und McCullogh sie bei diesem Vortrag dabeihaben wollten, doch wenn sie ehrlich war, gab es nur eine Erklärung, wie sie es auch drehen und wenden mochte.

Sie bemühte sich, einen konzentrierten Eindruck zu machen, sah aber dem Ende von Stefans Vortrag mit einer gewissen Nervosität entgegen. Zum erstenmal hatte sie nichts gegen seine umständlichen Abschweifungen einzuwenden, sondern sehnte sie im Gegenteil fast herbei.

»Meine Tochter sieht sich gerne eine Fernsehserie mit dem Titel *Akte X* an…« hörte sie ihn sagen und wollte lächeln, aber ihre Lippen versagten ihr den Dienst. *Ich wünsche mir eine Abschweifung, und schon ist er damit zur Stelle. Als hätte der große*

*Telepathieforscher selbst meine Gedanken gelesen*, dachte sie, aber es war ein humorloser, düsterer Gedanke. Sie beschloß, sich zusammenzunehmen und sich auf seinen Vortrag zu konzentrieren.

»... und ich habe sie meistens mit ihr angesehen. Ich entsinne mich deutlich, daß in einer Folge einmal folgender Satz fiel: ›Die westliche Medizin betrachtet den Körper als biochemisches System, aber man kann ihn auch als bioelektrisches betrachten.‹ Das trifft besonders auf meine Forschungsergebnisse zu. Es sieht tatsächlich so aus, als wäre Telepathie vorwiegend ein elektrisches Phänomen, ein Zusammenspiel der bioelektrischen Ströme der beteiligten Gehirne.«

Jill registrierte mit einer gewissen Enttäuschung, daß es nur eine kurze Abschweifung gewesen war. *Verdammt*, dachte sie erbost, *mir hättest du jetzt einen endlosen Vortrag über amerikanische Fernsehserien gehalten, von denen ich in meinem ganzen Leben noch nichts gehört habe. Laß dir Zeit*. Aber diesmal schien die Magie nicht zu funktionieren, denn er fuhr ungerührt und mit einer für ihn untypischen Knappheit fort.

»Des weiteren habe ich bei unseren letzten Tests eine PET durchgeführt, um herauszufinden, welche Hirnregionen beim telepathischen Kontakt aktiv sind. Ich darf Ihnen das kurz anhand einer Abbildung erläutern.«

Die EEG-Kurve verschwand blitzartig von der Wand und wurde, als Stefan die raschelnde Klarsichtfolie auf den Projektor gelegt hatte, durch die Computerdarstellung eines menschlichen Gehirns ersetzt. Gelbe und rote Stellen leuchteten auf der tomographischen Abbildung des graublauen Gehirns auf blauem Hintergrund. »Hier«, sagte Stefan und zeigte auf eine besonders helle Stelle. »Wir sehen deutlich eine rege Aktivität des limbischen Systems, was bedeutet, daß vornehmlich das Gefühlszentrum des Gehirns aktiv ist.« Er warf Jill einen hilfesuchenden Blick zu, aber sie hatte keine Ahnung, was er von ihr erwartete.

»Ich ... ähem ... ich hatte während der Tests den Eindruck gewonnen, daß die ... äh ... die Testperson eine gewisse emotionale Bindung zu mir aufgebaut hatte und mich schon anfangs gefragt, ob das den Kontakt möglicherweise erleichtern könnte.« Er sah in die Runde, als würde er mit irgendwelchen Reaktionen auf diese Eröffnung rechnen, aber niemand sagte etwas und niemand lachte, was er befürchtet zu haben schien. »Die PET hat das in gewissem Rahmen bestätigt. Möglicherweise habe ich nur aus diesem Grund so ausgezeichnete Ergebnisse mit der Testperson erzielt.« Jill hielt die Hand vor den Mund, denn nun konnte sie trotz ihrer Nervosität ein Grinsen nicht mehr unterdrücken. Stefans Verlegenheit amüsierte sie zutiefst, ebenso, daß er im Zusammenhang mit dem Thema der emotionalen Bindung Kathys Namen vermied und nur neutral von der »Testperson« sprach.

»Jedenfalls scheint eine ausgeprägte Entwicklung des Gefühlsapparats möglicherweise eine Voraussetzung für Telepathie zu sein. Ich ...«

Jill hörte ein leises Rascheln und sah, daß sich Straczinsky interessiert nach vorn gebeugt hatte. »Gestatten Sie mir eine Zwischenfrage, Dr. Hellmann«, unterbrach er Stefans Vortrag. »Wenn Sie von einer ›ausgeprägten Entwicklung‹ sprechen, kann man daraus vielleicht schließen, daß es sich hier um eine ... wie soll ich mich ausdrücken ... uns ›Normalsterblichen‹ überlegene Weiterentwicklung handelt, möglicherweise eine neue Stufe auf der Evolutionsleiter?«

Stefan sah ihn kurz an und schien ein wenig irritiert zu sein, daß er in seinen Gedankengängen unterbrochen worden war. »Nein«, sagte er nach einem Augenblick des Schweigens, während er über die Frage nachdachte und sich seine Antwort überlegte. »Nein, ich denke eher, daß es umgekehrt ist. Ich glaube, bei Telepathie handelt es sich keineswegs um eine Weiterentwicklung, sondern um einen Rückgriff der Evolution auf etwas längst Ausgestorbenes. Ich denke, Telepathie in dieser schwachen Form ist gewissermaßen nichts weiter als ein verkümmertes Talent, das die Menschen früherer Zeiten möglicherweise in einer ausgeprägteren Form besessen haben, als wir es heute in Einzelfällen wie dem von Kathy Myers feststellen können.«

Iain McCullogh stieß ein verächtliches Schnauben aus. Es war das erste Lebenszeichen, das er seit Beginn der Sitzung von sich gab. »Wollen Sie uns allen Ernstes erzählen, Dr. Hellmann«, sagte er, »daß die Urmenschen früher ausnahmslos Telepathen gewesen sind?« Er lachte verächtlich.

Stefan sah ihn an wie ein widerliches Insekt. »Unsinn«, sagte er mit einer Schärfe und Geringschätzung, die Jill nicht von ihm kannte, und sie dachte: *Da haben wir definitiv zwei, die sich nicht mögen.* »Aber ich glaube ... Sehen Sie ...«

Jill, die gerade verstohlen auf die Uhr gesehen hatte, frohlockte innerlich. Sie waren erst seit wenigen Minuten hier, und doch kam es ihr wie Stunden vor. Die Klimaanlage lief auf Hochtouren; Jill fröstelte ein wenig. »Sehen Sie«, war stets das Zauberwort für eine längere Erklärung, und sie verspürte eine fast kindliche Freude, daß er den Augenblick der Wahrheit, vor dem ihr so sehr graute, wieder ein paar Sekunden hinausgezögert hatte.

»Sehen Sie, die Menschen früherer Zeiten führten ein gefährlicheres Leben als wir heute, besonders wenn wir bis zu den Urmenschen zurückgehen.« Jill konnte förmlich sehen, wie es hinter seinen Augen arbeitete, wie die Frage ihn auf ein völlig neues Thema geführt hatte, das er nun redend sich selbst mindestens so sehr erschloß wie seinen Zuhörern. »Instinkt, Intuition, das waren Eigenschaften, die damals zum Überleben zwingend notwendig waren. Um überleben zu können, mußte man stets auf der Hut sein, die Vorgehensweise eines Gegners erraten können, und ich denke, daß es sich dabei durchaus um rudimentäre telepathische Phänomene handeln könnte.« Er nickte, als hätte er sich selbst überzeugt. »Ja, vielleicht ist Telepathie nur eine ins Vielfache gesteigerte Form von Instinkt.« Er machte eine Pause und sah McCullogh kurz, Straczinsky länger an. »Und was die emotionale Bindung betrifft – wir alle haben schon von Phänomenen gehört, bei denen ein Mann oder eine Frau plötzlich Schmerzen verspürten oder von unheilvollen Ahnungen befallen wurden, wenn einem Lebenspartner andernorts, Tausende Kilometer entfernt, etwas zustieß. Solche Phänomene sind heutzutage häufig und durchaus glaubwürdig dokumentiert.« Wieder eine nachdenkliche Pause. »Auch hier haben wir es mit einer ausgeprägten Gefühlsbindung zu tun«, fuhr er fort. Er lächelte kurz. »Vielleicht führen meine Forschungen ja zu der Erkenntnis, daß ›Liebe‹ im Grunde genommen nichts weiter ist als ein Zusammenspiel bioelektrischer Ströme. Wäre das nicht aufregend?« Niemand lachte über den Scherz, und Hellmann fuhr hastig fort. »Wie auch immer, ich denke, hier sind wir eindeutig auf dem richtigen Weg. Aber selbstverständlich sind nach wie vor zahlreiche Fragen offen, die durch weiterführende Forschungen geklärt sein wollen.«

Wenn er über seine Arbeit sprach, dachte Jill, ging nicht selten eine Aura der Autorität von ihm aus, ein Selbstbewußtsein, das ihn fast unangreifbar machte und in krassem Gegensatz zu den Unsicherheiten stand, die er in anderen Bereichen erkennen ließ. Jill fiel es immer noch schwer, sich auf seinen Vortrag zu konzentrieren. Nun breitete er die Arme zu einer Geste der Hilflosigkeit aus, die etwas rührend Menschliches und Verletzliches hatte, und zuckte die Achseln. »Ich denke«, sagte er unvermittelt, »wir sollten besonders die bioelektrischen Phänomene weiter untersuchen. Und das bringt mich zu einer Frage ...«

Jill sah ihn vollkommen überrascht an und dachte: *Jetzt. Jetzt ist es soweit.*

## 4

Stefan Hellmann war immer noch bemüht, seine Gedanken zu ordnen. Straczinskys Zwischenfrage und McCulloghs Kommentar, der wie stets von Ahnungslosigkeit zeugte, hatten sein Denken in eine neue Richtung gelenkt, die er gern ausführlicher verfolgt hätte. Leider blieb ihm im Augenblick keine Zeit dazu, denn er war mit seinem Vortrag soweit am Ende und sah keine andere Möglichkeit mehr, als frei mit der Wahrheit herauszurücken, was immer geschehen würde. Es wäre ihm lieber gewesen, Jill vorerst aus der Sache herauszuhalten, aber ihre Anwesenheit hier ließ keine andere Deutung zu, als die, daß Straczinsky ohnehin schon wußte, was er ihm nun eröffnen wollte. Er breitete die Arme aus. »Ich denke«, wiederholte er, »wir sollten besonders die bioelektrischen

Phänomene weiter untersuchen. Und das bringt mich zu einer Frage …«

Bevor er weitersprechen konnte, hob Straczinsky die Hand. »Dr. Hellmann«, sagte er leise. »Ich kann mir denken, was Sie auf dem Herzen haben, aber bitte lassen Sie mich zuerst ein paar Worte sagen. Ich danke Ihnen für Ihre Ausführungen, die ich überaus interessant fand.« Er machte eine Pause und sah von Hellmann zu McCullogh zu Jill. »Wir wissen, daß Sie in letzter Zeit – wie sagen wir es möglichst neutral – neben Ihrer eigenen Arbeit noch andere Nachforschungen hier im Institut angestellt haben. Uns ist bekannt«, fuhr er fort, »daß Sie die Leiche des Kollegen Wentworth gefunden haben.« Hellmann sah, wie Jill ruckartig in die Höhe fuhr und den Mund aufmachte, aber Straczinsky brachte sie mit einer Geste zum Schweigen, noch ehe sie ein Wort herausgebracht hatte. Er strich sich mit einer Hand über sein pomadisiertes graues Haar, das wie immer makellos gekämmt war. »Bitte, Jill, es hat keinen Zweck, es abzustreiten. Mr. McCullogh hat Sie gesehen, als Sie aus dem Keller gekommen sind.« Er sah kurz zu Hellmann, doch sein Blick kehrte zu Jill zurück. »Wir wissen auch, daß Sie den Toten untersucht haben, und zu welchen Ergebnissen Sie gekommen sind. Was wir nicht wissen, sind die Schlußfolgerungen, die Dr. Hellmann daraus gezogen hat. Ich denke, es wäre am besten, wenn er uns das selbst sagen würde.«

Hellmann holte tief Luft, blies die Wangen auf und ließ die Luft zischend entweichen. Ohne Umschweife folgte er der Aufforderung Straczinskys. »Wenn ich davon ausgehe, daß schwache telepathische Kontakte, wie ich sie dokumentiert habe, schwache Krampfpotentiale beim Empfänger hervorrufen, ließe sich daraus die Schlußfolgerung ableiten, daß bei intensiveren telepathischen Kontakten entsprechend stärkere Krampfpotentiale auftreten könnten. Ich muß Ihnen nicht erzählen, daß bei jedem epileptischen Anfall Gehirnzellen absterben. Und ich bin sicher«, fügte er mit einem schiefen Grinsen hinzu, »Sie wissen inzwischen, was Jills – Dr. Shepherds – Untersuchung des Hirngewebes von Dr. Wentworth ergeben hat.« Er wartete, aber es kam keine Reaktion.

Er machte einen Moment die Augen zu. Plötzlich, von einem Augenblick auf den anderen, fühlte er sich müde und niedergeschlagen. Das Sitzungszimmer verschwand, doch die Umrisse der Möbelstücke und anwesenden Personen schienen wie mit Leuchtfarbe in die rote Haut seiner Lider geätzt zu sein. Er machte die Augen nicht auf, als er sagte: »Sie haben einen Telepathen im Institut, richtig?«

Er hörte leises Rascheln, Schlurfen von Füßen, ein flüsterndes Seufzen und weigerte sich immer noch, die Augen zu öffnen.

Das Schweigen zog sich hin, und ihm wurde klar, daß er keine andere Wahl hatte. Er schlug die Augen auf. Echte Möbel und Personen überlagerten wieder die grellen Umrisse; einen Moment hatte er den Eindruck, als wären sie alle von einer leuchtenden Aura umgeben.

Jill war aufgestanden und ging zum Fenster, um die Jalousien hochzulassen. Die Lamellen stießen mit einem leisen, metallischen Klirren aneinander, wie ein Windspiel in einem unendlich sanften Windhauch, und der kleine Elektromotor summte. Straczinsky hatte sich ebenfalls erhoben und betrachtete ihn mit einer Mischung aus Interesse und Amüsement, die so wenig zu der Situation paßte, daß er beinahe die Fassung verlor.

»Dr. Hellmann«, sagte Straczinsky, »bitte akzeptieren Sie meine aufrichtige Entschuldigung dafür, daß wir Sie so lange im unklaren gelassen und ... belogen haben.« Die kurze Pause vor dem Wort zeigte, wie schwer es ihm über die Lippen zu kommen schien. »Wie Sie bald erfahren werden, handelt es sich um eine äußerst heikle Angelegenheit, und wir mußten erst sicher sein, daß Ihre Forschungen auch in die richtige Richtung gehen und die Ergebnisse zeitigen, die wir erwartet haben.«

»Sie haben einen Telepathen hier, ja?« wiederholte Hellmann, als müßte er es selbst noch einmal hören, um es zu glauben.

»Tatsächlich, Dr. Hellmann«, sagte Straczinsky und sah ihm möglicherweise zum erstenmal, seit er im Institut angefangen hatte, direkt in die Augen, »tatsächlich verhält es sich etwas komplizierter.« Er machte einen Schritt zur Tür. »Bitte folgen Sie mir, und Sie auch Jill. Mr. McCullogh?« Er öffnete die Tür und winkte die anderen auf den Flur hinaus. »Bitte zu den Fahrstühlen. Es wird höchste Zeit«, sagte er im Vorbeigehen zu Hellmann, »daß wir Ihnen die Wahrheit sagen und Sie mit Dr. Wentworths Projekt vertraut machen, das von nun an Ihr Projekt sein wird.«

# II
# *Danny*

*»But he can touch your trembling heart,*
*Can touch your very soul,*
*Take you with him when he leaves*
*And make your dreams turn old.«*

Horslips
»Ride to Hell«

*»I tried to ask what game this was,*
*but knew I would not play it.*
*The voice as one, as no one, came to me.«*

Van der Graaf Generator
»Lemmings«

# Kapitel acht
## *Dialog für eine Person*

Obwohl es noch früh am Nachmittag war und die Sonne grell wie immer schien, mußte Amy in ihrem Zimmer die Schreibtischlampe einschalten, weil sie mit dem Rücken zum Fenster saß und ihr Schatten auf die Seiten ihres Tagebuchs fiel, das aufgeschlagen vor ihr lag. Mehr als das Datum hatte sie allerdings noch nicht geschrieben, und das betrachtete sie seit einer ganzen Weile. *Freitag, 24. Juli*, stand in ihrer geschwungenen, klaren und leserlichen Handschrift am oberen rechten Rand der Seite. Sie hatte sich gleich nach ihrer Ankunft vorgenommen, jeden Tag wenigstens eine kurze Bemerkung zu schreiben, damit sie sich später an ihre erste Zeit in dem neuen Land erinnern konnte. Heute hatte sie die Einträge der letzten Tage studiert, und nun saß sie ratlos da und überlegte, ob sie ihre Gefühle einmal aufrichtig niederschreiben oder bei den oberflächlichen Aufzeichnungen bleiben sollte. Die Wahrheit ist, dachte sie, daß mein Leben immer mehr aus den Fugen gerät. Und sie hatte keine Ahnung, was sie dagegen unternehmen konnte.

Die Person, die ins Tagebuch geschrieben hatte, und die Person, die hier am Schreibtisch saß, schienen zwei völlig verschiedene Menschen zu sein; und erst als sie das bisher Geschriebene las, wurde ihr das richtig bewußt.

Seit ihrem ersten seltsamen Traum klaffte, wie die Tagebuchnotizen im Rückblick belegten, eine immer breitere Kluft zwischen der Wirklichkeit und ihren Aufzeichnungen. Wenn sie zurückdachte, schien ihr Leben eine vage Abfolge von Selbstgesprächen und hilflosen Tagträumen zu sein, die keinen Eingang in das Tagebuch gefunden hatten, unterbrochen von gelegentlichen Ausflügen in die Stadt, zu denen ihr Vater sie mitnahm und die sie in aller Ausführlichkeit dokumentiert hatte. Das Tagebuch machte für sie (und nur für sie, da sie als einzige die Wahrheit kannte) eher den Eindruck, als hätte sie verzweifelt versucht, eine Fassade des Normalen zu errichten, je hilfloser sie sich fühlte. »17. Juli: 10:30 Fahrschule« stand da beispielsweise. »Lob vom Fahrlehrer; ausgezeichnet gefahren. Abends mit Paps Pizza essen.« Kein Wort von seltsamen Träumen und Stimmen, und schon gar nicht von Gesprächen mit eingebildeten Leuten, die sie mit zunehmender Häufigkeit führte.

Sie gewann den Eindruck, als würden ihre gesellschaftlichen Kontakte überhaupt nur noch mit Leuten erfolgen, die es nicht gab. Die Besuche in der Fahrschule zweimal wöchentlich – zu denen ihr Vater sie mit dem Auto fuhr und meistens wieder abholte – änderten daran wenig, denn ihre Mitschüler schienen es stets eilig zu haben, nach Hause zu kommen oder auszugehen, und obwohl sie mit ihnen redete, meist Belangloses, »small talk«, wie man das hierzulande nannte, fand sie wenig Anschluß.

Anfangs hatte sie nur mit ihrer Freundin Susanne geredet, aber dann in zunehmendem Maße auch mit Danny, dem Jungen aus ihrem Traum, dem sie zaghaft ihre Liebe gestanden und ihn gebeten hatte, doch wieder zu ihr zu kommen. Aber im Gegensatz zu Susanne, die redselig und kontaktfreudig war, antwortete er ihr niemals.

Sie hatte sich zuerst nach dem Grund gefragt, aber die Antwort war ihr bald klargeworden. Susanne war eine reale Person, die es einmal in ihrem Leben gegeben hatte und noch gab, oder zumindest wieder geben könnte. Amy hatte mehrmals überlegt, ob sie die Freundin anrufen und ein echtes Gespräch mit ihr führen sollte, aber irgendwie hatte sie es nicht geschafft. Sie kannte Susanne besser als jeden anderen Menschen und wußte ziemlich genau, was diese in einer gegebenen Situation sagen oder tun würde. Danny dagegen existierte nur in ihrer Einbildung. Und doch sah sie immerzu sein Gesicht vor sich, seine dunklen Augen, seinen flehenden Blick. *Hilf mir* … Warum hatte er das gesagt? Warum kam er ihr so realistisch vor? Und warum fühlte sie sich so sehr zu ihm hingezogen? Sosehr sie sich bemühte, sie konnte es nicht leugnen. Nein, dachte sie, zu ihm hingezogen traf es nicht; sie hatte sich tatsächlich auf den ersten Blick Hals über Kopf in ihn verliebt.

»Weißt du, Susanne«, sagte sie, »vielleicht wird alles anders, wenn ich am Samstag mit diesem William aus der Fahrschule ausgehe.« Sie sah zum Fenster hinaus, dann zu ihrem ungemachten Bett (»Warum muß es in deinem Zimmer immer so unordentlich aussehen?« hätte ihre Mutter bestimmt gesagt), wo sie sich Susanne vorstellte, hingefläzt wie es typisch für sie war, in hautengen Jeans und einem viel zu weiten Pullover, und immer eine Strähne ihres dunkelbraunen Haars im Mund, auf der sie beim Sprechen kaute, was Amy eine unappetitliche Angewohnheit fand, aber tolerierte, weil Susanne schließlich ihre beste Freundin war und ihre eigenen Marotten ebenfalls hinnahm. »Ich habe schon gedacht, er würde nie fragen. Aber dann hat er doch gesagt, es wäre schön, wenn wir am Samstag unsere bestandene Fahrprüfung feiern könnten. Zusammen mit den anderen. Sie haben schon einen Tisch in der Pizzeria reservieren lassen.« Sie lachte. »Vorausgesetzt, daß ich sie bestehe. Oder er.« Nach einer Pause fügte sie hinzu: »Die ist am Freitag, falls du es nicht gewußt hast.«

Selbstverständlich hatte Susanne es gewußt; Amy erzählte ihr seit Tagen von nichts anderem mehr, denn schließlich waren Fahrschule und die bevorstehende Prüfung die beiden Großereignisse in ihrem Leben. »Du mußt ja leider noch zwei Jahre warten, bis sie dich Auto fahren lassen«, sagte sie mit einem gespielt hämischen Ausdruck. Susanne ließ sich allerdings heute nicht aus der Ruhe bringen.

»Die Anmeldeunterlagen der Schule sind auch gekommen«, sagte Amy. »Des College«, verbesserte sie sich dann. »Ich werde das College besuchen.« Sie hustete trocken und grinste ihr zerknülltes Laken an. »Ich hätte nie gedacht, daß ich so etwas einmal sage, aber ich freue mich richtig darauf, in die Schule zu gehen, endlich wieder unter Leute zu kommen.« Susanne wälzte sich auf dem Bett und lachte. Klar, was auch sonst; sie hatte keine Ahnung, wie es war, wenn man sich nichts sehnlicher wünschte, als einmal eine andere Stimme als die eigene zu hören.

Amy drehte sich seufzend um. Wolf, der vor ihrem Bett lag und döste, war sofort hellwach und hob erwartungsvoll den Kopf. Sie schlug das Tagebuch zu. Würde sie eben später etwas reinschreiben. Im Augenblick fiel ihr sowieso nichts ein. Amy stand auf und warf einen Blick auf die Uhr. »Hast Hunger, Junge, was?« fragte sie, worauf der Hund aufsprang und erwartungsvoll zur Tür lief.

Sie ging auf den Flur, und als sie die oberste Treppenstufe betrat, war Wolf schon fast unten angekommen. Als sie ihn eingeholt hatte, beschloß sie, daß er noch etwas warten mußte, und schlenderte langsam durch das gesamte Erdgeschoß.

Diese Rundgänge durch das Haus machte sie öfter, als müßte sie sich von der Realität ihres neuen Heims überzeugen. Das Wohnzimmer, das sie als erstes betrat, war so, wie sie es heute Vormittag verlassen hatte. Linker Hand, direkt an der Wand, stand ein dunkles Sofa, über dessen abgewetzte Sitzflächen sie eine Decke gelegt hatten, rechts und links davon zwei Sessel, neben dem rechten die alte Wolldecke auf dem Boden, wo Wolf immer lag. Amy bemühte sich, stets Schalen, Deckchen (Häkeldeckchen aus Naturfasern, dachte sie belustigt) und einen Stapel Zeitschriften auf dem Tisch vor dem Sofa liegenzulassen, damit sie die scheußliche, dunkle und zerkratzte Tischplatte nicht sehen mußte. Auf der anderen Seite stand ein Fernseher auf einer alten wurmstichigen Truhe, und rechts von der Tür ein altes Sideboard, in dem sie einen Teil ihres Geschirrs und Trinkgläser untergebracht hatten.

Amy drehte sich um und ging durch die Diele in die Küche, wo Wolf schon mit fragendem Gesichtsausdruck vor seinem Napf wartete. »Gleich, Junge«, sagte sie, durchquerte die Küche, bis sie vor einer Tür mit Glasscheiben stand, die ins Freie führte, auf eine rückwärtige Veranda. Eine zweite Tür aus massivem Holz führte in einen großen Abstellraum, den sie als Waschküche nutzten. Dort standen eine rostige alte Waschmaschine und ein Trockner (den Amy als reinen Energieverschwender betrachtete; in dem heißen Klima trocknete die Wäsche auch so innerhalb kürzester Zeit). Darüber hinaus hatten sie den Raum bis unter die Decke mit Kisten vollgestopft, die noch nicht ausgepackt waren.

Wenigstens die Bücher waren mittlerweile zum größten Teil in den Regalen gelandet. Aber die beiden Kisten, in denen die wenigen Weinflaschen, die ihr Vater aus Deutschland mitgebracht hatte, sorgfältig in Holzwolle verpackt lagen, standen unberührt da. Gott sei Dank waren es nur zwei; den größten Teil seiner Vorräte hatte er vorerst zu Hause gelassen.

Amy ging in die Küche zurück, holte eine Dose Hundefutter aus dem hohen Eckschrank und öffnete sie. Als sie das Futter mit den Löffel in Wolfs Napf füllte, überlegte sie sich, daß gerade diese alltäglichen Verrichtungen dafür sorgten, daß sie nicht vollkommen die Bodenhaftung verlor. Manchmal fürchtete sie, sich ganz in ihren Phantasien zu verlieren, aber die tägliche Routine gab ihr einen gewissen Halt. Aufstehen, waschen, Hund füttern, Frühstück machen und so weiter.

Sie gab Wolf sein Futter und ging wieder die Treppe hinauf in den ersten Stock. Ihr Zimmer lag gleich neben dem Bad. Sie betrat das Bad, versuchte wie immer, die moosgrünen Kacheln zu ignorieren, und schaute statt dessen direkt in den Spiegel über dem weißen Waschbecken. »O Gott«, sagte sie, als sie das Gesicht mit den Ringen unter den Augen sah, »ich sehe aus wie hingekotzt.« Sie beugte sich über das Waschbecken und zog die Haut unterhalb der Wangenknochen straff. »Vielleicht sollte ich wirklich ein bißchen schlafen«, sagte sie zu ihrem Spiegelbild. »William« – Billy, dachte sie kurz, er möchte, daß man ihn Billy nennt – »wird mich kaum mögen, wenn ich wie eine alte Frau aussehe.« Sie drehte sich um, ging vom Bad in ihr Zimmer und sagte: »Weißt du, Susanne, es ist albern, aber ich würde lieber Danny noch einmal im Traum begegnen als Billy in der Wirklichkeit. Nicht, daß ich etwas gegen ihn hätte.« Sie legte sich auf das Bett, verschränkte die Arme über dem Kopf und schloß die Augen. »Ich würde ihn wirklich gern wiedersehen. Was meinst du, ob ich ihm noch einmal begegne?«

# Kapitel neun

## *In den Eingeweiden der Erde*

### 1

Jill verließ nach Hellmann das Sitzungszimmer, dann folgte McCullogh. Straczinsky setzte sich in Bewegung, war aber noch keine drei Schritte weit gekommen, als McCullogh sagte: »Bitte gehen Sie schon vor. Ich komme jeden Moment nach. Habe nur etwas vergessen.« Er ging in das Sitzungszimmer zurück und machte die Tür hinter sich zu.

Straczinsky ging mit Hellmann und Jill weiter den Flur entlang zu den Fahrstühlen. Dort blieb er stehen, aber anstatt auf den Knopf zu drücken, der die Kabine rief, drehte er sich mit ernst-besorgter Miene um, und Jill fand, daß sie noch nie in ihrem Leben einen derart verlogenen Gesichtsausdruck gesehen hatte.

»Jill«, sagte Straczinsky, »wenn ich es mir recht überlege, wäre es vielleicht besser, wenn wir Dr. Hellmann erst einmal allein mit den Gegebenheiten vertraut machen.« Er senkte den Blick, schien seine Schuhspitzen zu betrachten und sah wieder auf. »Ich bin sicher, Sie haben Verständnis. Und ich bin ebenfalls sicher« – mit einem Seitenblick zu Hellmann –, »Ihr Kollege wird Sie später informieren. Da Sie ohnehin mit der Situation vertraut sind, wäre es durchaus in unserem Sinne, wenn Sie beide künftig zusammenarbeiten würden. Aber im Augenblick – ich bin überzeugt, daß ich auf Ihr Verständnis zählen darf.«

Jill wollte protestieren, sah aber zuvor kurz zu Hellmann, der den Kopf schüttelte. »Wenn Sie meinen«, sagte sie daher nur knapp zu Straczinsky, und zu Stefan: »Ich bin in meinem Büro.«

Hellmann nickte. Jill wandte sich ab und folgte dem Flur, der zu ihrem Büro führte. Sie sah aus dem Augenwinkel gerade noch, wie McCullogh aus dem Sitzungszimmer kam und sich den beiden näherte. Sie ging weiter, blieb aber an der nächsten Ecke stehen und drehte sich um.

Als McCullogh die Männer erreicht hatte, glitt die Fahrstuhltür gerade auf. Straczinsky, Stefan und McCullogh betraten die Kabine, aber Stefan war der einzige, der sich umblickte und sie im Korridor stehen sah. Er nickte ihr knapp zu, dann schloß sich die Fahrstuhltür, das Anzeigenlicht über der Tür erlosch, als sich die Kabine nach unten in Bewegung setzte. Für Jill hatte das Schließen der Tür etwas Endgültiges, und einen Moment ergriff sie die Panik, daß sie Stefan nie wiedersehen würde.

## 2

Iain McCullogh zog die Tür des Konferenzraums ins Schloß und ging in die Ecke des Zimmers, wo hinter einem Vorhang halb verborgen ein Telefon stand. Er wählte eine interne Nummer und hörte dreimal das Freizeichen, bis am anderen Ende abgenommen wurde.

»Ja, McCullogh hier«, sagte er, als die Frau am anderen Ende der Leitung ihren Namen genannt hatte. »Straczinsky hat ihn gerade informiert.« Pause. »Nein, ich bin auch nicht besonders glücklich darüber, aber ich denke, es ließ sich nicht vermeiden. Irgendwann mußte es sein.« Pause. »Ja, wir sind auf dem Weg nach unten. Nein, nur er. Jill wird vorerst nicht dabei sein.«

Er sah durch den Raum zur Tür, als wollte er versuchen, die Wand mit Blicken zu durchdringen, um festzustellen, wo sich die anderen befanden. »Hören Sie, ich glaube, Sie sollten sich zurückziehen… Ja, ich gebe Ihnen die Erlaubnis. Ich glaube nicht, daß es günstig wäre, wenn er Sie jetzt sehen würde. Selbstverständlich übernehme ich die volle Verantwortung. Ja. Danke.«

McCullogh legte den Hörer auf, holte tief Luft, strich sich einmal über die Haare und verließ das Sitzungszimmer. Er sah gerade noch, wie Jill sich entfernte. Offenbar hatte Straczinsky ihr gesagt, daß er sie beim erstenmal nicht dabeihaben wollte. Soweit verlief alles nach Plan. McCullogh ging mit raschen Schritten zu den beiden Männern.

## 3

Stefan Hellmann wartete schweigend, bis die Fahrstuhltür im ersten Untergeschoß aufging. Da er die Kabine als letzter betreten hatte, verließ er sie als erster und trat beiseite, um Straczinsky vorangehen zu lassen.

Sie gingen, wie bei Hellmanns erstem Abstecher in die Untergeschosse, den Flur entlang, der nach links führte, bis ihnen die Stahltür den Weg versperrte. Straczinsky stellte sich unmittelbar vor die Tür, griff in die Innentasche seines Jacketts und zog eine Plastikkarte heraus, deren Magnetstreifen er durch das Lesegerät an der Wand zog. Ein leises Klicken ertönte aus dem Schloß; Straczinsky drückte die Klinke nach unten und öffnete die Tür. McCullogh ging voraus, Hellmann folgte ihm, Straczinsky selbst zog die Stahltür hinter sich zu und vergewisserte sich, daß sie wieder fest verschlossen war.

Hellmanns Blick fiel zuerst auf einen Tisch mit weißer Resopaloberfläche, auf dem zu seiner Verblüffung mehrere Stahlhelme fein säuberlich nebeneinander aufgereiht lagen.

Straczinsky bemerkte seinen Blick und lächelte gekünstelt. »Ich darf Sie bitten, einen davon aufzusetzen, Dr. Hellmann«, sagte er. McCullogh war bereits an den Tisch getreten, hatte sich einen der Stahlhelme genommen und war nach einmaligem Anprobieren damit beschäftigt, das verstellbare Innenteil anzupassen, damit der Helm nicht rutschte.

Hellmann nahm unsicher einen der Stahlhelme, dann sah er von McCullogh zu Straczinsky. »Das ist nicht Ihr Ernst«, sagte er, doch als er sah, daß Straczinsky ebenfalls einen Helm anprobierte, setzte er ihn widerwillig auf.

»Es handelt sich um eine reine Vorsichtsmaßnahme, deren Sinn und Zweck wir Ihnen erklären werden«, sagte Straczinsky und ging weiter.

Hellmann drehte sich um und folgte ihm und McCullogh den Flur entlang. Mit grauen Betonwänden und Neonröhren an der Decke erstreckte sich der Korridor schnurgerade in eine endlose Ferne. Hellmann vermutete, daß er mindestens einen Kilometer lang sein mußte. Er war seit seinen Besuchen in der Apotheke nicht mehr hier unten gewesen, und nun fragte er sich zum erstenmal, wie groß diese unterirdische Tunnelanlage tatsächlich sein mochte und wohin dieser spezielle Flur führte. Wenn Hellmann sich nicht gewaltig irrte, mußte er über die Grenze des Institutsgeländes hinausführen. Aber wohin?

Doch er hatte keine Zeit, weiter darüber nachzudenken. McCullogh und Straczinsky schritten rasch voran, und er mußte mit ihnen Schritt halten. Der Stahlhelm hielt seinen Kopf wie in einem eisernen Klammergriff gepackt, und Hellmann bekam langsam Kopfschmerzen. Das flimmernde Neonlicht erweckte den Eindruck, als würden die Wände konvulsivisch pulsieren. Wir sind in den Eingeweiden der Erde, dachte Hellmann, und die Peristaltik zieht uns langsam zum unsichtbaren Herzen der Anlage. Doch dann dachte er, daß peristaltische Bewegungen von Eingeweiden stets zum Magen führten, und er hoffte, daß sie am Ende ihrer Reise nicht ebenfalls verdaut werden würden.

Nach einiger Zeit kamen sie an eine zweite Stahltür mit einem altmodischen Schloß. Straczinsky zog die Metalltür nach außen und drehte sich zu Hellmann um. »Bitte treten Sie ein«, sagte er.

Hellmann betrat den Raum zögernd und sah sich um. Weißgestrichene Betonwände, an der Wand ihm gegenüber ein Schreibtisch, davor ein Bürostuhl auf Rollen. Auf der Tischplatte eine Schreibunterlage aus grünem Leder, darauf ein Notizblock, Schreibstifte, ein Briefbeschwerer und eine Lampe, deren Kabel unter den Tisch führte, wo es mit einem Verlängerungskabel verbunden war, das, größtenteils gar nicht aufgerollt, zu einer Steckdose in der Ecke führte. Die Lampe war nicht eingeschaltet.

An der Wand linker Hand stand ein langer Tisch mit elektronischen Geräten und Monitoren. Das alles nahm Hellmann in Sekundenschnelle auf. Er schnupperte unauffällig. Ein Hauch von Parfüm schien in der Luft zu hängen, als hätte sich bis vor kurzem noch jemand in dem Zimmer aufgehalten. Hellmann wandte sich nach rechts.

In der Ecke ein Feldbett mit straff gespanntem, unberührtem Bezug, daneben eine Tür, die in einen angrenzenden Nebenraum zu führen schien. Den Blickfang bildete ein verglastes Fenster direkt über einem weiteren Tisch mit Druckern und einem Monitor, das einen Großteil der Wand beanspruchte. Von seiner Position konnte Hellmann nur den Ausschnitt einer weißgekachelten Wand auf der anderen Seite sehen. Neonröhren leuchteten den benachbarten Raum ebenso hell aus wie diesen. Hellmann ging zögernd einen Schritt auf das Fenster zu, verharrte.

»Nur zu«, ermutigte Straczinsky ihn. »Sehen Sie sich um.«

Hellmann trat langsam an das Fenster und sah in den Nebenraum. »Das ist Ihre künftige Testperson«, hörte er Straczinsky sagen. »Und«, fuhr der Institutsleiter mit ernster, belegter Stimme fort, »das ist der Mörder von Dr. Wentworth.«

Hellmanns Augen wurden groß, als er durch die Glasscheibe sah. »Aber …« Er drehte sich langsam zu Straczinsky und McCullogh um, die ihn gleichgültig ansahen. »Aber das ist ja noch ein Kind«, sagte er.

# Kapitel zehn
## *Am Ziel*

### 1

Als das Telefon auf Stefan Hellmanns Schreibtisch läutete, sah er es wie immer einen Moment fragend an, als könnte er nicht glauben, daß ihn tatsächlich jemand anrief. Auch nach sechs Wochen in seiner neuen Wahlheimat fühlte er sich noch wie ein Fremder, selbst wenn er das anderen gegenüber nie zugegeben hätte und es sich nicht einmal selbst eingestand. Er ließ es viermal läuten, dann nahm er ab. Es war Jill.

»Hallo«, sagte er freudestrahlend, legte seinen Kugelschreiber weg und lehnte sich zurück. »Was ich gerade mache? Oh, ich sehe die Ergebnisse erster Tests mit meinen drei Versuchspersonen durch. Die von Kathy Myers sind die vielversprechendsten. Außerdem habe ich angefangen, Notizen für ein neues Buch zu machen. Was meinst du, wäre es nicht einmal interessant, eine Art Kulturgeschichte der Telepathie zu schreiben? Ich denke an ein populärwissenschaftliches Buch, keine rein wissenschaftliche Arbeit. Telepathie in der Wissenschaft, Literatur, und so weiter. Klingt das gut?«

»Klingt gut«, hörte er ihre Stimme vom anderen Ende der Leitung. »Und das wird dich das ganze Wochenende beschäftigen?«

»Weiß nicht«, sagte er. »Wahrscheinlich nicht. Ich werde nachher noch kurz in die Stadt fahren, den Jeep abholen. Amy hat gestern ihre Führerscheinprüfung bestanden, und heute abend will sie mit ihrer ganzen Gruppe feiern. Ich habe ihr erlaubt, mit dem Wagen zu fahren, aber sie hat noch keine Ahnung, daß sie einen neuen bekommt.«

Jill lachte. »Ich wäre gern dabei, wenn du sie damit überraschst. Jede Wette, daß das Geschenk sie umhaut«, sagte sie. Sie machte eine Pause. »Also bist du heute abend ganz allein, wenn ich das richtig verstanden habe?«

»Ja«, sagte er. »Außer Wolf ist niemand da. Aber das macht nichts. Ich werde arbeiten, und am späten Abend kommt einer meiner absoluten Lieblingsfilme im Fernsehen. Die deutsche Fassung habe ich schon tausendmal gesehen habe, aber noch nie das Original.«

»Und das wäre?« fragte sie.

»*Rio Grande*, mit John Wayne«, sagte er schwärmerisch. »Ein grandioser Film. Kitsch as kitsch can, aber wunderschön. Kennst du ihn?«

»Ja«, sagte sie nur, ging aber nicht weiter darauf ein, da sie seine Schwärmerei offenbar nicht teilte. Nach einer weiteren Pause, erwartungsvoll und gespannt: »Was meinst du, möchtest du nicht vorbeikommen und ihn mit mir zusammen ansehen? Ich könnte uns eine Kleinigkeit kochen.«

Er überlegte einen Moment, dann sagte er: »Keine schlechte Idee. Amys erstes Rendezvous und unser zweites. Einverstanden, ich werde kommen. Kann ich Wolf mitbringen? Damit er nicht völlig vereinsamt ... mal sehen, Amy wollte gegen sieben los, ich denke, ich werde zwischen halb acht und acht da sein. Einverstanden?«

»Einverstanden«, sagte sie. »Dann sehen wir uns später. Ich freue mich schon.«

»Ich mich auch«, sagte er und legte auf. Er sah einen Moment nachdenklich zum Fenster hinaus, dann erhob er sich und ging nach unten.

## 2

Jill legte den Hörer auf, blieb aber noch eine Weile sitzen und betrachtete nachdenklich das Telefon. *Amys erstes Rendezvous und unser zweites*, hatte er gesagt, und sie ließ den Satz eine Weile auf sich einwirken. *Ja*, dachte sie, *gut möglich, daß es ein Rendezvous wird. Und wer weiß, vielleicht ist heute die Nacht der Nächte?*

# 3

Hellmann ging nach unten in die Vorratskammer und riß dort eine der noch unausgepackten Kisten auf. In Holzwolle verpackt lagen mit Wellpappe umhüllte Wein- und Sektflaschen darin, und er war so mit der Suche nach einer bestimmten Sorte beschäftigt, daß er nicht hörte, wie Amy von ihrem Spaziergang mit Wolf zurückkehrte. Erst als der Hund ihn freudig mit der Schnauze anstieß, schaute Hellmann auf und sah seine Tochter an der Tür stehen.

»Was machst du?« fragte sie.

»Ich suche eine Flasche Sekt. Jill hat gerade angerufen und mich eingeladen, und ich möchte ihr gerne ein Geschenk mitbringen.«

Er sah, wie sie das Gesicht verzog. »Du gehst weg? Aber... hast du nicht gesagt, daß ich das Auto haben kann?«

»Kannst du«, sagte er. »Ich komme mit, und du setzt mich einfach ab. Kein Problem.«

»Muß ich dich auch abholen?« fragte sie mit einem nicht gerade begeisterten Gesichtsausdruck, und Hellmann lachte.

»Nein«, sagte er. »Sei unbesorgt, ich habe dir gesagt, daß du den ganzen Abend für dich hast, und dabei bleibt es. Jill kann mich nach Hause fahren. Und wenn nicht –« er wandte den Blick verlegen ab – »lasse ich es dich auf jeden Fall irgendwie wissen. Zur Not kann ich auch ein Taxi nehmen.«

Sie schien nicht überzeugt zu sein, es aber für besser zu halten, das Thema im Augenblick nicht weiter zu verfolgen.

»Ach ja«, bemerkte Hellmann, als sie sich schon abgewandt hatte. Er hielt die gesuchte Flasche in den Händen, verschloß die Kiste wieder und stand auf, »ich muß gleich noch mal in die Stadt fahren. Keine Bange, es dauert nicht lange. Nur eine kurze Besorgung. Ich schätze, in einer Stunde bin ich wieder da.«

»Kann ich mitkommen?« fragte sie. »Vielleicht können wir noch irgendwo ein Eis essen?«

Er schüttelte den Kopf, und als er ihren enttäuschten Gesichtsausdruck sah, hätte er fast zugestimmt, aber er wollte sich seine Überraschung nicht verderben lassen. »Heute nicht«, sagte er. »Ich bin ziemlich in Eile, und du gehst sowieso heute abend noch aus. Ich bin bald wieder da, versprochen.«

Sie nickte und bemühte sich vergebens, sich die Enttäuschung nicht anmerken zu lassen. Hellmann stellte die Flasche in den Kühlschrank, nahm die Autoschlüssel vom Haken neben der Küchentür und ging hinaus. Als er sich draußen noch einmal umdrehte, sah er Amys Gesicht am Küchenfenster, wie sie ihm sehnsüchtig und ein wenig verwundert zugleich nachsah. Er stieg in das Auto ein, ließ den Motor an und fuhr in einer Staubwolke davon.

## 4

Amy ging nach oben in ihr Zimmer, legte eine CD in den Player, warf sich auf das Bett und las bei dröhnender Musik weiter von den Abenteuern Raul Endymions, der auf wunderbare Weise vor der Todesstrafe gerettet worden war und inzwischen mit zwei Begleitern durch eine Reihe von Transmittertoren verschiedene Welten bereiste. Das rätselhafte Buch zog sie nach wie vor in den Bann. Ab und zu schlug sie wie zuvor Wörter nach, aber im großen und ganzen ließ sie sich von der Geschichte treiben und merkte nicht, wie die Zeit verging. Als die Musik verstummte, wußte sie, daß rund siebzig Minuten verstrichen sein mußten. Hatte ihr Vater ihr nicht versprochen, daß er in spätestens einer Stunde wieder hier sein würde? Sie legte das Buch seufzend weg und stand auf, um die CD zu wechseln, als sie unten in der Küche ein Geräusch hörte. Wolf, der vor dem Bett auf dem Boden lag, hob den Kopf und horchte. Amy ging zur Tür und sah nach unten.

Tatsächlich machte sich jemand in der Küche zu schaffen. Amy ging ans Fenster und sah hinaus, konnte den Wagen ihres Vaters aber nicht sehen. »Wolf«, flüsterte sie, aber der Hund hatte sich bereits in Bewegung gesetzt und rannte die Treppe hinunter. Amy legte eine Hand auf den Knauf des Treppengeländers und horchte nochmals.

»Hast du endlich gemerkt, daß sich was tut?« hörte sie die Stimme ihres Vaters fragen. »Eins kann ich dir sagen, mein Freund, du magst groß und stark sein, aber du bist ganz ohne jeden Zweifel der jämmerlichste Wachhund der Welt.«

Wolf bellte zustimmend, und Amy ging die Treppe hinunter und in die Küche. »Paps«, sagte sie vorwurfsvoll. »Du hast mir vielleicht einen Schrecken eingejagt. Seit wann bist du wieder da? Und wo ist das Auto?«

»Seit zehn Minuten«, antwortete er. »Und das Auto steht neben dem Haus im Schatten.« Er sah sie an. »Weißt du, ich habe mich gefragt, ob wir noch eine kurze Probefahrt machen sollen. Schließlich fährst du heute das erste Mal allein, und ich würde mich wohler fühlen, wenn …«

»Aber wir sind schon oft zusammen gefahren«, sagte sie. »Du hast mir mit dem Auto Stunden gegeben und weißt, daß ich es fahren kann.«

»Trotzdem«, sagte er.

»Du hörst dich an wie Mama«, sagte sie trotzig, wußte aber, daß es wenig Zweck hatte, ihm zu widersprechen, und damit er es sich nicht doch noch anders überlegen und sie zur Pizzeria fahren und wieder abholen würde, stimmte sie ergeben zu. »Schlüssel?« fragte sie auf dem Weg in die Diele.

»Stecken«, hörte sie ihn aus der Küche sagen. »Geh schon vor, ich komme gleich nach.«

## 5

»Du hättest wirklich dabei sein sollen«, sagte Stefan zu Jill. Sie saßen in Jills Wohnzimmer auf dem Sofa. Jill hatte die Beine angezogen, einen Arm auf die Lehne gestützt und ein Glas Wein in der Hand, während sie ihn lächelnd ansah. »Ich habe den Jeep neben dem Haus abgestellt, damit sie ihn nicht sehen konnte, sie rausgeschickt und bis zehn gezählt. Und genau auf zehn kam der Freudenschrei. Ich glaube, sie konnte gar nicht fassen, daß ihr Traumwagen wirklich dastand.« Er machte eine Pause, trank einen Schluck und sah Jill wehmütig an. »Es war schön, sie so unbekümmert und fröhlich zu sehen. In letzter Zeit ist sie immer so ernst und verschlossen. Wenn ich nur eine Ahnung hätte, was sie bedrückt.«

»Ich bin sicher, es ist nichts Ernstes«, sagte Jill. »Wenn sie zur Schule geht, unter Leute kommt, wird es besser werden. Stell dir vor, du wärst sechzehn, in einem fremden Land und die meiste Zeit allein.« Er verzog das Gesicht und machte den Mund auf, daher fuhr sie hastig fort. »Ich weiß, daß es nicht deine Schuld ist. Mach dir keine Vorwürfe, du mußt deine Arbeit machen, Geld verdienen.« Sie wußte nicht, wie sie fortfahren sollte. »Ich bin sicher, es ist nur eine vorübergehende Phase«, sagte sie.

Hellmann lächelte in sich hinein, als er an das freudestrahlende Gesicht seiner Tochter beim Anblick des funkelnden roten Jeeps im Schatten ihres Hauses dachte. Als er ins Freie gekommen war, stand sie wie vom Donner gerührt davor, hatte eine Hand vor den Mund geschlagen und betrachtete das Auto wie ein Trugbild. Schließlich ging sie einmal um den roten Geländewagen herum, stellte sich neben die Tür und sah durch das Fenster auf der Fahrerseite hinein. Sie achtete sorgfältig darauf, daß sie die Karosserie nicht berührte, als hätte sie Angst, das Auto könnte sich unter der Berührung in Luft auflösen.

»Du kannst ruhig einsteigen«, sagte Hellmann schließlich. »Der Schlüssel steckt, und außerdem ist es mehr oder weniger dein Auto.«

Aber sie stieg nicht ein. Sie sah ihren Vater an, das Auto, ihren Vater, dann lief sie zu ihm und schlang beide Arme um seinen Hals. Wolf spürte die allgemeine Freude, ohne den Grund dafür zu verstehen, und sprang bellend um die beiden herum. Als Amy sich soweit beruhigt hatte, fragte Hellmann sie, ob sie das Verdeck abnehmen sollten, um in dem offenen Wagen eine kurze Testfahrt zu machen. Amy nickte immer noch überwältigt und half ihm, die Klammern zu lösen, die den Plastikaufbau des Dachs festhielten. Er ließ sie auf der Fahrerseite einsteigen, setzte sich selbst auf den Beifahrersitz und winkte Wolf. Der Hund sprang auf die Pritsche, Hellmann und Amy stiegen wieder ein, und Amy drehte vorsichtig den Zündschlüssel herum.

Sie fuhren fast eine Stunde im Hof und auf der menschenleeren Straße umher, bis Hellmann sich zu seiner Zufriedenheit vergewissert hatte, was für eine bedachte und verantwortungsvolle Autofahrerin seine Tochter war.

»Aber wo ist dein Auto?« fragte sie schließlich, als sie wieder vor der Tür des Hauses parkten. Wolf, der die ganze Zeit auf der Pritsche gesessen und den Kopf zwischen den Sitzen hindurchgestreckt hatte, sprang herunter und lief hechelnd zur Veranda, wo er sich auf den Wassernapf stürzte.

»Das steht in der Stadt«, sagte er. »Ich werde es nachher holen, bevor ich zu Jill fahre.« Er hielt sich am Überrollbügel fest und sprang hinaus. »Das ist deine einzige Pflicht heute abend«, sagte er. »Deinen alten Vater mit in die Stadt zu nehmen. Und dann kannst du zu deinem Treffen fahren und mächtig Eindruck schinden.«

»Worauf du dich verlassen kannst«, sagte sie. »Ich meine, echt, den Führerschein haben wir zwar alle bekommen, aber ich wette, ich fahre heute abend mit dem tollsten Auto vor.«

Und so hatten sie es gemacht. Amy hatte geduscht und ein hübsches Kleid angezogen, Hellmann ein weißes Hemd und Jeans, dann hatten sie Wolf gerufen, Hellmann hatte seine Flasche aus dem Kühlschrank genommen, und sie waren nach Desert Rock gefahren. Der Wagen, den das Institut Hellmann zur Verfügung gestellt hatte, parkte am Straßenrand vor dem Ausstellungsgelände des Autohändlers am Stadtrand. Amy parkte rückwärts ein, wie sie es gelernt hatte, obwohl weit und breit kein anderes Fahrzeug zu sehen war. Hellmann und Wolf stiegen aus, sie verabschiedete sich mit einem Kuß auf die Wange und einem freudestrahlenden »Nochmals danke, Paps«, von ihrem Vater, sah in den Rückspiegel, setzte den Blinker und fuhr los.

Wolf sah dem roten Jeep fragend nach, bis er um die Ecke verschwunden war. Als Hellmann die hintere Tür auf der Fahrerseite aufmachte und mit der Zunge schnalzte, drehte der Hund sich um und sprang auf den Rücksitz. Hellmann folgte der Main Street und passierte die Kurve um die kleine Grünanlage in der Mitte. Bob Healy stand auf dem Bürgersteig vor seinem Büro und winkte ihm freudig zu, als er ihn erkannte. Hellmann winkte zurück und fuhr weiter. Jills Wegbeschreibung folgend, bog er die übernächste Querstraße ab und gelangte in ein Wohnviertel mit hübschen kleinen Häusern, überwiegend aus Holz und weiß gestrichen, das er noch nicht kannte. Obwohl er schon mehrmals vorgehabt hatte, Jill zu besuchen, war er nie dazu gekommen.

Sie erwartete ihn an der Haustür. Wolf lief voraus, schnupperte an den Sträuchern rechts und links des Weges, hob aber glücklicherweise nicht das Bein. Er sah Jill und lief schwanzwedelnd auf sie zu, aber als sie sich bückte, um ihn zu streicheln, rannte er an ihr vorbei ins Haus und begann auf eigene Faust seine Erkundungstour.

Jill hatte die blonden Haare mit zwei goldenen Spangen an den Seiten nach hinten gesteckt. Sie trug ein mittellanges, eng anliegendes schwarzes Kleid, Ohrringe und eine dazu passende Halskette und sah so atemberaubend aus, daß Hellmann einen Moment stehenblieb und sie wie eine Erscheinung betrachtete.

»Was ist?« fragte sie schließlich lächelnd. »Möchtest du reinkommen, oder den Rest des Abends draußen stehen und mich anstarren? Was, nur nebenbei, nicht besonders höflich wäre.«

Er räusperte sich verlegen und trat ein. Das Haus war nicht groß, aber gemütlich und geschmackvoll eingerichtet. Nach einem kurzen Abstecher in die Küche, wo Jill den Sekt im Kühlschrank deponierte, führte sie ihn ins Wohn-Eßzimmer. Kerzen brannten in einem Silberleuchter auf dem Eßtisch, der für zwei Personen gedeckt war. Ein Bücherregal diente als Raumteiler zwischen Wohn- und Eßzimmer. Hellmann stellte sich davor und sah Bildbände über nordamerikanische Kunst, zeitgenössische Malerei, Fotografie. Dann ging er weiter ins Wohnzimmer hinein, wo ein offener Kamin den Blickfang bildete. Davor stand ein altmodischer Ohrensessel, daneben ein Schürhakenbesteck in einer schmiedeeisernen Halterung. Der Holzboden vor dem Kamin war dunkel und ausgetreten. Auf dem Sims standen mehrere Bilder. Eines zeigte eine jüngere Jill mit einem kräftigen Mann, der unwesentlich älter als sie zu sein schien, aber trotzdem bereits graumeliertes Haar hatte. Ein breiter Schnurrbart verdeckte die Oberlippe fast gänzlich. Hellmann suchte nach passenden Subjektiven, um das Gesicht zu beschreiben. Tatkraft, Entschlossenheit, Selbstbewußtsein kamen ihm in den Sinn. Ein »Was kostet die Welt«-Gesicht. »Dein Mann?« fragte er.

Jill warf nur einen kurzen Blick auf das Bild. »Ja«, sagte sie. »Die Aufnahme muß etwa zwei Jahre vor unserer Trennung gemacht worden sein.« Sie lachte. »Vor der Selbstfindung. Ich hätte ihm Gift geben können und wollte ihn nie wiedersehen, aber komischerweise habe ich es nie fertiggebracht, dieses Bild zu entfernen.« Ihr Blick wurde ein klein wenig melancholisch. »Eine Zeitlang waren wir sehr glücklich zusammen, und das Bild erinnert mich daran.« Sie wandte sich brüsk ab, als wäre ihr das Thema unangenehm. Hellmann ließ es gut sein und sah sich weiter in dem Wohnzimmer um.

In der Ecke, zwischen dem Sofa und einem Fenster, stand ein Eckregal mit einer Stereoanlage und einer großen Anzahl CDs. Hellmann steuerte sofort darauf zu, stellte aber zu seiner Enttäuschung fest, daß es sich überwiegend um klassische Musik handelte. Er wollte sie fragen, wo sie ihre anderen Schallplatten untergebracht hatte, ließ es aber sein.

In der anderen Ecke stand ein Fernseher auf einem Gestell mit rundem Fuß; das hypermoderne Design bildete einen seltsamem Kontrast zur restlichen Einrichtung und paßte nicht recht zu den Möbeln.

Jill führte ihn zurück ins Eßzimmer, in die Diele, in die Küche. Auf dem Herd standen dampfende Töpfe, und Hellmann wunderte sich, daß Wolf nicht schon lechzend davor saß, aber der Hund schien nach oben gelaufen zu sein. Seit er als Welpe gelernt hatte, wie man sie erklomm, waren Treppen seine Leidenschaft.

Hellmann erkundigte sich, was es zu essen gab, aber Jill lächelte nur und sagte: »Laß dich überraschen.« Sie führte ihn die Treppe hinauf. Wolf kam aufgeregt aus einem Zimmer gelaufen und blieb abwartend stehen. »Aha, du hast dich schon umgesehen«, sagte Jill. Sie stieß die Tür des Zimmers auf, aus dem Wolf gekommen war. Ein Schlafzimmer. Gazevorhänge machten die Nacht draußen milchig und dunstig. Hinter der

Tür eine ganze Reihe weiß gestrichener Lamellentüren – der Kleiderschrank, vermutete Hellmann. Das Doppelbett eine wuchtige Angelegenheit mit gedrechselten Pfosten aus dunklem Holz, das Hellmann nicht gefiel, aber zugegebenermaßen wunderbar mit dem altrosa Teppichboden harmonierte. Eine Kommode aus demselben Holz stand neben dem Bett. Hellmann folgte Jill in das andere Zimmer, ein Arbeitszimmer mit großem Schreibtisch, einem Ledersessel und Bücherregalen an jeder freien Wand. Hier waren die Fensterläden geschlossen, die Atmosphäre staubig und abgestanden. »Es war sein Arbeitszimmer«, sagte Jill. »Auch das Schlafzimmer ist ganz von ihm geprägt. Wenn ich ehrlich bin, hat mir beides nie besonders gefallen, aber irgendwie scheue ich mich bis heute, es neu einzurichten. Vermutlich aus demselben Grund, weshalb das Bild noch unten steht – ich habe Angst, die Erinnerungen könnten verblassen.«

Hellmann nickte, und Jill machte unvermittelt kehrt und ging wieder die Treppe hinunter und in die Küche. »Bitte setz dich schon mal«, sagte sie und nickte Richtung Wohnzimmer. »Das Essen müßte jeden Moment fertig sein.«

Er hatte sie gefragt, ob er etwas helfen könne, aber sie hatte nur den Kopf geschüttelt und war mit Wolf in der Küche verschwunden, der sie nicht einen Moment aus den Augen ließ und darauf wartete, daß etwas für ihn abfiel.

Nach dem Essen hatten sie es sich mit ihren Weingläsern im Wohnzimmer auf dem Sofa gemütlich gemacht.

Es war kurz vor zehn, als Hellmann auf die Uhr sah und sagte: »Ich frage mich, wie Amys Rendezvous läuft.«

Jill sah in sein ernstes Gesicht und lachte laut auf. »Die Rolle des besorgten Vaters steht dir«, sagte sie grinsend.

Er lachte ebenfalls. »Weil du das gerade erwähnst – ich habe ihr zu Hause einen Vortrag gehalten, du weißt schon, Verhaltensmaßregeln und so weiter. Manchmal denke ich, ich komme ihr mit den ganzen dummen Sprüchen daher, die mich in ihrem Alter immer zu Tode genervt haben.«

»Ich bin sicher, sie amüsiert sich wunderbar.« Jill trank einen Schluck Wein, stellte das Glas mit einer ausholenden, entschiedenen Bewegung auf den Beistelltisch und sagte:

»Vielleicht sollten wir uns mehr Gedanken um unser Rendezvous machen.«

»Ist es denn eines?« fragte er, und als er aufsah, schwang sie die Beine vom Sofa und ließ sich in seine Richtung sinken.

»Ich hoffe doch«, erwiderte sie und blickte zu ihm auf.

Zuerst dachte Jill, er würde nicht reagieren, doch dann senkte er langsam den Kopf und küßte sie. Sie schloß die Augen und öffnete die Lippen ein wenig. Als sie spürte, wie er mit den Fingerkuppen sanft und zärtlich, fast schüchtern über ihre Wangen strich, wurde ihr ganz warm.

Ohne die Lippen von ihren zu lösen, nahm er sie in die Arme und ließ die Hände über ihren Rücken gleiten. Sie strich durch sein Haar und drückte ihn fest an sich. Eine Gänsehaut breitete sich vom Nacken über ihren ganzen Oberkörper aus.

Als sie die Augen aufschlug, sah er zum Kaminsims. Sie folgte seinem Blick zu dem Bild, das sie mit ihrem Mann zeigte, und lächelte unwillkürlich. Vielleicht machte ihn das Foto nervös. »Komm«, flüsterte sie und stand auf. Sie ergriff seine Hand und führte ihn langsam zur Treppe und ein Stockwerk höher.

## 6

Lärm und Gelächter im hinteren Teil des italienischen Restaurants waren nach und nach verstummt, nachdem die Absolventen der Fahrschule sich einer nach dem anderen verabschiedet hatten, bis nur noch vier Leute an dem großen runden Tisch saßen: Amy, William, der unbedingt Bill oder Billy genannt werden wollte, ein Mädchens namens Marjorie und ein Frank Soundso, der nicht zu ihrem Kurs gehört, sondern nur die Fahrprüfung wiederholt hatte. Er schien ein Bekannter von Marjorie zu sein.

Amy hatte den Abend genossen, die Fröhlichkeit und das Lachen, auch wenn sie nicht immer alles verstanden hatte, was gesprochen wurde. Wenn die anderen sich mit ihr unterhielten, bemühten sie sich meist um eine übertrieben korrekte Aussprache – wohl wissend, daß Amy aus Deutschland kam und mit dem gesprochenen Englisch Probleme hatte –, aber untereinander legten sie diese Rücksicht nicht an den Tag. Dennoch genoß sie die Gesellschaft von Leuten ihres Alters; sie fühlte sich zum erstenmal seit Wochen wieder richtig unbeschwert und glücklich und hatte sogar zugelassen, daß Bill den Arm um sie legte, auch wenn ihr die Geste in der Runde am Tisch übertrieben besitzergreifend erschien. Er hatte sie den ganzen Abend ungeniert gemustert, und zwischendurch hatte sie sich einmal unbehaglich gefragt, ob er wirklich so schüchtern war, wie sie angenommen hatte.

Gegen ihren Willen bezahlte er ihre Zeche. Glücklicherweise war es nicht viel, sie hatte nur einen Salat gegessen und kaum etwas getrunken, aber es war ihr dennoch nicht recht. Als sie das Lokal verlassen hatten, standen sie in der milden Abendbrise. Amys roter Jeep parkte direkt vor dem Restaurant im Halteverbot. Sie hatte ihren Führerschein gerade einen Tag und den ersten Strafzettel riskiert, aber die Gelegenheit zu ihrem großen Auftritt mit dem neuen Auto hatte sie sich nicht nehmen lassen wollen, und darum war sie vorgefahren und hatte unmittelbar vor dem großen Fenster des Restaurants gehalten.

Nun sah Billy das Auto bewundernd an. »Ist echt eine tolle Kiste«, sagte er mit seiner nuschelnden Stimme, und Amy konnte ein Gefühl des Stolzes nicht unterdrücken. Sie wartete unschlüssig, bis er mit seiner Inspektion fertig war und sich verabschieden würde, aber er stellte sich vor sie und sagte: »Was machen wir jetzt mit dem angebrochenen Abend? Hast du noch was vor?«

»Nein«, sagte sie. »Eigentlich wollte ich nach Hause fahren.« Mit der rechten Hand fischte sie den Zündschlüssel aus dem Seitenfach ihrer Handtasche.

»Komm doch noch mit zu mir«, sagte er. »Wir könnten noch eine Weile reden und Platten hören.«

»Ich weiß nicht«, sagte Amy zweifelnd, aber er ließ nicht locker und bat sie so inbrünstig, daß sie letztendlich einwilligte. Was würde sie zu Hause versäumen? Ihr Vater war bestimmt noch bei Jill, er hatte Wolf mitgenommen, und die Aussicht, in das einsame und dunkle Haus zurückzukehren und wie immer allein in ihrem Zimmer zu sitzen, kam ihr nicht besonders verlockend vor.

»Am besten, du fährst mir nach«, sagte Billy. »Meine Karre steht um die Ecke.«

Amy nickte und stieg in den Jeep ein, während er um das Gebäude ging. Sie ließ den Motor an, schaltete die Scheinwerfer ein und überprüfte kurz ihr Aussehen im Rückspiegel. Ihr Gesicht kam ihr seltsam vor, und es dauerte eine Zeitlang, bis ihr klar wurde, daß es an dem heiteren Gesichtsausdruck lag Sie hatte sich so sehr an ihre ernste Miene gewöhnt, daß ihr der fröhliche Gesichtsausdruck fremd geworden war.

Er kam mit dem Auto um die Ecke gebogen und hupte kurz. Amy setzte den Blinker, obwohl kein Auto zu sehen war, fuhr an und folgte ihm. Der Fahrtwind wehte ihr kühl ins Gesicht und zerzauste ihre Haare. Sie bemühte sich, die Orientierung nicht zu verlieren, sich sämtliche Kreuzungen und Abbiegungen zu merken, aber nach der vierten war sie nicht mehr sicher, ob sie den Rückweg finden würde. Nun ja, sie konnte ja Billy fragen.

Schließlich hielt er vor einem großen, dunklen zweistöckigen Haus in einer unbeleuchteten Nebenstraße. Amy ließ den Jeep hinter seinem Auto ausrollen, machte den Motor aus und trat behutsam auf den Asphalt.

»Da sind wir«, sagte er überflüssigerweise und zeigte auf das Haus, vor dem sie parkten. *»Mia casa.«* Amy lächelte und folgte ihm einen aus grauen und roten Natursteinplatten bestehenden Weg entlang zur Haustür, wo er umständlich seinen Schlüssel hervorkramte.

»Sind deine Eltern nicht da?« fragte sie, als er die Tür aufstieß und das Licht in der Diele einschaltete.

»Nein«, sagte er und betrat vor ihr das Haus. »Die sind irgendwo bei Bekannten eingeladen. Ätzend langweiliges Palaver den ganzen Abend, du weißt schon.«

Sie folgte ihm zögernd. Er kickte die Haustür mit einem Fuß hinter Amy zu, schaltete das Treppenlicht ein und verschwand im hinteren Teil des Hauses. Sie blieb stehen und überlegte sich kurz, ob es nicht doch besser wäre, nach Hause zu fahren. Aber jetzt war es wohl zu spät. Wenn sie jetzt verschwand, würde es aussehen, als hätte sie es mit der Angst zu tun bekommen, und möglicherweise würde sie ihn vor den Kopf stoßen. Das wollte sie auf gar keinen Fall, denn soweit sie nach dem heutigen Abend sagen konnte, war er ganz nett. Von seinem besitzergreifenden Pascha-Gehabe und seinen unverschämten Blicken einmal abgesehen. Sie hörte eine Kühlschranktür, dann rief er: »Was möchtest du trinken? Eine Cola?«

»Ja«, sagte sie, worauf er mit einer Flasche und zwei Gläsern zurückkam. Sie folgte ihm die Treppe hinauf in sein Zimmer. Das chaotische Durcheinander schien sie förmlich anzuspringen. Sämtliche Wände waren mit Kino- und Konzertplakaten beklebt. Sie sah *Men in Black* und *Alien 4* zwischen Porträts von Jon Bon Jovi und den Smashing Pumpkins. Über seinem Bett war ein Regal angebracht, auf dem einige Pokale und Trophäen standen – sie konnte nicht erkennen, wofür –, und zwischen alledem, rührend in ihrer Schlichtheit, eine kleine Schwarzweißfotografie, die einen Jungen mit kurzen Hosen und einem karierten Hemd zeigte, der mit einer breiten Zahnlücke sommersprossig in die Kamera lächelte – ein Kinderbild von ihm, dachte sie. Der einzige Stuhl in dem Zimmer stand am Schreibtisch und war überhäuft mit Kleidungsstücken, daher setzte sie sich zaghaft auf die Bettkante.

Bill stellte die Gläser auf eine Zeitschrift, die zerknittert und eselsohrig auf dem Schreibtisch lag. *Paps würde eine Kolik bekommen*, dachte sie, als er einschenkte und ihr eines der Gläser gab. Bei ihm lag zwar auch immer alles herum, aber er brachte es nicht einmal fertig, die Zeitschriften zu knicken, die er später wegwarf.

Sie trank einen Schluck – die Kohlensäure sprudelte ihr winzige Tröpfchen ins Gesicht –, sah sich um und stellte das Glas in Ermangelung einer Stellfläche neben sich auf den Boden. Er setzte sich mit gekreuzten Beinen vor ihr auf den Teppich, beugte sich zur Stereoanlage auf der anderen Seite und schaltete sie ein. Laute Musik, die den Boden ein wenig zum Vibrieren brachte, ertönte aus den Boxen. Amy kannte das Stück nicht.

»Dein Vater arbeitet im Institut?« fragte Billy nach einer Weile.

Sie nickte.

»Und was macht er da?«

»Oh«, sagte sie ausweichend, »medizinische Forschungen.«

Das schien ihm zu genügen, denn er nickte wissend und nippte an seiner Cola.

»Wie gefällt dir Amerika?« fragte er einige Zeit später, als das Schweigen sich in die Länge zog und sie fast nicht mehr wußte, wohin sie sehen sollte. Dafür, daß er sie zum Plattenhören und Reden eingeladen hatte, schien er nicht sehr gesprächig zu sein.

»Bis jetzt habe ich noch nicht viel davon gesehen«, gestand Amy. »Außer unserem Haus und einigen Geschäften hier auf der Main Street. Vielleicht ändert sich das ja jetzt, mit dem Wagen.« Sie sah ihn an. »Möglicherweise kannst du mir ja ein bißchen die Stadt zeigen?« schlug sie vor.

Er nickte. »Klar. Nicht, daß es in diesem Kaff hier viel zu sehen gäbe, aber wir können ja mal einen Abstecher nach Bakersfield machen. Oder nach San Francisco. Da ist echt was los.«

»Das würde mir gefallen«, sagte Amy, aber in Wahrheit war sie nicht so sicher. Es war eine weite Fahrt nach San Francisco, und möglicherweise würde ein Tag allein nicht reichen, um alles zu sehen. Sie ließ den Blick durch das Zimmer schweifen und bemühte sich, ihm nicht zu sehr in die Augen zu sehen, aber es half nicht. Als sie den Blickkontakt herstellte, sah er sie so lange an, bis ihr unbehaglich wurde und sie sich abwandte.

»Amy«, sagte er, stand auf und setzte sich zu ihr auf das Bett. »Du bist ein sehr hübsches Mädchen, weißt du das?«

Sie sagte nichts und flehte inbrünstig, daß sie nicht rot werden würde. Er strich ihr mit dem Handrücken über die Wange.

»Doch, du bist mir sofort aufgefallen. Ich hab mich nur nicht gleich getraut, dich anzusprechen.«

»Ja«, sagte sie lächelnd, »das habe ich gemerkt.« Amys Herz klopfte, als er sich zu ihr beugte und ihr einen Kuß auf die Wange hauchte. Sie ließ ihn gewähren, was ihn ermutigte. Er beugte sich über sie, drückte sie langsam nach unten auf die Decke und berührte mit seinen Lippen sanft ihren Mund. Sie spürte spröde und rissige Haut, dachte an ihren Lipgloss im Handschuhfach des Jeeps und mußte an sich halten, um nicht zu kichern. Als sie seine warme und feuchte Zunge auf den Lippen spürte, war ihr erster Impuls, sie fest zusammenzupressen, doch dann gab sie seinem Drängen nach, öffnete den Mund ... und ihre romantischen Träume zerstoben.

Sie glaubte, zu ersticken, als er sich plötzlich mit seinem ganzen Gewicht auf sie legte und ihr die Zunge in den Mund bohrte. Sie spürte, wie er über ihren Gaumen leckte und mußte einen Würgereflex unterdrücken. »Bitte ...« wollte sie murmeln, brachte aber nur einen erstickten Laut heraus, den er als Zustimmung zu werten schien. Seine Hände schienen überall zu sein, auf ihren Schultern, ihrem Kleid, ihren Brüsten. Er strich mit einem Daumen über ihre rechte Brustwarze, bis sie schreien wollte, so weh tat es.

»Hör auf«, keuchte sie, als sie einen Moment Luft bekam. »Was machst du da?« Und die Hand, die eben noch ihre rechte Brust gehalten hatte, glitt weiter nach unten, auf ihre Schenkel, unter das Kleid. Sie spürte seine Finger zwischen den Beinen, auf dem Slip, wo er langsam auf und ab rieb, fest und roh und ebenfalls schmerzhaft, und da endlich leistete sie, so gut es in ihrer beengten Lage möglich war, Widerstand.

»Laß das!« sagte sie und stieß ihn von sich. Sie atmete gierig ein, als er ihren Mund freigab, aber die Hand nahm er nicht weg.

»Was ist denn?« fragte er mit einem Ausdruck in den Augen, der zwischen Wut und Enttäuschung hin und her flackerte, bis Wut die Oberhand gewann. »Stell dich nicht an«, fauchte er, als sie versuchte, seine Hand unter ihrem Kleid hervorzuziehen. Sie verfluchte sich, daß sie keine Hosen angezogen hatte. Er streckte die Hand nach ihrem Kopf aus, als wollte er sie festhalten und wieder küssen, und das gab den Ausschlag.

Weil sie sich nicht anders zu helfen wußte, zog sie ein Knie an und rammte es ihm zwischen die Beine. Er stöhnte und gab sie frei. Sie sprang auf. Ihr Glas, das neben dem Bett stand, fiel um. Schäumende Flüssigkeit ergoß sich auf den Teppich und hinterließ einen dunklen, klebrigen Fleck. Amy lief zur Tür.

»Warum …« keuchte er mit rotem Kopf, und nun sah Amy einen verletzten Ausdruck in seinen Augen, als könnte er sich wirklich nicht erklären, was plötzlich in sie gefahren war.

Sie wollte keine Erklärungen geben, wollte nicht warten, bis er wieder zu sich kam. Sie drehte sich hastig herum und rannte mit großen Schritten die Treppe hinunter. An der Haustür blieb sie kurz stehen und zog den Autoschlüssel aus der Tasche. Als sie die Tür aufriß, hörte sie, wie er aus seinem Zimmer kam und polternd gegen das Treppengeländer stieß. »He«, rief er. »Amy, so warte doch …«

Aber sie lief den Weg entlang, den Kopf gesenkt, den starren Blick auf die grauen und roten Platten gerichtet, die schwarzen Fugen dazwischen. Nicht auf die Fugen treten, dachte sie absurderweise und sprang von einer Platte zur nächsten.

Mit einer fieberhaften Bewegung hielt sie sich am Überrollbügel fest, sprang in den Jeep und fummelte den Zündschlüssel ins Schloß. Der Motor sprang an, und sie rechnete damit, daß Billy zur Tür herausgestürmt kommen würde, aber er ließ sich nicht sehen. Sie schaltete die Scheinwerfer an und fuhr los, zunächst blind und ohne auf den Weg zu achten. Doch mit der Zeit beruhigte sie sich etwas und ermahnte sich, vorsichtig zu fahren.

Die Straßen waren fremd und dunkel. Sie hatte keine Ahnung, wie sie es geschafft hatte, aber nach einer Unzahl von Kurven und Kreuzungen befand sie sich plötzlich auf der Main Street, sah vertraute Geschäfte mit dunklen Schaufenstern, die erleuchtete Fassade des Imbißrestaurants, die Tankstelle. Sie zwang sich, die Geschwindigkeitsbeschränkung einzuhalten, bis sie den Ortsrand erreicht hatte, dann gab sie Gas.

Die Scheinwerfer des Jeeps frästen eine graue, verschwommene Acht aus dem dunklen Schiefer der Nacht. Der Fahrtwind kühlte ihr heißes Gesicht ab, und langsam kam sie wieder zur Besinnung. Sie hatte erwartet, daß sie Wut empfinden würde, aber statt dessen erfüllte sie eine große Traurigkeit, vor der die Erinnerung an die fröhliche Feier im Restaurant verblaßte. »Verdammt«, murmelte sie, »verdammt, Billy, es war mein erster glücklicher Abend seit langem. Warum mußtest du mir den kaputtmachen?«

Sie fuhr stumm und verbissen weiter, und plötzlich sah sie ein Gesicht vor sich, an das sie seit Stunden nicht mehr gedacht hatte, ein blasses Gesicht mit dunklen Augen. Sie drückte den Rücken fest in den Fahrersitz und seufzte. »Oh, Danny«, sagte sie. »Ich wette, du hättest mich nie so behandelt. Wo bist du?« Aber das Antlitz, das sie so deutlich vor sich sah, gab keine Antwort, und nicht lang danach verblaßte es wieder, und die schwarzen Augen verschmolzen mit dem Dunkel der Nacht.

## 7

Jill schlug die Augen auf und sah Stefan ins Gesicht. Sie lächelte über seinen fast kindlichen Gesichtsausdruck – die Stirn hatte er wie in großer Konzentration gerunzelt, aber seine Augen blickten verschleiert ins Leere, und seine Zungenspitze ragte ein klein wenig im Mundwinkel zwischen den Lippen hervor, während er sich langsam in ihr bewegte. Eine Hand hatte er zur Faust geballt neben ihrem Kopf auf das Kissen gestemmt, mit der anderen strich er über ihr Haar, den Hals, die Schultern, ihren Bauch, langsame und zärtliche Bewegungen. So konzentriert, wie er seiner Arbeit nachging, widmete er sich auch dieser Aufgabe, dachte Jill, doch dann machte sie die Augen wieder zu und konzentrierte sich ganz auf ihre Gefühle und Empfindungen.

Sie hob die Arme, ohne ihn in seinem Rhythmus zu stören, und erforschte die Topographie seines Körpers, spürte sein rauhes Brusthaar unter den Fingerspitzen, die Vertiefung seines Nabels, die Rippen unter der straffen Wölbung seines Torsos, die feuchte Haut auf seinen Schultern. Sie folgte seinen Bewegungen, als sie spürte, wie sein Rhythmus schneller, drängender wurde, sein Atem abgehackter, und als sie den Eindruck hatte, daß ihre tastenden Hände ihn ablenkten, hielt sie ihn nur noch an den Schultern fest. Ihr Atem ging ebenfalls heftiger, bis ihre Atemstöße nicht mehr von seinen zu unterscheiden waren.

Sie stöhnte leise, als er ein Keuchen von sich gab, und krümmte sich ihm entgegen, schlang einen Arm um seine Schultern und vergrub das Gesicht an seiner verschwitzten Brust, während er hilflos zuckte und schluchzende Laute von sich gab. Sie ließ sich ins Kissen zurücksinken und genoß das angenehme Gefühl der Wärme, das sich von ihrem Unterleib durch den ganzen Körper ausbreitete.

Er stützte sich auf die Ellbogen, küßte sie auf die geschlossenen Lider, die Stirn, den Mund. Sie drückte ihn ein letztes Mal fest an sich, dann breitete sie die Arme aus, und er ließ sich seufzend neben ihr auf das Laken sinken. Jill rutschte zur Seite und sah, wie sich sein Brustkorb hob und senkte. Er drehte kurz den Kopf zu ihr. In seinen Augen sah sie eine Zärtlichkeit, die sie nie für möglich gehalten hätte. Er nahm ihre Hand, verschränkte die Finger in ihre, und so blieben sie liegen, bis der Schweiß ihre Körper so weit abgekühlt hatte, daß sie die leichte Decke über sie zog.

Jill atmete tief durch. Als sich sein Atem normalisiert hatte, drückte sie sich an seine Achselhöhle, ließ den Kopf auf seiner Brust ruhen und genoß seine Wärme, seinen Geruch, seine Anwesenheit.

Nach einer Weile schlug Jill die Augen wieder auf und stellte fest, daß er seine ebenfalls geöffnet hatte. Er sah zur Decke, zum Fenster, zum Nachttisch, und sie fragte sich, was er denken mochte. Als hätte er die unausgesprochene Frage verstanden, sagte er zu ihr: »Der Film fängt gleich an«, was ihr im ersten Moment die Sprache verschlug. Sie schluckte die empörte Antwort hinunter, die ihr auf der Zunge lag, als sie sein unbedarftes Gesicht sah und ihr klar wurde, daß er es nicht so gemeint hatte, wie es sich anhörte. Sie konnte sogar ein wenig grinsen.

Er schien den Grund für ihre Heiterkeit nicht zu verstehen und sah sie unsicher an. Sie richtete sich auf, zog die Kissen hoch, damit sie im Bett sitzen konnten, schüttelte sie auf, und plötzlich kam ihr ein Gedanke. »Was war eigentlich in der Flasche, die du mitgebracht hast?« fragte sie.

Er setzte sich auf. »Gut, daß du mich daran erinnerst«, sagte er. »Genau das Richtige für diesen Anlaß. Wo hast du deine Gläser?«

»In der Küche, zweiter Hängeschrank rechts neben der Tür«, antwortete sie.

Er schwang die Beine aus dem Bett, und Jill beobachtete fassungslos und amüsiert, wie er die Unterhose anzog, die er neben dem Bett liegen hatte, bevor er das Zimmer durchquerte. »Kommst du mit runter?« fragte er sie.

»Nicht nötig«, sagte sie. »Ich habe einen kleinen Fernseher hier oben, im Schrank. Wenn dir das Bild nicht zu klein ist, stelle ich ihn rasch auf, dann können wir hierbleiben.«

»Prima«, sagte er und ging die Treppe hinunter. Jill stand auf, holte das tragbare Fernsehgerät aus dem Schrank und steckte Antennenkabel und Stecker in die Steckdosen neben der Kommode. Das Gerät selbst stellte sie auf die Kommode und drehte die Bildröhre zum Bett, dann schlüpfte sie wieder unter die Decke und machte es sich bequem.

Wenig später, Vorspann und Titelmelodie des Films hatte gerade angefangen, kam Stefan mit zwei Sektgläsern und der Flasche zur Tür herein. Er stellte die beiden Gläser auf den Nachttisch und schenkte langsam und vorsichtig ein. Er reichte Jill ein Glas und beobachtete sie gespannt, als sie kostete.

Sie zog anerkennend die Brauen hoch. »Ausgezeichnet«, sagte sie. »Was ist das?«

»Sekt«, sagte er, worauf sie das Gesicht verzog.

»Ach nein«, sagte sie schnippisch. »Was für einer?«

»Ein Chardonnay-Sekt aus einer kleinen Sektkellerei namens Möller. Nicht weit von meinem letzten Wohnort entfernt«, sagte er. »Ich kenne den Inhaber persönlich, und seit ich auf seinen Sekt gestoßen bin, habe ich fast keinen anderen mehr getrunken.«

Sie nahm noch einen Schluck, während er zu ihr ins Bett kam, nachdem er die Unterhose wieder ausgezogen hatte.

»Mo-eller?« sagte sie. Er lachte. »So ungefähr.« Er nahm ebenfalls sein Glas, prostete ihr zu und lächelte wieder mit diesem zärtlichen Blick in den Augen. »Auf uns«, sagte er flüsternd, und sie nickte ihm zu, ehe er es sich auf dem Rücken bequem machte und zum Fernseher sah.

Jill kannte *Rio Grande*, den Film, den Stefan unbedingt sehen wollte, und widmete ihm keine besondere Aufmerksamkeit. John Wayne spielt den Kommandanten eines Armeebataillons, das die Grenze am Rio Grande bewacht. Eines Tages wird sein Sohn dorthin versetzt, nachdem er durch die Offiziersprüfung der Militärakademie gefallen ist. Der Junge setzt alles daran, seinem Vater zu beweisen, was für ein Kerl er ist. Und schließlich kommt die Mutter des Jungen angereist, Maureen O'Hara, als John Waynes Frau Kathleen, von der er getrennt lebt.

Jill beobachtete Stefan mit einem gewissen Amüsement. Er starrte gebannt auf den kleinen Fernseher, trank ab und zu selbstvergessen einen Schluck aus seinem Glas und verfolgte das Geschehen fasziniert, obwohl er den Film, wie er sagte, schon mehrmals gesehen hatte. »Ich wußte gar nicht, daß du ein Militär-Fan bist«, sagte sie schließlich in einem ruhigen Augenblick.

Er drehte sich um. »Das bin ich nicht«, sagte er. »Im Gegenteil, ich hasse das Militär wie die Pest. Ich glaube, das ist das einzige in meinem Leben, wo ich je wirklich konsequent gewesen bin.«

»Und trotzdem ist das dein Lieblingsfilm?«

»Einer meiner Lieblingsfilme«, verbesserte er. »Aber auf jeden Fall mein Lieblingswestern. Der ist sogar noch besser als *Die vier Söhne der Katy Elder*.« Und er wandte sich wieder dem Fernsehgerät zu.

Als dann Maureen O'Hara auf der Bildfläche erschien, der Chor der irischen Soldaten sich versammelte und der Frau des Kommandanten zu Ehren »I'll take you home again, Kathleen« anstimmte, bemerkte Jill mit kaum verhohlener Heiterkeit ein seltsames Funkeln in Stefans Augen. Waren das wahrhaftig Tränen der Rührung? fragte sie sich. Nein, nicht ganz, aber er schien aufrichtig bewegt von der kitschigen Szene zu sein, und in diesem Augenblick verspürte Jill tiefere Empfindungen ihm gegenüber, als sie sich vor wenigen Minuten noch eingestanden hatte. *Ja*, dachte sie halb erstaunt bei sich. *Ich habe mich wirklich verliebt.* Sie drehte sich zu ihm um und strich ihm mit der Hand über die Brust. Er schaute kurz auf sie herab, lächelte und verfolgte weiter den Film. Jill glitt mit der Hand tiefer, durch dichteres Haar, ließ die Hand langsam kreisen. Als das Musikstück zu Ende war, folgte glücklicherweise eine Werbepause, und erst da schien er zu bemerken, was sie tat.

Er rutschte im Bett nach unten, und sie folgte ihm und sah ihn schelmisch und herausfordernd an. »Na los, Cowboy«, sagte sie lächelnd zu ihm. »Take me home.«

»Again, Kathleen?« fragte er mit einem breiten Grinsen, worauf sie lachte, ihn mit einer Hand im Nacken packte und zu sich herzog.

## 8

Amy schloß die Haustür auf und tastete sich im Dunkeln die Treppe hinauf. Erst oben machte sie Licht, zuerst in ihrem Zimmer, dann im Bad. Sie zog das Kleid aus, die Unterwäsche, ihre Strümpfe, warf alles in den Wäschekorb und stellte sich unter die Dusche. Sie duschte lange und heiß, als wollte sie jede Erinnerung an Billys Berührung von ihrem Körper waschen, und erst, als die Haut ihrer Fingerkuppen weiß und runzlig geworden war, drehte sie den Wasserhahn zu und trocknete sich ab.

Sie löschte das Licht im Bad, ging in ihr Zimmer und blieb eine Zeitlang am Fenster stehen. Ohne es zu wollen, mußte sie immer wieder an den unangenehmen Zwischenfall in Billys Zimmer denken; aber obwohl das Ganze nur kurze Zeit zurück lag, war sie nicht mehr so richtig wütend. Wahrscheinlich hatte Billy ihr nichts Böses tun wollen, sondern sich einfach nur ungeschickt und tolpatschig angestellt, dachte sie, ewige Optimistin. Vielleicht hat er wenig Erfahrung mit Mädchen und wußte nicht, wie er sich verhalten sollte. Und in seiner Nervosität war er über das Ziel hinausgeschossen. Ihr Zorn war verflogen, aber daß er ihr den Abend verdorben hatte, konnte sie ihm nicht verzeihen. Noch nicht.

Als sie sich vom Fenster abwandte, seufzte sie tief. »Und trotzdem«, sagte sie fast trotzig zu sich, »bin ich sicher, Danny hätte mich nie so behandelt.«

Sie ging davon aus, daß sie in ihrer aufgewühlten Stimmung noch lange wach liegen und ihren Gedanken nachhängen würde, aber dann übermannte der Schlaf sie, kaum daß sie den Kopf auf das Kissen gelegt hatte, und zog sie wie ein dunkler Strudel hinab in seine schwarzen Tiefen.

Mit halsbrecherischer Geschwindigkeit stürzte sie im freien Fall durch dunkle Tunnel, aber sie fürchtete sich nicht, denn sie kannte das Ziel ihrer Reise. Ihre Vorfreude wuchs, und sie glaubte schon, sie würde enttäuscht werden, weil sie das rote, pulsierende Herz nicht sah, doch dann fiel sie unvermittelt aus der Schwärze ins Licht und landete sanft auf weichen Wolken. Sie kannte den Weg, kannte die Wolkenformationen, aber heute schien keine Sonne. Das Licht wirkte seltsam trüb und diffus, und Amy fröstelte ein wenig, als sie sich dem schmiedeeisernen Tor näherte.

*Danny ...* dachte sie. Sie konnte ihn nicht sofort sehen, doch er war tatsächlich da. Er stand wie beim letztenmal gleich hinter dem Tor, aber zunächst sprach er kein Wort. Amy rüttelte so fest sie konnte an dem Tor, aber es gab keinen Millimeter nach. »Danny«, flüsterte sie. »Wer bist du? Was willst du von mir? Sag es mir, bitte.«

Seine dunklen Augen waren matt und stumpf wie die Kegel erloschener Vulkane. Sie war nicht einmal sicher, ob er sie überhaupt sah, bis er sich unmißverständlich zu ihr beugte. »Hilf mir«, sagte er flüsternd. »Gefangen ...«

»Wo?« unterbrach sie ihn verzweifelt. »Wo bist du gefangen?«

»Danny«, wiederholte er unter großer Anstrengung. »Danny ... Eriksson. Kein Mörder.« Seine stumpfen Augen blickten traurig und hilflos. Er wandte sich von dem Tor ab, als würde eine unerbittliche Macht ihn ziehen, und entfernte sich Schritt für Schritt von ihr.

*Ich bin kein Mörder*, dachte sie und überlegte sich, daß sie diese Worte schon einmal gehört hatte, in einer fernen Wirklichkeit außerhalb des Traums. »Nein«, rief sie, »bitte ... bleib hier. Geh nicht weg. Bleib stehen.« Aber er blieb nicht stehen. Als er schon ein ganzes Stück entfernt war, drehte er sich wie unter immenser Kraftanstrengung noch einmal um. Amy konnte nicht verstehen, was er sagte, aber sie sah seinen Mund und konnte ihm die Worte von den Lippen ablesen.

»Hilf mir ...«

Sie umklammerte die Stäbe des Tors mit beiden Händen und preßte das Gesicht dagegen. Sie wollte ihm nachlaufen, aber es gab keine Möglichkeit, das Tor zu überwinden. Öffnen ließ es sich nicht, und um die Stäbe zu verbiegen, reichte ihre Kraft nicht aus. Sie sah ihm nach, bis er in der Ferne zwischen weißgrauen Wolken verschwunden war.

»Ja«, flüsterte sie leise. »Ja, ich werde dir helfen. Ich schwöre es. Ich werde dich finden.«

# Kapitel elf

## *Dr. Wentworths Projekt*

### 1

»Ein Kind?« sagte Straczinsky bedächtig, als müßte er Hellmanns Worte sorgfältig abwägen.

Hellmann drehte sich wieder zu der Glasscheibe um. Der Raum auf der anderen Seite war fast quadratisch, etwa sechs mal sechs Meter, Boden und Wände weiß gekachelt und vollkommen schmucklos. An der Wand direkt gegenüber stand ein Krankenhausbett auf Rollen, umgeben von allen Arten von Monitoren, oszillierenden Anzeigen und Meßgeräten. Rechts ein IV-Tropf. Klare Flüssigkeit floß aus der daran befestigten Flasche über eine transparente Leitung nach unten. Eine verstellbare Lampe ragte wie der Ausleger eines Krans über das Bett. Ihr Schatten fiel auf einen Junge mit braunen Haaren, dessen Haut im Neonlicht weiß, fast durchscheinend wirkte; so weiß, daß Hellmann sich einbildete, er könnte die Schatten der Pupillen unter den Lidern erkennen. Der Junge bewegte sich nicht, lediglich das sanfte Heben und Senken der Brust verriet, daß er am Leben war. Sein Gesicht war feingeschnitten und zart und wirkte, wie die ganze Gestalt, zerbrechlich und hilflos. Sein Körper war gespickt mit Elektroden, Kanülen und Kabeln.

»Nein, Dr. Hellmann«, hörte er Straczinskys Stimme hinter sich. »Das ist kein Kind. Glauben Sie mir, das ist der Teufel persönlich.«

Hellmann warf einen letzten unsicheren Blick auf die reglose Gestalt des Jungen, stieß sich mit einem Ruck vom Fenster ab und sah die beiden Männer an, die ihn gespannt und abwartend beobachteten. »Sie werden mir meine Skepsis verzeihen«, sagte er zu Straczinsky, ließ aber McCullogh nicht aus den Augen, »aber dieser … dieses Kind sieht nicht wie ein Mörder aus. Und wenn er, wie Sie sagten, kein Telepath ist, könnten Sie mir vielleicht freundlicherweise erklären, *was* er ist?« Seine Worte hörten sich selbst für ihn gespreizt und gekünstelt an, aber der Anblick des Jungen, mutterseelenallein in einem Raum, der mehr Ähnlichkeit mit einem Schlachthaus als mit einem Krankenzimmer aufwies, hatte ihn zutiefst erschüttert.

Straczinsky und McCullogh wechselten einen Blick. »Dr. Hellmann«, sagte Straczinsky, während er fieberhaft zu überlegen schien, »dieser Junge ist nicht nur ein Telepath, sondern tatsächlich viel mehr als das. Er kann – und wir werden Ihnen das später anhand von Dr. Wentworths Aufzeichnungen beweisen – seinen Geist ... seine Seele ... wie Sie wollen, völlig in eine andere Person hineinversetzen, sie sozusagen übernehmen. Wir wissen nicht, wie er es anstellt – Dr. Wentworth hätte das mit seinen Untersuchungen herausfinden sollen –, fest steht nur, daß er es kann. Mit tödlichen Folgen für die übernommene Person.« Straczinsky wartete einen Moment, aber Hellmann, dessen Gedanken auf Hochtouren arbeiteten, sagte nichts.

»Ich denke«, fuhr Straczinsky fort, »Sie sind mit Ihren Forschungen über elektrische Krampfpotentiale bei telepathischem Kontakt auf dem richtigen Weg. Sie wissen durch Jills Untersuchung der Leiche von Wentworth, daß seine gesamten Hirnzellen abgestorben sind ... als Folge eines Krampfes unvorstellbaren Ausmaßes.« Zum erstenmal mischte sich eine Spur von Emotionen in die sachliche und kalte Stimme. »Sie haben nicht gesehen, wie Wentworth gestorben ist, Dr. Hellmann, aber ich kann Ihnen versichern, es war schrecklich. Der Junge hatte einfach Besitz von ihm ergriffen, um in seinem Körper aus dem Institutsgelände zu fliehen. Glücklicherweise wurde das teuflische Spiel entdeckt ...«

»Und weshalb wurde er überhaupt hier festgehalten?« warf Hellmann ein. »Wenn er sich freiwillig ...«

»Seine Mitarbeit war keineswegs freiwillig, Dr. Hellmann.« Straczinsky senkte die Stimme zu einem heiseren Flüstern. »Und Dr. Wentworth war nicht sein erstes Opfer.« Straczinsky warf einen teilnahmsvollen Blick zu der Glasscheibe, hinter der die weißen Kacheln des Nebenzimmers glänzten. »Der

Junge ist mit fünfzehn zu Hause ausgerissen und hat sich auf eigene Faust durchgeschlagen.« Er machte eine abfällige Handbewegung. »Wahrscheinlich schlechtes Elternhaus, schlimme Jugend, Sie wissen schon, das Übliche. Ein Tunichtgut und Streuner. Sie können sich vorstellen, daß es ihm mit seinen Fähigkeiten keine Probleme bereitet hat, sich Geld zu beschaffen. Das FBI war ihm eine ganze Zeit auf den Fersen, weil Leute in verschiedenen Bundesstaaten Anzeige erstatteten. Alle sagten übereinstimmend, ein junger Mann hätte sie angesprochen, und sie hätten ihm wie unter Zwang ihr ganzes Geld gegeben. Alle klagten hinterher über schlimme Kopfschmerzen. Nach den Beschreibungen wurde ein Phantombild angefertigt, anhand dessen man ihn identifiziert hat, aber niemand konnte sich erklären, wie er seine Opfer ausraubte. Und schließlich haben sie ihn bei einem Banküberfall festgenommen. Er hatte den Kassierer dazu gebracht, ihm eine große Summe Bargeld zu übergeben, was einer Angestellten der Bank aufgefallen war. Die Polizei wurde alarmiert, das FBI war zur Stelle, und so wurde er geschnappt.«

»Und wer hat den Jungen verhaftet?« fragte Hellmann spöttisch. »Die Agenten Mulder und Scully?«

»Dr. Hellmann«, sagte McCullogh, der die ganze Zeit geschwiegen hatte, aufbrausend. »Die Situation ist kaum geeignet für alberne Witze ...«

Straczinsky hob beschwichtigend die Hand. »Bitte, meine Herren«, sagte er. »Weder Spott noch Wut bringen uns im Augenblick weiter.« Er wandte sich an Hellmann. »Ich kann verstehen, daß Sie skeptisch sind, aber glauben Sie mir, wir werden Ihre Bedenken zerstreuen. Bis dahin bitte ich Sie, einfach unvoreingenommen zuzuhören.« Er schwieg einen Moment, nickte zufrieden und fuhr fort. »Dr. Wentworth hatte von der Sache erfahren und war der erste, der das wissenschaftliche Potential des jungen Mannes erkannte. Und seinem Einfluß war es zu verdanken, daß die Sache nicht an die Öffentlichkeit gelangt ist. Sie werden nun auch den Grund für unsere Heimlichtuerei verstehen, aber die Situation ist in mehr als einer Hinsicht kompliziert. Der Staat Kalifornien hat im Interesse der Wissenschaft eingewilligt, einen Prozeß und eine mögliche Haftstrafe auszusetzen, sollte sich der Junge bereit erklären, seine außergewöhnliche Fähigkeit erforschen zu lassen. Das hat er getan.« Ein verbitterter Unterton stahl sich in seine Stimme. »Wentworth hat ihn trotz allem, was er getan hat, wie einen Sohn behandelt. Und Sie haben gesehen, wie er es ihm gedankt hat. Wenn bekannt wird, daß er auch Dr. Wentworth ermordet hat, hätten wir keine Möglichkeit mehr, seine Bestrafung auszusetzen. Aus diesem Grund haben wir uns bemüht, die Sache vorerst geheimzuhalten. Selbstverständlich ist das kein Dauerzustand, aber wir hegen die Hoffnung, daß es Ihnen vielleicht gelingen könnte, dem Geheimnis seiner seltsamen Begabung auf die Spur zu kommen. Dr. Wentworth hatte schon zu Beginn des Projekts auf Ihre Publikationen hingewiesen und Sie als möglichen Mitarbeiter genannt. An sich hätten Sie beide an dem Projekt arbeiten sollen. Nach Wentworths Tod ist uns keine andere Lösung eingefallen, als den Jungen in Tiefschlaf zu versetzen ...«

»Wann genau ist Wentworth gestorben?« fragte Hellmann.

»In der Nacht vom zwölften auf den dreizehnten Juni –«

Hellmann rechnete kurz nach. Die Angaben deckten sich mit Ellys Aussage über Wentworths letzten Tag im Institut. »Das heißt, Sie halten diesen Jungen seit mehr als zweieinhalb Monaten in einem künstlichen Koma?« fragte Hellmann mit großen, ungläubigen Augen. »Aber ... seine Muskeln werden verkümmern ... er liegt sich wund.«

»Wir haben eine Krankengymnastin, die regelmäßiges Training mit ihm macht«, sagte Straczinsky abwehrend. »Glauben Sie mir, der Junge ist medizinisch bestens versorgt.«

»Ich denke, Sie sollten sich mehr Gedanken um das Los der Opfer als um das des Täters machen«, sagte McCullogh mit einem spitzen Unterton zu Hellmann und warf ihm einen finsteren Blick zu.

Hellmann sah wortlos von einem zum anderen. Seine Knie waren weich; er hätte sich gern auf den Stuhl gesetzt, wollte aber den psychologischen Nachteil nicht in Kauf nehmen, zu seinen Gesprächspartnern aufschauen zu müssen. Er ging mit zwei großen Schritten zu dem Schreibtisch, schob den Stuhl beiseite und setzte sich auf die Tischkante.

Seine Kopfschmerzen waren schlimmer geworden. Er griff nach dem Stahlhelm, schob ihn auf dem Kopf hin und her und wollte ihn abziehen, als McCullogh ihn mit schneidender Stimme daran hinderte. »Nicht«, sagte er in einem bellenden, herrischen Tonfall, als wäre er es nicht gewohnt, Widerspruch zu erdulden.

Straczinsky erklärte die Maßnahme. »Wir haben festgestellt, daß er niemanden übernehmen kann, der einen Stahlhelm trägt. Das war überhaupt die einzige Möglichkeit, auf Dauer mit ihm zusammenzuarbeiten. Wenn Dr. Wentworth seinen getragen hätte, würde er vielleicht heute noch leben. Ich weiß, er ist unbequem, aber ...«

»Aber ist der Junge in der Bewußtlosigkeit nicht ungefährlich?« fragte Hellmann.

»An sich ja«, stimmte Straczinsky zu. Er schien seine Worte sorgfältig zu überlegen, ehe er fortfuhr. »Aber wir haben in den letzten Wochen mehrfach rätselhafte Hirnstromaktivitäten des ... der Testperson aufgezeichnet. Niemand weiß, was sie zu bedeuten haben. Zunächst hatten wir an einen neuerlichen Fluchtversuch gedacht und sämtliche Mitarbeiter des Instituts unauffällig und gründlich überwacht. Aber wir konnten nichts feststellen. Auch diese Unterlagen werden wir Ihnen übergeben. Möglicherweise finden Sie heraus, was es damit auf sich hat. Anfangs war eine unserer Vermutungen, daß er versuchen würde, sich mit einer Ihrer Testpersonen in Verbindung zu setzen, mit Kathy Myers oder den beiden anderen. Aber die Hirnstromaktivitäten fanden nie während Ihrer Versuche statt.« Er kehrte mit einer wegwerfenden Handbewegung zum ursprünglichen Thema zurück. »Ich kann Ihnen nur eines sagen ... unterschätzen Sie diesen Jungen nicht und lassen Sie sich nicht von seinem Äußeren täuschen. Falls er wirklich versucht, mit jemandem Kontakt aufzunehmen, dann ist diese Person, wer immer sie sein mag, in höchster Gefahr. In Lebensgefahr.«

## 2

Hellmann folgte den beiden Männern wie in Trance zum Fahrstuhl. Sie fuhren in den ersten Stock hinauf und begaben sich in Straczinskys Büro. Hellmann war die ganze Atmosphäre des Raums mit seinen Teakholzfurnieren und Messingbeschlägen von ganzem Herzen zuwider. Dennoch setzte er sich widerspruchslos auf einen der Ledersessel vor dem Schreibtisch.

Straczinsky nahm hinter dem Schreibtisch Platz, löste mit übertriebenen Bewegungen einen Schlüssel von seinem Schlüsselbund und öffnete ein metallverstärktes Fach an der rechten Seite. Hellmann konnte sehen, daß er einen dicken Ordner und eine Videokassette herausholte. Die Kassette gab er McCullogh, der die Türen eines Schranks gegenüber dem Schreibtisch aufklappte. Ein Fernsehgerät und ein Videorekorder kamen darin zum Vorschein. McCullogh wartete auf ein Zeichen Straczinskys.

Der Institutsleiter drückte Hellmann den Ordner in die Hand. Hellmann sah zusammengefaltetes Millimeterpapier mit EKG-Kurven, Ausdrucke, dazwischen handschriftliche und getippte Notizen. Die getippten Blätter wiesen schon auf den ersten Blick zahlreiche Fehler auf, und Hellmann ging davon aus, daß sie nicht von einer Sekretärin geschrieben worden waren.

»Das«, sagte Straczinsky zu ihm, »sind Dr. Wentworths Unterlagen über das Projekt«, sagte er. »Ich werde Sie Ihnen zum Studium überlassen und bin sicher, Sie werden später Gelegenheit haben, sich ausführlich damit zu beschäftigen. In der Zwischenzeit möchte ich, daß Sie sich diese Videokassette ansehen.« Er nickte McCullogh zu, der das Gerät einschaltete und die Kassette einlegte. Er nahm die Fernbedienung des Monitors und blieb abwartend stehen.

Hellmann sah von McCullogh zu Straczinsky zurück. »Es handelt sich um die Aufzeichnung des einzigen Versuchs, den Wentworth mit dem Jungen durchgeführt hat...«

»Aber doch nicht...« begann Hellmann bestürzt, worauf Straczinsky wieder sein knarziges, humorloses Lachen ertönen ließ. »Selbstverständlich ist es ein Tierversuch, mit einem Schimpansen. Ich denke, auch das wird von besonderem Interesse für Sie sein, da es sich um den einzigen belegten Fall einer Übernahme handelt, den wir aufzeichnen konnten. Sind Sie bereit?«

Hellmann nickte. McCullogh setzte sich nicht auf einen der Ledersessel, sondern auf die Fensterbank und ließ die Beine herunterbaumeln. Mit einer lässigen Bewegung, als würde er eine Waffe ziehen, hob er die Fernbedienung und schaltete den Monitor ein.

## 3

Der Schimpanse war alt, wie man unschwer erkennen konnte. Die Haare um seine Lippen herum waren weiß, seine Augen trübe und glanzlos. Er saß ergeben auf einem Stuhl vor einer weißgekachelten Wand (des Raumes, wo sich jetzt der Junge befand? fragte sich Hellmann) und ließ sich von einem Mann im weißen Labormantel (Wentworth?) geduldig Elektroden anlegen. Kabel führten von den Elektroden zu Meßgeräten auf einem Tisch, und auf der anderen Seite führten weitere Kabel zu dem Jungen, den Hellmann im Keller gesehen hatte. Der Junge, der auch in angenehmerem Licht erschreckend weiß und ätherisch wirkte, hatte die Augen geschlossen und schien sich zu konzentrieren. Der Mann im weißen Mantel, dessen Gesicht man nicht sehen konnte, machte eine ungeduldige Handbewegung, worauf die Kamera ruckartig und verwackelt auf den Monitor eines EEG zoomte. Offenbar handelte es sich um das des Jungen. Ein erneuter Schwenk zeigte das des Schimpansen. Hellmann verspürte ein Kribbeln im Magen. Die Versuchsanordnung erinnerte ihn fatal an seine eigenen Tests mit Kathy Myers.

Der Mann im weißen Mantel bückte sich und sagte etwas zu dem Jungen. Hellmann sah graues Haar unter einem grünen Stahlhelm hervorragen und erschauerte unwillkürlich. Obwohl er den Mann nur von hinten sehen konnte, war er überzeugt, daß es sich um Dr. Wentworth handelte. Der Junge reagierte nicht, worauf die Anweisung offenbar nachdrücklicher und mit einer ungeduldigen Handbewegung wiederholt wurde. Das Band hatte keine Tonspur.

Der weißhaarige Mann entfernte sich. Die Kamera zeigte das Gesicht des Jungen in einer Großaufnahme. Er schlug einen Moment die Augen auf, und Hellmann hatte den Eindruck, als würden die dunklen, fast schwarzen Pupillen ihm vom Bildschirm direkt ins Herz sehen. Der Junge konzentrierte sich, schloß die Augen, die Kamera schwenkte hastig auf den Monitor des EEG … und die Kurven wurden von einem Augenblick zum nächsten zu flachen Linien.

Hellmann konnte einen Aufschrei nicht unterdrücken, so sehr er die Lippen zusammenpreßte. Der nächste Kameraschwenk zeigte das Gesicht des Jungen, der steif und leblos auf seinem Stuhl saß. Er hatte die Augen wieder aufgeschlagen, aber so weit nach hinten gedreht, daß nur das Weiß der Augäpfel zu sehen war. Ein Speichelfaden troff aus dem leicht geöffneten Mund und lief am Kinn hinab, doch der Junge bemerkte es nicht. Er saß vollkommen reglos da, ein lebender Toter, und die Kamera wurde in einem Winkel von unten nach oben gehalten, daß man sein leeres Gesicht und die flachen, reglosen EEG-Kurven zusammen sehen konnte.

Sekunden später machte die Kamera erneut einen Schwenk, diesmal auf den Schimpansen, und als sie das EKG des Affen zeigte, stöhnte Hellmann auf. Es hatte sich eindeutig verändert. Der Schimpanse saß am Tisch wie zuvor. Abgesehen von seinem EEG schien sich nichts verändert zu haben, doch als Hellmann genauer hinsah, konnte er einen schwarzen Glanz in den alten Augen erkennen, der vorher nicht da gewesen war. Hellmann fröstelte trotz der Wärme in dem Büro und wunderte sich beiläufig, daß die allgegenwärtige Klimaanlage nicht eingeschaltet war. Sein verschwitztes Hemd blieb am Leder des Sessels kleben, als er sich nach vorn beugte und das Schauspiel ungläubig verfolgte.

Er sah, wie der Schimpanse langsam einen Bleistift nahm, der vor ihm auf der Tischplatte lag. Er hielt das Schreibinstrument linkisch mit Händen, die nicht dafür geschaffen schienen, und kritzelte mit eckigen, krakeligen Kinderbuchstaben etwas auf ein Blatt Papier. Als er fertig war, legte er den Stift langsam weg, hob das Papier mit den haarigen, langen Fingern auf und hielt es hoch, so daß die Kamera es erfassen konnte.

*Mein Name ist Daniel Eriksson* stand darauf zu lesen.

## 4

Hellmann sprang von seinem Sessel auf. »Das ... ist unglaublich«, stieß er hervor und sah Straczinsky an. Aber McCullogh wandte sich mit einem gehässigen Unterton in der Stimme an ihn.

»Setzen Sie sich hin«, sagte er. »Das Beste kommt noch.«

Hellmann ließ sich in den Sessel zurücksinken. Der Affe hatte das Blatt Papier weggelegt und sah starr in die Kamera. Ein erschütternder Ausdruck von Traurigkeit stand in seinen Augen, und Hellmann konnte sich gerade noch fragen, ob es die Traurigkeit des Tiers oder des Jungen war, als ...

Mit einem Schlag wurden die Augen des Schimpansen leer. Die Kamera schwenkte auf das EEG. Die Kurven schlugen wild und unkontrolliert aus, flachten ab, schlugen erneut aus. Langsam, wie in einer perfekten Inszenierung, glitt die Kamera über den Tisch, den Stuhl, und schließlich auf das Tier selbst. Der Schimpanse lag am Boden und schlug wild um sich. Arme und Beine zuckten konvulsivisch. Er schlug immer wieder mit den Kopf auf den Boden, und als er ein Stück beiseite rutschte, konnte Hellmann einen Blutfleck auf den Fliesen erkennen. Das Tier hatte den Mund weit aufgerissen, und als Hellmann versuchte, sich seine Schreie vorzustellen, war er dankbar, daß niemand eine Tonaufnahme gemacht hatte.

Er wollte sich abwenden, aber es gelang ihm nicht, und er verfolgte den Todeskampf des Affen lange Minuten, die ihm wie Stunden vorkamen, angewidert und fasziniert zugleich. Auch als er den bitteren Geschmack von Übelkeit in seiner Kehle spürte, konnte er sich nicht abwenden, bis das Tier schließlich reglos inmitten einer Blutlache auf dem Boden lag und nur noch vereinzelt und verhalten zuckte. Hellmann wartete auf einen Kameraschwenk zu dem Jungen, aber es wurde nur noch einmal sein EEG gezeigt, das genauso aussah wie zuvor.

Hellmann stand auf, holte ein Taschentuch aus der Tasche und wischte sich Stirn, Wangen und die Lippen damit ab. Er hatte einen schrecklichen Geschmack im Mund und meinte, sich jeden Moment übergeben zu müssen.

Ohne auf McCullogh Rücksicht zu nehmen, ging Hellmann zum Fenster. Der kräftige Mann sprang vom Sims herunter und machte ihm Platz. Hellmann drückte die heiße Stirn gegen die dicke Panzerglasscheibe und wünschte sich, die verfluchten Fenster hätten sich öffnen lassen.

Seine Übelkeit klang nur langsam ab, doch schließlich hatte er sich wieder soweit in der Gewalt, daß er sich umdrehen konnte. Die beiden Männer sahen ihn erwartungsvoll an, aber falls sie einen Kommentar von ihm erwarteten, mußte er sie enttäuschen. Er war außerstande, auch nur ein einziges Wort herauszubringen.

Auf dem Monitor schwenkte die Kamera ein letztesmal auf das verendete Tier, das mit unnatürlich gekrümmten Gliedmaßen und aufgerissenem Mund auf dem Boden lag, und Hellmann mußte sich wieder abwenden. Obwohl er sich große Mühe gab, konnte er sich nicht mehr beherrschen. Er spürte, wie ihm Tränen in die Augen traten und ließ sie ungehindert fließen. Er hatte die Todesqualen des Versuchstiers deutlich vor Augen, aber über das Affengesicht schob sich immer wieder die verzerrte, vom Tod entstellte Fratze von Dr. Wentworth, der im zweiten Kellergeschoß in seinem Kühlfach lag. Hellmann dachte an den Jungen, der seit zweieinhalb Monaten in seinem dunklen, lichtlosen Reich gefangen war, und Straczinskys Worte hallten wie Donner in seinem Kopf: *Falls er wirklich versucht, mit jemandem Kontakt aufzunehmen, dann ist diese Person, wer immer sie sein mag, in höchster Gefahr. In Lebensgefahr.*

# 5

Iain McCullogh schaltete das Videogerät aus und versuchte, die Kassette aus dem Rekorder zu nehmen. Sie hatte sich verkantet. Er zog ungeduldig daran. Das Blut pochte in seinen Schläfen. Straczinskys Blick konnte er förmlich im Rücken spüren, als er die Kassette mit ganzer Kraft packte. Wut auf das verdammte Ding erfüllte ihn. Seine Bewegungen wurden immer hektischer. »Verdammt!« brüllte er schließlich laut und rammte die Kassette mit der Handkante so fest in den Rekorder zurück, daß er fürchtete, sie wäre zerbrochen.

Beim zweiten Versuch ließ sie sich anstandslos aus dem Gerät entfernen. Er steckte sie in die Hülle zurück, ging zu Hellmanns Sessel und warf sie mit einer wütenden Bewegung auf den Stapel von Wentworths Unterlagen. Als er sich vergewissert hatte, daß der deutsche Wissenschaftler immer noch am Fenster lehnte, sah er kurz zu Straczinsky und nickte ihm zu.

»Sie sollten wirklich lernen, sich zu beherrschen, Mr. McCullogh«, sagte Straczinsky mit leisem Tadel. McCullogh ballte die Hände so fest zu Fäusten, daß sich die Nägel ins Fleisch der Handflächen gruben.

# Kapitel zwölf
## *Ein Helfer in der Not*

### 1

Sheriff Healy saß an seinem Schreibtisch und heftete bezahlte Strafzettel von Falschparkern ab, als Carol, seine Sekretärin, nach einem kurzen Anklopfen die Tür einen Spalt öffnete und hereinsah. Er schaute auf.

»Besuch für dich«, sagte sie, und er wollte sie fragen, um wen es sich handelte, aber die Frage erledigte sich, noch bevor er sie stellen konnte. Draußen ertönten ein ungeduldiges Kratzen, hechelnder Atem und das Rascheln von Kleidung. Carol bekam einen Schubs, daß ihr das nach hinten gekämmte Haar ins Gesicht fiel. Sie strich es mit einer Hand zurück, dann schien sie den Eingang zu seinem Büro nicht mehr verteidigen zu können.

Carol wich zur Seite, die Tür wurde mit Gewalt aufgestoßen. Healy hatte gerade noch Zeit, den Stuhl ein wenig vom Tisch wegzurollen und herumzudrehen, damit er den zu erwartenden Zusammenprall mit dem Körper abdämpfen konnte, und dann kam etwas Großes und Schwarzbraunes wie eine Kanonenkugel auf ihn zugeschossen. Der Hund sprang an ihm hoch, stellte die Vorderpfoten auf Healys kräftige Oberschenkel und leckte ihm ausgelassen das Gesicht wie einem lange verlorenen und endlich wiedergefundenen Freund.

Healy kniff die Augen zusammen und versuchte, das Gesicht abzuwenden, aber die heiße Zunge schien überall zu sein, wohin er das Gesicht auch drehte, und je mehr er versuchte, ihr auszuweichen, desto aufgeregter wurde der Hund und desto intensiver seine Bemühungen. Healy hörte Carol lachen, dann eine laute Stimme, die sagte: »Wolf, nicht, aus!« Der Hund ließ widerwillig von ihm ab und sprang zu Boden. Der Sheriff schlug vorsichtig die Augen auf und sah zu dem

Hund, der erwartungsvoll vor ihm saß, sich die Lefzen leckte und ihn nicht aus den Augen ließ.

Healy tätschelte Wolf den Kopf und wischte sich mit einem Ärmel das Gesicht ab. Als er glaubte, sich hinreichend abgetrocknet zu haben, sah er über den Kopf des hechelnden Hundes hinweg zur Tür. »Hallo, Amy«, sagte er lachend. »Komm rein.«

Amy nickte Carol freundlich zu, betrat das Büro und ließ sich auf den Sessel vor dem Schreibtisch fallen. »Hallo, Sheriff«, sagte sie. »Wolf scheint Sie wirklich heiß und innig zu lieben.« Sie sah den Hund an, der keinen Millimeter wich, sondern sich direkt zu Füßen des Sheriffs hinlegte, als er spürte, daß er nicht mehr Mittelpunkt des allgemeinen Interesses war. »Ich weiß gar nicht, was mit ihm los ist, bei anderen Leuten benimmt er sich selten so daneben.« Sie warf dem Hund einen strafenden Blick zu, der ignoriert wurde. »Ich war gerade in der Gegend und dachte, ich komme auf einen Sprung vorbei.« Hinter Amy zog Carol langsam die Tür zu, aber Healy bemerkte, daß sie sie einen winzigen Spalt offen ließ.

»Bist du mit deinem tollen neuen Auto unterwegs?« fragte er sie und lächelte still in sich hinein, als er den verwunderten Blick in ihren Augen sah, die langsam groß und rund wie Murmeln wurden.

»Das wissen Sie?«

»Jill hat es mir erzählt«, sagte er. »Ich habe sie kürzlich beim Einkaufen getroffen.« Er zwinkerte ihr zu, doch dann schlüpfte er unvermittelt in die Rolle des Sheriffs, setzte eine gespielt strenge Miene auf und sah sie durchdringend an. »Ich weiß sogar noch mehr.« Er griff nach dem Stapel der Strafmandate und blätterte sie durch. »Hier«, sagte er und hielt einen weißen Zettel hoch, auf dem eine kurze Notiz geschrieben stand. »Samstag, 1. August, 22:15.« Er sah auf den Kalender. »Das war vor etwas mehr als drei Wochen. Ein roter Jeep parkt im Halteverbot vor Angelo's Pizza. Direkt vor dem Fenster.« Sie sah ihn mit schuldbewußten Augen an. »Wenn ich nicht gewußt hätte, daß es dein erster Ausflug mit dem Auto ist, hättest du einen Strafzettel bekommen.« Er grinste. »Damit bist du offiziell informiert worden. Die Schonzeit ist vorbei.« Er knüllte den Zettel zusammen und warf ihn in den Papierkorb. »Mach dir keine Sorgen«, sagte er, »war nur Spaß. Großer Auftritt, richtig? Ich meine, mit dem neuen Wagen direkt vor dem Fenster zu parken. Ich wette, deine Freunde haben den Mund nicht mehr zugekriegt. Diese Show hätte ich mir an deiner Stelle auch nicht entgehen lassen.«

Sie lächelte, aber es war ein gequältes, müdes Lächeln, und ihm fiel auf, daß sie noch blasser als sonst war. Und jetzt, wo er sie zum erstenmal genauer ansah, seit sie das Büro betreten hatte, stellte er fest, daß sie erschöpft, übermüdet und unglücklich wirkte. Sie hatte dunkle Ringe unter den Augen, die Haut unmittelbar um die Lider herum wirkte geschwollen und leicht gerötet, und sie schien alles in allem kaum mehr als ein Schatten des fröhlichen Mädchens, das er kennengelernt hatte.

»Ist etwas nicht in Ordnung?« fragte er besorgt und beugte sich nach vorn. Er stützte sich auf die Schreibtischplatte und preßte die Hände zusammen. Er sah sie prüfend an und hatte den Eindruck, daß der Grund ihres Hierseins möglicherweise nicht nur ein Höflichkeits- oder Freundschaftsbesuch war, wie sie vorgab. »Warst du wirklich nur in der Nähe? Oder hat es vielleicht einen anderen Grund, daß du hergekommen bist?«

Sie sah auf ihren Schoß und knetete mit den Händen den Saum ihres T-Shirts. Als sie aufschaute, hatte sie einen verlorenen Ausdruck in den Augen, der ihn mit Bestürzung erfüllte. Sie schien innerlich mit sich zu ringen, zu überlegen, ob sie tatsächlich mit dem herausrücken sollte, was ihr auf dem Herzen lag, doch schließlich gab sie sich einen Ruck. »Sie werden mich für verrückt halten«, sagte Amy leise. »Oder auslachen.«

Healy gab einen Laut von sich, der irgendwo zwischen einem Kichern und einem Schnauben lag. »Ich denke, darauf sollten wir es ankommen lassen«, sagte er. Verschiedene joviale Antworten gingen ihm durch den Kopf, aber er wurde sofort wieder ernst, als er ihre Miene sah. »Ganz gleich, was du auf dem Herzen hast, ich verspreche dir, ich werde dich nicht für verrückt halten und bestimmt nicht lachen.«

»Gut«, sagte sie. »Aber ich muß Sie warnen. Es ist eine unglaubliche Geschichte. Wenn ich ehrlich bin, kann ich sie selbst kaum glauben, und ich bin nicht sicher, ob ich überhaupt mit jemandem darüber reden sollte.« Er wartete, während sie erneut nachdachte und ihm schließlich doch berichtete, was sie beschäftigte, und er hörte mit wachsender Fassungslosigkeit, wie sie ihm eine Geschichte von Einsamkeit und Alleinsein erzählte, von Träumen und Gesprächen mit einer imaginären Freundin, von Stimmen, die sie gehört hatte, und von der Überzeugung, die im Lauf der Zeit in ihr erwachsen war, daß es sich bei den nächtlichen Visionen um mehr als nur gewöhnliche Träume handeln mußte.

»Damals, als ich vor dem Institutsgebäude stand«, sagte sie, »dachte ich, ich hätte mir die Stimme nur eingebildet, weil ich übermüdet war und wegen der Hitze und so, aber inzwischen, nach den Träumen, bin ich nicht mehr so sicher. Ich muß zugeben, ich hatte diese Stimme schon fast wieder vergessen, aber als der Junge in meinem Traum sagte, daß er kein Mörder ist, da habe ich mich wieder erinnert. Den zweiten Traum hatte ich übrigens in derselben Nacht«, sagte sie mit einem zaghaften Lächeln und nickte zum Papierkorb, »als ich nach dem Fest und nach … als ich wieder zu Hause war.«

Healy hatte den Eindruck, als wollte sie noch etwas hinzufügen, aber sie verstummte und sagte nichts mehr. Er war während ihres Vortrags immer ernster geworden und hatte mit wachsendem Interesse zugehört. Er gab sich Mühe, sich in die Lage des Mädchens hineinzuversetzen und dachte, daß es sicher nicht leicht für sie war, in einem fremden Land, die meiste Zeit allein, ohne Freunde und Bekannte, aber er wußte nicht, was sie von ihm wollte. »Amy …« begann er. »Ich verstehe, daß dich deine Lage bedrückt, aber ich weiß nicht, wie ich dir helfen kann … ich bin kein Experte für seelische Probleme und …«

»Nein, Sie verstehen nicht«, sagte Amy. »Das versuche ich, Ihnen die ganze Zeit zu erklären. Es geht nicht um seelische Probleme. Darüber könnte ich mit meinem Vater reden, schließlich ist er eine Art Experte dafür.« Sie senkte den Kopf, zupfte wieder am Saum ihres T-Shirts. »Anfangs dachte ich auch, daß es nur das wäre, aber inzwischen ...« Sie sah ihn an, direkt in die Augen, und ihm schien, als müßte sie allen Mut zusammennehmen, um fortzufahren, »... inzwischen glaube ich, daß es diesen Jungen aus meinen Träumen wirklich gibt. Ich glaube, ich habe ihn mir nicht nur eingebildet, und ich wollte Sie fragen, ob Sie mir nicht helfen können, ihn zu finden.«

## 2

Einen Augenblick wußte Healy nicht, was er darauf antworten sollte. Amy machte ein verzagtes Gesicht und fuhr hastig fort. Sie schien seine Skepsis zu spüren, und er hatte den Eindruck, als wollte sie diese mit einem Wortschwall ertränken und fortspülen.

»Ich habe mir schon überlegt, ob es etwas mit Paps' Arbeit zu tun haben könnte. Sie wissen sicher, daß er im Institut mit Leuten arbeitet, die behaupten, daß sie Gedanken lesen können, um etwas über Telepathie und telepathische Fähigkeiten herauszufinden ...« Healy nickte. Insgeheim hielt er diese Art von Forschungen für eine Verschwendung von Steuergeldern, hütete sich aber, das zu Amy zu sagen. Und im Falle des Instituts, das, soweit er wußte, aus privaten wie öffentlichen Mitteln finanziert wurde, hätte es sowieso nur zur Hälfte gestimmt. »Der Junge hat gesagt, daß er Danny Eriksson heißt. Paps arbeitet mit einer Frau namens Kathy Myers und zwei Männern, deren Namen ich nicht mehr weiß, aber ein Danny Eriksson ist ganz bestimmt nicht dabei. Ich meine, das hätte mir doch sofort auffallen müssen, oder nicht?«

Sie sah ihn abwartend an, und Healy nickte, wußte aber nicht, was er darauf antworten sollte. Es wäre leicht gewesen, die Geschichte des Mädchens als eine Mischung aus Teenager-Wunschträumen und blühender Phantasie abzutun – in ihrer Situation wäre es nicht ungewöhnlich gewesen, daß sie sich einen Freund herbeiträumte, in den sie sich verliebte –, aber er hatte Amy als bodenständig und erstaunlich reif für ihr Alter kennengelernt. Und daher schien ihm diese Vermutung abwegig zu sein. Er hing seinen Gedanken nach und bekam erst nach einer Weile mit, daß sie wieder mit ihm redete.

»... und ich bin sicher, Paps würde nie bei etwas mitmachen, das unrecht ist ...«

»Unrecht?« fragte er verständnislos und bemühte sich, den Faden wiederzufinden. Offenbar hatte ihre Rede in der kurzen Pause seiner Unaufmerksamkeit eine neue Wendung genommen. »Wieso unrecht?«

»Paps hat einmal ein Buch über Traumsymbole geschrieben«, sagte sie, ohne auf seine Frage einzugehen, »und ich habe versucht, die Symbole in meinen Träumen zu deuten. Sehen Sie, das verschlossene Tor könnte bedeuten, daß Danny gefangen ist und nicht herauskann. Ich meine, schließlich wollte er im Traum zu mir und hat mich gebeten, ihm zu helfen. Er konnte das Tor nicht öffnen, aber ich auch nicht.« Sie sah Healy an, ob er ihr folgte, und er nickte. »Und der Traum mit der Ratte, die ihren Artgenossen befreit und mein Gesicht hat ... das ist doch deutlich genug, oder nicht?« Sie wartete seine Antwort nicht ab. »Unheimlich ist nur, daß er soviel über mich weiß, wenn er mir diesen Traum geschickt hat. Ich meine, das mit der Ratte bei unserer Ankunft auf dem Flughafen, das habe ich nie jemandem erzählt, auch Paps nicht, und von dem Wolkenland habe ich als Kind immer geträumt. Es war immer eine Art Zuflucht für mich. Darüber habe ich mit meinen Eltern gesprochen, aber wie soll ein vollkommen Fremder das wissen?« Sie erschauerte. »Ist doch echt unheimlich, oder nicht? Woher *weiß* er soviel über mich?«

»Vielleicht«, sagte Healy und versuchte, ihr so behutsam wie möglich beizubringen, was er dachte, »weil deine Träume doch aus deinem Inneren stammen. In Träumen sehen wir oft Dinge aus unserem Unterbewußtsein, die ...«

»Das glaube ich nicht. Ich hatte inzwischen wirklich Gelegenheit, lange und gründlich über alles nachzudenken, und ich glaube fest daran, daß es irgendwo hier in der Gegend einen Jungen gibt, der versucht, mit mir Kontakt aufzunehmen, damit ich ihm helfe. Er hat in Träumen zu mir gesprochen und versucht, eine Botschaft in Symbole zu kleiden, die ich verstehe. Ich glaube, er wird gegen seinen Willen festgehalten und kann nicht fliehen, wo immer er sein mag. Aber ich will nicht glauben, daß Paps etwas damit zu tun hat, weil er nie etwas machen würde, das unrecht ist.«

»Hast du denn schon mit deinem Vater darüber geredet?« fragte Healy.

Amy schüttelte heftig den Kopf. »Nein. Zuerst habe ich gedacht, ich würde den Verstand verlieren. Was hätte ich ihm sagen sollen, daß ich Stimmen höre und von Jungen träume, in die ich mich verliebe und mit Leuten rede, die gar nicht da sind? Mir ist selbst klar, wie lächerlich sich meine Geschichte anhört. Wenn es nicht so wäre, dann wäre ich schon viel früher zu Ihnen oder jemand anderem gegangen, um darüber zu reden. Ich ...« sie krümmte die Schultern und beugte den Kopf nach vorn, und plötzlich flossen die Tränen, die sie wochenlang zurückgehalten hatte. Große Tropfen quollen aus ihren aufgerissenen Augen und liefen in zwei Strömen an ihren Wangen hinab; die Ströme vereinigten sich an ihrem Kinn und tropften auf ihr T-Shirt. Healy betrachtete den wachsenden Fleck auf dem hellblauen Stoff einen Moment wie gebannt, dann stand er unsicher auf und ging um den Schreibtisch herum zu ihr. Wolf hob kurz den Kopf, rührte sich aber nicht.

»Amy ...« sagte Healy und hielt die Hände über ihren Kopf, zog sie aber wieder weg, ohne das Mädchen zu berühren. Er griff linkisch in die Tasche seiner Uniformhose, zog ein Taschentuch heraus, drehte es verstohlen in der Hand und vergewisserte sich mit einem raschen Blick, daß es sauber war, dann gab er es ihr.

»Danke«, sagte sich mit erstickter Stimme und schneuzte sich die Nase. »Bitte entschuldigen Sie. Sie halten mich bestimmt für eine dumme Pute, aber ...«

»Unsinn«, sagte er und bemühte sich um einen ebenso nachdrücklichen wie teilnahmsvollen Tonfall. Er sah, wie die Tür zu seinem Büro langsam aufging und Carol mit einem Tablett hereinkam. Sie stellte Healy einen Kaffee auf den Schreibtisch und gab Amy eine hohe weiße Keramiktasse, aus der Dampf wie feine Nebelschwaden aufstieg.

»Hier«, sagte sie zu dem Mädchen und sah Amy mitfühlend an. »Trink das. Es ist Tee. Ich habe mir gerade welchen gemacht und dachte mir, du würdest sicher auch gerne einen trinken.«

Amy nickte und lächelte der Sekretärin dankbar zu. Sie trank einen Schluck und wartete einen Moment, bis sie sich etwas beruhigt hatte. »Sie werden das nicht verstehen«, sagte sie schließlich. »Aber ich habe in der letzten Zeit den Eindruck, als würde mich ein unsichtbares Band mit diesem Jungen verbinden, das mit jedem Tag stärker wird. Je öfter ich an ihn gedacht habe, je mehr ich...« sie machte ein verlegenes Gesicht, »... je mehr ich mich in ihn verliebt habe, um so wirklicher wurde er für mich. Und er scheint alles über mich zu wissen. Ich weiß, daß es ihn gibt, ich *weiß* es.«

Carol hatte Healy einen vielsagenden, wissenden Blick zugeworfen und das Büro wieder verlassen, Healy kehrte zu seinem Schreibtisch zurück, ließ sich auf dem Stuhl nieder, der unter seinem Gewicht ächzte, lehnte sich zurück und stemmte einen Fuß an die Tischplatte.

»Amy«, sagte er nach längerem Schweigen, »du mußt verstehen, daß es mir ziemlich schwerfällt, das alles zu glauben. Du darfst mir nicht böse sein, aber ich habe schon Zweifel, ob die Arbeit deines Vaters wirklich einen Sinn hat. Versteh mich nicht falsch, das hat nichts mit meinen Gefühlen euch gegenüber zu tun, ich mag euch beide wirklich, aber... Hat er denn tatsächlich irgend etwas erreicht, seit er hier ist? Ich meine, Telepathie zu erforschen ist schön und gut, aber ich bin nicht einmal sicher, ob ich glauben soll, daß es so etwas überhaupt gibt...«

»Oh, glauben Sie mir, das gibt es. Paps hat sich schon zu Hause in Deutschland damit beschäftigt. Darum hat er diese Stelle ja überhaupt erst bekommen. Und er hat etwas erreicht. Er hat häufig mit mir über seine Arbeit geredet, und ich weiß, daß er mit dieser Kathy Myers sogar einen Durchbruch geschafft hat.«

»Das heißt, er kann wirklich beweisen, daß es Telepathie gibt? Er hat richtig stichhaltige Forschungsergebnisse? Du weißt schon, etwas das man messen und jederzeit wiederholen kann, das nichts mit albernen Lügenartikeln in Spinner-Magazinen zu tun hat?«

»Sicher«, sagte Amy. »Er hat sogar vor, seine Forschungsergebnisse zu veröffentlichen. Eben darum bin ich ja erst auf den Gedanken gekommen, es könnte ein Zusammenhang zwischen den Träumen und seinen Versuchen bestehen, aber wenn er mit einem Danny Eriksson arbeiten würde, wüßte ich es, weil er es mir gesagt hätte.« Sie trank einen Schluck aus der Tasse und sah ihn an. »Sie haben doch Ihre Polizeicomputer und alles«, sagte sie. »Können Sie nicht herausfinden, ob es in der Gegend einen Danny Eriksson gibt?«

»Amy«, sagte er ruhig und bedächtig, »es gibt wahrscheinlich eine Menge Danny Erikssons in diesem Land, aber bestimmte Gegebenheiten müssen schon erfüllt sein, damit ich ihn finden kann. Er müßte in einer Verbrecherkartei oder zumindest einmal in polizeiliche Ermittlungen verstrickt gewesen sein. Wenn er nicht irgendwann einmal aktenkundig geworden ist, ist er nicht im Fahndungscomputer, und dann kann ich ihn auch nicht finden.«

»Vielleicht ist er ja aktenkundig geworden. Vielleicht sitzt er in einer Todeszelle und ist unschuldig. Und darum beteuert er, daß er kein Mörder ist.«

Healy lachte kurz auf. »Glaub mir, wenn ein Danny Eriksson als Mörder hier in einer Todeszelle sitzen würde, dann wüßte ich es. Mordprozesse sorgen immer für Schlagzeilen, und zumindest über diejenigen in diesem Bundesstaat bin ich ziemlich gut informiert.«

»Dann vielleicht anderswo, in einem anderen Staat. Möglicherweise denken wir in eine vollkommen falsche Richtung ...«

»Amy, ich glaube, du hast dich so sehr da hineingesteigert, daß du nicht mehr klar denken kannst. Ich werde dir gern den Gefallen tun und nach deinem Traumjungen suchen, aber ich bezweifle, daß es etwas bringen wird.« Er seufzte und betrachtete sie mit einem Blick, in dem sich Verständnis und Mitgefühl, Sorge und eine gewisse väterliche Zuneigung die Waage hielten. »Ich glaube, du solltest wirklich mit deinem Vater darüber reden«, sagte er schließlich. »Frag ihn. Auf diese Weise kannst du wenigstens mit Sicherheit herausfinden, ob er einen Danny Eriksson kennt.«

Amy schüttelte den Kopf. »Sie glauben mir nicht«, sagte sie niedergeschlagen. Ihre Tränen waren versiegt, hatten aber silberne Spuren auf ihren Wangen hinterlassen, die die Mundwinkel säumten und, der Krümmung des Unterkiefers folgend, ihren Mund einrahmten, was ihrem jugendlichen Gesicht einen Ausdruck von Härte vermittelte. Der flehentlichen Blick, den sie ihm zuwarf, stand in krassem Gegensatz dazu; es war der Blick eines hilflosen kleinen Mädchens, das sein Lieblingsspielzeug verloren hat und untröstlich ist. »Werden Sie es nicht wenigstens einmal versuchen?« fragte sie, und das hoffnungsvolle Leuchten in ihren Augen rührte ihn zutiefst. »Ich weiß, es ist viel verlangt, aber tun Sie es mir zuliebe. Und ich verspreche Ihnen, wenn Sie nichts finden, werde ich sofort mit meinem Vater reden.« Sie versuchte zu lächeln, ein ebenso tapferer wie erfolgloser Versuch. »Oder zu einem Psychiater gehen. Aber bis dahin würde ich alles lieber noch für mich behalten.«

Sie stand auf und rief Wolf, der die ganze Zeit neben Healys Stuhl gelegen hatte. »Komm, Junge, wir gehen«, sagte sie. Der Schäferhund sprang auf, sah Healy überlegend an und kam zu ihr getrottet. Healy stemmte seinen massigen Körper ebenfalls aus dem Bürostuhl und stand ebenfalls auf.

»Also gut, Amy«, sagte er. »Ich werde mich darum kümmern. Für dich. Und ich verspreche dir, ich werde dich anrufen, sobald ich etwas weiß. Bis dahin solltest du versuchen, dich ein wenig zu beruhigen und dir nicht so viele Gedanken zu machen. Ich bin sicher, es gibt eine vernünftige und harmlose Erklärung für alles.«

## 3

Healy brachte Amy zur Tür, sah ihr nach und beobachtete, wie sie Wolf auf die Pritsche des Jeeps dirigierte, einstieg und wegfuhr. Er lächelte über die sorgfältige, gründliche Art, wie sie in den Rückspiegel sah, den Blinker setzte und den Kopf drehte, bevor sie sich in den spärlichen Verkehr auf der Main Street einfädelte – die Sorgfalt einer Anfängerin, deren Erinnerungen an die Fahrschule noch frisch waren. Sie fuhr um die Grünanlage herum, verschwand hinter Büschen und tauchte wenige Augenblicke später wieder auf. Als der rote Jeep nicht mehr zu sehen war, drehte Healy sich langsam um, schloß die Tür mit einem Fußtritt und sah Carol, die eine besorgte Miene zur Schau stellte, direkt ins Gesicht.

»Ich denke, du solltest ihren Vater anrufen«, sagte sie. »Je schneller, desto besser. Ich glaube, das Mädchen hat schwere seelische Probleme. Ist ja auch kein Wunder«, fügte sie einen Moment später zornig hinzu. »Den ganzen Tag allein da draußen in diesem abgelegenen Haus. Hätte das Institut ihnen kein Haus hier in der Stadt besorgen können?«

»Was weiß ich«, sagte er barsch und geistesabwesend. »Ich verstehe nur nicht, warum sie nicht schon längst zu ihrem Vater gegangen ist. Ich hatte immer den Eindruck, daß die beiden ein gutes Verhältnis haben und offen über alles sprechen können.«

»Manchmal ist es eben leichter, mit Fremden zu reden«, sagte Carol zu ihm und verzog das Gesicht. »Besonders in ihrer Situation.« Sie sah mit nachdenklichem Blick von ihrem Tisch auf. »Ich frage mich, was ihr Vater genau macht. Manchmal frage ich mich überhaupt, was die in ihrem Institut alles treiben. Leute, die Gedanken lesen können. Lächerlich.«

»Ja«, sagte er abwesend, »das frage ich mich manchmal auch. Vielleicht sollte ich Jill bei Gelegenheit etwas eingehender ins Gebet nehmen. Oder einfach mal hinfahren und mich umsehen.« Er stieß einen Stoßseufzer aus und sah auf die Uhr.

»Wirst du ihn anrufen?« fragte Carol.

Er sah sie an. »Wen?«

»Ihren Vater.«

»Nein«, sagte Healy, der nicht einmal eine Sekunde lang über die Antwort nachdenken mußte. »Sie ist zu mir gekommen und hat mir ihr Herz ausgeschüttet. Ich glaube, wir können uns beide keinen Begriff davon machen, wieviel Überwindung sie das gekostet haben muß. Ich glaube, wenn nicht der Punkt erreicht wäre, an dem sie allein nicht mehr mit der

Belastung fertig wird, hätte sie noch länger geschwiegen. Sie vertraut mir, Carol. Wenn ich jetzt ihren Vater anrufen würde, wäre das ein nicht wiedergutzumachender Vertrauensbruch, den sie mir nie verzeihen würde.«

Sie stemmte die Arme an die Hüften und sah streng zu ihm auf. »Aber du hast doch hoffentlich nicht vor, wirklich nach ihrem Traumjungen zu suchen, oder?«

Diesmal ließ er sich etwas mehr Zeit mit der Antwort. Er tat, als müßte er überlegen, obwohl er genau wußte, was er sagen würde. »Doch«, antwortete er nach kurzem Zögern und hob sofort die Hände, als Carol ruckartig von ihrem Stuhl hochfuhr. »Was kann es schaden?« fragte er sie in einem ungewohnt demütigen Tonfall, als müßte er seine Entscheidung rechtfertigen. »Du weißt, daß es meiner Schwägerin nicht gut geht und Martha diese Woche zu ihr gefahren ist. Ich verpasse zu Hause nichts, und ich kann ebensogut allein hier sitzen, wie zu Hause. Im schlimmsten Fall sitze ich ein paar Stunden hier ab, die ich auch sinnloser verplempern könnte.«

# Kapitel dreizehn
## *Kurzer Kriegsrat*

### 1

Jill schien es, daß sich Stefan im Lauf der Woche wieder ein wenig erholt hatte, als er jetzt in ihrem Büro vor ihr stand. Sie erinnerte sich gut an sein verstörtes Gesicht, als er vor vier Tagen mit einem dicken Aktenordner und einer Videokassette unter dem Arm zu ihr gekommen war, um sie stockend und mit wenigen Worten über Wentworths Projekt zu informieren, mit dem Straczinsky und McCullogh ihn vertraut gemacht hatten. Sie hatte Mühe gehabt, seiner konfusen und sprunghaften Schilderung zu folgen, aber die wesentlichen Sachverhalte aus seinen Worten herausdestillieren können. Seither hatte er das Gespräch mit ihr gemieden, weil er erst Wentworths Aufzeichnungen studieren und sich ein Bild machen wollte.

Er hatte ihr Büro langsam, fast zaghaft, betreten und blieb nun unschlüssig in der Mitte des Zimmers stehen, auf halbem Weg zwischen der Tür und ihrem Schreibtisch. Sie zeigte auf den Sessel, der seitlich von ihm vor dem Schreibtisch stand, aber er schüttelte den Kopf und legte lediglich den dicken Ordner – Wentworths Unterlagen – auf die Sitzfläche. Er stellte sich hinter den Sessel und stützte die Arme auf die Rückenlehne, sah zum Fenster, dann zur Wand und schließlich Jill ins Gesicht. »Ich habe inzwischen sämtliche Aufzeichnungen durchgesehen«, sagte er. »Es ist erstaunlich.« Er schüttelte den Kopf, als könnte er selbst nicht glauben, was er erfahren und mit eigenen Augen gesehen hatte.

»Ist es wirklich wahr?« fragte sie. »Kann dieser Junge tatsächlich, was sie behauptet haben?«

Er nickte. »Das kann er. Die Videoaufzeichnung des Tierversuchs läßt keinen Zweifel zu, und die Meßwerte und Auswertungen Wentworths sind stichhaltig.« Er verstummte und schien eine innere Diskussion mit sich selbst auszufechten, ehe er fortfuhr. »Ich muß gestehen, ich hatte bis zuletzt meine Bedenken, aber es besteht kein Zweifel, daß dieser Junge Wentworth wirklich umgebracht hat.«

»Und hast du herausgefunden, wie er es macht?« fragte Jill. Sie erinnerte sich deutlich an ihre Bestürzung, als er ihr das Foto des Jungen gezeigt hatte, das sich in Wentworths Unterlagen befand. Ihr kam es, wie ihm, unvorstellbar vor, daß ein so zerbrechliches Wesen ein kaltblütiger Mörder sein sollte.

»Nein«, sagte er, nickte aber paradoxerweise dabei. »Ich kann es nicht mit Sicherheit sagen. Ich habe versucht, Wentworths Erkenntnisse und meine eigenen zu einer Theorie zu verschmelzen, was nicht schwierig ist, da wir beide zu vergleichbaren Ergebnissen gekommen sind, aber trotzdem bleiben eine Menge Fragen offen. Der Tierversuch, den Wentworth mit dem Jungen durchgeführt hat, deutet jedenfalls darauf hin, daß eine Art Interferenz der Hirnströme stattfindet … irgendwie verändert er die Bioelektrik des fremden Gehirns so lange, bis sie genau seiner eigenen gleicht.« Er breitete die Arme zu einer Geste der Hilflosigkeit aus. »Anders kann ich es auch nicht sagen. Das sind jedenfalls die Erkenntnisse, die ich aus den EEGs gezogen habe. Wie die Videoaufzeichnung der Monitore zeigt« – er nickte zu dem dicken Ordner auf dem Sessel – »erlischt seine Hirnwellenaktivität binnen einer Sekunde vollkommen, und im nächsten Augenblick weist das EKG des Schimpansen seine Charakteristiken auf. Was dabei mit dem Tier geschieht, oder der anderen beteiligten Person, kann ich nicht sagen. Auf jeden Fall scheint es so zu sein: In dem Moment, wo der Junge sich zurückzieht, versucht der Organismus des Schimpansen offenbar, das ursprüngliche bioelektrische Hirnwellenmuster wieder herzustellen, was letztlich die Krämpfe auslöst.« Er schlug mit der Faust auf die Sessellehne. »Die Wahrheit ist aber, ich tappe immer noch zu neunzig Prozent im dunkeln.«

»Da befindest du dich mit anderen Hirnforschern in bester Gesellschaft«, sagte sie. Es war scherzhaft gemeint, um ihn ein wenig aufzumuntern, aber er sah sie nur ausdruckslos an und ging nicht darauf ein.

»Wenn ich nur mit dem Jungen reden könnte«, sagte er. »Wenn ich die Möglichkeit hätte, selbst einen Test mit ihm durchzuführen. Ich bin überzeugt, daß sich seine Fähigkeit erklären ließen. Mit etwas Zeit für Forschungen ...«

Jill sah ihn erschrocken an. »Du denkst doch hoffentlich nicht im Ernst daran ...«

»Nein«, sagte er beruhigend. »Nicht, solange ich nicht weiß, womit wir es eigentlich zu tun haben.« Er seufzte. »Straczinsky behauptet, daß man sich dem Jungen mit einem Stahlhelm oder einer Kopfbedeckung aus Metall gefahrlos nähern kann, aber wie soll ich sämtliche Mitarbeiter im Haus dazu bewegen, einen Helm zu tragen.« Er verstummte, als wäre ihm ein Gedanke gekommen. Sie sah, wie er konzentriert die Stirn runzelte, aber schließlich sagte er nur: »Ich denke, wir sollten größte Vorsicht walten lassen. Immerhin haben wir bereits einen Toten ...«

»Und ich möchte dich nicht eines Tages neben Wentworth in einem Kühlfach finden«, sagte sie. »Kalt und tot und mit einer völlig entstellten Fratze. Es wäre zu schade um dein hübsches Gesicht.«

Er lächelte kurz. »Trotzdem will mir die ganze Geschichte immer noch nicht richtig einleuchten. Soweit ich es abschätzen kann, dürfte der Junge sechzehn oder siebzehn sein, in Amys Alter. Höchstens achtzehn. Ich kann mir schwer vorstellen, daß er ein so skrupelloser Verbrecher sein soll, wie Straczinsky und McCullogh uns glauben machen wollen.«

»Wentworth hat er getötet«, gab Jill zu bedenken. »Du hast selbst gesagt, daß daran kein Zweifel bestehen kann.«

»Nein«, sagte er. »Daran besteht kein Zweifel. Es war ein gräßlicher Tod. Und nach dem Tierversuch muß der Junge auch genau gewußt haben, was er Wentworth antut.« Er ging zum Fenster und sah lange Zeit schweigend hinaus. »Weißt du«, fuhr er schließlich fort und drehte sich um, »mich würde interessieren, wie der Junge überhaupt dahintergekommen ist, daß er diese Fähigkeit besitzt.« Die Sonne schien auf seine linke Gesichtshälfte, die rechte lag im Halbschatten, was seiner Mimik ein seltsam schiefes, verzerrtes Aussehen verlieh. »Im Augenblick kann ich jedenfalls nur eines sagen. Wir haben eine Menge Vermutungen, eine Menge offene Fragen, aber wenig gesicherte Fakten. Daß der Junge Wentworths Mörder ist, daran zweifle ich nicht. Aber an allem anderen schon.«

## 2

»Glaubst du, Straczinsky hat dich belogen?« fragte Jill, aber er wandte sich wieder ab und sah zum Fenster hinaus. Der Parkplatz hatte sich bereits sichtlich geleert. Es war Freitagnachmittag, der größte Teil der Institutsmitarbeiter hatte längst Feierabend gemacht, aber Straczinskys Lincoln stand noch auf dem reservierten Platz.

*Sie müssen verstehen*, hörte er Straczinskys Stimme im Geiste, *daß es sich hier um ein Projekt von größter Diskretion und Geheimhaltung handelt. Seit Dr. Wentworth tot ist, weiß außer mir und Mr. McCullogh – und Ihnen und Jill – niemand hier etwas von der Existenz dieses Jungen, und wir möchten, daß es vorerst so bleibt. Ich habe Ihnen unsere prekäre Lage erklärt und denke, ich muß nicht viele Worte darüber verlieren. Wenn man uns den Jungen wegnehmen würde, wäre eine einmalige Chance für die Wissenschaft vertan. Das ist Ihnen doch klar, oder nicht?*

Hellmann nickte, wie er vor vier Tagen genickt hatte, und vergaß Jills Anwesenheit fast. Straczinsky hatte eine Schublade seines Schreibtischs geöffnet, Hellmann eine Magnetkarte ausgehändigt – der skeptische Blick McCulloghs war ihm nicht entgangen – und gesagt: *Das ist die Schlüsselkarte, die Ihnen Zutritt zur Station des Jungen verschafft. Sobald Sie sich mit Wentworths Arbeit vertraut gemacht haben, können Sie ihn untersuchen. Ich weiß im Moment selbst nicht, wie wir die Forschungen ohne Mithilfe des Jungen fortsetzen sollen, aber vielleicht findet sich eine Lösung. Ich möchte Sie auf jeden Fall bitten, ihm vorerst keine Besuche abzustatten, die nicht mit mir abgesprochen sind. Ich kann Sie nur noch einmal zu allergrößter Vorsicht ermahnen. Niemand möchte, daß wir weitere Opfer zu beklagen haben, am allerwenigsten ich.*

»Glaubst du es?« drängte Jill. Straczinskys ernstes Gesicht verblaßte vor Hellmanns innerem Auge. Er kehrte langsam in die Wirklichkeit zurück.

Er ging zu ihr, stützte sich mit einer Hand auf die Tischplatte und beugte sich zu ihr hinunter, als wollte er ihr einen Kuß geben. »Nicht hier«, sagte er flüsternd und sah sich in ihrem Büro um.

»Ich bitte dich«, sagte sie. »Es ist Freitag, kurz nach vier. Die meisten sind ohnehin schon gegangen. Sieh dich um, wir sind allein, wer sollte uns hören?«

Er zuckte die Achseln. »Kannst du mich morgen zu Hause besuchen?« fragte er. Obwohl ihm eine Menge Fragen durch den Kopf gingen, hatte er nicht vor, sich hier mit ihr darüber zu unterhalten. »Ich denke, dort sind wir ungestört und können in aller Ruhe über alles reden.«

Sie nickte seufzend und sah ihn an. »Morgen nachmittag«, sagte sie. »Ich werde versuchen, gegen vierzehn Uhr bei dir zu sein.« Er nahm seinen Ordner vom Sessel, klemmte ihn wieder unter den rechten Arm und nickte ihr einmal kurz zum Abschied zu. Jill erwiderte das Nicken. Dann ging er langsam zu seinem eigenen Büro zurück und sah sich dabei mehrmals verstohlen um. Er konnte nicht verhindern, daß er sich verfolgt fühlte.

# Kapitel vierzehn
## *Teile eines Puzzles*

### 1

Carol ging unschlüssig im Vorzimmer auf und ab und sah zum wiederholten Mal von der großen Uhr an der Wand zur Tür von Healys Büro. Inzwischen war es nach sechs, und er hatte, soweit sie das sagen konnte, sein Büro seit Amys Besuch heute vormittag nicht mehr verlassen. Carol selbst war nur einmal zwischen zwölf und eins eine Stunde weg gewesen, um Einkäufe für das Wochenende zu machen, bevor die Berufstätigen kamen, in die Geschäfte der Main Street einfielen und sich lange Schlangen an den Kassen bildeten. Sie hatte ihre Einkaufstaschen ins Vorzimmer getragen, auf dem Aktenschrank neben der Eingangstür abgestellt und sich wieder an ihre Arbeit gemacht. Um drei Uhr hatte sie ihn gefragt, ob er noch einen Kaffee wolle, aber Healy saß am Computer, hatte das Telefon neben sich stehen und nur geistesabwesend den Kopf geschüttelt.

Sie ging zu ihrem Schreibtisch zurück, setzte sich, deckte ihre alte Schreibmaschine, der sie nach wie vor den Vorzug vor einem Textcomputer gab, mit einer brüchigen grauen Plastikhaube ab, stand auf und klopfte an Healys Tür. Sie wartete einen Moment und klopfte erneut. Als keine Antwort kam, hielt sie den Kopf dicht an die Tür und preßte das Ohr leicht dagegen. Seine Stimme war undeutlich durch das Holz zu hören. Sie holte tief Luft, drehte den Knauf und machte kurz entschlossen die Tür auf.

Er saß an seinem Schreibtisch, hatte den Kopf schief gelegt, den Telefonhörer zwischen Hals und Schulter geklemmt und machte sich Notizen auf einem Blatt Papier. Sie wollte schon wieder hinausgehen und hatte die Tür ein Stück zugezogen, als er zu ihr hinsah und winkte. Sie blieb zögernd stehen, aber er zeigte ungeduldig auf einen der beiden Lederstühle vor seinem Schreibtisch, während er konzentriert zuhörte, was die Stimme am anderen Ende zu sagen hatte. Carol setzte sich in den Sessel und spähte verstohlen auf das Blatt. Es schien eine Adresse zu sein, aber sie hatte stets Mühe, seine krakelige Handschrift zu lesen (wie er übrigens auch; normalerweise fertigte er sofort Reinschriften an, wenn er sich am Telefon Notizen gemacht hatte, da er sein Geschreibsel später häufig selbst nicht mehr entziffern konnte). Erschwerend kam hinzu, daß die Schrift für sie auf dem Kopf stand. Sie erkannte ein »Dr« oder »Or«, und das nächste Wort begann mit seinem typischen großen M, das wie ein umgekehrtes U aussah, aber der Rest blieb unleserlich.

Sie wartete, bis er sich bedankt und verabschiedet hatte. »Weißt du eigentlich, wie spät es ist?« fragte sie mit einem vorwurfsvollen Unterton in der Stimme, kaum hatte er den Hörer auf die Gabel gelegt. »Es ist Freitagnachmittag, allmählich wäre es an der Zeit, Feierabend zu machen ...«

»Ich sagte doch, ich versäume zu Hause nichts«, antwortete er mürrisch, sah sie aber nicht an, sondern sortierte mit beiden Händen die Zettel und Blätter, die er vor sich auf dem Tisch liegen hatte.

»Andere Leute schon«, sagte sie scharf. Als er fertig war, schob er die Papiere zu einem mehr oder weniger ordentlichen Stapel zusammen und legte ihn unmittelbar vor sich. Er rollte mit dem Stuhl zur Seite, um den Drucker auszuschalten, und Carol streckte wieder den Hals und versuchte, einen Blick auf das oberste Blatt Papier zu werfen. Sie sah den Namen Eriksson in großen Druckbuchstaben ganz oben stehen. »Jetzt erzähl mir bloß nicht, du hast den ganzen Tag damit verbracht, nach diesem Hirngespinst zu suchen?«

»Doch, Carol«, sagte er unbekümmert und rollte den Stuhl wieder an seine ursprüngliche Position, »genau das habe ich getan. Und nichts anderes.«

Eine bissige Antwort lag ihr auf der Zunge, aber sie verkniff sich jeden Kommentar, als sie sein Gesicht ansah. Die Heiterkeit war daraus verschwunden, und da beschlich Carol zum erstenmal ein unbehagliches Gefühl. »Sag nicht, daß du tatsächlich etwas herausgefunden hast.«

»Carol«, sagte er, nahm das oberste Blatt von dem Stapel, hielt es schräg, so daß er selbst noch einmal einen Blick darauf werfen konnte, und schüttelte den Kopf, »du wirst es nicht für möglich halten.«

## 2

Obwohl er ihre Neugier geweckt hatte, konnte sie sich einen Blick auf die Uhr auf seinem Schreibtisch nicht verkneifen. Es entging ihm nicht, und er sagte: »Ich weiß, du möchtest nach Hause, darum will ich nicht viele Worte machen und gleich zur Sache kommen. Ja, ich habe tatsächlich etwas herausgefunden. Ich habe mich in den Computer des FBI eingeloggt und den Namen Eriksson eingegeben, und der Computer hat einen Eintrag gefunden. Am zweiundzwanzigsten Juni 1996, vor etwas mehr als zwei Jahren, starb ein gewisser Joseph Eriksson in Solromar, einem kleinen Ort an der Küste nördlich von Los Angeles. Er war ebenso wie sein fünfzehnjähriger Sohn Daniel bei der Polizei als vermißt gemeldet worden. Den Jungen fand man zwei Tage später, den Vater nach weiteren zwei Tagen, als seine Leiche ein paar Meilen entfernt an Land gespült wurde. Offenbar ist er beim Tauchen ertrunken. Der Fall wurde zu den Akten genommen.«

»Warum das denn?« fragte Carol. »Es wäre ein Fall für die örtliche Polizei oder den Sheriff gewesen. Was hat das FBI damit zu tun, wenn jemand ertrinkt? Oder war es doch kein Unfall?«

»Das ist das Merkwürdige. Daniel, der Sohn, wurde, wie gesagt, zwei Tage nach der Vermißtenmeldung von einem Suchtrupp nicht weit von Solromar entfernt entdeckt. Der Leiter des Suchtrupps, ein Deputy namens Richard Jefferson, gab zu Protokoll, daß der Junge vollkommen hysterisch war und immer wieder schluchzend beteuerte, daß er seinen Vater umgebracht hätte. Da von dem Vater noch jede Spur fehlte, wurde das FBI eingeschaltet. Die Familie lebte in Los Angeles, und der Junge wurde kurz nach seinem Auffinden in die psychiatrische Abteilung des dortigen Central Medical Center eingeliefert, weil er sich einfach nicht beruhigen wollte. Urlauber fanden den Leichnam des Vaters.«

»Und?« fragte Carol gespannt.

»Nichts und. Die gerichtsmedizinische Untersuchung ergab, daß der Mann ertrunken war. Er war mit Maske und Schnorchel ein Stück hinausgeschwommen, weil er sich Fischschwärme ansehen wollte, und ließ den Jungen am Ufer zurück.« Healy hielt ein anderes Blatt hoch. »Hier ist eine Kopie des gerichtsmedizinischen Befunds. Kam vor zwei Stunden per Fax. Wasser in der Lunge; Tod durch Ersticken, keinerlei Spuren äußerer Gewaltanwendung.«

Carol rutschte auf dem unbequemen Ledersessel herum und schlug die Beine übereinander. »Und wieso behauptete der Junge, daß er seinen Vater getötet hat?«

Healy zuckte die Achseln. Er lehnte sich zurück. Die Lehne seines Bürostuhls neigte sich quietschend nach hinten. »Das weiß niemand. Außer seinem Schuldbekenntnis hat der Junge kein Wort gesprochen, und da er unter einem schweren Schock stand und keine Besserung eintrat, wurde er wenig später in eine psychiatrische Spezialklinik eingewiesen. Und dort«, sagte Healy und sah sie mit einem so gequälten und düsteren Blick an, daß Carol erschauerte, »hat er anderthalb Jahre seines Lebens verbracht.«

»O mein Gott«, sagte Carol.

Healy nickte. »Nachdem der Gerichtsmediziner Tod durch Unfall bestätigt hatte, war der Fall für das FBI erledigt und wurde abgeschlossen. Ich habe in der Klinik angerufen, wo der Junge untergebracht war. Zum Glück war die Adresse bei seinen Akten gespeichert.«

»Du sagst, daß er anderthalb Jahre dort war.« Carol überschlug die Zeit rasch in Gedanken. »Demnach müßte er irgendwann dieses Jahr entlassen worden sein. War der Junge denn geheilt?« fragte Carol.

»Keine Ahnung. Die behandelnde Ärztin arbeitet noch dort, hat aber heute keinen Dienst. Soweit mir die Schwester, mit der ich gesprochen habe, sagen konnte, wurde der Junge offenbar mit Zustimmung der Mutter in eine andere Klinik verlegt. Seltsamerweise konnte mir die Schwester aber nicht sagen, in welche. Sie hat mir die Telefonnummer und Adresse der Ärztin gegeben, die den Jungen betreut hat, eine gewisse Dr. Mendoza, Jennifer Mendoza, aber die konnte ich bis jetzt auch zu Hause nicht erreichen.«

Er verstummte und sah sie an, als würde er einen Kommentar von ihr erwarten, aber sie wußte nicht, was sie sagen sollte. Nach längerem Überlegen meinte sie: »Na gut, du weißt jetzt, daß es einen Daniel oder Danny Eriksson gibt, der offenbar eine Menge Schlimmes durchgemacht hat, aber das heißt noch lange nicht, daß ein Zusammenhang zwischen Amys Träumen besteht und ...«

»Überleg doch mal«, sagte er. »Amy behauptet, der Junge in ihrem Traum habe gesagt, daß er kein Mörder sei. Unser Daniel Eriksson war in psychiatrischer Behandlung, weil er behauptet hat, daß er einer wäre. Und er hat es nicht nur behauptet, er war offenbar der festen Überzeugung, daß er seinen Vater getötet hat. Sein Zustand hat sich wohl in den anderthalb Jahren gebessert, aber von dieser Behauptung ist er nie abgerückt.« Er betrachtete sie mit einem durchdringenden Blick. »Kommt dir das nicht auch komisch vor? Und wenn du jetzt noch in Betracht zieht, daß Amys Vater Telepathie erforscht, wird die ganze Sache noch merkwürdiger, findest du nicht?«

Sie wollte etwas sagen, aber er ließ sie nicht zu Wort kommen. »Ganz sicher«, sagte er, »da besteht ein Zusammenhang. Die Namensgleichheit, die Mordgeschichte. Inzwischen glaube ich auch, daß Amys Träume mehr sind als Träume. Aber ich kann einfach keinen Zusammenhang herstellen. Wieso sollte ein Junge in einer Nervenklinik in L.A. ausgerechnet mit ihr Kontakt aufnehmen – vorausgesetzt, daß er es kann. Und glaub mir, ich habe nicht die geringste Ahnung, wie das vonstatten gehen sollte. Wenn mir das Mädchen nichts von den Forschungen ihres Vaters erzählt hätte, würde ich so eine Möglichkeit nicht einmal in Erwägung ziehen. Wir haben eine Menge Puzzleteile, aber sie fügen sich noch nicht zusammen.«

»Es kann doch sein, daß der Junge gar nicht mehr in L. A. ist. Wenn du davon ausgehst, daß er über die Fähigkeit verfügt, anderen Leuten seine Gedanken und Träume zu schicken, glaubst du nicht, daß er ein gefundenes Fressen für Hellmann sein müßte?«

»Sicher. Aber du hast ja gehört, daß er nie etwas Derartiges erwähnt hat.«

»Vielleicht hat er ihr den Jungen verschwiegen oder sie belogen.«

Healy dachte einen Moment über diese Möglichkeit nach, schüttelte aber den Kopf. »Nein, das glaube ich nicht. Es würde nicht zu ihm passen.« Er stieß einen langen Stoßseufzer aus. »Wenn wir den Jungen hätten ... ich bin sicher, das würde Licht in die Angelegenheit bringen. Möglicherweise kann mir seine Ärztin sagen, wohin er verlegt wurde.«

»Was ist mit der Mutter?« fragte Carol. »Wenn, dann müßte sie es doch wissen.«

Healy hielt ein anderes Blatt Papier hoch. »Auch da konnte mir die Schwester weiterhelfen. Sie hat wieder geheiratet und heißt jetzt Spenser. Annie Spenser. In den Unterlagen der Klinik war als letzte Adresse 24 Third Street in Paradise aufgeführt, ein kleiner Ort östlich von L. A. Ich hoffe, sie wohnt noch dort.«

»Du hast noch nicht mit ihr gesprochen?«

»Nein. Aber ich werde sie anrufen. Ich hoffe, sie kann mir helfen, diese mysteriöse Geschichte wenigstens teilweise zu erhellen.« Er schüttelte den Kopf. »Irgendwas stinkt hier«, sagte er schließlich mit einem nachdrücklichen Nicken, als wäre er felsenfest davon überzeugt. »Oder kommt dir die Sache nicht merkwürdig vor?«

Carol nickte nachdenklich. »Doch«, sagte sie. »Bis vor ein paar Minuten hätte ich alles noch als Hirngespinste eines einsamen Mädchens abgetan. Aber jetzt ...« Sie hob die Arme, ohne recht zu wissen, ob sie Hilflosigkeit oder Unsicherheit mit der Geste ausdrücken wollte. »Du hast recht, merkwürdig ist es schon. Und genau betrachtet, sind die Übereinstimmungen zu deutlich, um bloßer Zufall zu sein.«

»Fassen wir zusammen«, sagte er und hob die rechte Hand, um an den Fingern abzuzählen. Zeigefinger: »Wir haben ein Mädchen, das eine Stimme hört und von einem Jungen träumt, der Danny Eriksson heißt und ihr sagt, daß er kein Mörder ist.« Mittelfinger: »Wir haben einen Jungen namens Danny Eriksson, der in einer Nervenheilanstalt sitzt, weil er sich für den Mörder seines Vaters hält.« Ringfinger: »Wir haben den Vater des Mädchens, der Telepathie erforscht und mit telepathisch begabten Menschen arbeitet. Das sind drei Puzzleteile. Was fehlt, ist das Teil, das den Zusammenhang herstellt. Was verbindet die verschiedenen Informationen?«

»Wo ist der Junge?« fragte Carol. »Finde den Jungen, und du hast die Lösung.« Sie sah auf die Uhr, zur Tür. »So interessant das alles ist, ich muß nach Hause. Ruf seine Mutter an. Laß dir sagen, wo der Junge sich befindet, und frag ihn. Anders wirst du keine Klarheit bekommen, und ich kenne dich, ich weiß, du gibst erst Ruhe, wenn du die Sache aufgeklärt hast.«

»Verlaß dich drauf«, sagte er. »Jetzt bin ich richtig neugierig geworden.« Er stand seufzend auf und streckte sich. Carol bemerkte, daß er die flachen Hände an die Decke pressen konnte, ohne sich auf Zehenspitzen zu stellen. Seine Knochen knackten beängstigend, besonders die Wirbelsäule, und sie fürchtete, er könnte in der Mitte entzweibrechen, wenn er sich noch weiter nach hinten überstrecken würde.

»Ich werde seine Mutter gleich anrufen«, sagte er und sah zum Telefon auf dem Schreibtisch.

Carol stand ebenfalls auf. »Tu das«, sagte sie. Sie ging ins Vorzimmer, wo sie ihre beiden Einkaufstaschen vom Aktenschrank nahm. Während sie ihre Autoschlüssel aus der Handtasche kramte, fragte sie: »Läßt du mich wissen, wenn du etwas herausfindest?«

»Versprochen«, sagte er. »Sobald ich mehr weiß, bist du die erste, die es erfährt.«

»Die zweite«, verbesserte sie ihn. »Sobald du Klarheit hast, solltest du Amy anrufen und dem armen Ding versichern, daß sie nicht den Verstand verloren hat.« Mit je einer Einkaufstüte in der rechten und linken Hand – ihre Handtasche hatte sie unter den Arm geklemmt – stapfte sie zur Tür.

## 3

Healy hielt den Telefonhörer ans Ohr gepreßt und lauschte den Pfeiftönen des Läutens, die wie Nadelstiche in das leise Rauschen der Leitung stachen. Er zählte in Gedanken mit und wollte, als er bei zwölf angelangt war, schon auflegen, aber in dem Moment verriet ein leises Klicken, daß der Hörer abgenommen worden war. »Hallo?« sagte eine brüchige Frauenstimme.

Healy räusperte sich und preßte den Hörer noch fester an das Gesicht. »Könnte ich bitte Mrs. Spenser sprechen?« sagte er.

»Am Apparat. Was kann ich für Sie tun?«

Er hatte einige Zeit überlegt, was er sagen sollte, sich aber dagegen entschieden, der Frau eine abenteuerliche Geschichte aufzutischen. Das Beste schien ihm zu sein, sich einfach vorzustellen und nach dem Verbleib ihres Sohnes zu fragen. Sein weiteres Vorgehen konnte er jederzeit von ihren Reaktionen abhängig machen. »Mrs. Spenser, hier spricht Bob Healy. Ich bin der Sheriff von Desert Rock und …«

»O Gott«, sagte die Frauenstimme am anderen Ende, und Healy verstummte verblüfft. Das Schweigen zog sich in die Länge, untermalt vom Knistern und Rauschen in der Leitung, bis Healy nicht mehr sicher war, ob die Verbindung unterbrochen worden war oder die Frau aufgelegt hatte.

»Mrs. Spenser?« sagte er unsicher.

»Es geht um Danny, nicht wahr? Sie rufen wegen meinem Jungen an, richtig? Was ist mit ihm?« fragte die Frau, und Healy machte die Augen zu und spürte, wie ihm das Blut langsam aus dem Gesicht wich.

## 4

»Was ist mit dem Jungen?« wiederholte die Frau kurz darauf, aber Healy kam es vor, als wäre eine Ewigkeit verstrichen. Er schlug die Augen auf.

»Nichts«, sagte er. »Ich …« Und fragte sich, weshalb die Frau automatisch davon ausging, daß er nur wegen ihres Sohnes anrufen konnte. »Mrs. Spenser, wie kommen Sie darauf, daß es um Ihren Jungen geht?«

»Nun«, antwortete die brüchige Frauenstimme zögernd. »Der Junge ist doch bei Ihnen in Desert Rock. Ich meine, welchen Grund hätte der Sheriff des Ortes, mich anzurufen, wenn es nicht um Danny gehen würde?«

Bob Healy sah sich in seinem Büro um und versuchte, sich die Einzelheiten des Raumes einzuprägen, sich daran zu klammern wie ein Ertrinkender an einen Strohhalm, um nicht den Kontakt mit der Wirklichkeit zu verlieren. Er betrachtete die grauen Wände mit der abblätternden Farbe, die schon seit Jahren einen frischen Anstrich benötigten, den Ledersessel vor seinem Schreibtisch, die Holzbank an der Wand unter den Plakaten (»Besuchen Sie Kalifornien« stand auf einem, das einen malerischen Sonnenaufgang über dem Meer zeigte, einen weißen Sandstrand und hübsche, weißgestrichene Ferienhäuser im Vordergrund), die rissige Decke mit der runden Milchglaslampe, in der die mumifizierten Kadaver toter Fliegen lagen. Es schien ein endloser, erstarrter Augenblick zu sein, doch das konstante Vorrücken des Sekundenzeigers der Uhr auf seinem Schreibtisch verriet Healy, daß tatsächlich Zeit verging. Er hörte, daß Mrs. Spenser, verwitwete Eriksson, auf ihn einredete, verstand die Worte aber nicht. Schließlich gelang es ihm, seine Lähmung abzuschütteln und ihren Wortschwall zu unterbrechen.

»Mrs. Spenser«, sagte er langsam und übertrieben deutlich in das rauschende Schweigen der Leitung hinein, »Mrs. Spenser, hätten Sie wohl etwas dagegen, wenn wir uns treffen würden? Ich glaube, wir müssen dringend miteinander reden.«

# Kapitel fünfzehn
## *Was ist die Wahrheit?*

### 1

Stefan Hellmann sah immer wieder auf die Uhr, während er zwischen Küche und Wohnzimmer pendelte und den Tisch deckte. Der Geruch von Kaffee zog von der Küche durch das ganze Haus, und Wolf folgte ihm auf Schritt und Tritt und beobachtete jede seiner Bewegungen mit Argusaugen. In der Diele zögerte der Hund jedoch jedesmal, als könnte er sich nicht entscheiden, ob er bei Hellmann bleiben oder nach oben zu Amy gehen sollte, die sich in ihrem Zimmer verkrochen hatte. Letztendlich aber siegten seine Neugier und die Aussicht, daß etwas Eßbares für ihn abfallen könnte, und er blieb in Hellmanns Nähe.

Hellmann trug das Geschirr ins Wohnzimmer und stellte es auf den Couchtisch. Das Kaffeegeschirr war die erste Neuanschaffung seines neuen Lebens gewesen – schweres, dickes, leuchtend dunkelblau glasiertes Steingut, die Kanne so schwer, daß man sie fast mit zwei Händen halten mußte, wenn sie voll war. Ihm hatte es gefallen, bei Amy war er sich nicht so sicher gewesen. In dem Haushaltswarengeschäft in Desert Rock hatte sie seine Wahl kritisch begutachtet. »Es ist klobig und unhandlich und zu schwer, die Farbe viel zu kräftig«, hatte sie gesagt und dabei kritisch eine Tasse in der Hand gehalten. »Ich bin sicher, Mama fände es abscheulich … wir nehmen es.« Und sie hatten es genommen.

Er stellte drei Tassen auf den Tisch, eine an der langen, zwei an den beiden kurzen Seiten, wo die Sessel standen. An einer Seite lag der dicke Ordner von Wentworth, den Hellmann mit nach Hause genommen hatte, obwohl er sicher war, daß er damit gegen Straczinskys ausdrücklichen Wunsch nach Diskretion verstieß.

Hellmann war nicht sicher, ob Amy mit ihnen Kaffee trinken würde. Als er den Kuchen auf den Tisch gestellt hatte – keinen selbstgebackenen, sondern einen im Supermarkt gekauften –, rückte er die beiden Sessel zurecht, ging ein paar Schritte zurück, begutachtete den Gesamteindruck und kam sich dabei vor wie ein Kulissenschieber, der die Bühne für eine kommende Aufführung vorbereitet.

Er wurde sich bewußt, wie sehr er bemüht war, einen Eindruck von Normalität zu inszenieren, und plötzlich sah er alles, nicht nur das Geschirr, die Tischdecke, den Kuchen, auch die Sofakissen, die Teppiche und die Zeitschriften, die er achtlos auf einen Sessel geworfen hatte, in einem neuen Licht. Sie kamen ihm vor wie Requisiten aus einem unbeschwerten Leben, auf das inzwischen ein dunkler Schatten gefallen war.

Hellmann nahm die Zeitschriften, legte sie auf den Boden, ließ sich auf den Sessel fallen und hob eine der blauen Tassen hoch. Die Sonne schien grell und heiß wie immer vom Himmel, und doch kam sie ihm längst nicht mehr so strahlend vor wie am Tag seiner Ankunft. Er erinnerte sich gut an das Hochgefühl auf dem Flughafen, an seine Freude, trotz der Müdigkeit, als er das Institut vor zweieinhalb Monaten zum erstenmal gesehen hatte, an den Feuereifer, mit dem er sich auf seine Arbeit gestürzt hatte, um wissenschaftliches Neuland zu erforschen. Die Stelle im Institut hatte ein beruflicher wie privater Neuanfang werden sollen, und zunächst war sie es gewesen. Er hatte eine interessante Arbeit angenommen, Ergebnisse erzielt, die seine Erwartungen übertroffen hatten, und sogar privat hatte sich alles bestens entwickelt, war doch eine neue Frau, die er liebte und schätzte, in sein Leben getreten. Daß er sich, noch nicht einmal geschieden, so schnell neu verlieben würde, hätte er sich in seinen kühnsten Träumen nicht vorzustellen gewagt, und doch dachte er in letzter Zeit immer öfter an Jill und versuchte, sich ein gemeinsames Leben mit ihr vorzustellen. Besonders freute ihn, daß Amy sie offenbar ebenfalls zu mögen schien, was ihn nach den Spannungen und Kämpfen zwischen Mutter und Tochter sehr erleichterte.

Während er Rückschau hielt, staunte er, wie schnell sich all seine großen Hoffnungen in Luft aufgelöst hatten. An dem

Tag, als er Dr. Wentworths Leichnam gefunden hatte, war der erste Schatten auf die neue Idylle gefallen; von dieser Stunde an schien ein Fluch auf seinem Leben zu liegen, und er fragte sich, wie er so lange die Augen hatte verschließen können. Die Idylle, die er sich so lange vorgegaukelt hatte, erwies sich als trügerisch. Amy wurde von Tag zu Tag schweigsamer und verschlossener und verzehrte sich wahrscheinlich vor Heimweh. Wolf hatte sich an sein neues Dasein gewöhnt, litt aber unter der Hitze und ließ viel von seiner früheren Munterkeit vermissen, und das Institut selbst war zu einem Ort düsterer Geheimnisse geworden, wo Leute ihrer Arbeit nachgingen, ohne zu ahnen, daß wenige Meter unter der Oberfläche ihrer sonnigen Welt Leichen in Kühlkammern versteckt wurden und Kinder mit erstaunlichen geistigen Fähigkeiten wochenlang in künstlichem Tiefschlaf gehalten wurden, damit sie keine Gefahr für ihre Umgebung darstellten.

Das Wissen um Daniel Eriksson war das Schlimmste für Hellmann. Wenn er an den Jungen dachte, der seit wer weiß wie lange in der unterirdischen Anlage versteckt wurde, am Leben und doch zu einem schwarzen Dasein in der Bewußtlosigkeit verurteilt, überlief ihn jedesmal ein kalter Schauer. Er wollte nicht glauben, daß der Junge tatsächlich der kaltblütige Mörder sein sollte, für den er ausgegeben wurde, mußte sich aber die Frage stellen, ob er hier nicht dieselbe Form von Schönfärberei an den Tag legte, mit der er sein Leben in den vergangenen Wochen verklärt hatte. Immerhin hatte das Video gezeigt, wozu der Junge imstande war, und darüber hinaus bot der Ordner hier auf dem Tisch von Hellmanns Wohnzimmer den unumstößlichen und unbestreitbaren Beweis.

Hellmann sah von der leuchtend blauen Tasse in der Hand zu dem Ordner auf dem Tisch. Diese beiden Gegenstände verkörperten für ihn mit einem Mal die beiden Pole, zwischen denen sein Leben gefangen war… und so sehr er sich bemühte, es zu leugnen, das Gleichgewicht war gestört, der Minuspol, den Wentworths Ordner darstellte, übte eine immer stärkere Anziehungskraft aus. Hellmann betrachtete die Tasse und mußte sich beherrschen, sie nicht mit aller Gewalt an die Wand zu werfen.

# 2

Amy lag in ihrem Zimmer auf dem Bett und hielt das Buch von Dean Koontz in den Händen, Jills Mitbringsel aus San Francisco. Sie hatte gerade damit angefangen, nachdem sie den dritten Band der Abenteuer Raul Endymions zu Ende gelesen hatte (sie mußte unbedingt daran denken, sich den vierten und abschließenden Band der Serie zu besorgen), konnte sich aber nicht konzentrieren und mußte immer wieder zurückblättern, um nachzulesen, was ihr entgangen war. Ihre Gedanken kreisten ständig um Danny und ihr gestriges Gespräch mit dem Sheriff.

Sie konnte hören, wie ihr Vater sich unten in der Küche zu schaffen machte, und hörte Healy im Geiste sagen: *Ich glaube, du solltest wirklich mit deinem Vater darüber reden.* Inzwischen waren ihr Zweifel gekommen, ob es so eine gute Idee gewesen war, mit dem Sheriff zu sprechen und nicht gleich mit ihrem Vater. Aber so war es eben gelaufen, und sie beschloß, sich an die Vereinbarung mit Healy zu halten. Sobald er sich bei ihr meldete und etwas Definitives sagen konnte, würde sie mit ihrem Vater sprechen.

Sie hatte den ganzen Vormittag versucht, das Büro des Sheriffs anzurufen, aber niemanden erreicht. Er schien unterwegs zu sein, und es kam ihr merkwürdig vor, daß sein Büro einfach unbesetzt bleiben konnte, aber andererseits passierte in Desert Rock ohnehin nie ein Verbrechen. Kurz vor Mittag hatte sie seine Privatnummer im Telefonbuch nachgeschlagen und es dort versucht, aber auch da hatte niemand abgenommen. Möglicherweise war er einkaufen und anschließend etwas essen gegangen, dachte sie.

Vielleicht, überlegte sich Amy, sollte ich doch nicht auf seinen Anruf warten. Aber mit ihrem Vater zu sprechen würde Zeit erfordern, und Amy wußte, daß Jill jeden Moment kommen mußte. Sie überlegte sich, mit dem Gespräch bis nach Jills Besuch zu warten. Immerhin bestand die Möglichkeit, daß sich Healy in der Zwischenzeit doch noch meldete, aber Amy bezweifelte es. Wahrscheinlich hatte er wichtigere Dinge zu tun, als den Hirngespinsten eines Teenagers nachzugehen.

Amy beugte seufzend den Kopf über ihr Buch und las die Buchstaben und Worte, eins ums andere, in der richtigen Reihenfolge, aber so sehr sie sich auch konzentrierte, sie wollten sich nicht zu einem logischen Ganzen zusammenfügen.

## 3

Jill verspätete sich, was Hellmann um so mehr Zeit zum Grübeln ließ, und je länger er grübelte, desto düsterer wurde seine Stimmung. Er sah um zehn nach zwei auf die Uhr, Viertel nach zwei, zwanzig nach zwei, zweiundzwanzig nach zwei, und als sie um vierzehn Uhr dreißig immer noch nicht da war, war er schon versucht, zum Telefon zu greifen und bei ihr zu Hause anzurufen. Tatsächlich hielt er den Hörer bereits in der Hand, als er ihren Wagen draußen vorfahren hörte. Er legte hastig wieder auf.

Hellmann lief zur Tür, aber Wolf war wie immer schneller und begrüßte Jill mit lautem Bellen. Jill hatte eine Plastiktüte in der einen und ihre Handtasche in der anderen Hand. Sie gab Hellmann einen flüchtigen Kuß auf die Wange und entschuldigte sich für die Verspätung, während sie ins Wohnzimmer ging. Als sie den gedeckten Tisch sah, lächelte sie, und als sie den Kuchen erblickte, lachte sie kurz auf und zog einen aus der Plastiktüte, zellophanverpackt und mit einem grellbunten Etikett. Doch dann fiel ihr Blick auf den dicken Ordner, der eine Tischkante für sich beanspruchte. Ihre Miene verdüsterte sich.

Jill sah Hellmann fragend an. Er zuckte die Achseln, worauf sie ihre Handtasche auf den Sessel legte, die Plastiktüte sorgsam zusammenfaltete und einsteckte und den Kuchen zu dem anderen auf den Tisch stellte. Sie setzte sich, nahm den Ordner nach einem Augenblick des Zögerns in die Hände und schlug ihn auf. »Daniel Eriksson«, stand auf dem ersten Blatt, sonst nichts, keine persönlichen Daten, keine Adresse.

»Hattest du das Recht, die Unterlagen mitzunehmen?« fragte sie schließlich beiläufig, schlug den Ordner mit einer knappen Geste wieder zu und legte ihn mit spitzen Fingern auf den Tisch zurück, als wollte sie die graue, abgegriffene Pappe so wenig wie möglich berühren.

*Sie müssen verstehen, daß es sich hier um ein Projekt von größter Diskretion und Geheimhaltung handelt*, sagte Straczinskys Stimme in seinem Kopf. »Nein«, antwortete er lächelnd. »Das Recht hatte ich ganz sicher nicht.« Er machte eine wegwerfende Gebärde.

»Du hast doch mit niemandem darüber geredet, oder?«

»Nein, natürlich nicht. Kein Sterbenswort.« Er grinste verhalten. »Mit wem hätte ich auch darüber reden sollen, außer mit Amy? Und die sollte ich ganz sicher nicht mit der Sache belasten. Nein, sei unbesorgt, bis ich nicht eine gewisse Klarheit darüber habe, was es mit dem Jungen, seinen Fähigkeiten und der ganzen Heimlichtuerei auf sich hat, werde ich auch mit niemandem darüber reden. Im Augenblick ist der Junge immer noch das bestgehütete Geheimnis des Instituts«, sagte er und ging in die Küche, um den Kaffee zu holen.

Er schenkte Jill eine Tasse ein, stellte die Kanne auf den Tisch und ging nach oben. Vor Amys Zimmer blieb er stehen, klopfte kurz und machte die Tür auf. »Hallo«, sagte er zu Amy, die mit einem Buch in der Hand auf dem Bett lag. »Jill ist gekommen. Hast du nicht Lust, mit uns Kaffee zu trinken? Da Jill auch noch Kuchen mitgebracht hat, haben wir genug, um eine Kompanie Soldaten damit abzufüttern.«

Sie schüttelte den Kopf. »Vielleicht später«, sagte sie. Er sah sie noch einen Moment forschend an, dann wandte er sich mit einem unmerklichen Kopfnicken wieder ab und wollte die Tür gerade wieder schließen, als er sie sagen hörte: »Paps?«

»Ja?« sagte er, blieb stehen und streckte den Kopf zur Tür hinein.

»Wird es lange dauern? Dein Gespräch mit Jill, meine ich.«

»Keine Ahnung«, sagte er fragend. »Wieso, hast du etwas auf dem Herzen?«

Sie zögerte einen Moment und sah ihn an. »Wir sollten miteinander reden«, sagte sie schließlich. Ihr Gesicht war ernst. Ein gequälter Ausdruck lag in ihren Augen, und Hellmann bemerkte nicht zum erstenmal die dunklen Ringe darunter. Mit dem sorgenvollen Blick wirkte sie sehr erwachsen, und

Hellmann nahm staunend zur Kenntnis, wie reif das Mädchen in den vergangenen Wochen geworden zu sein schien. Er kam ins Zimmer zurück.

»Wenn es wichtig ist – ich bin sicher, es macht Jill nichts aus, einen Moment zu warten«, sagte er, aber Amy schüttelte den Kopf.

»Nein, nein«, sagte sie. »Ich fürchte, es wird länger dauern. Und so dringend ist es nicht, daß es nicht warten könnte.« Ihre Augen schienen etwas anderes zu sagen. »Sag ihr einen Gruß von mir. Ich werde später mal runterkommen. Im Moment habe ich sowieso keine Lust auf Kuchen.«

»Sicher?« Sie nickte. »Gut, mach ich. Bis dann.« Er zog die Tür langsam ins Schloß und ging nachdenklich nach unten.

Jill schien ihre anfänglichen Bedenken überwunden zu haben. Sie saß auf dem Sessel und hatte Wentworths Ordner aufgeschlagen auf dem Schoß liegen, als Hellmann das Wohnzimmer wieder betrat, sah aber auf, als sie ihn hörte.

Er setzte sich auf den anderen Sessel und ließ den Blick über die unbenutzte Tasse und das Sofa schweifen, das den Raum plötzlich durch Amys Nicht-Anwesenheit zu beherrschen schien. Er fragte sich, was genau sie mit ihm besprechen wollte. Als Jill den Ordner zuschlug, zuckte er zusammen und sah sie an.

»Nun«, sagte sie und lenkte seine Gedanken in eine andere Richtung, »worüber möchtest du mit mir reden? Und warum war es gestern im Institut nicht möglich?«

Er seufzte und konzentrierte sich. »Die zweite Frage ist einfach zu beantworten«, sagte er. »Ich wollte im Institut nicht mit dir reden, weil ich den Eindruck gewonnen habe, daß die Wände dort überall Ohren haben.« Als er ihren fragenden Blick sah, fügte er hinzu: »Ist dir nicht aufgefallen, daß Straczinsky und McCullogh irgendwie über jeden unserer Schritte informiert waren? Sie haben genau gewußt, daß ich Wentworth gefunden hatte, sie haben gewußt, daß du ihn untersucht hast… manchmal frage ich mich, ob nicht alles von Anfang an geplant war. Ich zermartere mir schon die ganze Zeit den Kopf, woher diese Mitarbeiterliste mit Wentworths Namen kam. Ich habe den Schreibtisch beim Einräumen gründlich durchgesehen und bin sicher, daß die Liste nicht da gewesen ist.«

»Aber warum hätten sie dich auf die Spur bringen sollen? Immerhin haben sie sich größte Mühe gegeben, Wentworths Verschwinden zu verbergen.«

»Vor allen anderen, ja. Aber wenn sie ihn wirklich verschwinden lassen wollten, hätte es tausend unauffällige und sichere Methoden gegeben.« Er schüttelte den Kopf. »Nein, ich mußte ihn untersuchen – und muß es wahrscheinlich wieder tun, wenn ich hinter das Geheimnis der Fähigkeiten dieses Jungen kommen will. Sie konnten ihn nicht verschwinden lassen. Aber sie konnten auch nicht wissen, wie ich reagieren würde, wenn sie mich einfach zu seinem Leichnam gebracht und gesagt hätten: ›Hier ist Ihr Vorgänger, seine Testperson hat ihn umgebracht, und jetzt dürfen Sie Ihr Glück versuchen.‹« Er lachte trocken und humorlos. »Nein. Sie haben mich auf die Spur gebracht, mir sämtliche Hinweise gegeben und einfach nur abgewartet, bis ich zwei und zwei zusammengezählt habe.«

»Das scheint mir doch ziemlich ...«

»Paranoid?«

»... weit hergeholt zu sein. Sie ...«

»Sie haben abgewartet, ob meine Ergebnisse in die gewünschte Richtung gehen würden. Und als sie gesehen haben, daß es so war, haben sie mir den größten und leckersten Köder präsentiert, den sie haben, weil sie wußten, ich würde ihm nicht widerstehen können.«

»Sie haben dich eingeweiht, weil sie keine andere Möglichkeit mehr hatten. Wenn sie länger geschwiegen hätten, wären sie das Risiko eingegangen, daß du zur Polizei gehst.«

»Ich weiß nicht, mir paßt das alles zu glatt zusammen. Aber das ist auch das einzige an der Geschichte, das paßt.« Er trank einen Schluck Kaffee, drehte die Tasse in den Händen und sah hinein, als würde er die Antworten auf seine Fragen auf dem Grund suchen.

»Was meinst du damit?«

»Ich zerbreche mir schon die ganze Woche den Kopf über den Jungen und was Straczinsky mir erzählt hat. Die ganze

Sache ist so faul, daß sie zum Himmel stinkt.« Er machte eine Pause, dachte kurz nach und fuhr fort: »Gestern habe ich bei unserem Gespräch etwas gesagt, das mir seither nicht mehr aus dem Kopf gegangen ist. Und wenn ich nicht so fasziniert von dem Jungen und seinen Fähigkeiten gewesen wäre, hätte ich es schon früher bemerkt.«

»Und was war das?«

»Erinnerst du dich, du hast befürchtet, ich wollte den Jungen aufwecken? Ich habe gesagt, laut Straczinsky sei es mit einem Stahlhelm oder etwas Ähnlichem ungefährlich, und hinzugefügt: ›Ich kann kaum von sämtlichen Mitarbeitern im Haus verlangen, daß sie einen Helm tragen.‹«

»Ja, ich erinnere mich. Aber ich verstehe immer noch nicht, was ...«

»Wentworth hat schon vor meiner Ankunft mit dem Jungen Versuche angestellt. Habt ihr Helme getragen?«

»Natürlich nicht ...« sagte sie, und plötzlich schien sie zu begreifen. »Aber ja«, fuhr sie fort. »Mein Gott, du hast recht. Wentworths Projekt muß schon eine ganze Zeit vorher angelaufen sein, und wenn der Junge wirklich eine Gefahr für uns alle gewesen wäre, hätten sie uns informieren müssen.«

Er nickte. »Wenn der Junge der skrupellose Mörder wäre, als den Straczinsky ihn hinstellt, und unbedingt fliehen wollte, hätte er es jederzeit tun können. Wer hätte ihn hindern sollen? Er hätte einen beliebigen Mitarbeiter des Instituts übernehmen und ungehindert hinausspazieren können, und kein Mensch hätte ihn daran gehindert. Aber im Grunde genommen fängt das Problem schon viel früher an.« Er betrachtete ihr erwartungsvolles Gesicht und lehnte sich im Sessel zurück.

»Sieh dir diese Unterlagen an«, sagte er und zeigte auf den Ordner. »Außer dem Namen des Jungen findest du keinerlei Angaben. Keine Adresse, keine medizinische Vorgeschichte, gar nichts. Es ist fast, als hätte der Junge früher überhaupt nicht existiert. Kommt dir das nicht auch komisch vor? Man sollte meinen, daß eine derart außergewöhnliche Fähigkeit dokumentiert ist. Es sei denn, niemand außer dem Jungen selbst hat davon gewußt.«

»Ich frage mich«, sagte Jill, »wie er darauf gekommen ist, daß er sie besitzt. Ich meine, irgendwann muß er es doch bemerkt haben. Eigentlich ist es ein Wunder, daß nicht sämtliche Leute in seiner Umgebung gestorben sind ... stell dir vor, ein Kind mit derartigen Fähigkeiten, ohne eine Ahnung, was es damit anrichten kann ...«

»Möglicherweise ist die Fähigkeit erst in oder nach der Pubertät voll ausgebildet worden«, sagte Hellmann. »Das wäre denkbar; bei Kathy Myers ist es ähnlich gewesen. Aber du hast recht, irgendwann muß er darauf gekommen sein.« Er zuckte die Achseln. »Wie auch immer, Straczinsky hat zu mir gesagt, daß der Junge ein überführter Mörder ist, den das FBI bei einem Banküberfall festgenommen hat. Und das ist unmöglich, es ist vollkommener Unsinn.«

Er wartete auf einen Einwand, aber es kam keiner. »Ich will dir auch erklären, warum«, sagte er, als würde er die Frage beantworten, die sie nicht gestellt hatte. »Ich habe das Video gesehen. Der Körper des Jungen verfällt in eine Art Totenstarre, wenn er sich in einen anderen Menschen versetzt. Ich war unter Schock, als sie mir das Band gezeigt haben, darum ist mir der Gedanke nicht gleich gekommen. Und abgesehen davon, kannst du mir erklären, wie man diesen Jungen festnehmen will? Er wäre buchstäblich nicht zu fassen. Er hätte seinen Geist ... seine Seele, sein Bewußtsein, was auch immer ... in jeden beliebigen Passanten oder sogar Polizisten versetzen und einfach davonspazieren können.« Er schüttelte wieder nachdrücklich den Kopf. »Nein, ich bin ziemlich sicher, daß der Junge freiwillig mit Wentworth zusammengearbeitet hat – bis zu einem gewissen Punkt.« Hellmann stemmte sich mit beiden Armen aus dem Sessel und ging im Zimmer auf und ab. Jill folgte ihm mit Blicken, wandte sich aber schließlich wieder ab und schien ihren eigenen Gedanken nachzuhängen.

»Wenn nur nicht so viele Fragen offen wären«, sagte er, als er wieder vor ihr stand. »Wir haben so gut wie nichts Konkretes; eine Handvoll Fakten und jede Menge Spekulationen.«

»Dann laß uns mit den Fakten anfangen«, sagte Jill. »Machen wir einfach einmal eine Bestandsaufnahme von allem, was wir haben. Vielleicht bringt uns das weiter.«

Er schnaubte, setzte sich aber wieder und hob eine Hand. »Na gut«, sagte er. Er zeigte auf den Ordner. »Wentworth hat mit diesem Jungen namens Daniel Eriksson gearbeitet. Er hat einen Tierversuch durchgeführt, der beweist, daß Daniel sein Bewußtsein vollständig in eine andere Person übertragen kann. Das ist eine Tatsache. Er modifiziert die bioelektrischen Ströme des fremden Gehirns und paßt sie seinen an. Das ist eine Vermutung. Was dabei mit dem Bewußtsein der anderen Person passiert, ist unbekannt. Fest steht nur, der Vorgang ist für die beteiligte Person tödlich; sobald sich der Junge wieder in seinen eigenen Körper zurückzieht, bricht die Bioelektrik des fremden Gehirns zusammen, es kommt zu Krämpfen, die starke Ähnlichkeit mit epileptischen Anfällen aufweisen. Das ist eine Tatsache.«

Jill nickte.

»Wentworth ist tot, und die Art seines Todes spricht zweifelsfrei dafür, daß Daniel ihn genau auf diese Weise getötet hat. Tatsache. Ob es ein Fluchtversuch war, oder nicht, alles spricht dafür, daß er Wentworths Gehirn übernommen und sich irgendwann wieder in seinen eigenen Körper zurückgezogen hat. Da Wentworth nach dem Tierversuch genau wußte, was ihn erwarten würde, müssen wir davon ausgehen, daß es gegen seinen Willen geschehen ist« – er lachte bitter –, »was den Tatbestand des Mordes, zumindest aber der vorsätzlichen Tötung erfüllt. Auch das ist eine Tatsache.«

Jill nickte wieder.

»Die Tat wurde entdeckt, der Junge daraufhin in ein künstliches Koma gelegt, in dem er sich bis heute befindet, um ihn an weiteren Fluchtversuchen zu hindern.« Hellmann überlegte. »Stahlhelme oder Kopfbedeckungen aus Metall verhindern eine Übernahme. Das wissen wir aus zweiter Hand, aber ich sehe keinen Grund, daran zu zweifeln. Wahrscheinlich schirmt das Metall die Hirnströme so weit ab, daß der Junge sie nicht... orten kann, was weiß ich.«

»Klingt logisch«, sagte Jill. »Noch mehr?«

»Daniel Eriksson hat freiwillig mit Wentworth zusammengearbeitet. Das ist eine Vermutung, aber wir können mit hundertprozentiger Sicherheit davon ausgehen, daß sie zutrifft, weil keine Macht der Welt imstande wäre, diesen Jungen gegen seinen Willen festzuhalten ... jedenfalls solange er bei Bewußtsein ist.«

»Ja«, sagte Jill und nickte zustimmend. »Nach allem, was du sagst, müssen wir wohl davon ausgehen. Weiter.«

Hellmann horchte einen Moment in sich hinein. *Es wird höchste Zeit, daß wir Ihnen die Wahrheit sagen*, hörte er Straczinsky sagen. Er lachte rauh. »Man hat mich von Anfang an belogen.« Sie machte den Mund auf, aber er winkte ab. »Ich weiß, das ist eine Spekulation. Aber Tatsache ist, daß Wentworths Tod zunächst vor mir verschwiegen und vor allen anderen Mitarbeitern, die ihn kannten, vertuscht wurde.« Hellmann stützte den Kopf auf die Hände und dachte kurz nach. »Was uns zu den Verantwortlichen bringt«, sagte er. »Straczinsky und McCullogh. Bei Straczinsky bin ich mir nicht sicher, aber unser Mr. McCullogh ist mit an Sicherheit grenzender Wahrscheinlichkeit nicht der, für den er sich ausgibt. Er ist ganz bestimmt kein Wissenschaftler, ich denke, auch das können wir als Tatsache festhalten.«

»Was macht dich so sicher?« fragte Jill

Hellmann lachte. »Glaub mir, ich habe ihn auf die Probe gestellt. Straczinsky hat ihn mir als ›wissenschaftlichen Koordinator‹ vorgestellt, aber er hat keinen blassen Schimmer von der Materie.« Er sah ihr in die Augen. »Hast du eine Ahnung, seit wann genau er eigentlich hier arbeitet?«

»Mit Sicherheit kann ich es nicht sagen, aber sehr lange ist es nicht. Soweit ich mich erinnere, ist er etwa zur selben Zeit aufgetaucht wie Wentworth. Aber am Anfang hat er sich nur sporadisch sehen lassen. Anfangs war niemand ganz sicher, ob er überhaupt für das Institut arbeitet.«

Hellmann nickte. »Er bleibt eine der großen Unbekannten in der Gleichung.« Er trank seine Tasse leer, schenkte sich eine neue ein und hielt die Kanne hoch. Jill schüttelte den Kopf. »Aber er soll im Augenblick nicht unsere Sorge sein. Die große Frage in diesem Durcheinander von Lügen ist, was ist die Wahrheit? Ich bin sicher, daß der Junge kein skrupelloser Mörder ist, aber beweisen kann ich es nicht. Immerhin hat er Wentworth auf dem Gewissen.«

»Und einen Affen«, sagte Jill.

»Und einen Affen«, stimmte Hellmann zu.

»Und das sind nur die, von denen wir mit Sicherheit wissen.«

Er nickte.

»Es wäre doch möglich«, sagte Jill, »daß er zunächst freiwillig mitgearbeitet hat, um seine Haut zu retten. Wahrscheinlich gab es strenge Vorsichtsmaßnahmen. Er könnte gewartet haben, bis sich eine Chance bot, Wentworth zu überlisten und einen Fluchtversuch zu unternehmen.«

»So streng können die Vorsichtsmaßnahmen nicht gewesen sein, das haben wir gerade festgestellt. Und es würde bedeuten, der Hypothese zuzustimmen, daß er ein Verbrecher ist«, sagte Hellmann. »Und genau das bezweifle ich.« Er sah Jill hilfesuchend an. »Du hättest ihn sehen sollen, Jill. Er ist ein kleiner Junge, mehr nicht, zierlich und zerbrechlich, nicht einmal ein Schläger, sondern mehr der Typ, der sich vor den großen Jungs auf dem Schulhof fürchtet. Und schon gar kein gewissenloser Killer, der einem Film von Quentin Tarantino oder Oliver Stone entsprungen sein könnte.«

Darüber mußte sie lachen, wurde aber gleich wieder ernst. »Das sagt dir dein Gefühl«, gab sie zu bedenken. »Aber sicher bist du nicht.«

»Nein, sicher bin ich nicht.« Er seufzte. »Jill, wir drehen uns im Kreis. Wir werden keine Gewißheit haben, wenn wir den Jungen nicht selbst fragen. Und das können wir nicht, ohne eine Menge Leute in akute Gefahr zu bringen. Er hat zwar die Mitarbeiter des Instituts geschont, solange er mit Wentworth gearbeitet hat, aber irgend etwas muß geschehen sein, und wir haben keine Garantie, daß er nicht doch die erste Gelegenheit zur Flucht nützen wird.«

Hellmann senkte den Kopf und dachte angestrengt nach. Als das Telefon läutete, schrak er so heftig zusammen, daß er um ein Haar die Tasse vom Tisch gestoßen hätte. Er schaute auf und sah, daß Jill ebenfalls zusammengezuckt war. Das Läuten pflanzte sich vom Apparat in der Diele zu den Nebenstellen im Wohnzimmer und oben in Amys Zimmer fort wie verhallende Echos. Hellmann stand auf und nahm den Hörer nach dem dritten Läuten ab. Er horchte einen Moment. »Sheriff Healy«, sagte er dann verblüfft und lächelte. »Was für eine Überraschung. Kann ich etwas für Sie tun?«

## 4

Jill betrachtete Hellmann, der den Telefonhörer in der rechten Hand hielt und den kleinen Finger dabei abspreizte, eine seltsam affektierte Haltung, die komisch gewesen wäre, wenn das schrille Läuten sie nicht so erschreckt hätte. Bis zu diesem Augenblick war ihr nicht aufgefallen, wie still es in dem Haus war. Selbst der Hund hatte sich irgendwo hin verzogen, wahrscheinlich in die Küche, seinem Lieblingsplatz. »Sheriff Healy«, hörte sie ihn sagen und fragte sich verblüfft, was der Sheriff wohl von ihm wollte.

»Amy?« fuhr Hellmann einen Augenblick später fort. »Doch, die ist da, sie ist oben in ihrem Zimmer. Gestern abend? Nein, gestern abend waren wir unterwegs, eine Kleinigkeit essen... Ja, ziemlich spät.« Er verstummte und lauschte, dann nickte er nachdrücklich und Jill kicherte. »Ja«, sagte er dann, als wäre ihm gerade klargeworden, daß Bob das Nicken nicht sehen konnte. »Einen kleinen Moment bitte, ich verbinde Sie. Bleiben Sie dran.«

Hellmann hielt den Hörer von sich, drückte eine Taste und wartete. Jill konnte das Läuten ein Stockwerk höher hören, einmal, zweimal, dann verstummte es.

»Amy?« sagte Hellmann im selben Moment. »Ein Anruf für dich. Sheriff Healy.« Pause. »Nein, das hat er mir nicht gesagt. Ja, ich lege auf.«

Hellmann legte den Hörer auf die Gabel und kam zum Tisch zurück. Er wirkte zerstreut und fahrig, als hätte er nach dem Anruf den Faden verloren. »Ich muß gestehen, ich weiß einfach nicht mehr weiter«, sagte er zu ihr, als er sich wieder gesetzt hatte. »Ich fürchte, bis auf weiteres werden wir wohl oder übel mit den Informationen arbeiten müssen, die Straczinsky uns gibt. Auch wenn es mir zugegebenermaßen überhaupt nicht gefällt. Ich frage mich nur, wie sich meine Arbeit zukünftig gestalten soll. Wahrscheinlich werde ich noch ein paar Tage brauchen, bis ich Wentworths Aufzeichnungen gründlich studiert und ausgewertet habe, und dann? Irgendwann muß ich mit dem Jungen arbeiten.«

Jill hörte nur mit halbem Ohr zu. Sie machte sich ebenfalls Gedanken über Daniel Eriksson, Wentworths Projekt. Was Stefan sagte, traf alles zu. Sie hatten eine Menge Halbwahrheiten und Lügen, wenig konkrete Fakten und eine Situation, wie sie verfahrener nicht sein konnte. Sie hätte den Jungen zu gern selbst einmal angesehen, und sei es nur, um eine gewisse morbide Neugier zu befriedigen, aber bislang hatte Stefan sie weder mit in den Kellerraum genommen, noch ihr das ominöse Video gezeigt. Er hatte immerhin gewisse Aspekte selbst verifizieren können, während sie sich fast ausschließlich auf das verlassen mußte, was er ihr sagte. Und obwohl sie keineswegs an seiner Ehrlichkeit zweifelte, war es noch schwerer, mit Wissen aus dritter Hand zu einem Urteil zu kommen.

Sie beobachtete Stefan, wie er sich eine weitere Tasse Kaffee einschenkte – kein Wunder, daß er so zappelig ist, dachte sie bei sich –, worauf er auf ihre Tasse zeigte.

»Nein, danke«, sagte sie. »Aber wenn du nichts dagegen hast, würde ich mir gerne ein Glas Milch aus der Küche holen.«

»Selbstverständlich«, sagte er grinsend. »Fühl dich ganz wie zu Hause.«

Sie stand auf und ging hinaus in die Diele. Als sie gerade in die Küche wollte, hörte sie, wie Amy oben ihre Zimmertür öffnete und langsam die Treppe herunterkam. »Hallo, Amy«, rief sie nach oben, aber Amy antwortete nicht. Jill zuckte die Achseln, ging zum Hängeschrank, holte ein Glas heraus, nahm die Milch aus dem Kühlschrank und schenkte sich ein. Auf dem Weg von der Küche in die Diele sah sie Amy an der Wohnzimmertür stehen. Jill näherte sich ihr langsam mit dem Glas in der Hand. »Paps«, sagte Amy, »bitte entschuldige, daß ich euch störe, aber jetzt müssen wir doch unbedingt miteinander reden.« Jill ging langsam weiter, und als sie, von Amy unbemerkt, direkt hinter ihr stand, holte das Mädchen tief Luft und sagte: »Kennst du einen Danny Eriksson?«

# Kapitel sechzehn
## *Ein Verhör*

### 1

Bob Healy parkte den Wagen am Straßenrand und blieb eine Zeitlang erschöpft sitzen. Er war seit mehr als drei Stunden unterwegs – mit einer Pause in Palmdale, wo er zu Mittag gegessen hatte – und spürte jeden Knochen im Leib. Er war von Desert Rock die unbefestigte Sandstraße entlanggefahren, die in den State Highway 14 mündete, der bis Mojave eine unebene, mit Schlaglöchern übersäte Zumutung war; kurz nach Mojave war die Straße besser ausgebaut und bequem zu fahren. Der Highway führte in südwestlicher Richtung über Rosamond nach Palmdale. Obwohl er es kaum erwarten konnte, nach Paradise zu kommen, hielt er sich streng an die Geschwindigkeitsbegrenzungen. Da er sich erst für vierzehn Uhr mit Annie Spenser verabredet hatte, hätte es ohnehin nichts genützt, blindwütig zu rasen.

Er hatte Palmdale gegen Mittag erreicht und am ersten Imbißrestaurant der Durchgangsstraße gehalten, das er fand, zwei Hamburger mit einer Extraportion Pommes und eine große Cola bestellt und sich an einen der Fensterplätze gesetzt, obwohl er Mühe hatte, sich in die enge Nische zu zwängen. Er hatte das Treiben auf der Straße beobachtet, während er bedächtig gegessen und über sein Telefongespräch mit Annie Spenser, verwitwete Eriksson, nachgedacht hatte.

Auf seine Bitte, sich mit ihr zu treffen, war sie nur sehr zögernd eingegangen. »Wohnen Sie noch in 24 Third Street?« hatte er sie gefragt, worauf sie nach einer Schrecksekunde geantwortet hatte: »Ja, aber es wäre mir lieber, wenn wir uns nicht da treffen würden. Es gibt ein kleines Restaurant an der Main Street. Sie können es nicht verfehlen, es liegt direkt an der Ecke Second und Main und heißt Tiffany's.« Er hatte nicht lange überlegt, sondern ihren Wunsch respektiert.

Nach dem Essen hatte er sich von der blonden, zu aufdringlich geschminkten Kellnerin, die in ihrem kurzen rosa Kleid mit der weißen Spitzenschürze fast wie eine Barbiepuppe kurz vor dem Rentenalter aussah, ein Stück Kuchen und Kaffee bringen lassen und bezahlt. Den Kaffee hatte er noch im Restaurant getrunken, den Kuchen aber mit zum Wagen genommen, wo er ihn auf den Beifahrersitz auf eine Papierserviette gelegt und immer wieder ein Stück abgebissen hatte, während er auf dem State Highway 138 Richtung Südosten gefahren war, durch Littlerock und Pearlblossom bis Llano, wo er auf eine schmale Sandstraße abbog. PARADISE 6 MEILEN, verkündete ein staubiges Hinweisschild am Straßenrand.

Als er nun aus dem Wagen ausstieg und sich Kuchenkrümel von der Uniform klopfte, dachte er an die Strecke, die er zurückgelegt hatte, dachte an Pearlblossom und Paradise und fragte sich, welche seltsame Form von Galgenhumor die Stadtväter veranlaßt haben mochte, ihren Ortschaften – von Städten zu sprechen wäre übertrieben gewesen, und im Falle von Paradise schien selbst »Ortschaft« eine allzu schmeichelnde Bezeichnung zu sein – derart wohlklingende Namen zu geben.

*Sie können es nicht verfehlen*, hatte Annie Spenser über Tiffany's gesagt, und als Healy sich umsah, dachte er, daß man in Paradise schwerlich überhaupt etwas verfehlen konnte, denn der ganze Ort bestand lediglich aus der Durchgangsstraße, der Main Street, sowie drei Nebenstraßen, First, Second und Third. First, Middle und Last hätten es auch getan, dachte Healy amüsiert, als er die Autotür abschloß.

Er sah auf die Uhr. Es war wenige Minuten vor zwei; noch genügend Zeit, und er beschloß sich ein wenig umzusehen. Wie der Name des Ortes selbst war auch Tiffany's wenig mehr als eine hochtrabende Bezeichnung für einen Imbiß, der im Erdgeschoß eines zweistöckigen Eckhauses untergebracht war, dessen Verputz an manchen Stellen so sehr bröckelte, daß man die nackte Backsteinwand darunter erkennen konnte. Grüne Flechten verunzierten die Kanten des Balkons über dem Eingang des Restaurants, dessen Geländer aussah, als würde der erste stärkere Wind es mit sich reißen, und das Holz der schmalen Veranda vor dem Haus war ausgebleicht und fleckig von Aufwischwasser, das im Lauf der Jahre heruntergetropft war. Healy schaute die Straße entlang und sah überall dieselben halbverfallenen Fassaden. Auf der gegenüberliegenden Seite döste ein struppiger Straßenköter auf der Veranda eines Hauses, über dessen Tür ein Schild mit der Aufschrift »General Store« hing. Soweit Healy erkennen konnte, schien dies das einzige Geschäft weit und breit zu sein. Während er sich mit den Ellbogen auf das Autodach stützte, mit beiden Händen kurz durch sein Haar strich und sich bückte, um sein Äußeres im Seitenspiegel zu überprüfen, fragte er sich, was jemanden dazu bringen konnte, freiwillig von Los Angeles hierherzuziehen.

Sein Hemd war nach der langen Fahrt in sengender Hitze vollkommen durchgeschwitzt; er konnte die Feuchtigkeit am Rücken spüren. Nun denn, daran ließ sich schwerlich etwas ändern, und schließlich war er nicht gekommen, um Annie Spenser zu beeindrucken oder ihr den Hof zu machen.

Er ging die zwei Stufen zu der Holzveranda hinauf und öffnete die Tür. Im Inneren war es überraschend kühl, obwohl Healy nirgends eine Klimaanlage erkennen konnte. Drei Ventilatoren drehten sich erschöpft und leise quietschend an der Decke. Eine lange Theke beanspruchte fast zwei Drittel des Raumes. Hohe schwarze Barhocker standen davor, aber im Augenblick war keiner besetzt. Die Resopaloberfläche des Tresens sah stumpf und zerkratzt aus und schien, den unterschiedlich gefärbten Flecken nach zu urteilen, bestenfalls oberflächlich abgewischt zu werden. An der Wand befanden sich Nischen mit schmalen Sitzbänken und ebenso schmalen Tischen, gerade ausreichend, daß zwei Personen nebeneinander Platz finden konnten.

In der ersten, gleich neben der Eingangstür, saßen zwei ältere, in eine murmelnde Unterhaltung vertiefte Männer. Healy wurde beim Betreten des Restaurants von den mißtrauischen Blicken einer Kaugummi kauenden Kellnerin mit hochtoupiertem aschblondem Haar gemustert. Der Höhepunkt deines Lebens war, dachte Healy nicht ohne eine

Spur von Gehässigkeit, als du den zehnten Platz im Farah-Fawcett-Ähnlichkeitswettbewerb ergattert hast. Vielleicht war sie auch die Inhaberin. Auf jeden Fall schien sie es nicht gewöhnt zu sein, daß sich Fremde in ihr Geschäft verirrten. Konnte sein, daß auch seine Uniform das Mißtrauen auslöste; er wußte es nicht, und letztendlich war es ihm auch einerlei.

Als einziger weiterer Gast saß eine Frau allein im hinteren Teil des Restaurants. Sie sah mit bangem Blick zu Healy auf, der sich ihr näherte und unmittelbar vor der Nische stehen blieb. »Mrs. Spenser?« fragte er und setzte sich, als sie fast unmerklich genickt hatte. »Ich bin Sheriff Healy aus Desert Rock. Sie erinnern sich, wir hatten gestern am Spätnachmittag miteinander telefoniert.«

Mrs. Spenser, die frühere Mrs. Eriksson, war eine zierliche Frau, um die Vierzig, vermutete Healy, sah aber älter aus. Das braune, bereits graumelierte Haar hatte sie schmucklos nach hinten gekämmt und zu einem Knoten zusammengesteckt, tiefe Falten der Verbitterung verliefen vertikal von den Mundwinkeln der blassen, leicht nach unten gekrümmten Lippen bis zu den Rundungen der Kiefer, was ihrer Kinnpartie das absurde Aussehen des beweglichen Kinns einer Holzmarionette verlieh. Sie trug keinerlei Make-up, und ihre Augen waren grau wie Smog.

Er hatte erwartet, daß sie ihn mit Fragen bedrängen würde, aber sie blieb in der Defensive, argwöhnisch wie ein Tier, das schlechte Erfahrungen gemacht hatte und nicht wußte, was es von seinem Gegenüber zu erwarten hat. Bevor er mit dem Gespräch beginnen konnte, kam die Kellnerin, um die Bestellung aufzunehmen. Er deutete auf Mrs. Spensers Tasse, um zu zeigen, daß er ebenfalls einen Kaffee wollte, und wandte sich wieder der verschüchterten Frau zu.

»Mrs. Spenser«, sagte er, als er seine Gedanken einigermaßen geordnet hatte, »vielleicht könnten Sie mir freundlicherweise ein wenig über Ihren Sohn Daniel und den Unfall Ihres Mannes erzählen? Ich habe den Polizeibericht gelesen, aber es bleiben einige Unklarheiten. Ich weiß, es wird schmerzlich für Sie sein, aber ...«

»Warum tun Sie das?« fragte sie. »Warum lassen Sie diese alte Geschichte nicht ruhen? Und warum ausgerechnet jetzt? Was ist mit Danny? Ist er geheilt? Soll er wieder nach Hause kommen, geht es darum? Oder geht es um Geld? Man hat mir versichert, daß die Kosten für seine Behandlung übernommen werden würden.«

»Möchten Sie ihn denn wiederhaben?« fragte Healy. Die Schwester im Krankenhaus hatte ihm gesagt, daß Dannys Mutter ihn nur in den ersten drei Monaten seines Aufenthalts regelmäßig besucht hatte. Danach waren ihre Besuche immer spärlicher geworden, und im letzten Jahr hatte sie sich gar nicht mehr sehen lassen. Um so seltsamer war es den behandelnden Ärzten vorgekommen, als sie sich nach anderthalb Jahren für eine Verlegung in ein anderes Sanatorium stark machte.

Mrs. Spenser sah ihn lange an, und in ihren grauen Augen leuchtete ein Ausdruck zwischen Niedergeschlagenheit und Trotz. »Es mag Ihnen grausam vorkommen, wenn eine Mutter so etwas sagt«, antwortete sie schließlich, »aber wenn ich ehrlich sein soll, nein.« Sie schien eine Reaktion von ihm zu erwarten, aber er schwieg, rührte den Kaffee um, den die Kellnerin gebracht hatte, und wartete.

»Ich habe Danny nie gewollt«, sagte sie. »Ich bin eine Zeitlang mit seinem Vater ausgegangen und wurde schwanger. Unsere Eltern haben auf eine Hochzeit bestanden, und wir haben uns gefügt. Es war ein Fehler.« Sie sah Healy wieder an, und nun sah er einen flehenden Blick in ihren Augen, dessen Unterwürfigkeit ihn erschütterte. »Unsere Ehe war von Anfang an unglücklich. Bitte verstehen Sie mich nicht falsch, ich habe mich immer bemüht, es Danny nie spüren zu lassen, aber ...« Sie seufzte tief. »Er ist ein Abschnitt meines Lebens, den ich am liebsten hinter mir lassen möchte. Ich habe mir inzwischen eine neue Existenz aufgebaut, und mein Mann ... mein jetziger Mann ... möchte bestimmt nicht, daß ... Ich habe natürlich immer gewußt, daß die Möglichkeit besteht, daß er eines Tages zu mir zurückkehren will, es aber vorgezogen, nicht daran zu denken. Ich hatte gehofft, er würde bis dahin volljährig sein und sich irgendwo ein eigenes Leben aufbauen.«

»Machen Sie sich keine Sorgen, Mrs. Spenser«, sagte Healy unbehaglich. »Ich bin weder gekommen, um Ihnen Danny zurückzubringen, noch moralische Bedenken gegen Ihre Entscheidung vorzutragen. Es sind nur einige Fragen aufgetaucht, auf die ich gerne Antworten haben möchte. Sobald ich die habe, werde ich wieder nach Hause fahren, und Sie sehen mich nie wieder.«

Ein Flackern von Hoffnung leuchtete in ihren Augen auf und überstrahlte das düstere Grau ein wenig.

»Mrs. Spenser«, fuhr er fort, »können Sie mir verraten, was damals geschehen ist? Wie kam es zu der ... psychischen Erkrankung Ihres Sohnes? Und wieso hat er sich eingebildet, daß er seinen Vater getötet habe?«

Annie Spenser zuckte hilflos die Achseln. Sie nahm eine Serviette aus dem Spender und fing an, sie langsam in kleine Stücke zu zerreißen. »Das ist bis heute nicht hundertprozentig geklärt worden. Joseph ist mit dem Jungen an den Strand gefahren. Danny ist immer ein schwieriges Kind gewesen, wortkarg und verschlossen, und in der Pubertät wurde es noch schlimmer, aber Joe hat sich immer so rührend um ihn bemüht. Er hatte viel mehr Geduld mit ihm als ich.« Ihre wässerigen grauen Augen schienen einen Moment in eine ferne Vergangenheit zu schauen. »Der Gerichtsmediziner sagte, Joseph, mein Mann, hat beim Schwimmen einen epileptischen Anfall bekommen und ist ertrunken.«

Healy nickte. Das war aus den polizeilichen Unterlagen nicht hervorgegangen. »War Ihr Mann denn Epileptiker?« fragte er.

»Wir wußte es bis dahin nicht, aber die Ärzte haben mir versichert, daß das nichts Außergewöhnliches ist. Nur der Zeitpunkt seines ersten Anfalls war denkbar ungünstig. Wenn er an Land gewesen wäre, hätte man ihn unter Umständen retten können. Außerdem war es ein vergleichsweise unbelebter Strandabschnitt. Joseph hat sich unter vielen Leuten nie besonders wohl gefühlt.«

»Warum hat Danny behauptet, er habe seinen Vater getötet? Wieso diese psychotische Reaktion?« Healy konnte nachvollziehen, daß sich der Junge mitverantwortlich am Tod seines

Vaters fühlte, weil dieser den Ausflug ihm zuliebe gemacht hatte, und zweifellos hatte er einen schlimmen Schock erlitten, als er seinen Vater ertrinken sah und ihm nicht helfen konnte, aber das Verhalten des Jungen kam ihm dennoch übertrieben vor.

»Auch das hat niemand je herausfinden können«, sagte Mrs. Spenser. »Als er gefunden wurde, war er vollkommen hysterisch, und das blieb einige Zeit so. Schließlich hat er sich wieder beruhigt, aber die ganze Zeit, die er in der Anstalt verbrachte, so gut wie kein Wort gesprochen. Anfangs hatten die Ärzte noch auf eine Besserung gehofft, aber sein Zustand hat sich nicht mehr verändert.«

»Und darum haben Sie ihn in eine andere Klinik bringen lassen?« Das schien Healy der merkwürdige Punkt an der Sache zu sein. Offenbar war die Frau tatsächlich erleichtert gewesen, den Jungen nicht mehr um sich zu haben, und sie hatte sich ein Jahr nicht bei ihm sehen lassen. Woher das plötzliche Interesse?

Annie Spenser sah erstaunt auf. »Hat man Ihnen das gesagt? Ich habe ihn nicht verlegen lassen. Eines Tages, vor etwa sechs Monaten, kam ein Mann bei mir vorbei, ein Arzt, um die sechzig, graues Haar, eine sehr würdevolle Erscheinung, und bat um meine Erlaubnis, Danny in eine Spezialklinik bringen zu dürfen. Er sagte, daß er ihm helfen könne und es obendrein der Wissenschaft dienen würde. Sie wollten Dannys Krankheit erforschen und für die Kosten der Behandlung aufkommen. Andernfalls, wurde mir gesagt, müßte er nach Hause geschickt werden.« Sie sah wieder schuldbewußt zu Healy auf. »Sehen Sie, ich hatte gerade wieder geheiratet und wollte nicht… sicher haben Sie Verständnis.«

»Gewiß«, sagte Healy, der nicht das geringste Verständnis hatte. »Sie wollten Ihr neues Glück nicht gefährden und wußten nicht, wie Ihr Mann auf die Anwesenheit des Jungen reagieren würde, und weil es letztendlich zu Dannys Bestem war…«

»Glück?« sagte sie und lachte hohl, ein dumpfes, lebloses Geräusch. Sie lehnte sich zurück und betrachtete ihn mit einem abschätzenden Blick, als müßte sie überlegen, wieviel sie ihm tatsächlich preisgeben sollte. Er hatte den Eindruck, sie bedauerte bereits, daß sie sich überhaupt auf das Treffen mit ihm eingelassen hatte, aber vielleicht flößte seine Uniform ihr einen gewissen Respekt ein. Sie lehnte den Kopf an die Wand, und im Halbschatten hatten ihre Augen die dunkle Anthrazitfarbe von mattem Schiefer. »Mit Glück hat das nichts zu tun. Obwohl ich die fünfzigtausend Dollar, die er mir angeboten hat, gut gebrauchen konnte.« Sie schob die Fetzen der Papierserviette mit beiden Händen zusammen, knüllte sie zu einer Kugel zusammen und warf sie in den Aschenbecher.

»Der Mann hat Ihnen Geld angeboten, damit er Danny mitnehmen durfte?« Healy trank seinen Kaffee und sah sie nachdenklich an.

»Wenn ich meine Zustimmung erteilen würde, daß Dannys Krankheit wissenschaftlich erforscht werden dürfte.« Sie nahm eine neue Serviette und fing von vorn an; diesmal riß sie das Papier in schmale Streifen, die sie auf dem Tisch zu einem gitterförmigen Muster anordnete. »Sie müssen verstehen, daß Joseph keinerlei Versicherung und nichts hatte. Allein die Bestattungskosten hatten unsere bescheidenen Ersparnisse aufgefressen. Das Geld war das einzige Glück, das mir je widerfahren ist. Genauer gesagt: Zum erstenmal seit fast siebzehn Jahren hat mein Unglück ein erträgliches Ausmaß angenommen.« Sie studierte das Papiergitter auf dem Tisch vor ihr wie das Fenster der Zelle ihres eigenen Lebens. »Ich hoffe, Sie denken nicht allzu schlecht von mir«, sagte sie, als sie schließlich den Kopf hob und Healy wieder ansah.

»Nein«, beruhigte er sie, mußte sich aber allmählich zusammenreißen, um nicht die Beherrschung zu verlieren. Er fragte sich, wieviel von ihrem Selbstmitleid, ihrer Unterwürfigkeit und ihrer Zerknirschung echt, Schauspielerei oder eiskalte Berechnung war. »Erlauben Sie mir eine letzte Frage«, sagte er schließlich. »Ist Ihnen an Danny je etwas Seltsames aufgefallen? Ich meine, hat er über ... spezielle Fähigkeiten verfügt, ist er ein überragender Schüler gewesen ...?«

»Etwas Seltsames? Der Junge war überhaupt seltsam, wie ich schon sagte. Wortkarg und verschlossen.« Sie überlegte.

»Und ein besonders guter Schüler ist er nie gewesen. Er war ständig mit den Gedanken woanders ... das hat selbst Joseph manchmal wütend gemacht. Danny schien eine außergewöhnliche Intuition zu besitzen. Wenn er als kleines Kind etwas ausgefressen hatte und wir ihn bestrafen wollten, war er uns immer einen Schritt voraus, als könnte er sich gut in andere Leute hineinversetzen, aber sonst ist mir nie etwas aufgefallen.«

»Wohin hat man Ihren Jungen gebracht?«

»Nun«, sagte sie verwundert, »selbstverständlich zu Ihnen nach Desert Rock. In die Spezialklinik für Psychiatrie. Sind Sie denn nicht seinetwegen hergekommen?«

»Doch, ich bin seinetwegen hergekommen«, sagte Healy. Er verlor zunehmend die Geduld mit Dannys Mutter und winkte der Kellnerin, um zu bezahlen. Als die Frau schließlich kam, zahlte er beide Kaffee und stand auf. »Machen Sie sich keine Sorgen, Mrs. Spenser, es gab nur einige Unstimmigkeiten in den Unterlagen. Vielen Dank, daß Sie mir Ihre Zeit geopfert haben. Sie haben mir sehr geholfen.«

Er wandte sich ab und stapfte Richtung Ausgang. »Sheriff Healy?« Als er hörte, wie sie seinen Namen rief, blieb er stehen. Eine monströse Kaffee- und Espressomaschine stand unmittelbar vor ihm auf dem Tresen. Die verchromte Oberfläche war zerkratzt und glanzlos. Fettspritzer einer Friteuse gleich daneben hatten sich in die Oberfläche eingebrannt wie blutige Tränen. Healy betrachtete sein Gesicht in der Metalloberfläche, in die Länge gezogen wie in einem Zerrspiegel und von Flecken überlagert – das Gesicht eines Leprakranken.

Sie saß in sich zusammengesunken auf der roten Vinylbank und wirkte plötzlich sehr klein und hilflos, doch so sehr Healy sich bemühte, er konnte kein Mitleid mit ihr empfinden. »Es geht ihm doch gut, oder?«

Eine Reihe beißender Antworten lagen ihm auf der Zunge, doch er ließ sie allesamt unausgesprochen, als er sie da sitzen sah, eine einsame und verlorene Gestalt. »Machen Sie sich keine Sorgen, Mrs. Spenser«, wiederholte er nur seufzend. »Ich bin sicher, es geht ihm ausgezeichnet.«

## 2

Als Healy Paradise hinter sich ließ, dachte er über Annie Spenser nach, die gramgebeugte, vom Leben benachteiligte Frau, die ihren eigenen Sohn (und, ohne es zu ahnen, wahrscheinlich auch ihre Seele) für fünfzigtausend Dollar dem Teufel verkauft hatte. Er sah in den Rückspiegel, sah die staubigen Häuser zurückbleiben. In diesem Augenblick erschien ihm der Ort wie eine Zuflucht, und nun verstand er, weshalb jemand wie Annie ihr altes Leben aufgab und freiwillig hierherzog. Annie Eriksson war geflohen, in ein neues Leben, in eine neue Identität als Annie Spenser, in eine finanziell abgesicherte Existenz, aber er bezweifelte, ob sie auf Dauer vor ihren Schuldgefühlen, ihren Ängsten, vor sich selbst würde fliehen können. Nein, überlegte er, kein Ort konnte dafür weit genug weg sein.

*Danny schien eine außergewöhnliche Intuition zu besitzen*, hatte sie gesagt, und Healy sah im Geiste einen introvertierten, übersensiblen Jungen vor sich, der genau wußte, daß er nicht geliebt wurde. Sie hat ihn abgeschoben, dachte er. Und kein Wort der Trauer über den Verlust ihres Mannes. Möglicherweise tat er ihr Unrecht, aber er hatte den Eindruck, als betrachtete sie den Unfall und Dannys psychische Probleme fast als ein Glück, das ihr ein anderes Leben ermöglichte.

Als Healy wieder in Llano angelangt war, parkte er am Straßenrand vor einer Telefonzelle, um Amy anzurufen. Er wischte sich mit einem Taschentuch den Schweiß vom Nacken, während er seine Kreditkarte in den Eingabeschlitz steckte und ihre Nummer wählte.

Nach dreimaligem Läuten nahm Stefan Hellmann den Hörer ab. »Hallo, hier ist Bob Healy«, sagte er, und bevor er mehr sagen konnte, unterbrach ihn Hellmann mit sichtlich verblüffter Stimme.

»Sheriff Healy«, hörte er den Mann am anderen Ende der Leitung sagen. »Was kann ich für Sie tun?«

»Sie eigentlich nichts, um ehrlich zu sein«, sagte Healy, »Aber wenn möglich, würde ich gerne kurz mit Amy reden. Ist sie nicht da?«

»Amy?« sagte Hellmann. In seiner übertrieben präzisen Aussprache hörte sich der Name wie ein zweisilbiges Wort an, »A-my.« Am Telefon klang seine Stimme blechern, wie die alte, schon allzuoft angespielte Ansage eines Anrufbeantworters. »Doch, die ist da, sie ist oben in ihrem Zimmer.« Er wartete unschlüssig.

»Ich habe es gestern abend schon versucht«, sagte Healy, um etwas zu sagen. »Leider hat niemand abgenommen. Waren Sie nicht da?« Was für eine dumme Frage, dachte er bei sich. Wenn sie zu Hause gewesen wären, hätten sie den Anruf zweifellos entgegengenommen.

»Gestern abend? Nein, gestern abend waren wir unterwegs, eine Kleinigkeit essen ...«

»Ist spät geworden, was?«

»Ja, ziemlich spät.« Nach einer kurzen Pause, mit besorgter Stimme: »Es ist doch hoffentlich nichts Ernstes, Sheriff, oder?«

»Nein, keine Sorge. Amy hat mich gestern besucht und wollte eine Auskunft, und die kann ich ihr jetzt geben. Würden Sie mich bitte mit ihr verbinden?« Es folgte ein Augenblick der Stille, und Healy bildete sich ein, daß er ganz kurz und sehr leise eine Frau im Hintergrund kichern hören konnte.

»Ja«, sagte Hellmann wenig später, »einen kleinen Moment bitte, ich verbinde Sie. Bleiben Sie dran.«

Healy wartete, während ein leises Klicken ertönte, als Hellmann zu Amys Apparat durchstellte. Einen Moment später legte Hellmann auf, und Amy meldete sich nach einem letzten Klick zaghaft und nervös.

»Sheriff Healy?« sagte das Mädchen mit einer bebenden Stimme, als wäre sie hin und her gerissen zwischen dem Wunsch, Antworten auf ihre Fragen zu bekommen, und der Angst, was diese Antworten letztlich für sie bedeuten könnten.

Healy überlegte fieberhaft, wie er ihr möglichst schonend beibringen konnte, was er herausgefunden hatte, entschied sich aber, nicht lange um den heißen Brei herumzureden, um sie zu beruhigen, sondern einfach alles zu erzählen.

»Amy, sagte er, »als erstes möchte ich dir sagen, daß du vollkommen recht gehabt hast, es gibt einen Jungen namens

Daniel Eriksson.« Er erzählte ihr kurz, was er erfahren hatte, und endete mit den Worten: »Sein Vater hatte bei einem Ausflug mit ihm einen Unfall und ist ertrunken, und Daniel, oder Danny, war der Überzeugung, daß er ihn getötet hat. Darum wurde er eingewiesen.«

»›Ich bin kein Mörder‹«, sagte Amy tonlos. Sie schwieg eine ganze Weile, aber Healy wartete geduldig. »Vielleicht hat er das damit gemeint. Vielleicht war er der Meinung, daß er für den Tod seines Vaters verantwortlich ist und hat inzwischen eingesehen, daß es nicht stimmt.« Sie machte wieder eine Pause, in der er ihren kurzen, abgehackten Atem hören konnte.

»Möglich«, sagte Healy schließlich, als sich das Schweigen in die Länge zog. »Jedenfalls ist es so, daß ...«

»Und jetzt lassen sie ihn nicht raus«, unterbrach Amy ihn eifrig. »Ja, so könnte es doch sein, oder?« Mit einer fast weinerlichen Stimme, als wollte sie ihn anflehen, ihre Version der Ereignisse zu bestätigen. »Obwohl er schon gesund ist, halten sie ihn gefangen.« Unvermittelt wurde ihre Stimme wieder fester und bekam einen entschlossenen Unterton. »Können Sie nicht in dieser Klinik in Los Angeles vorbeifahren und ihn besuchen? Sie sind der Sheriff, Sie haben doch das Recht, mit ihm zu reden.«

»Er ist nicht mehr in der Klinik«, sagte Healy und hörte den Stoßseufzer der Enttäuschung am anderen Ende. »Er wurde abgeholt. Seine Mutter sagte mir, daß ein Arzt – sie sprach von einem großen, distinguierten Mann mit grauen Haaren – ihn mit nach Desert Rock in die psychiatrische Spezialklinik genommen hat, um seine Krankheit zu erforschen.« Healy fiel verspätet ein, daß er sich nicht einmal nach dem Namen des Arztes erkundigt hatte.

»Hierher?« sagte Amy erstaunt, und dann: »Ich wußte es! Ich wußte, daß es ihn gibt und er hier sein muß.« Sie wandte sich wieder an Healy. »Dann fahren Sie eben dorthin. Das ist sogar noch einfacher. Reden Sie mit ihm. Finden Sie heraus, was wirklich lost ist. Wo ist das Problem?«

»Das Problem ist«, entgegnete Healy mit schleppender Stimme, »wir haben keine psychiatrische Spezialklinik in

Desert Rock.« Amy sagte nichts, und er konnte sich vorstellen, wie sie verzweifelt darauf wartete, daß er einen Funken Licht in die rätselhafte Angelegenheit bringen würde. »Wir haben nur eine einzige Arztpraxis, und das nächste Krankenhaus ist in Bakersfield. Die einzige medizinische Forschungsstätte weit und breit ist das Institut, wo dein Vater arbeitet. Wenn der Junge dort nicht ist, habe ich keine Ahnung, wo er sein könnte. Und im Augenblick muß ich davon ausgehen, daß er dort ist. Es würde auch erklären«, fuhr er nach einer kurzen Pause fort, »warum du die Stimme dort zum erstenmal gehört hast.«

Amys Tonfall wurde trotzig. »Ich habe Ihnen schon gesagt, wenn er dort wäre, wüßte mein Vater von diesem Jungen, und wenn er von ihm wüßte, hätte er ihn bestimmt erwähnt. Außerdem würde er nicht dulden, daß man ihn gegen seinen Willen festhält...«

»Vielleicht weiß er ja nichts von ihm«, sagte Healy, obwohl er es sich kaum vorstellen konnte. Wenn Hellmann außersinnliche Wahrnehmungen erforschte, mußte ein Junge, der Traumbotschaften senden konnte, doch ein ideales Objekt für seine Forschungen sein. Möglicherweise war Hellmann in etwas verstrickt, das er vor dem Mädchen verborgen gehalten hatte. Aber selbstverständlich konnte und wollte er ihr das nicht sagen; sie war auch so schon durcheinander genug. »Wie auch immer, Amy, du solltest unbedingt mit ihm darüber reden. Ich werde versuchen, später noch bei euch vorbeizuschauen und selbst mit ihm zu sprechen.« Er sah durch die schmutzigen Scheiben der Telefonzelle auf die Straße, wo Passanten in der Sonne vorbeischlenderten. Eine ältere Frau wartete vor der Zelle darauf, daß er sein Gespräch beenden würde.

»Ich muß Schluß machen, Amy«, sagte er. »Ich möchte, daß du dich etwas beruhigst. Du kannst auf jeden Fall sicher sein, daß du nicht verrückt bist und keine Halluzinationen hast. Ich weiß nicht, in was für eine seltsame Geschichte du da hineingeraten bist, aber ich bin sicher, wir werden alles aufklären können. Ich verspreche dir, daß ich dich so schnell wie möglich besuchen werde. Aber bis dahin rede mit deinem Vater.

Bestimmt kann er uns helfen, die Sache aufzuklären. Wirst du das tun?«

»Ja, Sheriff«, sagte sie. »Ich wollte sowieso mit ihm sprechen. Jill ist gerade da, aber ich werde trotzdem gleich runtergehen und ihn fragen.«

# Kapitel siebzehn
## *Eine Entscheidung*

### 1

Amy hörte einen Knall wie einen Pistolenschuß hinter sich, gefolgt von einem Klirren, und sprang erschrocken ins Wohnzimmer. Ihr Vater stand kreidebleich am Wohnzimmertisch und sah sie an, als hätte er ein Gespenst gesehen. Amy drehte sich um. Jill, die Amys Vater an Blässe in nichts nachstand, hatte ihr Glas fallen lassen. Ein unebenmäßiger weißer Stern aus Milchspritzern breitete sich vom Zentrum des Aufpralls aus, wo die Scherben des Glases in einer Milchpfütze lagen wie zerklüftete Eisschollen in einem trüben Meer. Amy blickte von Jill zu ihrem Vater und spürte, wie jede Kraft aus ihr herauszufließen schien. Wie in Zeitlupe sah sie ihren Vater auf sich zukommen, sah Jill, die sich bückte und die Hände nach den Glasscherben ausstreckte.

Jill versuchte, die Scherben mit den Fingern aufzuheben, aber ihre Hände zitterten so sehr, daß sie sich schnitt. Amy sah, wie sie den Mund aufmachte, hörte den Aufschrei aber nicht. Die Welt schien in Watte gepackt zu sein, Geräusche, Gerüche, die Berührung ihres Vaters, alles war gedämpft und weit weg. Fasziniert beobachtete Amy, wie rote Blutstropfen von der Wunde an Jills Finger in die weiße Milch fielen und zu rosa Schlieren zerflossen.

Amys Vater führte sie ins Wohnzimmer, wo er sie sanft auf einen Sessel drückte. Sie sah zur Wohnzimmertür, wo sie Jill nicht mehr sehen konnte, nur einen Teil der Pfütze, die langsam größer wurde. Der Schock, den ihre Frage ausgelöst hatte, war ihr unverständlich. Sie versuchte sich zu beruhigen, bevor alles, woran sie glaubte, in Scherben ging wie Jills Glas. Es mußte ein Irrtum sein, es war unmöglich, daß ihr Vater, ihr eigener Vater, Danny gegen seinen Willen festhielt, aber welche andere Möglichkeit gab es? *Wir haben keine psy-*

*chiatrische Spezialklinik in Desert Rock. Die einzige medizinische Forschungsstätte weit und breit ist das Institut, wo dein Vater arbeitet*, hatte Sheriff Healy am Telefon zu ihr gesagt. Und wenn sie ehrlich war, war auch ihr längst klargeworden, daß Danny nirgendwo anders sein konnte. Und doch konnte es nicht sein. Sie klammerte sich fast trotzig an die unwahrscheinliche Möglichkeit, daß sich doch noch alles als Irrtum erweisen, daß die Bestürzung der Erwachsenen einen anderen Grund haben könnte, doch ihr Vater machte auch diese letzte Möglichkeit mit einer einzigen Frage zunichte.

»Was weißt du von Daniel Eriksson?« fragte er.

## 2

Jill betrachtete ihre zitternden Hände, die blutende Schnittwunde am Finger und bemerkte nur am Rande, wie Stefan Amy einen Arm um die Schultern legte und sie ins Wohnzimmer führte. Sie sammelte die restlichen Scherben vorsichtig auf, trug sie in die Küche, nahm die Küchentuchrolle vom Tresen und ging wieder in die Diele. Wolf, der in der Küche lag, erhob sich und folgte ihr. In der Diele machte er sich schwanzwedelnd über die Milchpfütze her und leckte sie vom Rand her auf. Da Jill Angst hatte, er könne sich an den Scherben verletzen, führte sie ihn in die Küche zurück und sperrte ihn kurzerhand ein.

Sie wischte die Milch so gut es ging mit Küchentüchern auf; als sie die Pfütze notdürftig entfernt hatte, daß nur einige feuchte grauweiße Schlieren auf dem Holzboden zurückblieben, warf sie die vollgesogenen Tücher auf einen Haufen, atmete einmal tief durch und betrat das Wohnzimmer.

Stefan saß Amy gegenüber auf dem Sessel; die beiden boten immer noch ein Bild der Fassungslosigkeit, sahen einander aber bei aller Erschütterung im Augenblick an wie zwei lauernde Tiere, Stefan durch und durch verunsichert, Amy mit einer Mischung aus Unglauben, Argwohn und einer grenzenlosen Enttäuschung, für die Jill keine Erklärung hatte.

»Amy, ich habe erst diese Woche von der Existenz dieses Jungen erfahren«, sagte Stefan beschwörend. »Ich habe ihn an diesem Montag zum erstenmal gesehen. Das mußt du mir glauben.« Er warf Jill einen Blick zu. »Frag Jill«, fuhr er fort. Amy sah in ihre Richtung, aber ehe sie den Mund aufmachen konnte, sprach Stefan weiter. »Mich würde interessieren, wieso du von ihm weißt. Amy, dieser Junge war und ist, soweit man mir gesagt hat, das bestgehütete Geheimnis des Instituts. Außer der Institutsleitung, und seit dieser Woche Jill und mir, wissen nicht einmal die engsten Mitarbeiter, daß es ihn gibt. Also, woher weißt du es?«

Der verletzte, vorwurfsvolle Ausdruck in Amys Augen verschwand nicht, als sie schließlich antwortete. »Aus Träumen«, sagte sie. »Ich habe von Danny Eriksson geträumt. Er hat mir Träume geschickt und darin zu mir gesprochen.«

Jill ging hinter Amys Sessel vorbei und setzte sich auf das Sofa. Sie war immer noch sprachlos, überwand ihren anfänglichen Schock aber allmählich. Die Atmosphäre von Nervosität, Gereiztheit und Mißtrauen, die Vater und Tochter umgab, war fast zum Greifen spürbar. »Amy«, sagte sie so beruhigend wie möglich, »vielleicht ...«

»Was soll das heißen, Amy, du hast von ihm geträumt?« fiel Hellmann, der sämtliche Gebote der Höflichkeit vergessen zu haben schien, ihr ins Wort, und Jill fragte sich, ob ihm überhaupt bewußt war, wie rauh und schroff seine Stimme klang.

»... vielleicht erzählst du uns der Reihe nach, was passiert ist«, fuhr Jill unbeirrt fort. »Und ich denke, wir sollten uns alle erst einmal ein wenig beruhigen.« Sie sah Amy an, aber in erster Linie waren ihre Worte an Stefan gerichtet, der ihr einen gleichermaßen vernichtenden wie hilflosen Blick zuwarf, aber nach einem Augenblick nickte er. Er ließ sich seufzend in den Sessel zurücksinken, machte die Augen zu, strich sich mit einer Hand über das Gesicht und sah dann Amy an.

»Na gut«, sagte er, »der Reihe nach. Ich würde vorschlagen, du erklärst uns zuerst, was du von Danny weißt und woher du es weißt. Dann bin ich an der Reihe.«

Ein zaghaftes Lächeln der Dankbarkeit huschte über Amys Gesicht, als sie Jill einen kurzen Blick zuwarf. Sie wandte sich ab, sah aber nicht ihren Vater an, sondern konzentrierte sich auf einen Punkt hinter ihm, als müßte sie in die verhangenen Fernen ihrer Erinnerung schauen.

»Es ist eine lange Geschichte«, sagte sie schließlich, »aber ich will versuchen, sie so kurz wie möglich zu machen. Es waren aufeinanderfolgende Träume. Im ersten habe ich auf dem Flughafen von Los Angeles eine Ratte gesehen, deren Fuß sich in einem Gitter verfangen hatte. Das ist wirklich passiert« – mit einem Blick zu ihrem Vater, der die Brauen hochzog, aber nichts dazu sagte –, »aber ich habe nie mit jemandem darüber gesprochen. Die Ratte hat sich den Fuß abgebissen, um freizukommen, aber in dem Traum kam eine andere Ratte, um sie zu befreien, und diese Ratte war ich. Dann bin ich durch ein unterirdisches Labyrinth von Bergwerksstollen gereist und in meinem Wolkenland herausgekommen.« Sie sah Jill an. »Als Kind habe ich immer gedacht, daß die Wolken eine Landschaft wären, die ich irgendwann einmal erreichen könnte. Es war mein Zauberland, meine Zuflucht...« Sie kicherte verlegen, aber Jill nickte freundlich und verständnisvoll. »Die Episode mit der Ratte auf dem Flughafen habe ich die ganze Zeit für mich behalten, und von meinem Wolkenland habe ich auch niemand etwas erzählt, außer Paps. Es ist, als hätte Danny in mein Innerstes schauen können. Irgendwie ist es unheimlich, daß ein Fremder so etwas weiß. Auf jeden Fall habe ich Danny in meinem Wolkenland gesehen. Er stand hinter einem fest verschlossenen Tor und hat mich gebeten, ihm zu helfen. Wolf hat mich geweckt, bevor ich ihn fragen konnte, wer oder wo er ist.« Sie machte eine nachdenkliche Pause. »Wenn ich es recht bedenke, ich glaube, Wolf hat seine Anwesenheit gespürt. Er hat vor meinem Bett gesessen und geknurrt, als ich aufgewacht bin. Ein paar Tage später habe ich wieder geträumt.« Sie verstummte und schien nicht sicher zu sein, wie sie fortfahren sollte. Mit ihrem plötzlichen Lächeln, fand Jill, sah sie sehr jung und hilflos aus. »Ich weiß, es klingt albern, aber ich hatte mich irgendwie in ihn verliebt. Ich mußte die ganze Zeit immer an ihn denken. Wie auch immer, in diesem Traum hat er mir gesagt, daß er Danny Eriksson heißt, gefangengehalten wird und in Lebensgefahr schwebt.

Aber er hat mir nicht sagen können, wo er gefangengehalten wird.« Nun endlich sah sie ihren Vater an, und der ungläubige, vorwurfsvolle Blick kehrte zurück. »Ich wollte nicht glauben, daß er im Institut sein könnte, weil ich sicher war, daß du mir von ihm erzählt hättest. Ich war überzeugt, du würdest nie bei etwas mitmachen, das unrecht ist. Und es ist unrecht, jemanden gefangenzuhalten, der nichts getan hat.«

Hellmann hatte Wentworths Ordner vom Tisch genommen und aufgeschlagen. Er überflog die letzten Seiten und schien im Augenblick fast vergessen zu haben, daß er nicht allein war.

»Und wie bist du darauf gekommen, daß Danny bei uns im Institut sein muß, wenn er es dir nicht gesagt hat?« fragte Jill.

»Oh«, antwortete Amy, »das hat Sheriff Healy herausgefunden.« Stefan hob ruckartig den Kopf. »Ich war gestern bei ihm und habe ihn nach Daniel Eriksson gefragt, und er hat ihn tatsächlich mit seinem Polizeicomputer aufspüren können. Darum hat er eben angerufen. Er ist nach Paradise gefahren, wo Dannys Mutter heute wohnt. Sheriff Healy hat gesagt, daß Danny anderthalb Jahre in Los Angeles in einer Nervenklinik war. Er hat behauptet, daß er seinen Vater getötet hat ...«

Jill wechselte rasch einen Blick mit Hellmann, verkniff sich aber vorerst einen Kommentar, um den Redefluß des Mädchens nicht zu unterbrechen oder sie noch mehr aus der Fassung zu bringen.

»... und da ist mir eingefallen, daß ich schon an unserem ersten Tag hier eine Stimme auf dem Institutsgelände gehört habe, die sagte: *Ich bin kein Mörder*. Seine Mutter sagte, ein Arzt hätte ihn nach Desert Rock in eine psychiatrische Spezialklinik gebracht, um seine Krankheit zu erforschen und ihn zu heilen. Aber Sheriff Healy sagte, so eine Klinik gibt es hier gar nicht, nur das Institut. Und sie hat auch gesagt, daß der Arzt, der ihn abgeholt hat, ein großer, grauhaariger, distinguierter Mann gewesen sei, der ...«

»Dr. Wentworth«, sagte Hellmann mit einer tonlosen Stimme. Der Ordner rutschte ihm vom Schoß und fiel polternd auf den Boden, wo er aufgeschlagen liegenblieb. Eine zerknautschte Seite quoll bauschig aus ihm hervor, und Jill mußte an das obszöne Bild einer Ballerina denken, die mit gespreizten Beinen tot auf der Bühne lag.

»Wer ist Dr. Wentworth?« fragte Amy, und aus einem unerfindlichen Grund fing Jill schallend zu lachen an.

## 3

Stefan Hellmann fühlte sich wie im Fieber. Seine Gedanken rasten, während er versuchte, die unglaublichen Enthüllungen Amys mit den wenigen Fakten abzugleichen, die sie über Danny Eriksson hatten. »Das könnte die Antwort sein«, murmelte er bei sich, und als er die fragenden Blicke auf sich spürte, wandte er sich an Jill. »Du hast mich vorhin gefragt, wie der Junge sich seiner Fähigkeit bewußt geworden ist«, sagte er zu ihr. »Das könnte die Lösung sein. Vielleicht hat er seinen Vater übernommen, ohne zu ahnen, welche Folgen seine Gabe hat.«

»Was für eine Fähigkeit? Was für eine Gabe?« fragte Amy. »Was heißt übernommen? Was redest du da? Würdet ihr mir bitte erklären, was mit Danny los ist?«

Aber Hellmann bückte sich und hob den Ordner auf. Er blätterte wieder darin und suchte verbissen das Protokoll, das lange nach Wentworths Tod angelegt und abgeheftet worden war.

»Amy«, sagte Jill. »Dieser Danny verfügt höchstwahrscheinlich über telepathische Fähigkeiten. Ich denke, darum konnte er dir seine Traumbotschaften schicken. Und dein Vater wurde eingestellt, um die Gabe dieses Jungen zu erforschen, aber man hat ihn die ganze Zeit im unklaren darüber gelassen, daß das seine eigentliche Aufgabe im Institut sein sollte.«

Hellmann blätterte noch immer wild in dem Ordner herum. Als er gefunden hatte, was er suchte, hielt er mehrere Blätter Papier hoch. »Amy«, sagte er. »Kannst du dich erinnern, wann du diese Träume gehabt hast?«

»Ja«, sagte sie. »Das erste Mal, als du mit Jill aus gewesen bist. Das war am ...«

»Vierten Juli«, sagte Jill wie aus der Pistole geschossen, und Hellmann lächelte trotz seiner Anspannung.

»Genau«, sagte Amy. »An die Uhrzeit kann ich mich nicht mehr erinnern, aber es muß zwischen zehn und zwölf gewesen sein.«

»›4. Juli. 22:46 Uhr: unerklärliche Aktivität des Subjekts‹«, las Hellmann von dem Blatt ab. Er wandte sich wieder an Amy. »Und das zweite Mal?«

»Erster August«, sagte sie. »Ich war wieder allein. Als ich von unserer Fahrschulfeier nach Hause kam.« Ihre Miene wurde düster, als würde ihr eine unliebsame Erinnerung durch den Kopf gehen. »Du warst bei Jill, Paps.«

Hellmann hatte ein zweites Blatt genommen. »Das stimmt mit den Aufzeichnungen außergewöhnlicher Aktivitäten überein.« Er drehte das Blatt Papier von einer Seite auf die andere. »Kein Name. Ich frage mich, wer die Aufzeichnung über den Vorfall gemacht hat.«

»Vermutlich sein Krankenpfleger oder seine Pflegerin«, sagte Jill.

»Seine …«

»Klar. Der Junge liegt seit Wochen in einem künstlichen Koma. Er braucht rund um die Uhr medizinische Versorgung, muß künstlich ernährt werden, braucht eine Physiotherapie, damit die Muskeln nicht völlig verkümmern. Eigentlich müßte rund um die Uhr jemand bei ihm sein.«

»Als ich unten war, war er allein«, sagte Hellmann.

»Vielleicht vorübergehend. Aber jemand muß sich um ihn kümmern. Du hast doch nicht ernsthaft geglaubt, daß er zwei Monate einsam und allein da unten gelegen hat, oder? Das wäre sein Tod gewesen.«

»Daran habe ich noch gar nicht gedacht«, sagte Hellmann. Er sah Jill nachdenklich an, sah durch sie hindurch. »Und abgesehen von den Muskeln, würde er sich nicht wundliegen in der langen Zeit?«

»Ich glaube«, antwortete Jill, »das ist das kleinste Problem. Du kannst dir nicht vorstellen, was für High-Tech-Wunder von Betten es zu diesem Zweck mittlerweile gibt. Er könnte auf einer luftgepolsterten Matratze liegen, bei der Luft elektronisch gesteuert zugeführt und abgelassen wird, so daß immer andere Stellen mit dem Körper Kontakt haben. Das ginge ohne Betreuung, aber trotzdem muß sich jemand um ihn kümmern, das Betäubungsmittel verabreichen und so weiter.«

»Aber wer kümmert sich um ihn? Dann muß es doch noch Leute im Institut geben, die von seiner Existenz wissen, oder?«

»Keine Ahnung. Ich kenne natürlich nicht alle persönlich, die dort arbeiten, aber ich kann es mir nicht vorstellen. Du weißt, wie schwatzhaft die Leute sind, und über so jemanden wie Danny wäre bestimmt geredet worden.«

»Vielleicht könnt ihr das ein andermal klären«, sagte Amy. »Wenn Danny ein Telepath ist, warum dann das ganze Aufhebens? Du hast doch mit anderen telepathisch begabten Leuten gearbeitet. Was sollte an ihm so besonderes sein?«

»Er kann noch mehr. Soweit wir wissen, besitzt er die Fähigkeit, sein Bewußtsein vollkommen in einen anderen Menschen zu versetzen. Sein Körper bleibt reglos zurück, während er sich außerhalb befindet, aber wenn er seinen ... seinen Gastkörper verläßt, endet das für die betreffende Person tödlich.

Amy schüttelte den Kopf. »Nein«, sagte sie. »Ich bin sicher, daß Danny kein Mörder ist. Ich ...«

»Amy«, mischte sich Hellmann wieder in die Unterhaltung ein, »eines steht zweifelsfrei fest. Der Mann, der ihn abgeholt hat, muß unser Dr. Wentworth gewesen sein. Er hat mit ihm gearbeitet, und Danny hat ihn getötet. Du kannst mir glauben, es ist ein schrecklicher Tod gewesen.«

»Es kann doch sein, daß er gar nicht seinen Vater meint«, sagte Jill, und Hellmann sah sie an. »›Ich bin kein Mörder‹«, fuhr sie fort. »Hat Straczinsky dir nicht gesagt, daß er ein überführter Mörder und Gewaltverbrecher ist?«

Hellmann nickte.

»Vielleicht wollte er Amy klar machen, daß das nicht stimmt. Immerhin warst du selbst der erste, der Zweifel an der Wahrheit von Straczinskys Erklärung geäußert hat. Ich habe lange darüber nachgedacht, und du hast vollkommen recht. Niemand hätte diesen Jungen gegen seinen Willen festnehmen können.« Sie sah zu Amy. »Du hast keine Ahnung, wen er damit gemeint haben könnte?«

Amy schüttelte den Kopf, und Hellmann sah betroffen, daß Tränen in ihren Augen funkelten. Das Sonnenlicht, das zum Fenster hereinschien, verwandelte die Tränen in glitzernde Prismen.

»Ich kann nicht glauben, daß er ein schlechter Mensch ist«, sagte Amy, und Hellmann dachte an das Gespräch, das er vergangenen Montag mit Straczinsky und McCullogh geführt hatte. *Ich kann Ihnen nur eines sagen*, hatte Straczinsky geäußert. *Unterschätzen Sie diesen Jungen nicht und lassen Sie sich nicht von seinem Äußeren täuschen. Falls er wirklich versucht, mit jemandem Kontakt aufzunehmen, dann ist diese Person, wer immer sie sein mag, in höchster Gefahr. In Lebensgefahr.*

»Oder es war Notwehr«, hörte Hellmann Amy sagen und wurde aus seinen Gedanken gerissen. Diese Bemerkung rief etwas in ihm wach, das tief in seinem Gedächtnis nagte, etwas, das ihn vor Wochen schon beschäftigt hatte. Er konzentrierte sich mit aller Macht darauf, aber es nahm nur langsam Gestalt an, bis …

»Das Digitoxin«, sagte er. Amy verstummte und sah ihn fragend an. »Als ich in der Apotheke war, um mir das Dilantin-Sodium für meinen Test zu holen«, fuhr Hellmann fort, »habe ich gesehen, daß Wentworth am Tag vor seinem Verschwinden mehrere Ampullen eines Digitoxins geholt hat … mehr als genug, um einen Menschen zu töten. Ich habe mich eine Zeitlang gefragt, was er damit gewollt haben könnte, es aber in der Hektik der letzten Tage wieder vergessen. Es wäre doch möglich, daß Wentworth ihn töten wollte und er tatsächlich aus reiner Notwehr gehandelt hat.«

»Aber wenn Wentworth im Einvernehmen mit der Institutsleitung gehandelt hat«, sagte Jill, und Hellmann ahnte, daß sie aussprechen würde, was ihm selbst gerade durch den Kopf gegangen war, »warum ist der Junge immer noch da? Es wäre logisch gewesen, ihn völlig zu beseitigen. Zumal es ein Vermögen kosten muß, ihn da unten in Bewußtlosigkeit zu halten.« Sie verstummte. Hellmann sah ihren nachdenklichen

Gesichtsausdruck und wartete geduldig, bis sie ihre Gedanken geordnet hatte. »Ist dir eigentlich klar, was wir da sagen?« fragte sie schließlich. »Wenn Wentworth den Jungen töten wollte, und das mit Billigung der Institutsleitung, dann sind Straczinsky und McCullogh potentielle Mörder. Und wenn sie den Jungen gegen seinen Willen festgehalten haben …«

»Aber warum Amy?« unterbrach Hellmann sie. »Warum hat er sich ausgerechnet Amy ausgesucht? Ich meine, im Institut arbeiten Hunderte von Leuten, die jeden Tag dort sind.«

»Er hat Angst«, sagte Jill. »Wenn er gegen seinen Willen festgehalten wird, muß er jedem Institutsangestellten mißtrauen. Höchstwahrscheinlich hat er sogar Angst vor seiner eigenen Fähigkeit.« Sie lachte bitter auf. »Großer Gott, stell dir das doch einmal vor. Sein Vater war schwimmen, hast du gesagt?« Amy nickte. »Vielleicht wollte er einfach etwas durch die Augen seines Vaters sehen. Vermutlich hat er nicht einmal gewußt, was er tut. Und als sein Vater … genau wie Wentworth … schrecklich. Er mußte hilflos mit ansehen, wie sein Vater sich im Wasser in Krämpfen gewunden hat und ertrunken ist. Und wenn Wentworth tatsächlich die Absicht hatte, ihn zu töten, ist es ein Wunder, daß er noch lebt und kein anderer ihn umgebracht hat. Wenn ich mir vorstelle, was der Junge durchgemacht haben muß, erst das Unglück, und dann wochenlang in dieser Situation.«

»Das hat er mir doch gesagt«, meldete sich Amy zu Wort. »In meinen Träumen. Er hat gesagt, daß sein Leben in Gefahr ist und ich ihn unbedingt befreien muß.«

»Amy«, sagte Hellmann, »Danny Eriksson liegt seit mehr als zwei Monaten in einem künstlichen Koma. Wenn ihm jemand etwas Böses tun wollte, hätte er hinreichend Gelegenheit gehabt.« Hellmann seufzte. Er hatte sich mehr Informationen gewünscht, um die Situation besser zu verstehen. Amy hatte sie ihm geliefert, aber nun schien Dannys Schicksal rätselhafter denn je. »Ich habe den Jungen gesehen«, fuhr er etwas ruhiger fort, »und ich kann auch nicht glauben, daß er ein skrupelloser Mörder sein soll. Aber wir können die Fakten nicht außer acht lassen, und die sprechen bis jetzt noch dafür.« Er sah Amy an, und seine Stimme klang grenzenlos sanft, als er fortfuhr. »Zumindest nicht eindeutig dagegen. Kleines, ich mache mir große Sorgen um dich. Ich habe Angst vor dem, was dieser Junge vermag und was er dir antun könnte. Und das Schlimme ist, ich habe nicht die geringste Ahnung, wie ich dich schützen kann. Warum hast du nicht schon viel früher mit mir gesprochen?«

»Ich hatte auch Angst«, sagte Amy leise. »Angst, daß ich den Verstand verlieren könnte. Sei ehrlich, wie hättest du reagiert, wenn ich dir gesagt hätte, daß ich mich in einen Jungen verliebt habe, den ich nur aus meinen Träumen kenne?« Sie überlegte kurz. »Und was hätte es genützt? Du hast selbst gesagt, du weißt erst seit dieser Woche, daß es ihn gibt. Ich weiß es erst seit Sheriff Healys Anruf mit Sicherheit. Ich habe seit einiger Zeit vermutet, daß Danny wirklich existiert, aber ich wollte den Beweis, bevor ich mit dir rede.«

Hellmann sah von Amy zu Jill. »Ob es etwas nützt, wenn wir sie wegbringen?« fragte er. »Hast du keine Bekannten in Los Angeles oder weiter weg, wo wir sie verstecken könnten, bis die Sache aufgeklärt ist?«

»Doch«, sagte Jill, »aber ich bezweifle, daß es etwas nützen würde. Außerdem glaube ich nicht, daß sie in Gefahr ist. Wenn er sie hätte übernehmen wollen, um zu fliehen, hätte er es längst tun können.«

»Er ist bewußtlos«, sagte Hellmann. »Es grenzt an ein Wunder, daß er überhaupt die Traumbotschaften schicken konnte.« Er zuckte die Achseln und sah von Amy zu Jill. »Ich verstehe immer noch nicht, warum Amy. Warum, zum Beispiel, nicht Kathy Myers? Sie war mehrmals im Institut, in seiner unmittelbaren Nähe. An ihrer telepathischen Begabung kann kein Zweifel bestehen. Sie hat ebenfalls nichts mit dem Institut zu tun, und sie hätte für seine Signale eigentlich empfänglicher sein müssen.«

»Wenn wir nur ein wenig mehr Antworten hätten, statt der vielen Fragen und Vermutungen«, sagte Jill, und Hellmann stimmte ihr von ganzem Herzen zu. Je mehr sie erfuhren, desto rätselhafter wurde die ganze Angelegenheit mit Daniel Eriksson. Daß seine eigene Tochter in die Ereignisse verstrickt war, hatte Hellmann zutiefst erschüttert, aber allmählich überwand er seinen Schock. Je mehr er darüber nachdachte, desto unwahrscheinlicher kam ihm die Version vor, die Straczinsky ihm erzählt hatte.

»Sie haben mich von Anfang an belogen«, sagte er. »Straczinsky und McCullogh. Was ich zu hören bekommen habe, seit ich im Institut arbeite, waren Lügen und nochmals Lügen. Und ich komme mehr und mehr zu der Überzeugung, daß es nur einen gibt, der uns helfen könnte, die Wahrheit ans Licht zu bringen.«

»Danny«, sagten Amy und Jill wie aus einem Mund.

»Danny«, stimmte Hellmann zu. »Straczinsky behauptet, er ist ein Mörder. Amy behauptet das Gegenteil, wir beide haben unsere Zweifel. Auszuschließen ist es nicht, aber die Möglichkeit, daß es Notwehr war, können wir nicht von der Hand weisen.« Er sah von Amy zu Jill und stand langsam auf.

»Nun«, sagte er, »es gibt nur eine Möglichkeit, das herauszufinden, oder?« Er stand auf und ging langsam in die Diele. Als er wieder ins Wohnzimmer trat, hielt er den Autoschlüssel hoch und winkte Jill damit zu. »Fahren wir ins Institut und wecken ihn auf.«

# Kapitel achtzehn
## *Ein Abstecher nach L. A.*

### 1

Nach seinem Gespräch mit Amy stieg Bob Healy wieder in sein Auto ein und fuhr Richtung Palmdale zurück. Seine Unterhaltung mit Annie Spenser ging ihm nicht aus dem Sinn. Die Schwester in der Nervenklinik hatte ihm gesagt, daß Daniel Eriksson auf ausdrücklichen Wunsch seiner Mutter verlegt worden war, und nun stellte sich heraus, daß sie von anderer Seite dazu überredet worden war. Er griff mit der rechten Hand in die Brusttasche seines Hemdes und zog den Zettel heraus, auf dem er die Anschrift von Dannys behandelnder Ärztin aufgeschrieben hatte. Jennifer Mendoza, stand darauf, 663 Prospect Boulevard, Pasadena. Von der Schwester wußte er, daß sie heute dienstfrei hatte, und er überlegte sich kurz, wie groß die Wahrscheinlichkeit war, sie an einem Samstagnachmittag zu Hause anzutreffen.

Warum hast du sie nicht von einer Zelle aus angerufen und dich vergewissert? fragte er sich, aber nun war es zu spät. Er sah auf die Uhr. Wenige Minuten vor halb fünf. Nun, er hatte für Amy Hellmanns Phantom eine weite Strecke zurückgelegt, und auf den weiteren Umweg kam es nicht mehr an.

In Palmdale bog er auf den Highway 14 ab, fuhr aber nicht nach Norden, Richtung Mojave, sondern nach Süden, Richtung Vincent, und von dort weiter nach Westen, durch das Canyon Country Richtung Newhall. Linker Hand konnte er die ersten Ausläufer des Los Angeles National Forest mit seinen hohen Pinien sehen, war aber so in Gedanken versunken, daß er kaum einen Blick für die Schönheit der Landschaft übrig hatte.

Nach Newhall wechselte er auf den Interstate Highway 5 und fuhr über Burbank und Glendale nach Pasadena. Der Verkehr auf der achtspurig ausgebauten Straße hielt sich Gott sei

Dank in Grenzen, Healy fand sich in dem dichten Netz der Stadtautobahnen überraschend gut zurecht. Er hatte vor einigen Jahren mit seiner Frau einmal das Historical Museum und das Norton Simon Museum of Art besucht und von daher eine ungefähre Vorstellung davon, wo Jennifer Mendoza wohnte.

Die Fahrt auf dem Pasadena Freeway dauerte knapp zwanzig Minuten. An der Ausfahrt Orange Grove und Arroyo verließ Healy die Autobahn und folgte dem Ventura Freeway bis zum Gelände des Historical Museum an der Ecke Orange Grove Boulevard und Walnut Street, wo er nach rechts in den Orange Grove Boulevard einbog. Einen Block weiter, 411 Colorado Boulevard, lag das Norton Simon Museum, wo Healy die Geschwindigkeit drosselte und langsam an dem Anwesen vorbeifuhr. Die grünen Rasenflächen waren noch genau so, wie er sie in Erinnerung hatte. Fußwege aus großen, quadratischen weißen Platten verliefen zwischen den dunkelbraunen, stellenweise fast schwarzen Backsteingebäuden des Komplexes, deren weiße Betondächer einen atemberaubenden Kontrast bildeten. Healy erinnerte sich an die Exponate des neunzehnten und zwanzigsten Jahrhunderts, die ihm seinerzeit ausgezeichnet gefallen hatten, und die Abteilung moderner Kunst des zwanzigsten Jahrhunderts. Seine Frau hatte sich damals lange dort aufgehalten, aber ihm sagten die abstrakten Gemälde wenig.

Healy überlegte seufzend, daß ein neuerlicher Ausflug in die Museen nichts schaden könnte. Er gab Gas und folgte weiter dem Orange Grove Boulevard. Nach einiger Zeit wurde ihm klar, daß seine nostalgische Erinnerung an den einige Jahre zurückliegenden Museumsbesuch ihn zwar in die richtige Straße geführt hatte, aber offenbar in die falsche Richtung. Fluchend hielt er am Straßenrand, setzte zurück, ließ die wenigen Autos passieren, die unterwegs waren, und fuhr zurück Richtung Rose Bowl.

Er parkte den Wagen am Gamble House, einer der großen Sehenswürdigkeiten Pasadenas, das heute verwaist und einsam wirkte, und ging zu Fuß den Orange Grove Boulevard entlang bis zur Rosemont Avenue. Hier führte die Straße bergab. Healy orientierte sich kurz und schlug dann den Weg zum Prospect Boulevard ein, eine vornehme Gegend mit großen Häusern und Villen, die überwiegend in den zwanziger Jahren errichtet worden waren. Die weißen Bordsteine wirkten im Sonnenschein wie Begrenzungslinien. Zwischen der Bordsteinkante und den Platten des Bürgersteigs befanden sich schmale Grünstreifen, in denen hohe Palmen wuchsen, die mit ihren Kronen aussahen wie spindeldürre, unfrisierte Riesen.

Zwischen den imposanten Herrenhäusern nahm sich 663 Prospect Boulevard vergleichsweise bescheiden aus. Breite Stufen aus rotem Sandstein führten zu einer weißgestrichenen Eingangstür mit einem Messingklopfer in Form eines Löwenkopfs. Healy betrachtete im Vorbeigehen die bunten Blumenrabatten rechts und links der Stufen, den Rasen des Vorgartens, die blendend weiße Fassade. Zwei Säulen trugen einen Baldachin über der Eingangstür, und als Healy im Schatten stand, holte er erst einmal tief Luft, wischte sich erneut mit dem inzwischen durchnäßten Taschentuch den Schweiß vom Gesicht und hatte schon die Hand nach dem Türklopfer ausgestreckt, als sein Blick auf den Klingelknopf rechts neben der Tür fiel. Er ließ den Messingring behutsam zurücksinken und läutete.

Es dauerte einen Augenblick, bis er Schritte im Inneren wahrnahm. Healy hörte, wie ein Schlüssel im Schloß gedreht, ein Riegel zurückgeschoben und die Tür einen Spalt geöffnet wurde. Eine Messingkette im Inneren verhinderte, daß sie sich weiter öffnen ließ. Eine dunkelhaarige Frau Mitte bis Ende vierzig sah heraus. »Ja, bitte?« sagte sie, nachdem sie Healy von oben bis unten angesehen hatte.

»Mrs. Mendoza? Dr. Mendoza?« fragte er. Die Frau nickte. »Mein Name ist Robert Healy, ich bin Sheriff in Desert Rock. Bitte entschuldigen Sie die Störung. Ich habe gestern mit der Klinik telefoniert, und die Schwester war so freundlich, mir Ihre Adresse zu geben. Ich konnte Sie telefonisch nicht erreichen, und da ich nicht weit entfernt zu tun hatte, dachte ich mir, ich versuche mein Glück persönlich.«

Die Frau nickte ungeduldig, und Healy beeilte sich, zur Sache zu kommen. »Es geht um einen Ihrer ehemaligen Patienten, einen gewissen Daniel Eriksson. Darf ich kurz reinkommen? Ich verspreche Ihnen, ich werde Ihre Zeit nicht über Gebühr beanspruchen.«

»Oh«, sagte die Frau nur, als sie den Namen hörte. Sie schob die Tür ein klein wenig zu, und Healy konnte hören, wie sie die Kette aus ihrer Verankerung löste. Sie machte die Tür weit auf und wich zur Seite, damit Healy eintreten konnte.

In der Diele war es angenehm kühl. Healy sah sich kurz in dem halbdunklen Raum um. Eine Holztreppe mit weißlackiertem Geländer führte auf zwei Seiten nach oben zu einer Empore, wo rechts und links zwei Durchgänge mit Rundbögen zu den Zimmern im Obergeschoß führten; das riesige Ölporträt eines weißhaarigen Mannes mit Hakennase, dessen stechender Blick den gesamten Eingangsbereich zu überwachen schien, erfüllte Healy mit Unbehagen, daher wandte er sich rasch ab.

Hinter einer angelehnten Tür war ein Fernseher zu hören, und zwei Kinder, ein Mädchen und ein Junge, die sich offenbar nicht einigen konnten, welche Sendung sie sehen wollten, zankten sich mit schrillen Stimmen. »Bitte kommen Sie hier entlang«, forderte die Frau ihn auf und führte ihn zu einer Tür, die im Schatten der Empore lag.

Healy folgte Dr. Mendoza in einen kleinen Salon mit wuchtigen Polstersesseln und einer langen Couch, dunklen Holzmöbeln und Bildern an den Wänden, bei denen es sich offenbar um Originale zeitgenössischer, wenig bekannter Maler handelte. Die Jalousie des einzigen Fensters war heruntergelassen; wenig Licht fiel durch die schräggestellten Lamellen herein. Healy sah Spitzendeckchen auf jeder freien Fläche, Vasen und Gipsfiguren, eine Obstschale auf dem Tisch. Auf einem Sideboard neben der Tür standen mehrere Kristallkaraffen mit unterschiedlich gefärbten Likören, umgeben von schweren Kristallgläsern. In dem überladenen und für seinen Geschmack übertrieben protzigen Raum kam sich Healy fehl am Platz vor. Die blaßgrünen Brokatsessel, die ein Vermögen gekostet haben mußten und aussahen, als hätte noch nie ein Mensch darauf gesessen, beherrschten das ganze Zimmer. Healy wäre am liebsten sofort wieder hinausgegangen, aber die Frau bat ihn, sich zu setzen.

Er lehnte dankend ab und blieb in Reichweite der Tür stehen. Jennifer Mendoza, deren olivfarbenes Gesicht in der spärlichen Beleuchtung dunkler wirkte, als es tatsächlich war, verschränkte die Arme vor der Brust und sah ihn an.

»Was möchten Sie über Daniel Eriksson wissen?« fragte sie. »Er ist nicht mehr mein Patient, schon seit einiger Zeit nicht mehr.«

Healy nickte. »Ich weiß. Man hat mir gesagt, daß er sich in einem Sanatorium in Desert Rock befindet.« Er schluckte, als hätte er einen Kloß in der Kehle.

»Das wußte ich nicht«, sagte sie, was Healy erstaunte.

»Ach nein?« fragte er. »Hat man Sie denn nicht über eine Verlegung informiert?«

»Doch, selbstverständlich«, antwortete die Ärztin, »aber man hat mir nicht gesagt, wohin er gebracht werden würde. Ich hatte keine Ahnung«, fügte sie mit einem leicht geringschätzigen Tonfall hinzu, der Healy schmerzte, »daß es im Hinterland ein Krankenhaus gibt, wo man ihn besser versorgen könnte als hier.«

»Es ist eine medizinische Forschungseinrichtung, keine Klinik«, sagte Healy. Er rechnete mit einer weiteren abfälligen Bemerkung, aber es kam keine. »Dr. Mendoza«, fuhr er fort. »Sie haben Daniel Eriksson lange therapiert, haben Sie eine Ahnung, was mit ihm los war? Vielleicht könnten Sie es mir mit wenigen Worten schildern?«

»Der Junge hatte ein schweres, durch den Unfalltod seines Vaters verursachtes seelisches Trauma. Seine Mutter hat uns gesagt, daß der Junge seinen Vater wochenlang zu dem Ausflug ans Meer gedrängt hatte. Meine Vermutung ist, daß er sich darum die Schuld am Tod seines Vaters gab. Er hatte sich so sehr in diese Vorstellung hineingesteigert, daß es unmöglich war, ihn davon abzubringen. Am Ende hatte er sich völlig in sich zurückgezogen und kaum ein Wort gesprochen.«

»Und er wurde auf den ausdrücklichen Wunsch seiner Mutter verlegt?« fragte Healy.

»So ist es«, antwortete Jennifer Mendoza. »Offenbar war sie unzufrieden mit unseren Erfolgen und hat sich von anderer Seite bessere Resultate versprochen.«

Healy hätte ihr eine vollkommen andere Geschichte erzählen können, aber was hätte es genützt? Es hatte keinen Sinn, die Ärztin mit seinen seltsamen Erkenntnissen zu beunruhigen, und er bezweifelte, ob sie sich überhaupt dafür interessiert hätte. Für sie war der Fall längst abgeschlossen. »Ist Ihnen etwas Seltsames an dem Jungen aufgefallen?« fragte er.

Sie schüttelte nachdenklich den Kopf, so daß ihr langes schwarzes Haar über die Schultern strich. »Abgesehen von seiner undurchdringbaren Introvertiertheit nichts. Er hat Kontakt mit anderen Menschen anfangs fast panisch vermieden. Saß fast die ganze Zeit in seiner … seinem Zimmer und hat kein Wort gesprochen.«

»Und wissen Sie, wer ihn abgeholt hat?«

»Ja«, sagte sie nickend. »Ein älterer Mann, der eine von der Mutter unterschriebene Erklärung dabeihatte, in der sie ihren Wunsch nach einer Verlegung zum Ausdruck brachte. Groß, grauhaarig, ziemlich überheblich. Sie kennen den Typ. Dreitausend-Dollar-Anzüge von Brooks Brothers und betrachtet jeden anderen als Untermenschen.« Sie sah Healy an und schien zu überlegen, wie weit sie gehen konnte. »Offen gesagt, habe ich ihn für einen ziemlich arroganten Pinsel gehalten. Nur die junge Frau, die er bei sich hatte, die war recht freundlich.«

»Eine junge Frau?« sagte Healy.

»Ja. Allerdings kenne ich ihren Namen nicht. Sie hat ihn nicht gesagt, und dieser Dr. Wentworth hat sie nicht vorgestellt. Sie schien aber eine positive Wirkung auf Daniel zu haben. Anfangs war er vollkommen aus dem Häuschen, als sie ihn mitnehmen wollten, aber sie hat sich seiner angenommen, und er hat sich binnen kürzester Zeit beruhigt. Obwohl sie kaum ein Wort mit ihm gesprochen hat.«

»Nun«, sagte Healy, der sich überlegte, daß er nichts Wichtiges mehr aus der Frau herausbekommen würde. Eigentlich, dachte er, hätte er sich den Ausflug sparen können. Er wollte sich schon für die Auskunft bedanken, als Jennifer Mendoza sagte: »Da gab es doch etwas, das mir merkwürdig vorkam.«

»Ja?« sagte Healy plötzlich wieder aufmerksam und gespannt.

»Ich habe die beiden und den Jungen zum Ausgang der Klinik begleitet. Ihr Wagen parkte unten an der Straße, und ich konnte sehen, daß zwei uniformierte Männer auf dem Rücksitz saßen. Das schien mir seltsam, weil ich es mir nicht erklären konnte.«

»Uniformierte Männer?« fragte Healy. »Polizei?«

Dr. Mendozas Gesicht hatte einen nachdenklichen Ausdruck angenommen. »Nein«, sagte sie. »Natürlich ist es ein gutes Stück bis zur Straße gewesen, aber ich hatte den Eindruck, daß es Armeeuniformen gewesen sind. Offiziere.«

»Dr. Mendoza«, sagte Healy. »Es ist spät und ich habe einen weiten Rückweg vor mir. Ich danke Ihnen, daß Sie mir Ihre Zeit geopfert haben. Sie haben mir sehr geholfen.«

Jennifer Mendoza nickte und begleitete ihn zur Haustür. Als er den Raum verlassen hatte, konnte Healy zum erstenmal wieder frei atmen. Die Kinder schienen sich mittlerweile auf eine Sendung verständigt zu haben. Hektische, schrille Musik ertönte hinter der angelehnten Tür, dazwischen vereinzeltes Kichern.

»Dürfte ich nach dem Grund Ihres Besuches fragen?« sagte die Frau an der Eingangstür. »Ist etwas mit dem Jungen?«

»Nein«, sagte Healy. »Alles in Ordnung. Bitte haben Sie Verständnis, daß ich Ihnen im Augenblick nicht mehr sagen kann.«

Sie nickte. Healy verabschiedete sich und ging die Sandsteinstufen hinab. Als er auf der dritten Stufe angelangt war, sagte sie, als wäre es ihr gerade eingefallen: »Wissen Sie, warum ich mir den Namen des Arztes so gut merken konnte?«

Healy, der sich langsam umgedreht hatte, blieb auf der Stufe stehen und schüttelte den Kopf.

»Er heißt wie unser Hotel.«

»Hotel?« fragte Healy verständnislos.

»Das Huntington Sheraton hier in Pasadena«, sagte sie. »Es hieß ursprünglich Wentworth. Wußten Sie das nicht?«

»Nein«, antwortete Healy kopfschüttelnd, »das wußte ich nicht.«

2

Auf dem Rückweg zum Auto fragte sich Healy, weshalb dieser Dr. Wentworth die Mutter überredet hatte, ihren Sohn nach Desert Rock bringen zu lassen, der Klinik gegenüber aber so tat, als wäre es allein ihre Idee und ihre Entscheidung gewesen. Und weshalb Offiziere der Armee einen Arzt und dessen Assistentin begleiten sollten, um einen Patienten von einer Klinik in eine andere zu überführen, das entzog sich seinem Verständnis völlig.

Er fragte sich, ob es klug gewesen war, Amy zu einem Gespräch mit ihrem Vater zu drängen. Was wäre, wenn er wirklich tiefer in die geheimnisvolle Angelegenheit verstrickt war, als er seiner Tochter gegenüber zugeben wollte? Eines jedenfalls stand fest, dachte er, als er die Autotür aufschloß. Das Mädchen hatte keine Ahnung, in was sie da hineingeraten war, und er leider auch nicht. Aber etwas war eindeutig faul in Kern County, und er mußte der Sache auf den Grund gehen. Er beschloß, selbst mit Amys Vater zu reden, sobald er wieder in Desert Rock war.

Healy ließ den Motor an. Die Häuser warfen lange Schatten, nur noch kurze Zeit, und die Dämmerung würde einbrechen. Er fädelte sich in den Verkehr ein und machte sich zutiefst besorgt auf die Rückfahrt.

# Kapitel neunzehn

## *Der Augenblick der Wahrheit*

### 1

Jill betrachtete den Autoschlüssel in Stefans Hand mit einem zweifelnden Blick. Sie glaubte nicht, daß es klug war, in einer Situation wie der ihren derart impulsive Entscheidungen zu treffen, zumal sie nicht zu Stefan paßten, der sonst eher zögernd alle Möglichkeiten abwog. Selbstverständlich konnte sie ihn verstehen. Auch sie wollte das Rätsel um Danny Eriksson lösen, schon der betrübten Amy zuliebe. Die ganze Situation schien das Mädchen schwer zu belasten, und Jill glaubte nicht, daß sie die Ungewißheit noch lange würde ertragen können. Sie vermutete, daß Stefan ähnlich empfand und er die Angelegenheit vor allem seiner Tochter wegen aufklären wollte, aber Handlungen, die in einem derartig aufgewühlten Zustand angegangen wurden, entpuppten sich selten als weise.

»Bist du sicher, daß wir das tun sollten?« fragte sie – ein letzter Versuch, ihn zumindest ein wenig zur Besonnenheit zu ermahnen. »Sollten wir nicht bis Montag warten und noch einmal mit Straczinsky reden?«

Sie hatte mit den unterschiedlichsten Reaktionen gerechnet, aber nicht mit dem abgehackten, höhnischen Lachen, das sie als Antwort bekam. »Damit er uns noch mehr Lügen auftischt?« Er kam zwei Schritte auf sie zu. Sie sah die harten Kanten seines Gesichts, die tiefen Sorgenfalten und fragte sich den Bruchteil einer Sekunde, wo das unschuldige Jungengesicht geblieben war, in das sie sich verliebt hatte. Die Ereignisse der letzten Wochen hatten sich tief in ihre Gesichtszüge eingeprägt, in Amys und das ihres Vaters, dachte Jill, aber während Amy die Reife gut stand, wirkte Stefan nur abgespannt und verbittert. »Nein«, fuhr Stefan kopfschüttelnd fort, »ich glaube, der einzige, der uns die Wahrheit sagen kann, ist dieser Junge.« Mit einer übertrieben ausladenden Geste hob er den Arm, um auf die Uhr zu sehen. Jill wurde klar, daß er – vielleicht unbewußt – ebenfalls versuchte, Zeit zu schinden. »Außerdem könnte der Zeitpunkt nicht günstiger sein. Es ist Samstagabend, acht Uhr. Kein Mensch wird im Institut sein, bestenfalls der Hausmeister. Wenn wir Danny aufwecken, können wir davon ausgehen, daß wir niemand unnötig in Gefahr bringen.«

Jill nickte langsam in Amys Richtung. Vieles sprach für das, was er sagte. Möglicherweise war es wirklich besser, den Jungen jetzt aufzuwecken statt an einem regulären Arbeitstag, wenn sich Dutzende Mitarbeiter in dem Gebäude befanden. Dennoch blieb eine Frage offen. »Was ist mit Amy?« wandte sich Jill an Stefan. »Immerhin war der Junge imstande, selbst unter Betäubung über mehrere Kilometer hinweg mit ihr Verbindung aufzunehmen, auch wenn er ihr wenig mehr als verschlüsselte Bilder übermitteln konnte.«

»Ich komme mit«, sagte Amy. Sie stand von ihrem Sessel auf und ging auf ihren Vater zu. »Ich habe keine Angst. Ich weiß, daß Danny mich ... mag.« Jill entging das kurze Zögern nicht. »Er wird mir nichts tun. Ich weiß es genau.«

»Das kommt überhaupt nicht in Frage«, antwortete Hellmann. Amy wollte etwas sagen, aber er hob die Hand. Ein unerbittlicher Unterton schwang in seiner Stimme mit, und seine Gesichtszüge schienen noch eine Spur kantiger zu werden. »Nein, Amy, meine Entscheidung steht fest. Du bleibst hier.« Er unterband weitere Einwände ihrerseits mit einer brüsken Geste. »Es ist nicht nur wegen Danny«, fuhr er wenige Augenblicke später in einem versöhnlicheren Tonfall fort. »Du siehst doch« – mit einem Blick zu Jill, der seine Erklärung im selben Maße galt –, »daß Dannys Geschichte immer rätselhafter wird, sogar rätselhafter als wir uns im Augenblick vorstellen können. Wenn sie ihn tatsächlich gegen seinen Willen festhalten, steht zu befürchten, daß er bewacht wird. Sie werden ganz sicher nicht zulassen, daß wir einfach mit ihm aus dem Gebäude spazieren, wegfahren und alles ist in Butter.« Er seufzte und nahm seine Tochter in die Arme. »Glaub mir, Kleines, es ist besser, wenn du hierbleibst.«

Er hielt immer noch den Autoschlüssel wie einen magischen Talisman hoch, als er sich Jill zuwandte. »Es wäre mir lieber, du würdest auch hierbleiben«, sagte er zu ihr. Er nahm sie am Arm und führte sie in die Diele hinaus, wo er die Stimme zu einem Flüstern senkte, damit Amy ihn nicht hören konnte. »Stell dir vor, es geht etwas schief«, zischte er ihr eindringlich ins Ohr. Jill spürte seinen warmen Atem über ihre Wange streichen. »Jemand muß die Polizei benachrichtigen, falls ...« Er schien unsicher, wie er fortfahren sollte. Jill sah ihn nur unverwandt an. »Falls wir nicht zurückkommen«, preßte er zwischen zusammengebissenen Zähnen heraus, als fiele es ihm schwer, so etwas auch nur anzudeuten.

Jill schüttelte den Kopf. »Nein, ich komme mit«, sagte sie. »Wenn du wirklich fest entschlossen bist, den Jungen aufzuwecken, sollte eine Ärztin dabei sein.« Sie hielt seinem zweifelnden Blick stand. »Stefan, der Junge war über zwei Monate betäubt. Er braucht unbedingt medizinische Versorgung. Du kannst nicht einfach das Schlafmittel absetzen und mit ihm aus dem Institut herauslaufen. Wenn er so lange auf Betäubungsmittel gesetzt war, wird er Entzugserscheinungen bekommen. Seine Muskeln werden kaum funktionsfähig sein, er kann mit Sicherheit nicht gehen und sich wahrscheinlich auch sonst kaum bewegen. Auch die Atemmuskulatur wird geschwächt sein. Ich bezweifle, daß er zumindest anfangs aus eigener Kraft atmen kann.«

Amy war während ihrer Unterhaltung zur Tür getreten. Im Licht der Wohnzimmerbeleuchtung wirkte ihre Silhouette flach und zweidimensional. Sie hatte die letzten Worte mitbekommen, und als Jill Amys aufgerissene, ängstliche Augen sah, senkte auch sie die Stimme. »Er muß beim Transport beatmet werden. Das Beste wäre es, ihn gleich in ein Krankenhaus zu schaffen, wo eine medizinische Rundumversorgung gewährleistet ist. Dafür hätten wir im Institut zwar die Mittel, nicht aber die Leute. Ganz davon abgesehen, daß es sicher besser wäre, ihn wegzubringen, falls ihm doch Gefahr droht. Es sollte auf jeden Fall ein Arzt dabei sein, der sich um ihn kümmert. Glaub mir, du brauchst mich.«

»Na schön«, sagte er. »Du kommst mit. Aber Amy bleibt hier.« Hellmann überlegte kurz. »Was meinst du, wie lange wird es dauern, bis er wach ist?«

Jill zuckte die Achseln. »Das hängt von verschiedenen Faktoren ab. Besonders von der Art des Betäubungsmittels, das sie ihm gegeben haben. Ich schätze, ein paar Stunden wird es schon dauern, bis er ansprechbar ist.«

Er drehte sich zu seiner Tochter um. »Gut«, sagte er. »Amy, du bleibst hier. Ich verspreche dir, wir werden für Danny tun, was in unserer Macht steht, sollte er tatsächlich unschuldig sein. Wenn er in Gefahr ist, werden wir versuchen, ihn zu retten. Aber wenn wir bis morgen früh nicht zurück sind oder uns gemeldet haben, informierst du Sheriff Healy. Sag ihm, was passiert ist. Und sag ihm, es ist größte Vorsicht geboten. Noch haben wir keine Ahnung, worauf wir uns einlassen.«

Jill unternahm einen letzten Versuch, ihn umzustimmen. Insgeheim ärgerte sie sich über ihre unentschlossene Haltung. Sie wollte das Rätsel um Danny Eriksson aufklären, und sei es nur, um Amys Seelenqualen ein Ende zu bereiten. Doch das Mitleid mit Stefans Tochter kapitulierte jedesmal vor dem Bild von Wentworths verzerrtem Gesicht, das Jill, ohne es verhindern zu können, vor ihrem geistigen Auge sah. »Dir ist klar«, sagte sie zu ihm, »daß wir keine Möglichkeit haben, diesen Jungen zu kontrollieren, wenn er erst einmal wach ist. Wenn er nicht mit uns zusammenarbeiten will, kann er jeden beliebigen Menschen übernehmen, der zur Verfügung steht, und verschwinden.«

»Das Risiko müssen wir eingehen«, sagte Hellmann. »Wie gesagt, um diese Zeit dürfte kaum jemand im Institut sein, und wir werden Stahlhelme tragen, um uns zu schützen.« Er sah zu Amy. »Ich wünschte, ich hätte einen für Amy, falls ... du weißt schon«, hauchte er so leise, daß sie es kaum verstehen konnte.

»Nimm irgend etwas aus Metall«, sagte Jill ungeduldig. »Meinethalben soll sie sich einen Kochtopf aufsetzen.«

Stefan dachte kurz nach. Er drehte sich um und ging zur Küche. Jill folgte ihm, und Amy setzte sich nach einem Augenblick der Unentschlossenheit ebenfalls in Bewegung. Kaum hatte Stefan die Tür aufgemacht, sprang Wolf aufgeregt heraus, lief in die Diele und untersuchte schnüffelnd die Stelle, wo Jill die Milch verschüttet hatte. Er leckte sich ein paarmal die Schnauze, aber als er feststellte, daß es nichts mehr aufzulecken gab, trottete er enttäuscht ins Wohnzimmer.

Als Jill in die Küche kam, hatte Hellmann einen großen Kochtopf aus einem der unteren Schränke geholt und auf den Tisch gestellt. Jill sah Amy an, die ihren Blick erwiderte. »Das war ein Witz«, sagte Jill mit einem resignierten Seufzer. »Komm«, fuhr sie nach einer kurzen Pause fort, nahm seine Hand und zog ihn aus der Küche. »Laß uns fahren. Es hat keinen Sinn, noch länger zu warten. Ich habe Angst, ich könnte es mir anders überlegen, wenn wir es noch länger aufschieben.«

Jill zog ihn zur Eingangstür. Auf der Veranda wartete er, bis Amy herausgekommen war. Er nahm das Gesicht des Mädchens zwischen beide Hände und drückte ihr einen Kuß auf die Stirn. »Mach dir keine Sorgen, Kleines«, sagte er. »Ich bin sicher, es wird alles gut.«

»Rufst du an?« fragte sie und sah dabei von ihm zu Jill. »Bitte, ich möchte wissen, was ihr herausfindet.«

»Ganz bestimmt«, versprach er ihr. Er drückte dem Mädchen ein letztes Mal die Hand, dann sprang er mit einem Stoßseufzer die Verandatreppe hinunter.

## 2

Amy stand mit Wolf auf der Veranda und sah dem Auto nach, das sich langsam entfernte. Der indigofarbene Himmel spannte sich klar und wolkenlos über dem Horizont und verlieh dem hellen Sand den dunklen Ockerfarbton von feuchtem Lehm. Es dämmerte bereits. Ihr Vater hatte die Scheinwerfer eingeschaltet, und als die Rücklichter nicht mehr zu sehen waren und die Staubwolke, die der Wagen hinter sich herzog, längst zu Boden gesunken war, ging sie mit Wolf ins Haus zurück, schloß die Tür und lief langsam in die Küche.

Sie umrundete den Küchentisch einmal und betrachtete den Kochtopf auf dem Tisch wie eine Erscheinung aus einer anderen Welt. »Weißt du, Wolf«, sagte sie schließlich zu dem Hund, »ich habe gedacht, daß ich den Verstand verliere, aber jetzt glaube ich, daß Paps übergeschnappt ist.« Sie ging in die Hocke und kraulte dem Tier zärtlich den Nacken. »Der Teufel soll mich holen, wenn ich mich völlig zur Idiotin mache und mit diesem Ding auf dem Kopf hier sitze. Es ist mir vollkommen egal, ob mich jemand sehen kann oder nicht. Lieber sterbe ich, bevor ich mir einen Kochtopf aufsetze.«

## 3

Stefan fuhr schweigend und mit einem ernsten, verbissenen Gesichtsausdruck. Obwohl es erst dämmerte, hatte er die Scheinwerfer eingeschaltet, und im grünen Licht des Armaturenbretts wirkte sein ohnehin angespanntes Gesicht fahl und noch unnatürlicher als zuvor. Er fuhr langsam, als wäre er mit den Gedanken woanders – oder als wollte er ihre Ankunft im Institut unbewußt hinauszögern.

Jill dachte an Amy, die wieder einmal allein zu Hause warten mußte, und fragte sich, ob es wirklich klug gewesen war, das Mädchen zurückzulassen. Da die wenigen Meilen Entfernung zwischen dem Institut und Stefans Haus offenbar keine Rolle für Danny Eriksson spielten, wäre die Gefahr, die möglicherweise von ihm ausging, im Institut nicht wesentlich größer für sie gewesen, aber Stefan und sie selbst hätten das Mädchen wenigstens im Auge behalten können.

Doch wenn sie ehrlich war, mußte sie sich eingestehen, daß Amy in Wirklichkeit nicht ihre einzige Sorge war. Jill war insgeheim längst zu der Überzeugung gelangt, daß sie in eine Sache hineingeraten waren, an der wesentlich mehr dran war, als es auf den ersten Blick den Anschein hatte. Sie mußte an ihren Witz mit dem Kochtopf denken und fragte sich, ob Stefan ihn wirklich ernst genommen hatte, und da fiel ihr etwas ein.

»Weißt du«, sagte sie und drehte sich auf dem Beifahrersitz ein wenig zur Seite, damit sie ihn ansehen konnte. Er sah sie kurz mit einem schiefen Seitenblick an, ohne den Kopf zu drehen, und sein Auge wirkte wie ein aus der Silhouette herausgestanztes Loch. »Ich frage mich wirklich, warum wegen des Jungen nicht viel schärfere Sicherheitsmaßnahmen getroffen wurden.«

»Weil sie genau wissen, daß er harmlos ist«, antwortete Stefan. Seine Stimme hörte sich unsicher an, aber als er es wiederholte, klang sie fester. »Ja, er ist harmlos. Ich bin fest davon überzeugt. Sie halten ihn gefangen, weil sie das Geheimnis seiner Fähigkeiten aufklären wollen.« Er machte eine Pause, räusperte sich und fuhr fort. »Möchtest du meine Interpretation der Ereignisse hören?«

»Sicher«, sagte Jill. Sie lehnte sich in den Sitz zurück, lehnte den Kopf an die Nackenstütze und wartete.

»Irgendwie ist Wentworth auf diesen Jungen aufmerksam geworden, das Wie lassen wir einmal dahingestellt. Er hat sich mit ihm in Verbindung gesetzt und erklärt, daß sie seine Fähigkeiten erforschen wollen, und Danny ist freiwillig mitgekommen. Das ist das Entscheidende – freiwillig, denn gegen seinen Willen hätten sie ihn nie zwingen können. Wentworth hat ihn zu einem Versuch überredet – dem Test mit dem Schimpansen. Dann ist etwas passiert. Der Junge hat es sich anders überlegt und wollte aussteigen, aber sie haben ihn nicht gelassen. Danny hat etwas erfahren, das unter gar keinen Umständen an die Öffentlichkeit gelangen sollte. Wentworth hat beschlossen, ihn zu töten, aber Danny hat den Braten gerochen und Wentworth in Notwehr getötet. Vielleicht hat er versucht, in seinem Körper aus dem Gebäude zu fliehen. Er wurde erwischt und gestellt, kehrte in seinen Körper zurück und wurde betäubt. Bis heute.« Er drehte kurz den Kopf herum und sah sie an, bevor er den Blick wieder auf die Straße richtete. »Was meinst du?«

»Möglich, aber es bleiben ziemlich viele Fragen offen.«

»Zum Beispiel?«

»Wenn Wentworth den Jungen töten wollte, um ihn mundtot zu machen, hätte das nach ihm jeder andere tun können. Unter Narkose, wäre es kein Problem gewesen. McCullogh hätte es tun können.«

»Oder Straczinsky.«

Jill schüttelte den Kopf. »Das glaube ich nicht. So weit würde er sich nie aus dem Fenster lehnen. Daß er Mitwisser in der ganzen Angelegenheit ist, will ich gerne glauben, aber einen Mord traue ich ihm nicht zu.«

»Und wenn Wentworth auf eigene Faust gehandelt hat? Wir gehen von einer Gruppe von Leuten aus, die sich einig waren, aber es könnte doch sein, daß es Unstimmigkeiten gab.«

»Stefan«, sagte sie und massierte sich die Schläfen. Sie bekam leichte Kopfschmerzen und hoffte, daß sie nicht schlimmer werden würden. Vielleicht lag es an der Anspannung des Tages oder der Ungewißheit, was die kommenden Stunden bringen würden. »Wir drehen uns im Kreis. Über das alles haben wir schon gesprochen, und wir können bis in alle Ewigkeit darüber sprechen, ohne Antworten auf die offenen Fragen zu erhalten. Wir haben einfach zu wenige Informationen.«

Er lachte trocken. »Du hast recht«, sagte er. »Es hat keinen Sinn, länger darüber zu diskutieren. Aber glaub mir, es dauert nicht mehr lange, und wir werden unsere Informationen bekommen.«

## 4

Das Institutsgebäude ragte wie ein düsterer Monolith im Halbdunkel der Dämmerung auf, als Hellmann sich dem Torhaus näherte. Das Tor war verschlossen, aber der Pförtner, der die Scheinwerfer gesehen hatte, stand schon dahinter und wartete. Das Netz des Schattens, den der Zaun warf, verschmolz bereits mit den düsteren Farben der untergehenden Sonne. Hellmann fuhr so dicht an den Maschendrahtzaun, wie er konnte, kurbelte das Fenster herunter und lehnte sich hinaus.

»Hallo«, rief er, um einen freundlichen und unverfänglichen Ton bemüht, während er verzweifelt versuchte, sich an den Namen des Mannes zu erinnern … Hollinger? …

»Hollingsworth«, flüsterte Jill neben ihm. »Fred Hollingsworth.«

»Hallo, Fred«, sagte Hellmann. »Würden Sie uns reinlassen? Wir müssen noch ein wenig arbeiten.«

»So spät noch, und am Wochenende?« fragte der Pförtner, öffnete aber den Riegel dabei und zog das Tor auf. Hellmann steuerte den Wagen auf das Institutsgelände und hielt unmittelbar hinter dem Zaun an.

»Sie wissen, wie das ist«, sagte Hellmann, als der Mann das Tor geschlossen hatte und ans Auto trat. »Manchmal kann die Arbeit eben nicht warten.« Er gab sich große Mühe, so beiläufig wie möglich zu klingen und nicht auszusehen, als hätte er um diese Uhrzeit nicht das geringste hier zu suchen.

Hollingsworth beugte sich zum offenen Fenster herunter und sah herein. »Oh, hallo, Dr. Shepherd«, sagte er, als er Jill sah. »Erzählen Sie mir nicht, Sie haben auch zu arbeiten.«

»Eigentlich nicht«, sagte sie lächelnd, »aber ich dachte, es könnte nicht schaden, Stefan zu begleiten und ein bißchen aufzuarbeiten, was liegengeblieben ist. Ist sonst noch jemand hier?«

»Nein«, sagte Fred kopfschüttelnd. »Im Augenblick nicht. Drei Laborantinnen aus der Biochemie sind vor einer Stunde gegangen. Sonst ist meines Wissens niemand mehr in dem Gebäude.« Er wandte den Blick von Jill ab und Hellmann zu. »Haben Sie schon eine Ahnung, wie lange es dauern wird?«

»Leider nicht«, sagte Hellmann. »Aber möglicherweise eine ganze Weile. Kann sein, daß es ziemlich spät wird.«

»John löst mich um vier Uhr ab«, sagte Fred. Er ließ den Blick ein letztes Mal durch das Wageninnere schweifen. »Ich werde ihm Bescheid sagen, falls Sie noch da sind.«

»Gut.« Hellmann suchte nach Spuren von Argwohn oder Mißtrauen in seinen Augen, konnte aber nichts erkennen. Der Pförtner schien keine Zweifel an ihren lauteren Motiven zu haben.

Sie grüßten den Mann zum Abschied und Hellmann fuhr die wenigen Meter bis zum Hauptgebäude, wo er das Auto unmittelbar vor dem Eingang parkte, und nicht, wie üblich, auf dem Parkplatz. »Für den Fall, daß wir das Auto schnell brauchen«, sagte er, und Jill nickte. Sie stiegen aus. Hellmann schloß den Wagen ab, folgte Jill aber nicht sofort die Stufen zur Eingangstür hinauf, sondern ging an der Seitenwand des Gebäudes entlang und spähte um die Ecke. Der flache Hausmeisterbungalow, wo Ramon und seine Frau wohnten, war dunkel; die Jalousien von zwei der drei Fenster waren heruntergelassen. Hinter dem dritten Fenster flackerte das unstete blaue Licht eines Fernsehers.

Hellmann wandte sich ab und ging zum Eingang. Jill hatte inzwischen die Tür aufgeschlossen und erwartete ihn bereits mit fragendem Blick. »Ramon und seine Frau«, sagte er nur und nickte in Richtung des Bungalows. »Und Fred. Sonst scheint niemand hier zu sein.«

Jill nickte. Sie ging voraus in das halbdunkle Institutsgebäude. Eine Notbeleuchtung erfüllte den Eingangsbereich mit spärlichem Licht. Es reichte gerade aus, sich zu orientieren und den Weg zum Hausmeisterzimmer zu finden, wo sich die Sicherungskästen und Lichtschalter für das gesamte Gebäude befanden. Ihre grotesk verzerrten Schatten folgten Jill und Hellmann das kurze Stück des Flurs entlang. »Sollen wir nicht das Licht einschalten?« fragte Jill.

Hellmann schüttelte verneinend den Kopf, dachte einen Moment nach und sagte dann: »Vielleicht doch. Damit Fred sich nicht fragt, warum wir uns hier im Dunkeln herumtreiben.« Er hielt kurz inne. »Brauchst du noch etwas von oben? Deine Tasche?«

»Nein«, antwortete Jill. »Jedenfalls nicht gleich. Ich denke, ich werde mir den Jungen erst einmal ansehen, um mir ein Bild zu machen. Was weiter geschieht, werden wir entscheiden, wenn es soweit ist.«

Sie hatten die Tür des Hausmeisterzimmers erreicht. Vage Schemen von Möbelstücken drängten sich unscharf und verschwommen in dem grauen stickigen Raum. Jill tastete mit der linken Hand nach dem Lichtschalter. Als die Neonröhre mit einem leisen Summen aufleuchtete, kniff Jill in der plötzlichen Helligkeit kurz die Augen zusammen. Lichtpünktchen tanzten hinter ihren geschlossenen Lidern. Als sie die Augen wieder aufschlug, besaß alles – der Spind, der verblichene Holztisch, die Schwarzweißfotos an den Wänden – klar umrissene Konturen, als wäre es mit einem scharfen Messer aus der Leere des Raumes herausgeschnitzt worden.

Sie überflog mit einem raschen Blick die Schalter der Beleuchtung und knipste die Lichter im Flur, vor dem Fahrstuhl und im ersten Untergeschoß an. Hellmann lehnte am Türrahmen und beobachtete sie. In seinem Gesicht war nicht abzulesen, was er dachte.

Sie wandte sich von den Sicherungskästen und Schaltern ab und ging einige Schritte zur Tür, aber Stefan wich nicht. Sie sah fragend zu ihm auf, worauf er sich langsam mit der Schulter vom Türrahmen abstieß und auf sie zukam, bis er unmittelbar vor ihr stand.

»Bevor wir da runtergehen«, sagte er mit heiserer, belegter Stimme, »möchte ich, daß du eines weißt. Ich hätte nicht gedacht, daß ich es so schnell wieder zu einer Frau sagen würde, aber es ist die Wahrheit. Ich liebe dich wirklich. Die Zeit, die wir zusammen verbracht haben, bedeutet mir sehr viel, und ich werde ...«

Sie legte ihm zärtlich einen Finger auf die Lippen. »Nicht«, flüsterte sie leise. »Sag so etwas nicht. Es hört sich wie ein Abschied an.«

»Du hast recht«, antwortete er. Er schien erleichtert zu sein, daß sie ihm die Ansprache erspart hatte, und Jill lächelte in sich hinein, ohne daß er es merkte. Er drückte sie ein letztes Mal an sich, dann drehte er sich ohne ein weiteres Wort um und ging mit entschlossenen Schritten zum Fahrstuhl.

## 5

Der Moment seiner plötzlichen Entschlossenheit trug Hellmann bis zu der Metalltür, vor der er noch einmal kurz zögerte und mit der Magnetkarte, die das Schloß öffnete, über dem Lesegerät verharrte. Jill hatte ihn im Fahrstuhl auf dem Weg nach unten beobachtet. Äußerlich gab er sich gelassen, aber ihr war nicht entgangen, wie er die Fingerkuppen der rechten Hand ununterbrochen aneinander gerieben hatte und auf den Absätzen wippte; seine uneingestandene Nervosität war ihm deutlich anzumerken, und sie dachte, wenn es einen Menschen auf der Welt gab, der nicht zum Lügner geeignet war, dann ihn.

Als Jill ihn gerade ansprechen wollte, gab er sich einen Ruck und zog langsam die Magnetkarte, die Straczinsky ihm gegeben hatte, durch den Schlitz des elektronischen Lesegeräts. Die Verriegelung des Schlosses löste sich mit einem leisen Klicken, das Jill angesichts der schweren Metalltür so unangemessen kläglich fand, daß sie beinahe kichern mußte. Sie sah nach links, den Korridor entlang, der zum Materiallager führte, dann nach rechts. Die Frau mit dem schulterlangen Haar an Stefans Seite, die sie als geisterhafte Reflexion in der dunklen Glastür der biochemischen Labors sah, kam ihr fremd vor, und sie mußte noch einmal genauer hinsehen. Als Stefan langsam die Stahltür öffnete, drang Licht aus dem Flur dahinter, und das Spiegelbild verblaßte wie der Geist einer Toten, die endlich Frieden gefunden hat.

Jill wandte sich von der Glastür ab und folgte Stefan. Wie er ihr erzählt hatte, erstreckte sich der Flur fast endlos und schnurgerade in scheinbar kilometerlange Ferne. Ihr kam es seltsam vor, daß der Korridor beleuchtet war, aber sie war dankbar, daß sie sich nicht in der Dunkelheit vorantasten mußten. Niemand hatte daran gedacht, eine Taschenlampe mitzunehmen, und Jill überlegte zum erstenmal, wie schlecht sie für ihr abenteuerliches Unternehmen ausgerüstet waren. Aber jetzt war es wohl zu spät, sich darüber den Kopf zu zerbrechen.

Stefan hatte sich einen Stahlhelm von dem Tisch genommen, der unmittelbar hinter der Tür an der Wand stand, und forderte Jill mit einer Geste auf, sich ebenfalls einen aufzusetzen. Sie kam sich albern vor, nickte aber. Als sie die lederbezogene Halterung im Inneren auf die richtige Größe eingestellt hatte, stülpte sie sich den schweren Helm auf den Kopf. Fast augenblicklich wurden ihre Kopfschmerzen schlimmer; ein Pochen breitete sich von ihrem Nackenansatz über den gesamten Hinterkopf aus, und sie wünschte sich, sie hätte ihre Schmerztabletten mitgenommen.

Der folgende Fußmarsch kam ihr endlos vor. Als sie eine weitere Metalltür in der Wand zu ihrer Linken erreicht hatten, fragte sich Jill, wohin dieser Korridor wohl führen mochte und versuchte sich vorzustellen, in welche Richtung er ging, aber es gelang ihr nicht. Die Kopfschmerzen machten es ihr schwer, sich zu konzentrieren. Wahrscheinlich war es sowieso nicht wichtig.

Stefan legte die rechte Hand an den Türgriff, drückte die Klinke herunter, atmete einmal tief durch und riß die schwere Tür mit einem Ruck auf. Er wollte den Raum gerade mit einem großen Schritt betreten, als er wie angewurzelt stehenblieb, und Jill, die dicht hinter ihm war, lief auf ihn auf. Um ein Haar wäre ihr der Helm vom Kopf gerutscht.

Sie stellte sich auf die Zehenspitzen, damit sie über seine Schulter sehen konnte, aber es war nicht nötig. Er machte einen Schritt in den Raum und wich ein Stück zur Seite. Jill konnte eine junge Frau sehen, die von ihrem Stuhl aufgesprungen war. Das Haar der Frau war größtenteils unter einem Stahlhelm verborgen, und sie starrte Stefan an, als wäre er ein Gespenst.

»Wer sind Sie denn?« hörte Jill Stefan fragen, während sie noch damit beschäftigt war, das schmucklose nüchterne Innere des Raums zu studieren, die Monitore und Anzeigen, die weißgekachelten Wände. Ein weißer Labormantel hing achtlos über der Lehne des Bürostuhls, den die Frau vom Schreibtisch weggerollt hatte, und erst jetzt fiel Jill auf, daß sie eine Uniform trug.

»Ich kenne Sie«, sagte Stefan leise zu der Frau. »Ich habe Sie schon einmal gesehen ...« Er erinnerte sich an ihr bestürztes Gesicht, als sie ihm bei seinem ersten Ausflug ins Untergeschoß über den Weg gelaufen war. Jill sah von der Frau zu ihm. Stefan bemerkte es und wandte sich kurz zu ihr. »Im Materiallager«, sagte er, aber eine weitere Erklärung gab er nicht ab. Er drehte sich wieder zu der Frau um und wiederholte seine Frage. »Wer sind Sie?«

»Mein Name ist Ellen Davies«, antwortete die Frau zögernd. »Lieutenant Ellen Davies. Ich bin Ärztin.« Nach einer kurzen Pause fügte sie hinzu, als wäre es durch die Uniform nicht offensichtlich gewesen: »Militärärztin.«

Stefan ließ sich gegen die Wand sinken. »Aber natürlich«, sagte er, und obwohl er Jill ansah, schien er mehr mit sich selbst zu sprechen. »Das ist ein militärisches Projekt, richtig?« Er schien nicht mit einer Antwort zu rechnen, da er ohne erkennbare Pause fortfuhr: »Ich hätte es wissen müssen. Darum hatte Straczinsky so zögerlich reagiert, als ich davon gesprochen habe, meine Ergebnisse zu veröffentlichen. Und darum ist niemand sonst informiert. Es ist ein geheimes Projekt des Militärs.« Er ging zwei Schritte nach vorn, und Ellen Davies wich unsicher zu ihrem Schreibtisch zurück, als hätte sie Angst vor ihm.

Aber er kümmerte sich gar nicht mehr um die junge Frau. Er ging zum Fenster des angrenzenden Raumes, wo der Junge lag, wie Jill wußte, und sah hinein, während er seinen Monolog fortsetzte. »Wer außer dem Militär sollte ein Interesse daran haben, die Fähigkeit dieses Jungen zu erforschen?« Er drehte sich langsam um und betrachtete Ellen Davies mit einem fast vorwurfsvollen Blick. »Was haben Sie sich gedacht, daß Sie eine menschliche Superwaffe aus ihm machen können? Ja?«

Jill glaubte, sie müsse unter der Last des Helms auf ihrem Kopf zusammenbrechen. Obwohl sie sich nichts sehnlicher wünschte, als sich den Jungen nebenan mit eigenen Augen anzusehen, ging sie zur anderen Seite des Raumes und setzte sich auf den Tisch. Die Frau, Ellen Davies, wandte ihr den Rücken zu und beachtete sie nicht, sondern behielt weiter Stefan im Auge.

Stefan schien sich inzwischen in eine aufrichtige Wut hineinzusteigern, derer Jill ihn nicht für fähig gehalten hätte. Er bombardierte die Frau mit Vorwürfen, obwohl auf der Hand lag, daß sie wenig mehr als ein Handlanger war. Als Militärärztin hatte man ihr wahrscheinlich die Aufgabe übertragen, den Gesundheitszustand des Jungen zu überwachen. Jill bezweifelte, ob sie überhaupt eine Ahnung hatte, was es mit Danny auf sich hatte.

Sie machte einen Moment die Augen zu und versuchte das Pochen in ihrem Hinterkopf zu vertreiben. Stefans Worte hallten wie Hammerschläge in ihrem Kopf, und sie wünschte sich, er würde aufhören, die Frau anzubrüllen. Als er schließlich verstummte und Jill wenige forsche Schritte hörte, schlug sie die Augen auf.

Stefan war zur Tür gegangen, die in den angrenzenden Raum führte. Er drehte den Knauf, und Ellen Davies fuhr erschrocken hoch. »Was machen Sie da?« fragte sie. Ihre Augen blickten groß und furchtsam zu der Glasscheibe, zu Hellmann, zu der Tür, und sie drückte sich fest an die Tischplatte des Schreibtischs. Sie hat tatsächlich Angst vor dem Jungen, dachte Jill staunend, und die Zweifel, die sie zwischenzeitlich verdrängt hatte, stellten sich unvermittelt wieder ein.

»Ganz einfach«, antwortete Stefan barsch. »Ich werde jetzt da reingehen und den Jungen aufwecken. Ich ...«

Die junge Frau stieß ein Stöhnen aus. »Aber das dürfen Sie nicht«, sagte sie fassungslos. »Hat man Ihnen nicht gesagt, wie gefährlich die ... das Subjekt ist?«

Stefan lachte verächtlich auf und machte eine wegwerfende Handbewegung. »Haben Sie eine Ahnung, was man mir alles gesagt hat«, entgegnete er. »Mit den Lügen, die ich aufgetischt bekommen habe, könnte man ein ganzes Märchenbuch füllen. Und soll ich Ihnen etwas sagen?« Er wartete ab, aber Ellen Davies ließ keine Reaktion erkennen. Sie sah immer noch starr vor Angst zu der Tür, die Hellmann inzwischen einen Spalt weit geöffnet hatte, und zu den Anzeigen der Monitore an der Wand. »Ich glaube kein Wort davon«, sagte er. »Ich bin der festen Überzeugung, daß dieser Junge da drinnen der einzige ist, der mir wirklich die Wahrheit sagen kann, und ich habe vor, ihn zu fragen.« Er ließ den Blick von ihr zu Jill schweifen. »Kommst du?« fragte er mit leiserer, versöhnlicher Stimme.

»Das dürfen Sie nicht«, wiederholte Ellen Davies hilflos.

»Und warum nicht? Hat man Ihnen nicht mitgeteilt, daß ich als Dr. Wentworths Nachfolger inzwischen zum Leiter dieses Projekts ernannt wurde? Wollen Sie mich daran hindern, meine Arbeit zu machen?«

Stefan blinzelte, und Jill wurde klar, daß er bluffte. Die Tatsache, daß das Militär die Erforschung von Danny Erikssons Fähigkeiten finanzierte, hatte die Lage mit einem Schlag verändert, und das wußte er. Irgendwo in der militärischen Hierarchie mußte es einen Verantwortlichen geben, der das Sagen hatte, und wenn, dann war Ellen Davies ihm verpflichtet. Vermutlich hoffte er, daß er die Frau überrumpeln konnte.

Seine Rechnung schien einen Augenblick lang aufzugehen, denn Ellen Davies wirkte tatsächlich etwas unsicher. Aber die Unsicherheit hielt nicht lange an. Bevor Jill auf Stefan zugehen konnte, drehte sich die junge Frau blitzschnell herum, riß die Schreibtischschublade auf und holte eine Pistole heraus. Sie entsicherte die Waffe mit einer knappen und geübten Bewegung des Daumens und richtete sie auf Stefan.

»Tut mir leid, Dr. Hellmann«, sagte sie, »das kann ich nicht zulassen. Ich muß Sie auffordern, die Tür zu schließen und sich langsam zu entfernen. Ich werde meinen Vorgesetzten über Ihre Anwesenheit informieren. Seiner Entscheidung werde ich mich fügen, und keiner anderen.«

»Und wer ist Ihr Vorgesetzter?« hörte Jill ihn fragen, aber sie wußte die Antwort, noch bevor Ellen Davies sie aussprach, und Stefan wußte sie auch, denn er zeigte nicht die Spur von Überraschung.

»Major McCullogh«, sagte Ellen Davies leise und hielt die Pistole weiter unverwandt auf Stefans Kopf gerichtet.

## 6

Einen Augenblick wirkte Jill wie gelähmt und fragte sich wieder einmal, wie sie nur jemals in so eine Situation hatte geraten können. Ellen Davies hielt die entsicherte Waffe entschlossen auf Stefan gerichtet. Jill fiel auf, daß ihr rechter Arm nicht im geringsten zitterte. Die Frau versuchte, Hellmann im Auge zu behalten und gleichzeitig rückwärts zu gehen, während sie mit der linken Hand nach dem Telefon tastete, das auf dem Schreibtisch stand. An Jill, die immer noch hinter ihr auf dem Tisch saß, schien sie gar nicht zu denken, oder sie glaubte, daß ihr von dieser Seite keine Gefahr drohte.

Jill überlegte fieberhaft. Bisher wußte außer Fred niemand von ihrer Anwesenheit im Institut, aber wenn es Ellen Davies gelingen sollte, McCullogh und Straczinsky zu informieren, verloren sie wahrscheinlich jede Chance, den Jungen zu wecken und zu befragen. Sie mußte unbedingt verhindern, daß die Frau telefonierte, ohne dabei jedoch Stefan zu gefährden.

Langsam und so leise sie konnte ließ sich Jill von dem Tisch heruntergleiten. Sie gab Stefan mit Blicken ein Zeichen, daß er sich auf keinen Fall etwas anmerken lassen sollte, und glitt seitlich an der Kante entlang.

»Hören Sie«, sagte Stefan zu Ellen Davies. Seine übertrieben laute Stimme sollte wahrscheinlich verhindern, daß die Ärztin mitbekam, wie Jill sich hinter ihr anschlich, und sie war Stefan dankbar für den Versuch. »Sie machen einen schweren Fehler. Ich bin der wissenschaftliche Leiter des Projekts, und ohne mich werden Sie nie etwas über die Fähigkeit des Jungen herausfinden.« Jill war nicht sicher, ob Ellen Davies diese Lüge schlucken würde. »Ich werde«, fuhr Stefan mit nach wie vor lauter Stimme, aber in so ruhigem Tonfall wie möglich fort, »jetzt diese Tür aufmachen und ins Nebenzimmer gehen. Ich möchte mir den Jungen nur einmal aus der Nähe ansehen, dagegen können Sie doch keine Einwände haben, oder?«

Jill stand jetzt unmittelbar hinter Ellen Davies und überlegte verzweifelt, was sie nun tun sollte. Die Frau hatte das Telefon ertastet und den Hörer hochgehoben, aber nun wußte sie offenbar nicht, wie sie wählen und gleichzeitig die Waffe im Anschlag behalten sollte. Jill nutzte den Augenblick der Unschlüssigkeit und setzte alles auf eine Karte. Statt sich weiter an Ellen Davies heranzuschleichen, machte sie einen großen Sprung auf die Frau zu. Ellen Davies hörte das Geräusch. Sie ließ den Hörer fallen, der polternd auf der Schreibtischplatte landete, und wirbelte herum, aber Stefan hatte sich im selben Augenblick in Bewegung gesetzt. Jill warf sich auf die Frau und gab ihr einen kräftigen Schubs, der sie in Stefans Richtung taumeln ließ. Ellen Davies verlor das Gleichgewicht. Sie stolperte nach vorn, dann riß sie beide Arme hoch, damit sie nicht stürzte. Jill setzte sofort nach, um die Ärztin gegebenenfalls festhalten zu können, aber Stefan hatte schon ihren Arm gepackt und entwand ihr die Pistole mit einem raschen Griff.

Ellen Davies schrie vor Schmerzen auf und rieb sich das Handgelenk, während sie Hellmann mit großen, angsterfüllten Augen ansah. Stefan hatte die Pistole auf sie gerichtet, um die Frau in Schach zu halten, aber Jill glaubte nicht, daß in ihrem momentanen erschrockenen Zustand eine große Gefahr von Ellen Davies ausging.

Trotzdem begab sich Jill an Stefans Seite, um aus der Reichweite der Frau zu kommen. Jetzt, wo er Ellen Davies entwaffnet hatte, schien Stefan unsicher zu sein, wie es weitergehen sollte. Er warf Jill einen fragenden Blick zu.

»Ich fürchte, es wird uns nichts anderes übrigbleiben, als sie hierzubehalten. Wenn es ihr gelingt, jemanden zu benachrichtigen, werden wir keine Gelegenheit bekommen, mit Danny zu reden.«

Stefan nickte. »Wir könnten sie zu dem Jungen in den Raum sperren«, sagte er mit einem gemeinen Funkeln in den Augen, das einem befriedigten Ausdruck wich, als er den Schreckensschrei der Militärärztin hörte.

»Hör auf«, sagte Jill vorwurfsvoll zu ihm. »Du mußt ihr nicht noch zusätzlich Angst machen. Außerdem können wir sie da drin auf keinen Fall gebrauchen. Ich brauche freie Bahn.« Sie sah sich in dem Raum um. »Das beste wäre, wenn wir sie hierbehalten und fesseln.«

Stefan nickte abermals. Er fuchtelte mit der Waffe und gab Ellen Davies zu verstehen, daß sie sich auf den Stuhl setzen sollte. Die junge Frau gehorchte zögernd.

Jill suchte nach einer Schnur oder einem Seil oder etwas Ähnlichem. Ihr Blick fiel auf die Schreibtischlampe, die an einem viel zu langen Verlängerungskabel hing, das teilweise zu Schlaufen zusammengerollt auf dem Boden lag und zur Steckdose an der Wand führte. Jill bückte sich, zog den Stecker heraus und löste das Kabel von der Lampe. Stefan befahl der Frau, die Hände hinter der Stuhllehne zu verschränken, und Jill schlang ihr das Kabel um die Handgelenke und fesselte sie, so gut sie es vermochte. Das Kabel war hinreichend biegsam. Jill zog es fest, ohne die Blutzirkulation zu sehr abzustellen. Als sie fertig war, begutachtete sie ihr Werk, ebenso Stefan, der die Schlingen und Knoten kritisch prüfte.

»Ich denke, es wird gehen«, sagte er schließlich zu Jill. Er betrachtete die Pistole in seiner Hand, als wüßte er nicht so recht, was er damit anfangen sollte. Schließlich sicherte er die Waffe wieder, wie er es bei Ellen Davies gesehen hatte, legte die Pistole auf den Tisch mit den medizinischen Monitoren, überlegte es sich aber doch anders und steckte sie in den Hosenbund. Jill kam er vor wie der Held eines Fernsehkrimis. Sie lächelte. Aber offenbar schien er sich mit der Waffe nicht wohl zu fühlen, denn kaum hatte er einen Schritt gemacht, zog er sie wieder aus dem Hosenbund heraus und gab sie Jill. »Hier, nimm du sie.« Jill zögerte einen Augenblick, dann nahm sie die Pistole an sich und steckte sie ein.

»Nun gut«, sagte er mit einem letzten Blick auf Ellen Davies. »Gehen wir rein. Es wird höchste Zeit, daß wir uns um Danny kümmern.«

## 7

Stefan Hellmann zog die Tür auf, die zu Dannys Krankenzimmer führte, und betrat einen kurzen Flur. Hinter einer zweiten Tür lag das Zimmer mit dem Fenster zum Nebenraum, in dem sich der Junge befand.

Der Eindruck keimfreier Sauberkeit, den der Raum von der anderen Seite der Glasscheibe gemacht hatte, verschwand bei näherem Hinsehen ziemlich schnell. Staubflusen lagen in den Ecken und unter dem Bett. An der Decke und im oberen Drittel hingen Spinnweben, die mit ihrer unebenmäßigen Last grauen Staubes wie hauchzarter Stacheldraht wirkten. Hellmann strich mit einem Daumen über die mattweißen Kacheln und sah schwarze Krümel zu Boden fallen. Die Spur seines Daumens war deutlich auf der Fliese zu sehen.

Jill kam ihm nach und schob ihn beiseite, damit sie den Raum betreten konnte. Sie schenkte der Umgebung keine weitere Beachtung, sondern ging direkt zum Bett, wo sie den Jungen zunächst lange und wortlos betrachtete. Einmal sah sie zu Hellmann, der in ihren im Neonlicht glänzenden Augen das ausgedrückt sah, was er beim ersten Anblick des Jungen empfunden hatte: Dieses zerbrechliche, blasse Wesen konnte unmöglich ein gewissenloser Mörder sein.

Nach einer ganzen Weile riß sich Jill von Danny los und studierte die zahlreichen Schläuche und Kanülen, die den Jungen umgaben. Ein Ständer mit Rollen, an dem eine durchsichtige Infusionsflasche hing, stand unmittelbar am Kopfende. Ein Schlauch verlief von der Flasche zum Arm des Jungen. Farblose Flüssigkeit tröpfelte konstant hindurch. Jill bückte sich und betrachtete die Stelle, wo die Nadel des Tropfs die Haut der linken Armbeuge durchbohrte. Sie lehnte sich über das Bett und ergriff den rechten Arm des Jungen. Hellmann bemerkte, daß sie fast unmerklich zögerte, bevor sie ihn berührte. Sie betrachtete die rechte Armbeuge und nickte zufrieden. »Keine Entzündungen«, sagte sie zu Hellmann. Sie richtete sich auf, streckte sich, las das Etikett auf der Infusionsflasche und drehte sich mit einem zufriedenen Nicken um. »Wir haben Glück«, sagte sie. »Sie halten ihn mit Propofol in Narkose. Gott sei Dank ist es kein Phentanyl oder etwas Derartiges.«

Er sah sie fragend an. »Was wäre der Unterschied?«

»Die Wirkung von Propofol läßt schneller nach«, sagte sie. »Wir haben gute Chancen, daß es zumindest nicht tagelang dauert, bis er zu sich kommt.«

Hellmann nickte und ging zum Fenster. Im Nebenraum saß Ellen Davies immer noch auf ihrem Stuhl. Sie erstarrte, und ihre Augen wurden groß, aber als sie Hellmann erkannte, entspannte sie sich ein wenig. Hellmann drehte sich zu Jill um, die ebenfalls ans Fenster getreten war. »Ist dir aufgefallen, daß sie Todesangst vor diesem Jungen hat?« fragte Jill ihn. Sie ging zum Bett zurück und betrachtete den Jungen. Seine Brust hob und senkte sich kaum, so flach waren seine Atemzüge. Die Beatmungsschläuche, die rechts und links aus seinen Nasenlöchern herausragten, wirkten wie ein bizarr gedrehter Schnurrbart. Jill stützte sich mit einem Arm auf die Matratze und sah ihm lange ins Gesicht.

»Vermutlich hat man ihr auch ein Lügenmärchen aufgetischt«, sagte Hellmann. »Sie ist nicht mehr als ein Handlanger. Ich glaube nicht, daß sie weiß, was tatsächlich gespielt wird. Sie haben ihr den Auftrag gegeben, sich um den Jungen zu kümmern, vielleicht, ihn zu bewachen.«

Jill nickte geistesabwesend, ohne den Blick von dem feingeschnittenen, fast durchscheinenden Gesicht abzuwenden. Als sie sich gerade aufrichten wollte, zuckte Dannys Schulter, sein ganzer Oberkörper sackte zusammen und sank ein Stück abwärts. Ein Zischen ertönte. Jill schrie auf, und sofort sprang Hellmann erschrocken zu ihr. Sie winkte ab.

»Nichts weiter«, sagte sie und versuchte ein Lachen, das nervös und gekünstelt klang. Er sah sie fragend an. »Das Bett«, sagte sie. »Wie ich dir gesagt habe, es besitzt Luftpolster, die die Lage des Jungen verändern, damit er sich nicht wundliegt.« Sie ging um das Bett herum zu der IV-Flasche und betrachtete Hellmann mit einem prüfenden Blick. »Ist es tatsächlich dein Ernst?« fragte sie. »Willst du ihn immer noch aufwecken?«

»Auf jeden Fall«, antwortete Hellmann und beobachtete, wie sie mit der linken Hand die Flasche festhielt, während sie gleichzeitig mit der rechten den Hahn des Infusionsschlauchs zudrehte und die Zufuhr des Schlafmittels unterband.

# 8

Ellen Davies saß auf ihrem Bürostuhl und bewegte unablässig die Hände, während sie gleichzeitig versuchte, so unbeteiligt wie möglich auszusehen. Wenn sie ihre Waffe noch gehabt hätte und die Hände nur ein bißchen bewegen könnte, dachte sie, dann hätte sie als erstes die vermaledeite Uhr über dem Schreibtisch zerschossen. Immer wieder schweifte ihr Blick zum Fenster, um festzustellen, ob einer der beiden sie beobachtete, und mit derselben Regelmäßigkeit zu der Uhr. Jedesmal schien es, als hätte sich der Sekundenzeiger kaum bewegt, als verginge die Zeit nicht. Dennoch rückten die Zeiger langsam vor, auch wenn es Ellen vorkam, als würde es Ewigkeiten dauern.

Neunzehn Minuten nach einundzwanzig Uhr – neunzehn Minuten und achtundzwanzig Sekunden, um genau zu sein –

tauchte Hellmanns Gesicht am Fenster auf. Er sah kurz zu ihr heraus, und sie versuchte, ein resigniertes Gesicht zu machen. Sekunden später – neunzehn Minuten und siebenundvierzig Sekunden nach neun – verschwand er erneut. Ellen fragte sich, was die beiden da drinnen machten. Immerhin waren sie schon über eine Stunde bei dem Jungen … der Bestie. Wenn sie nicht damit beschäftigt war, zum Fenster oder zur Uhr zu sehen, richtete sie den Blick auf die Monitore und Vitalanzeigen der Bestie, aber die Kurven blieben allesamt unverändert.

Sieben Minuten nach zweiundzwanzig Uhr, sieben Minuten und zwölf Sekunden – historische Augenblicke sollte man so präzise wie möglich festhalten, dachte sie mit einem Anflug von Galgenhumor – spürte sie zum erstenmal, wie das Kabel, mit dem Jill Shepherd sie gefesselt hatte, etwas nachgab. Ellen triumphierte innerlich, versuchte aber, sich nichts anmerken zu lassen. Langsam und verbissen versuchte sie weiter, sich aus ihren Fesseln zu befreien.

Sie war dankbar, daß Jill sie mit einem Kabel gefesselt hatte. Zwar bot die Gummioberfläche einen gewissen Reibungswiderstand, dennoch ließen sich die Schlaufen einigermaßen gut verschieben und lockern. Die Anstrengung war immens, und Ellen spürte ihre Finger kaum noch, doch langsam, aber sicher wurde die Schlaufe um ihre Handgelenke locker. Ein Seil oder eine Schnur hätte sich nicht so einfach öffnen lassen, wahrscheinlich hätte sie die Schlingen durch die konstante Bewegung nur noch fester zusammengezogen, aber das Kabel löste sich Millimeter für Millimeter. Um dreiundzwanzig Uhr neununddreißig konnte sie das rechte Handgelenk zum erstenmal ein klein wenig in der Schlinge bewegen. Ja, es ging eindeutig voran.

## 9

Stefan betrachtete Jill, die erneut aufgestanden war und sich über den Jungen beugte. Sie hatte die Zufuhr des Schlafmittels vor fast drei Stunden abgestellt, aber Dannys Zustand schien unverändert zu sein. Er bewegte sich nicht, und seine einzigen Regungen stammten von der Hydraulik des Betts, an deren Zischen sich Hellmann inzwischen gewöhnt hatte. »Alles in Ordnung?« fragte er und unterdrückte ein Gähnen.

»Bis jetzt alles klar«, antwortete sie und setzte sich wieder zu ihm. Sie hatten zwei Stühle vor das Bett gestellt. Hellmann saß mit gespreizten Beinen verkehrt herum darauf; er hatte beide Arme auf die Lehne gelegt und stützte das Kinn auf. Trotz aller Müdigkeit empfand er ein Gefühl der Unruhe. Er machte sich Gedanken über Ellen Davies, die gefesselt draußen saß, und fragte sich, wie sie das Institut betreten haben mochte. Fred hatte nichts von ihr gesagt, und es konnte unmöglich sein, daß sie sich rund um die Uhr in dem Gebäude aufhielt. Möglicherweise gab es einen zweiten Zugang, aber das war im Augenblick nicht das Problem. Viel schlimmer war...

»Wachablösung«, sagte er zu Jill. »Verdammt. Daß wir daran nicht gedacht haben.«

»Was meinst du damit?« fragte sie ihn. »Was für eine Wache? Meinst du Fred...«

»Nein, nicht Fred«, sagte er. Er nickte zur Glasscheibe. »Sie. Irgendwann wird sie abgelöst werden. Wenn ich das Militär richtig einschätze, haben sie Wachen eingeteilt. Jemand wird kommen und sie ablösen. Fragt sich nur, wann.«

Jill holte tief Luft. »Aber natürlich«, sagte sie. »Du hast recht.«

Er stand auf, ging zum Fenster und warf einen Blick hinaus. Ellen Davies saß unverändert auf ihrem Stuhl. Sie sah zu den Monitoren, die Dannys Zustand widerspiegelten... und dann zur Uhr. Hellmann wirbelte herum. »Verflucht. Sie sieht dauernd auf die Uhr. Ob sie schon mit Verstärkung rechnet?«

»Keine Ahnung«, sagte Jill. Sie ging zu Danny, prüfte den Puls an seiner linken Hand, legte ihm eine Hand auf die Stirn und zog behutsam ein Lid hoch.

»Dauert es noch lange?« fragte Hellmann.

Sie zuckte die Achseln. »Keine Ahnung. Im Augenblick sieht es noch nicht aus, als würde er schnell zu sich kommen.«

Hellmann überlegte eine Weile, wie es weitergehen sollte. Schließlich sah er Jill an. »Hör zu«, sagte er. »Gibt es hier im Haus einen Fotoapparat?«

»Ja«, antwortete sie, »in der Abteilung ...«

»Gut«, unterbrach er sie. »Ich möchte, daß du folgendes tust.« Er wartete, bis sie ihn direkt ansah und ihm ihre ungeteilte Aufmerksamkeit schenkte, dann fuhr er fort. »Du gehst nach oben und holst den Apparat. Dann fährst du runter in den Keller, machst ein paar Fotos von Wentworth und gehst in mein Büro. Das Video des Tierversuchs liegt in meinem Schreibtisch in der obersten Schublade. Hier ist der Schlüssel.« Er zwängte eine Hand in die rechte Seitentasche seiner engen Jeans und zog einen kleinen Schlüssel heraus, den er ihr gab. »Du nimmst die Fotos und das Video und verläßt auf schnellstem Weg das Institut.« Sie wollte Einwände erheben, aber er hob eine Hand und schnitt ihr das Wort ab. »Jill, wir haben keine Zeit, uns zu streiten. Möglicherweise dauert es noch, aber irgendwann wird jemand kommen und nach Ellen Davies sehen. Vielleicht hätte sie schon vor Stunden einen Kontrollanruf erledigen müssen, keine Ahnung. Wir dürfen uns auf gar keinen Fall hier erwischen lassen, sonst ist alles aus. Wenn sie uns jetzt schnappen, können wir weder Danny noch uns helfen.«

»Dann komm mit mir«, sagte sie. »Wir könnten sie mitnehmen, als Zeugin. Und wir könnten mit der Polizei wiederkommen ...«

»Nein«, sagte er nachdrücklich. »Ich werde den Jungen nicht allein lassen. Mag sein, daß er noch eine Weile weg ist, aber wenn er zu sich kommt, braucht er Hilfe.«

»Wäre es nicht besser, wenn ich bleibe«, sagte Jill. »Schließlich bin ich Ärztin. Ich kann ihn besser versorgen als du, und wenn es Komplikationen gibt ...«

»Ich bleibe«, sagte er in einem Tonfall, der keinen Widerspruch zuließ. »Du nimmst das Beweismaterial an dich und fährst auf schnellstem Weg zu Sheriff Healy. Erklär ihm alles. Amy hat ihn eingeweiht, ich bin sicher, er wird deine Geschichte glauben. Er soll mit Verstärkung herkommen. Und sorge dafür, daß ein Hubschrauber kommt, damit wir Danny in ein Krankenhaus bringen können ... Hauptsache, weg von hier.«

Jill sah ihn unschlüssig an. »Sollte ich nicht Fred Bescheid sagen ...« begann sie, aber er schüttelte wieder den Kopf.

»Nein, wir sollten so wenig Unschuldige wie möglich in die Sache hineinziehen.« Er sah ihrem Gesicht an, daß sie nicht überzeugt zu sein schien. »Bitte«, sagte er fast flehentlich. Das Gefühl, daß sie etwas übersehen hatten, daß eine Katastrophe bevorstand, wurde immer stärker, und er wollte sie aus der Schußlinie haben, wenn es soweit war. Dennoch konnte er ihr nicht ersparen, noch einmal zu Wentworth zu gehen und die Fotos zu machen. Sie brauchten Beweise, falls McCullogh versuchen sollte, die Sache zu vertuschen. »Geh jetzt.« Er versuchte zu lächeln. »Vergiß nicht, je schneller du gehst, desto schneller bist du wieder hier.« Aus dem Lächeln wurde ein stockendes Lachen. »Bring die Kavallerie mit.«

»Na gut«, sagte sie schließlich widerwillig und zögernd. Sie gab ihm einen Kuß auf die Wange. Als sie sich zurückbeugte, griff sie mit beiden Händen an die Ränder des Helms und schob ihn mehrmals auf dem Kopf hin und her. »Meine Kopfschmerzen bringen mich um«, sagte sie und kniff die Augen zusammen. »Ich wünschte, ich könnte dieses verdammte Ding abnehmen.«

»Auf keinen Fall«, sagte er. »Laß uns lieber kein Risiko eingehen.

Sie seufzte und ließ die Hände sinken. »Ja, du hast recht«, sagte sie. »Paß auf dich auf.« Er nickte. »Wohl fühle ich mich bei der ganzen Sache nicht«, sagte sie und wollte einen letzten Versuch unternehmen, ihn umzustimmen.

»Ich weiß«, sagte er nur. »Ich auch nicht.« Und hielt ihr die Tür auf.

## 9

Um ein Haar wäre doch noch alles schiefgegangen. Weitere anderthalb Stunden vergingen, in deren Verlauf es Ellen Davies gelang, ihre Fesseln so weit zu lockern, daß sie die Hände herausziehen konnte, und sie wollte es gerade tun, als die Tür zum Nebenraum schwungvoll aufgerissen wurde und Jill Shepherd herauskam. Ellen hatte von McCullogh erfahren, daß die Frau mit Hellmann zusammenarbeitete und war nicht überrascht, daß sie ihm half. Ellen erstarrte augenblicklich und versuchte, ein unbeteiligtes Gesicht zu machen, aber ihre Vorsichtsmaßnahme erwies sich als unnötig. Jill würdigte sie kaum eines Blickes, sondern ging raschen Schrittes durch den Raum und auf den Flur hinaus. Ellen wartete starr ein paar Minuten ab, aber sie kam nicht zurück.

Ellen überlegte fieberhaft, was sie jetzt machen sollte. Wenn sie ging, bestand die Gefahr, daß sie Jill direkt in die Arme lief, und sie mußte davon ausgehen, daß die Frau noch im Besitz ihrer Waffe war. Wenn sie es nicht schaffte, unbehelligt zu einem Telefon zu gelangen, war alles vergebens. Selbstverständlich konnte sie es nicht wagen, vom Apparat hier anzurufen. Hellmann hätte sie durch das Fenster gesehen und wäre sofort herausgekommen, um sie aufzuhalten, und da sie keine Waffe mehr hatte, hätte sie ihm wenig entgegensetzen können.

Während sie noch über die beste Vorgehensweise nachdachte, wurde sie durch einen leisen Pfeifton aufgeschreckt. Sie blickte zu den Monitoren. Das EEG des Jungen zeigte einige minimale Unregelmäßigkeiten, aber für Ellen bestand kein Zweifel, was sie bedeuteten. Sie hatten es tatsächlich getan. Sie hatten das Subjekt aufgeweckt. Der Pfeifton verstummte wieder, aber Ellen hatte genug gehört. Die Bestie erwachte langsam, und sie wollte nicht hier sein, wenn es soweit war. Hastig streifte sie die Hände aus den Schlingen des Kabels. Sie gönnte sich nur einen Augenblick, um die kribbelnden, taub gewordenen Gelenke zu reiben, dann stand sie leise auf und lief geduckt zur Tür.

Draußen auf dem Flur schloß sie die Metalltür so geräuschlos, wie sie sie geöffnet hatte, und lehnte sich einen Moment dagegen. Sie sah sehnsüchtig nach links und wäre für ihr Leben gern in diese Richtung geflohen, aber trotz aller Panik vergaß sie ihren obersten Befehl nicht. Die Bestie durfte das Gebäude auf gar keinen Fall verlassen. Und sie mußte immer noch Major McCullogh informieren. Seufzend wandte sie sich nach rechts, um zum Fahrstuhl zu gehen, der in das Institutsgebäude führte.

## 10

Mit klopfendem Herzen wartete Ellen, bis die Kabine nach unten kam. Einen Sekundenbruchteil, bevor die Tür aufging, war sie von der Gewißheit erfüllt, daß sich Jill darin befinden würde. Sie sprang beiseite und drückte sich flach an die Wand, während die Tür sich leise zischend öffnete. Ellen wartete ein paar Sekunden, aber niemand kam aus der Kabine heraus. Sie spähte vorsichtig um die Ecke, ging schnell in den Fahrstuhl und drückte den Knopf des Erdgeschosses.

Als die Kabine wieder zum Stillstand kam, schlich Ellen vorsichtig hinaus. Sie wollte gerade in Richtung des Hausmeisterzimmers laufen, als sie stehenblieb. Waren das Schritte, die sie hörte? Sie wartete einen Moment unschlüssig. Vor den Fahrstühlen brannte Licht, aber die Flure ringsum waren in Dunkelheit gehüllt. Kam jemand? Jill? Und wenn ja, von wo?

Ellen lauschte mit angehaltenem Atem. Tatsächlich. Zweifellos Schritte aus dem Flur, der ins Herz des Gebäudes hineinführte. In ihrer Panik öffnete Ellen die erstbeste Tür und schlüpfte in das dunkle Zimmer. Sie ließ die Tür einen winzigen Spalt offen, um hinausspähen zu können. Sekunden später erkannte sie Jill, die vor der Fahrstuhltür stehenblieb. Ellen konnte von ihrer Position aus nicht sehen, welchen Knopf Jill drückte, aber als sich die Kabine in Bewegung setzte, stellte sie fest, daß der Fahrstuhl wieder nach unten fuhr. Ihr blieben bestenfalls ein paar Minuten, bis Jill ihr Verschwinden bemerken würde.

Dennoch zwang sie sich zur Ruhe. Sie zählte langsam bis zehn, um ihren rasenden Herzschlag zu beruhigen, dann lief sie zum Hausmeisterzimmer. Die Bestie durfte das Gebäude auf keinen Fall verlassen, dachte sie, das war die oberste Direktive.

Sie riß die Tür des Hausmeisterzimmer auf. Die Beleuchtung in beiden Kellergeschossen war eingeschaltet worden, registrierte sie, aber den Beleuchtungsanzeigen galt nicht ihr Hauptaugenmerk. Neben dem Sicherungskasten befand sich ein kleines, unscheinbares Kästchen mit einem roten Knopf und einem Schlitz für eine Magnetkarte an der Seite. Ellen Davies stellte sich vor das Kästchen und holte tief Luft. Nur einen Augenblick zögerte sie, dann hob sie die Hand und drückte den roten Knopf so fest sie konnte hinein.

Auf der Stelle ertönte eine Alarmsirene im gesamten Gebäude. Ellen kam das Geräusch leise vor, wenn man bedachte, daß es als Warnung für schwerwiegende Unfälle im Institutsgebäude gedacht war.

Ellen Davies ging langsam hinaus auf den Flur. Sie warf einen sehnsüchtigen Blick zur Eingangstür, aber diesen Fluchtweg hatte sie sich gerade selbst versperrt. Durch den Alarm war das gesamte Gebäude abgeriegelt. Niemand konnte hinein, niemand hinaus. Nur Straczinsky, der die entsprechend kodierte Magnetkarte besaß, war imstande, die Sperre aufzuheben.

Ellen Davies ging hastig am Fahrstuhl vorbei, denn sie hatte nicht die Absicht, die Kabine zu rufen. Sie lief den dunklen Flur entlang, der ins Gebäude führte, um ein Telefon zu suchen und Major McCullogh zu informieren. Wenn sie das getan hatte, würde ihr nichts anderes übrigbleiben, als abzuwarten, bis Hilfe eintraf. Abwarten und beten. Stefan Hellmann hatte die Bestie tatsächlich aufgeweckt. Mochte Gott ihrer Seele gnädig sein.

# III
# *Gefangen*

*»You lock the door and throw away the key,*
*There's someone in my head, but it's not me.«*

Pink Floyd
»Brain Damage«

*»No hearts of gold, no nerves of steel.«*

Joni Mitchell
»Good Friends«

# Kapitel zwanzig
## *Schock*

### 1

Bob Healy näherte sich langsam der Kreuzung und bremste den Wagen immer mehr ab, während er sich überlegte, ob er abbiegen und gleich zu Hellmanns Farmhaus fahren oder erst im Büro vorbeischauen sollte. Die Sonne war fast untergegangen, und obwohl er es kaum erwarten konnte, mit Stefan Hellmann und Amy zu reden, zögerte er und fragte sich, ob er sie wirklich unangemeldet überfallen konnte.

Der Abend hatte keine nennenswerte Abkühlung gebracht. Sein Hemd war völlig durchnäßt, die dunklen Schweißflecken unter den Achseln und auf dem Rücken waren immer größer geworden und schließlich zu einem einzigen großen Fleck zusammengewachsen. Der feuchte Stoff fühlte sich klamm und unangenehm auf Healys Haut an, und letztendlich gab das den Ausschlag. Er beschloß, weder ins Büro noch zu den Hellmanns zu fahren, sondern nach Hause, um rasch zu duschen und sich etwas anderes anzuziehen.

In Desert Rock war die Straßenbeleuchtung bereits eingeschaltet worden, Licht- und Schattenstreifen verfolgten einander gemächlich über die Motorhaube des Streifenwagens und durch das Innere des Fahrgastraums, und Healy konnte im Rückspiegel sehen, wie sie über den Kofferraumdeckel glitten und verschwanden. Er hatte während der ganzen Rückfahrt die Wüste, die menschenleeren Weiten – je mehr er sich Desert Rock näherte, desto weniger Verkehr herrschte auf den Straßen – auf sich einwirken lassen, um seine aufgewühlten Gedanken zu beruhigen, und die Einsamkeit hatte ihm gutgetan, aber um ehrlich zu sein, richtig einsam gewesen war er nie. Der Geist von Danny Eriksson hatte ihn begleitet, und auch wenn er versucht hatte, nicht an den Jungen zu denken, hatte ihn sein seltsames Schicksal nicht losgelassen.

Healy parkte den Wagen am Bordstein vor seinem Haus, stieg aus und ging den roten Sandsteinplattenweg entlang, der durch den Rasen des Vorgartens zum Haus führte. Es war ein kleines Haus, Wohn- und Eßzimmer in einem, Küche, zwei Schlafzimmer, ein Bad, aber ihm und seiner Frau hatte es stets gereicht. Hinter dem Haus lag ein großer Hof mit einem kleinen Schuppen, und Healy erinnerte sich mit einem Anflug von Wehmut, wie er am Anfang seiner Ehe stets vorgehabt hatte, ein weiteres Zimmer anzubauen, vielleicht zwei, falls Kinder kamen. Irgendwann hatte er sich aufgerafft und Backsteine gekauft, Holzlatten und Zementsäcke, Maurerwerkzeug und Verschaltafeln. Jeden Tag hatte er Martha erzählt, daß er bald anfangen würde – bis zu dem Tag, als sie schweigsam vom Arzt gekommen war, um ihm unter Tränen zu sagen, daß sie keine Kinder bekommen konnte. Sie hatte ihm freigestellt, sich von ihr scheiden zu lassen, aber das war selbstverständlich Unsinn gewesen. Auch wenn das Thema Familie gestorben war, hatte das seiner Liebe zu ihr keinen Abbruch getan. Die Zementsäcke hatte er irgendwann einmal weiterverkauft, ebenso das Werkzeug, die Latten und die Verschaltafeln, aber die Backsteinpaletten standen seit fast zwanzig Jahren im Schuppen. Obwohl er jedesmal einen schmerzhaften Stich in der Brust verspürte, wenn er sie sah, hatte er sich nie überwinden können, sie ebenfalls wegzuschaffen.

Seufzend ging er zum Haus und ließ den Blick über die Blumenrabatten schweifen, die Martha so sorgfältig hegte und pflegte. Die Pflanzen waren ihr ganzer Stolz, besonders die Rosen. Jetzt ließen die Blumen den Kopf hängen, und Healy dachte, daß er sie unbedingt gießen mußte. Wenn sie vertrocknet waren, bis Martha zurückkam, würde sie ihm die Hölle heiß machen, daß ihm Hören und Sehen verging.

Vielleicht, überlegte er sich, während er die Tür aufschloß und das dunkle Innere betrat, war er von Anfang an so sehr in Amy vernarrt gewesen, weil sie genau die Tochter war, die er sich immer gewünscht hatte. Der Gedanke, daß sie leiden mußte, daß sie sich im Zentrum eines rätselhaften und wahrscheinlich gefährlichen Geschehens befand und die Möglichkeit nicht auszuschließen war, daß ihr etwas zustieß, war ihm unerträglich. Als er zur Treppe ging, fragte er sich, ob es nicht doch besser gewesen wäre, gleich bei ihr vorbeizufahren, und betrat das Wohnzimmer, anstatt nach oben ins Bad zu gehen. Ohne Licht zu machen, setzte er sich auf das Sofa, nahm das Telefon zur Hand und wählte die Nummer der Hellmanns.

Er zählte das Läuten mit wachsender Unruhe, und als er bei zwanzig angelangt war, wollte er den Hörer wieder auflegen, als am anderen Ende doch noch abgenommen wurde.

»Hallo?« ertönte Amys atemlose Stimme. »Wer ist da?«

»Bob Healy«, antwortete er. »Ich wollte dir sagen, daß ich wieder zu Hause bin. Ich möchte nur rasch duschen, dann werde ich bei euch vorbeikommen, wenn dein Vater nichts dagegen hat. Ich glaube, wir sollten uns alle zusammensetzen und miteinander reden.«

Er wartete, während Amy am anderen Ende der Leitung keuchend atmete. »Bitte entschuldigen Sie, Sheriff Healy«, sagte das Mädchen schließlich, »ich war gerade mit Wolf vor der Tür und bin gerannt, als ich das Telefon gehört habe.« Er wartete geduldig, während sie noch ein paarmal Luft holte, bevor sie fortfuhr.

»Tut mir leid, mit meinem Vater können Sie nicht sprechen. Er ist mit Jill ins Institut gefahren.«

Healy drückte den Hörer so fest an sein Ohr, daß er Schmerzen verspürte. Bange Vorahnungen zogen am Horizont seines Verstandes auf wie dunkle Gewitterwolken, aber er bemühte sich um einen ruhigen Tonfall, als er sagte: »Hast du mit ihm reden können? Was hat er über Danny gesagt? Kennt er ihn doch? Was?«

»Sheriff«, hörte er Amys Stimme laut und deutlich, noch ein wenig atemlos, aber sichtlich ruhiger, »es ist unglaublich ...«

## 2

Ellen Davies riß die erste Tür im dunklen Korridor auf, ließ die Tür hinter sich ins Schloß fallen und preßte sich mit dem Rücken dagegen. Sie machte einen Moment die Augen zu und holte tief Luft, ehe sie sich umsah. Im Licht der Sterne kam ihr der kantige schwarze Umriß eines Schreibtischs wie ein lauerndes, gedrungenes Tier vor. Das Läuten des Alarms, das immer noch durch sämtliche Flure des Institut hallte, erlosch barmherzigerweise nach einer Minute, doch die nachfolgende Stille tönte lauter in Ellens Ohren, als es jede noch so laute Sirene je vermochte.

Sie schritt vorsichtig durch das Zimmer, um nicht zu stolpern, tastete sich an der Schreibtischplatte entlang und ließ sich auf den Stuhl fallen, der dahinter stand. Mit einer entschlossenen Bewegung nahm sie den Hörer des Telefons von der Gabel, wählte eine Nummer und fragte sich, wie groß die Chance war, daß Major McCullogh in einer Samstagnacht zu Hause sein würde. Andererseits, es war schon sehr spät... vielleicht –

Nach dem dritten Läuten wurde am anderen Ende abgenommen. »Ja? Was gibt es?« hörte Ellen Davies die vertraute Männerstimme und mußte sich zusammenreißen, um nicht vor Erleichterung drauflos zu plappern. Der Major hörte sich verschlafen an, als hätte sie ihn geweckt.

»Major McCullogh«, sagte sie mit einer Stimme, die, wie sie hoffte, Ruhe und Souveränität ausdrückte, »hier spricht Ellen Davies. Ich muß Ihnen mitteilen, daß Dr. Hellmann und Jill Shepherd vor etwa fünf Stunden das Gebäude betreten haben. Dr. Shepherd hat das Schlafmittel der Testperson abgesetzt.« Sie beschwörte den Jungen vor ihrem geistigen Auge herauf, die Bestie mit dem Engelsgesicht, und war froh, daß wenigstens eine gewisse Entfernung zwischen ihnen lag. »Ich glaube, er wacht auf.«

»Was?« McCullogh schien schlagartig hellwach geworden zu sein. »Vor fünf Stunden?« fragte er einen Augenblick später barsch. »Und das melden Sie jetzt erst?«

»Tut mir leid, Sir, ich konnte nicht früher. Die beiden haben mich überwältigt und gefesselt. Gott sei Dank konnte ich mich befreien.« Sie schilderte ihm die Lage so knapp wie möglich, und er unterbrach sie nicht ein einziges Mal, obwohl sie die Ereignisse wirr und nicht in der richtigen Reihenfolge erzählte und sich mehr als einmal verhaspelte. »Was soll ich tun?« fragte sie, als sie mit ihren Ausführungen fertig war, und wartete geduldig, während er überlegte.

»Gut«, sagte er schließlich, »Sie müssen nur eines tun, sofort in die Telefonzentrale gehen und dafür sorgen, daß sämtliche Verbindungen nach draußen unterbrochen werden. Haben Sie das verstanden?«

»Ja, Sir«, sagte sie hastig.

»Die Anlage bietet verschiedene automatische Ansagen. Eine lautet, daß der Anschluß momentan nicht erreichbar ist. Die aktivieren Sie. Dann warten Sie in der Zentrale. Ich werde so schnell wie möglich zu Ihnen kommen. Halten Sie sich, um Himmels willen, von dem Jungen fern.«

*Worauf du dich verlassen kannst*, dachte Ellen. »Was ist mit Mr. Straczinsky?« fragte sie. »Soll ich ...«

»Nein, ich informiere ihn. Er soll unseren Eingang nehmen. Auf gar keinen Fall darf er die Zentralverriegelung aufheben. Ich weiß nicht, was sie vorhaben, aber Jill Shepherd und Hellmann dürfen das Gebäude nicht verlassen.« Ellen erschauerte, und dann sprach McCullogh das Unvorstellbare, das sie schon die ganze Zeit beschäftigte, tatsächlich aus. »Und Daniel Eriksson schon gar nicht.«

»Selbstverständlich, Sir.«

»Gut. Sie gehen jetzt zur Telefonzentrale und warten dort auf mich. Natürlich nur, wenn es möglich ist. Begeben Sie sich nicht unnötig in Gefahr. Tun Sie, was ich Ihnen gesagt habe. Ich mache mich auf den Weg.«

»Sir«, sagte sie, als er sich schon verabschiedet hatte.

»Ja?«

»Seien Sie vorsichtig. Sie ... sie haben mir die Waffe abgenommen.«

»Bis bald«, sagte er nur und legte auf.

Ellen Davies sah den dunklen Umriß des Hörers einen Moment an, dann legte sie ebenfalls auf. An der Tür vergewisserte sie sich mit einem raschen Blick, daß niemand zu sehen war, dann trat sie auf den Flur hinaus.

Die Telefonzentrale lag neben den Räumen der Verwaltung im zweiten Stock, aber Ellen ging nicht zu den Aufzügen zurück, sondern in die entgegengesetzte Richtung, zur Treppe.

Sie wollte Jill Shepherd auf gar keinen Fall in die Arme laufen. Wahrscheinlich hatte Jill die Waffe Hellmann gegeben, aber darauf würde sie sich nicht verlassen.

Sie schlich die Treppe hinauf, bemüht, so wenig Lärm wie möglich zu machen. Im zweiten Stock angekommen, orientierte sie sich kurz in der Dunkelheit und tastete sich den fensterlosen Flur entlang zu den Verwaltungsräumen und der Telefonzentrale.

Das Zimmer, in dem die Telefonanlage untergebracht war, hatte ein großes Fenster, durch das ein wenig Licht hereinfiel, und die roten und grünen Lämpchen der Telefonkonsole erzeugten genügend Helligkeit, um die Beschriftungen der einzelnen Tasten erkennen zu können. Sie befolgte McCulloghs Befehle minutiös und unterbrach zuerst die Verbindung nach draußen, dann schaltete sie die Bandansage ein, die mögliche Anrufer zu hören bekommen würden. Wer sollte um diese Zeit schon anrufen? fragte sie sich kurz, wagte aber nicht, die Anweisungen in Frage zu stellen. Sie überlegte einen Moment, ob sie auch die Verbindungen des internen Haustelefons lahmlegen sollte, entschied aber, daß sie sich damit möglicherweise ins eigene Fleisch schnitt, falls Major McCullogh beschließen sollte, sich auf diesem Weg mit ihr in Verbindung zu setzen, sobald er im Gebäude eintraf, und so ließ sie die Haussprechanlage unangetastet.

Ellen setzte sich auf den bequemen Bürosessel der Telefonistin. Sie hätte gern den lästigen Helm abgezogen, aber dann wäre sie leichte Beute für die Bestie gewesen, daher behielt sie ihn auf, als sie sich langsam gegen die gepolsterte Lehne sinken ließ und stumm in die Dunkelheit starrte. Sie wartete.

## 3

Jill Shepherd hielt den Fotoapparat in der rechten Hand und wippte ungeduldig mit dem Fuß, während die Fahrstuhlkabine langsam nach unten fuhr. Das B1-Licht leuchtete kurz auf, und sie wäre am liebsten ausgestiegen und zu Stefan zurückgegangen. Es war keine gute Idee gewesen, sich zu trennen, aber andererseits mußte sie zugeben, daß er recht hatte. Es konnte nicht schaden, einige handfeste Beweise zu haben. McCullogh und Straczinsky hatten sich größte Mühe gegeben, ihr Geheimnis zu wahren. Offenbar hatten sie sich darauf verlassen, daß Stefans Forscherdrang stärker sein würde als mögliche Skrupel, denn daß er ihre dilettantische Lügengeschichte nicht durchschauen würde, konnten sie unmöglich geglaubt haben.

Sosehr ihr der Gedanke mißfiel, ihn allein hier zurückzulassen, sah sie die Richtigkeit der Vorgehensweise ein. Sie hatte beschlossen, sofort in den Keller hinunterzufahren, um die Fotos von Wentworths Leichnam zu machen, ehe der Mut sie wieder verließ. Sie kannte keinen Ort der Welt, den sie im Augenblick sehnlicher meiden wollte, aber es mußte wohl sein.

Das Licht mit der Aufschrift B2 leuchtete auf, wenige Sekunden später glitt die Fahrstuhltür beiseite. Jill durchquerte den Vorraum, öffnete die Metalltür und schritt den Flur zur Pathologie entlang. Ihre Absätze hallten laut auf dem Betonboden, aber das spielte keine Rolle. Niemand konnte sie hören, am allerwenigsten Wentworth.

Sie betrat den Raum mit den Kältekammern und sah das rote Licht sofort. Mit wenigen Schritten ging sie zwischen den Metalltischen hindurch zu dem aktivierten Fach, drückte die Klinke der Aluminiumtür hinunter und zog die Bahre heraus.

Wentworth lag unter dem Leichentuch, wie sie ihn in Erinnerung hatte. Sie nahm den Saum des Tuchs zwischen Daumen und Zeigefinger und schlug es vorsichtig zurück, um den Leichnam bis zum Oberkörper freizulegen. Seit ihrem letzten Besuch hatte Ramon die defekte Neonröhre ausgewechselt, Wentworths Gestalt blieb vollkommen reglos. Die Augen in seinem verzerrten Gesicht starrten blicklos und glasig zur Decke. Jill hob den Fotoapparat, stellte sich neben die Bahre, so daß sie die Linse auf den Toten richten konnte, und betätigte mehrmals nacheinander den Auslöser. Der Mechanismus der Nikon transportierte surrend den Film weiter, und das Blitzlicht erzeugte Wetterleuchten in dem unterirdischen Raum. Jill zitterte ein wenig, daher verknipste sie fast den ganzen Film, um sicher zu sein, daß ein paar brauchbare Fotos dabei sein würden. Sie wechselte mehrmals die Position und nahm den Leichnam aus verschiedenen Perspektiven auf. Zuletzt zog sie die Bahre bis zum Anschlag heraus, schlug das Leichentuch am Fußende zurück und machte eine Aufnahme des Namensschilds.

Gut. Sobald sie den Toten wieder verstaut hatte, würde sie Stefans Büro aufsuchen, das Videoband holen und zum Büro des Sheriffs oder zu ihm nach Hause fahren. Sie hoffte, daß Bob inzwischen von seinem Ausflug nach L. A. zurückgekehrt sein würde.

Jill breitete das Leichentuch wieder über den Füßen des Toten aus und wollte gerade den Oberkörper bedecken, als draußen auf dem Flur, durch die geschlossene Metalltür gedämpft, ein Klingeln ertönte.

Einen Augenblick dachte sie, ihr Herz würde stehenbleiben. Sie wich taumelnd einen Schritt zurück und hielt sich an der Kante des Aluminiumtischs hinter ihr fest. »O nein«, flüsterte sie. Sie wußte genau, was das Läuten zu bedeuten hatte. Ohne die Bahre in ihr Fach zurückzurollen, lief Jill zur Tür, riß sie so weit auf, daß sie nicht mehr von allein zurückfiel, und rannte den Flur entlang zurück. Das dumpfe Läuten wurde augenblicklich schriller und lauter. Sie kniff die Augen zusammen.

Der verfluchte Helm hielt Jills Schädel gefangen wie ein Schraubstock, und bei dem Lärm explodierten ihre Kopfschmerzen förmlich. Bei jedem Schritt kam es ihr vor, als würde ein glühender Stab durch den obersten Nackenwirbel in ihr Gehirn gebohrt werden, aber sie behielt ihr Tempo bei.

Im Erdgeschoß mußte sich Jill zusammenreißen, um nicht wütend gegen die Fahrstuhltür zu hämmern. Kaum war der Spalt breit genug, zwängt sie sich hinaus und rannte so schnell sie konnte Richtung Ausgang. Sie versuchte sich einzureden, daß Hoffnung bestand, daß sie es schaffen konnte, und zum Teufel mit der Videokassette, wenigstens hatte sie die Fotos. Sie mußte hier raus. Jill sah die Eingangstür, sah die Stahlplatte und wußte, daß alles umsonst gewesen war.

Durch den Alarm waren sämtliche Fluchtwege abgeriegelt, Türen, Fenster, alles. Aus und vorbei. Niemand konnte das Gebäude betreten, niemand konnte es verlassen, und Straczinsky war der einzige, der Befugnis besaß, die Verriegelung aufzuheben. Sie saßen in der Falle.

Jill fragte sich, wer den Alarm ausgelöst haben konnte. Wohl kaum McCullogh oder Straczinsky, denn die beiden hätten sie mit Sicherheit längst zur Rede gestellt. Die einzige Erklärung war, daß Ellen Davies sich irgendwie befreit haben mußte. Jill überlegte einen Moment, was sie tun sollte, dann beschloß sie, Bob Healy anzurufen, ihm die Situation zu erklären und dann zu Stefan zurückzukehren und nach dem Jungen zu sehen. Es würde bestimmt nicht mehr lange dauern, bis McCullogh auftauchte, und bis dahin mußten sie versuchen, auf alle Eventualitäten vorbereitet zu sein.

## 4

Stefan Hellmann saß bei dem Jungen und betrachtete die reglose Gestalt. Ab und zu schlugen die Anzeigen der medizinischen Apparate eine Winzigkeit aus, was darauf hindeutete, daß er langsam zu sich kam. Hellmann hoffte, Jill würde sich beeilen und so schnell wie möglich zurückkehren, aber er war froh, daß sie vorerst außer Gefahr war.

Er hatte die Arme auf die Stuhllehne gelegt und bettete den Kopf darauf, um ein wenig die Augen zu schließen. Er war müde und sehnte sich nach Schlaf, wußte aber genau, daß noch eine lange Nacht vor ihm lag, was auch passieren würde. Als er die Augen wieder aufschlug, waren die Lider schwer wie Blei, und es kam ihm vor, als hätte ihm jemand Sand in die Augen gestreut. Es dauerte einen Moment, bis er das leise Läuten hörte, und da schrak er auf und sah sich panisch um, weil er im ersten Moment dachte, eines der medizinischen Anzeigegeräte würde das Geräusch von sich geben. Er spitzte die Ohren, und als ihm klar wurde, daß es von draußen kam, sprang er auf und warf einen hastigen Blick durch die Glasscheibe.

Der Bürostuhl, auf dem Ellen Davies gefesselt gewesen war, stand verlassen im Zimmer. Das Verlängerungskabel hing mit einer Schlinge über der Lehne, der Rest lag spiralförmig auf dem Boden. Von der Frau keine Spur.

»Scheiße!« sagte Hellmann laut, lief zur Tür und hangelte sich durch den winzigen Flur hinaus. Im Korridor sah er in beide Richtungen. Nichts. Er fluchte erneut und kehrte in das Zimmer zurück, wo er überlegte, was er tun sollte.

Seit Jill hinaufgegangen war, waren erst wenige Minuten verstrichen. Er hoffte, daß sie es trotz des Alarms noch schaffen würde, das Gebäude zu verlassen und Hilfe zu holen. Ellen Davies hatte inzwischen zweifellos McCullogh informiert, und Hellmann war überzeugt, daß es nicht mehr lange dauern würde, bis er oder Straczinsky oder beide hier auftauchten. Er ging ins Zimmer des Jungen zurück und betrachtete Danny Eriksson, der unverändert auf seinem hydraulischen Bett lag und sich, ohne es zu ahnen, dem Ende seines wochenlangen künstlichen Schlafs näherte. Aber es ging nicht schnell genug. Wenn kein Wunder geschah, würde er den Jungen nicht rechtzeitig wach bekommen, und McCullogh würde bestimmt jeden Versuch unterbinden, sich mit ihm zu unterhalten.

Hellmann bedauerte zutiefst, daß er Jill die Waffe mitgegeben hatte, bezweifelte aber, daß er imstande gewesen wäre, sie überhaupt zu benützen. Bis zu diesem Tag hatte er in seinem Leben noch keine Waffe in der Hand gehabt und haßte sie wie die Pest. Er würde versuchen, den Jungen zu beschützen, was auch geschehen mochte, ihn notfalls mit den bloßen Fäusten zu verteidigen. Er war auf sich allein gestellt, und konnte nur hoffen, daß Jill rechtzeitig aus dem Gebäude hinausgekommen war.

## 5

Iain McCullogh saß in seinem Schlafzimmer auf dem Bett und hielt den Hörer in der Hand. Der anhaltende Pfeifton des Freizeichens tönte ihm entgegen, aber McCullogh nahm ihn kaum wahr. In den vergangenen Minuten hatte er ein Wechselbad der Gefühle durchlaufen, das von Schrecken über Fassungslosigkeit bis zu mühsam unterdrückter Wut reichte. »Ich habe gewußt, daß man dem Kerl nicht trauen kann«, zischte er mit verkniffenem Mund. Er knirschte mit den Zähnen, ein Geräusch, als würden Mühlsteine Getreide zermalmen. »Hoffentlich können wir ihn aufhalten, ehe es zu spät ist.«

Bevor er Straczinsky benachrichtigen und aufbrechen konnte, mußte er einen weiteren Anruf tätigen, und dieser Anruf war es, der ihm am meisten Kopfzerbrechen bereitete. Aber es hatte keinen Sinn, das Unvermeidliche weiter hinauszuzögern. Je länger er wartete, desto schlechter wurden ihre Chancen. So wenig es ihm gefiel, im Augenblick arbeitete die Zeit eindeutig für Hellmann. Wenn es ihnen gelang, den Jungen wieder zu betäuben, bevor er völlig zu sich kam, war vielleicht nicht alles verloren. Er hoffte, daß sie Hellmann zur Vernunft bringen und zu einer weiteren Zusammenarbeit würden bewegen können. Wenn nicht …

McCullogh zog die Schublade seines Schreibtischs auf, holte seine Dienstwaffe heraus und legte sie sich in den Schoß, auf den dünnen Stoff seiner Boxershorts. Mit einer fast zärtlichen Geste strich er über den gut fünfzehn Zentimeter langen Lauf des 44.er Revolvers von Smith & Wesson. Wenn nicht … gar nichts. Der Teufel sollte ihn holen, wenn er Hellmann auch nur ein Haar krümmte. Nein, sollten andere sich die Finger schmutzig machen. Er würde es ganz bestimmt nicht tun. Nein, Sir. Er hatte sich einmal geweigert, und er würde es wieder tun. Bezüglich seiner Rolle im Projekt Daniel Eriksson machte er sich keinerlei Illusionen. Zwar hatte er vor Ort das Sagen, aber letztendlich war er nur ein kleines Rädchen im Getriebe, und er hatte nicht die Absicht, sich den Schwarzen Peter zuschieben zu lassen. Trotzdem, die Waffe würde er ins Institut mitnehmen. Man konnte nie wissen.

Langsam nahm McCullogh das Telefon zur Hand und gab eine Nummer ein. Es dauerte eine Weile, aber er verlor nicht die Geduld. Es war spät, möglicherweise schlief sie schon, genau wie er bis vor wenigen Minuten.

Kurze Zeit später wurde am anderen Ende der Leitung abgenommen. Im Gegensatz zu ihm klang sie kein bißchen schläfrig. Das argwöhnische Gefühl beschlich McCullogh, daß sie auf seinen Anruf gewartet haben könnte, aber das war selbstverständlich Unsinn.

»Es gibt Probleme«, sagte er knapp. Kein Gruß, kein freundliches Wort. Nur die notwendigen Fakten. »Hellmann und Jill Shepherd sind im Institut und haben den Jungen aufgeweckt.« Keine Reaktion am anderen Ende. Sie wartete ab. »Bis jetzt scheint er noch nicht zu sich gekommen zu sein, aber das ist eine Frage der Zeit.« Er machte eine Pause, aber sie sagte immer noch nichts. Lediglich das leise, regelmäßige Geräusch ihres Atems verriet ihm, daß sie noch am Apparat war.

Ihr Schweigen, das er als Hochmut interpretierte, erboste ihn. Er spürte, wie ihm langsam Wut die Kehle zuschnürte. »Verdammt«, sagte er, »ich habe ihm von Anfang an nicht getraut. Wenn es nach mir gegangen wäre, hätte er die Stelle nie bekommen, das wissen Sie. Und wir hätten den Jungen schon vor Wochen beseitigen sollen.«

»Sie hatten die Möglichkeit dazu«, antwortete die Frau am anderen Ende der Leitung. »Warum haben Sie es nicht getan? Unter Narkose war er keine Gefahr mehr. Selbst Sie hätten ihn aus dem Weg räumen können.«

Diese Geringschätzung. Was bildete die dumme Fotze sich ein? McCullogh lachte höhnisch auf. »Das hätte ihnen gefallen, ja? Ich hätte ihn erschossen und wäre das erste Bauernopfer gewesen, wenn die Sache ans Licht gekommen wäre. O nein. Wentworth war einer von euch, ihn hättet ihr gedeckt. Mich nicht. Ich war entbehrlich.« *Und bin es noch*, dachte er, sprach es aber nicht aus.

»Wie auch immer, wir müssen handeln.« Als er die plötzliche Ernüchterung in ihrer Stimme hörte, überkam ihn ein Gefühl der Genugtuung. »Ich frage mich, was ihn dazu veranlaßt hat. Wo wir uns doch so bemüht haben, ihm angst vor dem ›bösen schwarzen Mann‹ zu machen.«

»Keine Ahnung«, knurrte McCullogh mürrisch. Er nahm die Waffe hoch, wog sie abschätzend in der Hand und streckte den Arm im Lichtkreis der Nachttischlampe aus. Seine Haut wirkte im Lichtschein fast weiß; wenn er den Arm nach oben bewegte, aus dem Lichtschein hinaus, wurde sie grau und verschmolz fast mit dem halbdunklen Hintergrund der Schatten rings um das Bett herum. Der Anblick faszinierte ihn so sehr, daß er die Bewegung mehrmals wiederholte und nur am Rande mitbekam, was sie sagte. »Ich habe von Anfang an gesagt, daß er unzuverlässig ist.« Er klang fast trotzig in seiner Beharrlichkeit, und McCullogh haßte seinen Tonfall und die Penetranz, mit der er diesen Punkt betonte, als wollte er sich von jeder Verantwortung reinwaschen. Nicht, daß es eine Rolle gespielt hätte.

»Kommen Sie zum Stützpunkt«, sagte sie. »Wir treffen uns an der Straßenkreuzung. Wir gehen beide ins Institut und peilen die Lage...«

»Halten Sie das für klug?« fragte er. »Ich meine, wenn Hellmann Sie sieht – schließlich ist er nicht dumm.«

»Er muß mich gar nicht sehen. Ich werde Sie begleiten, aber Sie gehen allein zu ihm hinein. Wenn es Ihnen gelingt, den Jungen wieder zu narkotisieren, ehe er ganz zu sich kommt, können wir Hellmann vielleicht doch noch überreden, weiter mitzuspielen. Wenn nicht – nun, das wird sich ergeben.« Sie machte eine kurze Pause. Überlegte. Als sie fortfuhr, hatte ihre Stimme wieder den befehlsgewohnten Tonfall, den er von ihr kannte. »Wir machen auf jeden Fall eines. Sie benachrichtigen Ihren Standortkommandanten und lassen das Institut umstellen. Keiner darf raus oder rein. Die Männer sollen Stahlhelme tragen...«

»Wie soll ich das erklären?« fragte McCullogh. »Gefällt mir nicht. Zu viele Zeugen.«

»Keine Bange, wenn sie nichts zu sehen bekommen, erklären wir, daß alles eine Übung gewesen ist. Und falls doch etwas schiefgeht, wird uns eine Erklärung einfallen.« Sie verstummte erneut. »Falls doch etwas schiefgeht«, wiederholte sie, »müssen wir Hellmann aus dem Weg räumen, das ist klar. Und Jill Shepherd auch. Unsere oberste Priorität sollte sein, den Jungen zu schützen.«

McCullogh seufzte. »Nun gut«, sagte er. »Wir sollten uns beeilen und nicht unnötig Zeit vergeuden. Ich werde dafür sorgen, daß das Institut umstellt wird.«

»Schicken Sie den Pförtner nach Hause und informieren Sie seine Ablösung, daß er nicht zu kommen braucht. Erzählen Sie ihm irgendwas, das überlasse ich Ihnen. Sind die Telefonleitungen lahmgelegt?«

»Selbstverständlich. Das hatte ich als erstes angeordnet. Ellen Davies hat Dienst, sie hat es erledigt. Wir konnten das Risiko nicht eingehen, daß sie Hilfe von außerhalb rufen.«

»Nein«, sagte sie nur, »das konnten wir nicht. Wo ist Ellen jetzt?«

»Ich habe ihr gesagt, daß sie in der Telefonzentrale bleiben soll, bis ich eintreffe.« Er lachte kurz und rauh; ein unangenehmes Geräusch aus tiefster Kehle, bei dem ihm ein bitterer Geschmack aus dem Rachen aufstieß. »Ich bin sicher, das wird sie tun. Sie hat immer noch Todesangst vor dem Jungen.«

»Wenigstens eine, die das Märchen vom bösen Wolf noch glaubt«, kommentierte die Frau sarkastisch. Sie lachte nicht.

»Was ist mit Straczinsky?« fragte McCullogh. »Sollten wir ihm nicht Bescheid sagen? Er ist immerhin der Leiter des Instituts und sollte anwesend sein.«

»Das mache ich«, sagte sie. »Ich werde ihn informieren und ihn bitten, daß er so schnell er kann kommt.«

»Über unseren Eingang«, sagte McCullogh rasch. »Sagen Sie ihm, er darf auf keinen Fall die Sperre entriegeln. Er soll zur Kaserne fahren und sich beim wachhabenden Soldaten melden. Ich habe eigens für solche Fälle einen Passierschein für ihn anfertigen lassen. Sie dürfen nicht entkommen.«

»Keine Bange, das werden sie nicht.«

## 6

Jill lief zum Fahrstuhl zurück und bog, ohne anzuhalten, nach links in den Flur ab. Sie stürmte ins erstbeste Zimmer und tastete sich im Dunkeln zu einem Schreibtisch in der Mitte, wo sie den Hörer abnahm, während sie um den Tisch herumging und sich setzte. Der Hörer fühlte sich warm an, als hätte ihn vor kurzem noch jemand in der Hand gehabt, und durch den Stoff ihrer Hose spürte sie die Wärme des Polsterbezugs. Sie schnellte von Panik ergriffen hoch, riß die Augen auf und versuchte, die Dunkelheit mit Blicken zu durchdringen. Kein Zweifel, es mußte jemand in diesem Raum gewesen sein, und zwar vor kurzer Zeit erst. Jill hielt den Atem an und lauschte. Ihre Augen, die sich dem Licht des Eingangsbereichs angepaßt hatten, gaukelten ihr mit wabernden, pulsierenden Schattenspielen Bewegungen in allen Ecken vor, und es dauerte eine ganze Weile, bis sie sicher war, daß sich außer ihr niemand in dem Zimmer befand. Sie beruhigte sich ein wenig und hielt den Telefonhörer ans Ohr.

Nichts. Kein Freizeichen. Sie legte eine Hand auf die Gabel und rüttelte mehrmals daran, aber der Hörer an ihrem Ohr blieb stumm. Kein Ton, nicht einmal ein schwaches statisches Rauschen war zu hören. Die Leitung war tot.

Jill ließ sich resigniert auf den Sessel sinken, und diesmal war ihr die Körperwärme, die sie noch spürte, einerlei, und auch, von wem sie stammte.

*– Ellen Davies, es muß Ellen Davies gewesen sein. Sie hat sich befreit und von hier aus Hilfe gerufen –*

Jill spürte, wie sich allmählich Verzweiflung ihrer bemächtigte. Was sollte sie jetzt tun? Sie konnte das Gebäude nicht verlassen, sie konnte das Telefon nicht benützen, um Hilfe zu rufen… sie und Stefan waren gefangen, und höchstwahrscheinlich waren McCullogh und Straczinsky bereits auf dem Weg zum Institut.

Jill stemmte die Ellbogen auf die Tischplatte und stützte den Kopf auf die Hände. Ihre Kopfschmerzen hatten ein Ausmaß angenommen, daß sie fast einen Brechreiz auslösten, und sie schloß die Augen und versuchte eine Entspannungsübung, damit wenigstens das schlimmste Pochen nachließ.

Sie wartete ein paar Minuten, aber die Schmerzen klangen nicht ab. Es half nichts, sie mußte, den Stahlhelm abnehmen, der wie ein zentnerschwerer Stein auf ihren Schädel drückte. Langsam löste sie den Kinngurt, hielt den Rand des Helms mit beiden Händen fest und hob ihn hoch.

Es war, als würde eine frische Brise über ihre Haare streichen, die schweißnaß und strähnig an der Kopfhaut klebten. Der Druck ließ auf der Stelle nach, die Schmerzen klangen ein wenig ab. Jill legte den Helm auf den Schreibtisch, genoß das befreite Gefühl und weinte vor Erleichterung.

Als die Kopfschmerzen so weit nachgelassen hatten, daß sie wieder klar denken konnte, ging sie zum Fahrstuhl zurück und fuhr ins erste Kellergeschoß hinunter. Vielleicht gelang es ihnen, den Jungen mitsamt dem Bett zum Fahrstuhl zu rollen, um ihn irgendwo im Gebäude zu verstecken. Wenn Straczinsky und McCullogh eintrafen, würden sie zweifellos als erstes im Keller nachsehen. Stefan konnte das Bett schieben, während sie die künstliche Beatmung übernahm. Eventuell konnten sie ihre Widersacher auf eine falsche Fährte locken und die Gelegenheit zur Flucht nutzen... Hauptsache weg von hier.

Jill sprang aus der Fahrstuhlkabine und lief zu der Metalltür der geschlossenen Station zurück, und dort blieb sie wie angewurzelt stehen und ließ den Blick von der massiven Metalltür zu dem rechteckigen Kasten an der linken Wand schweifen. An alles hatten sie gedacht: die Waffe, den Schlüssel von Stefans Schreibtisch – nur nicht an die Magnetkarte. Logisch, dachte Jill, er hat nicht erwartet, daß ich zurückkommen würde, und ich auch nicht. Sie ließ sich nach vorn sinken, preßte die Stirn gegen das kalte Metall und hämmerte hilflos mit den Fäusten dagegen. Sie war hier, Stefan da drinnen, fünf Zentimeter Stahl verhinderten, daß sie zu ihm kam, und wenn er sie nicht einließ, hatte sie keine Möglichkeit, zu ihm zu gelangen.

## 7

Iain McCullogh war gerade dabei, seine Uniform anzuziehen, als das Telefon wieder läutete. Er zögerte einen Augenblick, dann hüpfte er auf einem Bein zum Nachttisch. Das linke Hosenbein zog er lose hinter sich her, ließ sich auf das Bett fallen und nahm ab.

Anfangs hatte er Schwierigkeiten, das wasserfallartige Plappern des Mannes am anderen Ende zu verstehen, aber schließlich begriff er, um wen es sich handelte.

»Fred«, sagte er und bemühte sich, den Wortschwall des Mannes zu unterbrechen. »Ja ... ja, ich bin bereits informiert. Ich war schon im Begriff, Sie anzurufen.« Pause. »Nein, nein, seien Sie unbesorgt, ich bin sicher, es ist nichts Ernstes. Wahrscheinlich nur ein Fehlalarm ... Jill Shepherd und Hellmann, ja, ich weiß. Sie haben keinen Grund, sich Sorgen zu machen. Trotzdem möchte ich, daß Sie nach Hause gehen. Sperren Sie das Tor ab. Bitte? Selbstverständlich übernehme ich die volle Verantwortung. Ja. Und könnten Sie mir einen Gefallen tun? Informieren Sie John, daß er seinen Dienst nicht antreten muß. Und bitten Sie den Hausmeister und seine Frau, das Gelände ebenfalls zu verlassen. Ja, Mr. Straczinsky ist bereits unterwegs, und ich breche jeden Moment auf. Wir kümmern uns um die Sache. Ja, bestimmt ist alles in bester Ordnung.«

Er legte den Hörer auf, schlüpfte in das andere Hosenbein und knöpfte die Uniformhose zu. Er streifte das Schulterhalfter seiner Waffe über das Hemd und zog es straff, dann steckte er die gesicherte Waffe hinein und verschloß die Lasche. Wenn er die Uniformjacke darüber zog, konnte man sie so gut wie nicht erkennen.

Als er fertig war, begutachtete er sein Äußeres abschließend im Spiegel, warf einen Blick auf die Uhr und verließ hastig das Zimmer. Schon zwei Uhr. Ihm blieben rund dreißig Minuten, um zu dem vereinbarten Treffpunkt zu gelangen, und er wollte auf keinen Fall zu spät kommen. Sie haßte es, wenn sie warten mußte.

## 8

Bob Healy saß am Schreibtisch seines Büros und versuchte sich zu entspannen, indem er sich einer Technik bediente, die sein Vater ihm vor langer, langer Zeit beigebracht hatte. Er hatte die Hände gefaltet vor sich auf der Tischplatte liegen und ließ die beiden Daumen ununterbrochen umeinander kreisen, wobei sie sich stets berührten. Die monotone Bewegung und das Gefühl des Kribbelns wirkten ungemein entspannend.

Er hatte Amys Bericht am Telefon mit wachsendem Staunen angehört und auf der Fahrt von seinem Haus hierher versucht, das, was sie wußte und vermutete, mit dem in Einklang zu bringen, was er durch seinen Ausflug nach L. A. herausgefunden hatte. Das Bild, das sich so zusammensetzte, erschreckte ihn zutiefst. Alles sprach dafür, daß Angehörige des Militärs den Jungen namens Danny Eriksson entführt hatten und nicht nur gegen seinen Willen festhielten, sondern ihn obendrein betäubt und ihn so Gefahr für Leib und Leben ausgesetzt hatten – und das seit Wochen.

Seine schlimmsten Befürchtungen hatten sich bewahrheitet; Amy und ihr Vater, Jill und nun auch er selbst waren in eine Sache hineingeraten, deren wahre Dimensionen sie trotz aller gesicherten Fakten noch nicht einmal annähernd erahnen konnten. Wenn der Junge redete und ihre Vermutungen bestätigte, würden mehr Köpfe rollen als während der verdammten Französischen Revolution.

Healy hatte ein Fluchen nicht unterdrücken können, als Amy ihm gesagt hatte, ihr Vater und Jill seien ins Institut gefahren. Seiner Meinung nach war das so ziemlich die dümmste Entscheidung, die sie hatten treffen können, zumal Hellmann wahrscheinlich nicht wußte, daß das Militär in die Forschungen verwickelt war. Bei dem Gedanken daran, was ihnen alles zustoßen konnte, hatte Healy sich zusammenreißen müssen, um nicht sofort wieder ins Auto zu steigen und selbst zum Institut zu fahren.

»Ich werde jetzt ins Büro gehen«, hatte er abschließend zu Amy gesagt. »Falls erforderlich, kannst du mich die ganze Nacht dort erreichen.« Und auf die Frage, warum er nicht zu Hause blieb, schließlich würde sie ihn dort genausogut erreichen: »Weißt du, wenn Martha nicht da ist, kommt mir das Haus immer leer und tot vor. Da ich sowieso nicht zum Schlafen kommen werde, verbringe ich die Wartezeit lieber im Büro.« Bevor er sich verabschiedet hatte, bat er sie, sich unbedingt sofort bei ihm zu melden, wenn es Neuigkeiten gab.

»Du kannst natürlich auch zu mir kommen«, hatte er ihr angeboten, aber Amy hatte dankend abgelehnt.

»Lieber nicht«, hatte sie gesagt. »Paps und Jill gehen davon aus, daß ich hier bin, und sie werden bestimmt hier anrufen, wenn sie etwas herausgefunden haben. Machen Sie sich um mich keine Sorgen, mir passiert schon nichts. Und schließlich habe ich ja Wolf, der mich beschützt.«

Healy betrachtete seine kreisenden Daumen, aber die sonst so beruhigende Wirkung wollte sich heute nicht recht einstellen. Manchmal, wenn er »Däumchen drehte«, wie er als Kind immer gesagt hatte, mußte er an Humphrey Bogart in *Die Caine war ihr Schicksal* denken, wie er vor dem Untersuchungsausschuß unablässig mit seinen drei silbernen Kugeln spielte, um seine Nervosität in den Griff zu bekommen, aber meistens dachte er an seinen Vater, der ihm den Trick beigebracht hatte, als er zehn oder elf und zappelig wie ein Kastenteufelchen gewesen war. »Fickrig« war der Ausdruck, den sein alter Herr immer gebraucht hatte. »Glaub mir«, pflegte er stets zu sagen, »wenn du fickrig bist, hilft nichts so gut wie Däumchendrehen.« Healys Mutter hatte sich stets mit bösem Blick abgewandt, aber Healy hatte erst mit dreizehn oder vierzehn begriffen, was der Ausdruck wirklich bedeutete und wovon sein Vater ihn in Wahrheit abhalten wollte. Am Abend seines ersten Schulballs, als er besonders nervös durch das Haus gestürmt war, hatte sein Vater ihn zu sich gerufen und mit seiner altväterlichsten Stimme gesagt: »Däumchendrehen, Junge. Glaub mir, wenn du fickrig bist, ist Däumchendrehen das allerbeste.«

»Vielleicht würde auch eine kalte Dusche helfen«, hatte er geantwortet. Er hatte es einfach so dahingesagt, ohne nachzudenken, aber der Alte war vollkommen ausgerastet und hatte ihn angebrüllt, daß er solche Schweinereien in seinem Haus nicht dulden würde. Selbstverständlich war Healy an diesem Abend nicht mit dem Mädchen zum Schulball gegangen, sondern hatte mit Stubenarrest zu Hause in seinem Zimmer gesessen, wo er tatsächlich Däumchen drehte, aber das hatte nicht verhindert, daß er das Mädchen sechs Jahre später heiratete. Schon damals war er sich darüber im klaren gewesen, daß er seine eigenen Kinder später einmal vollkommen anders erziehen würde. Leider war es nie dazu gekommen.

Nun ließ er außer den Daumen auch langsam den Kopf kreisen, eine einförmige, konstante Bewegung, die seinen Blick zur Uhr an der Wand, zum Fenster und auf seine Daumen führte, aber die beruhigende Wirkung stellte sich immer noch nicht ein. Healy rutschte auf seinem Sitz herum, dachte an Amy, an hilflose Jungen, an finstere Machenschaften und an Menschen, die er liebte und die sich wahrscheinlich in Gefahr befanden. Mit der Zeit stellte er fest, daß sich seine Daumen immer schneller umeinander drehten. Fickrig.

## 9

Jills Hände taten weh, so lange hatte sie mit den Fäusten auf die Tür eingeschlagen, aber es half nichts. Die Entfernung war zu groß, und hinter der zweiten Tür konnte Stefan sie nicht hören. Sie drehte sich um, ging zu den Fahrstühlen zurück und fuhr wieder nach oben ins Erdgeschoß, wo sie dasselbe Zimmer betrat, das sie wenige Minuten zuvor verlassen hatte. Ohne das Licht einzuschalten, setzte sie sich auf den Stuhl und lehnte sich zurück. Sie strich sich mit den Händen über das Gesicht, rieb sich die Augen und wünschte, sie hätte sich einfach hinlegen und schlafen können. Zumindest ein paar Minuten Ruhe würde sie sich gönnen. Ellen Davies' Pistole zog ihre Tasche nach unten, und während sie über die Waffe nachdachte, überlegte sie, daß es gar nicht so schlecht wäre, wenn sie vorerst hier bliebe. Es konnte nicht mehr lange dauern, bis jemand nach dem Rechten sehen kam. Jill ging davon aus, daß McCullogh oder Straczinsky mit den Autos kommen und mit Straczinskys Schlüsselkarte die Eingangstür öffnen würden. Von diesem Raum aus hatte sie das Tor im Blick und würde sehen, wenn sich ein Fahrzeug näherte. Das brachte sie auf einen Gedanken. Sie stand auf und ging zum Fenster, um nach Fred zu sehen. Vielleicht konnte sie auf sich aufmerksam machen, ihm ein Zeichen geben, ihn mit Gesten bitten, daß er Hilfe holte, aber so angestrengt sie in die Dunkelheit hinaussah, sie konnte ihn nicht sehen. Vermutlich hatte er sich in das Torhaus zurückgezogen. Die vage Hoffnug, die in ihr aufkeimte, als ihr klar wurde, daß er den Alarm gesehen haben mußte, zerstob rasch wieder. Denn wenn er daraufhin jemanden benachrichtigt hätte, dann zweifellos Straczinsky oder McCullogh. Wie sie es auch drehte und wendete, es gab keinen Ausweg aus der Zwickmühle, in der sie sich befanden.

Mit einem resignierten Seufzen kehrte sie zum Schreibtisch zurück.

## 10

Anfangs sahen die Lichter der Kaserne aus wie unbekannte Sternenkonstellationen. Iain McCullogh raste mit halsbrecherischer Geschwindigkeit die unbefestigte Straße entlang und steuerte auf den Zaun mit seinen in regelmäßigen Abständen angebrachten Scheinwerfern zu wie ein Pilot beim Anflug auf eine nächtliche Landebahn. Dann fuhr er eine Zeitlang parallel zu dem Zaun. Als der dunkle Umriß eines Autos im Licht der Scheinwerfer am Straßenrand auftauchte, trat McCullogh heftig auf die Bremse und brachte den Wagen mehrere Meter hinter dem parkenden Fahrzeug zum Stehen.

Die Innenbeleuchtung des anderen Wagens flackerte auf, und er konnte ihr schmales Gesicht im Rückspiegel sehen. Sie näherte sich seinem Auto gemächlichen Schrittes, als wollte sie ihn absichtlich zappeln lassen, und er bemühte sich, so gut es ging, Geduld zu üben.

Sie bückte sich, sah kurz zum Seitenfenster herein, nickte ihm zu und stieg ein. Ganz in Schwarz: schwarze Hose, schwarze Bluse, die Haare nach hinten gekämmt und mit einem schwarzen Band zusammengebunden, was ihr ein ungeheuer strenges Aussehen verlieh. Im Kontrast zu der dunklen Kleidung wirkte ihre braune Haut fast unnatürlich weiß.

»Guten Abend«, sagte sie. Kaum hatte sie sich gesetzt und die Tür zugeschlagen, fuhr McCullogh an und bog an der Ecke des Zauns rechts ab. Er wußte, es waren etwa zwei Meilen bis zum Tor des Stützpunkts, und den gelben Schein der Natriumdampflampen über dem Wachlokal konnte man bereits deutlich sehen.

Er hatte erwartet, daß sie mit ihm reden, ihm Fragen stellen würde, aber sie schwieg oder wartete darauf, daß er das Gespräch eröffnete. Aber er dachte nicht im Traum daran, und so fuhren sie verbissen schweigend durch die Nacht, bis sie das Kasernentor, das Wachlokal und den Schlagbaum erreicht hatten.

Ein uniformierter Wachsoldat löste sich aus dem Schatten des Gebäudes und näherte sich dem Wagen. Er ging vor der Motorhaube vorbei und blickte in das Fenster auf der Fahrerseite. Als er McCullogh erkannte, schnellte er sofort in die Höhe und salutierte.

»Guten Abend, Sir!« rief er laut aus, aber McCullogh winkte nur ab.

»Schon gut«, sagte er. »Bitte öffnen Sie, wir haben es eilig.«

»Selbstverständlich, Sir!« antwortete der junge Mann und beugte sich zum Wagen herunter. McCullogh bemerkte, daß sie den Soldaten ansah und drehte sich ebenfalls noch einmal um. Im Licht waren die goldenen, flaumigen Bartstoppeln des Wachmannes deutlich zu sehen.

»Wann haben Sie Wachablösung, Corporal?« fragte McCullogh beiläufig. Er warf der Frau auf dem Beifahrersitz einen kurzen Blick zu.

»Vier Uhr, Sir«, antwortete der Soldat mit einem fragenden Unterton in der Stimme.

»Und dann?«

»Vier Stunden Schlaf, dann wieder zwei Stunden Wache, Sir.«

McCullogh neigte den Kopf ein wenig aus dem Fenster und sah dem jungen Mann prüfend ins Gesicht. »Sie lassen sich sofort von Ihrem Kameraden ablösen, gehen sich rasieren und melden sich anschließend bei Ihrem Offizier vom Wachdienst. Ich erwarte morgen nachmittag seine Bestätigung, daß Sie bei ihm gewesen sind. Danach beziehen Sie wieder Ihren Posten und übernehmen auch die nächste Wache. Dann können Sie schlafen. Und in Zukunft achten Sie darauf, daß Sie immer ordentlich Ihren Dienst versehen.«

Der junge Mann schluckte und verzog andeutungsweise das Gesicht, stellte sich aber schließlich gerade hin und sagte nur: »Jawohl, Sir.« Er wandte sich mit eckigen Bewegungen ab und öffnete den Schlagbaum.

McCullogh grinste in sich hinein. Ihm entging nicht, daß sie ihn mit einem seltsamen Blick betrachtete, in dem ein Teil Spott und ein Teil von etwas anderem mitschwang ... Geringschätzung? Abscheu?

Er fuhr an, bremste aber sofort wieder und blieb unter dem Schlagbaum stehen. »Haben Sie Straczinsky erreicht?« wandte er sich an seine Begleiterin.

Sie nickte nur wortlos. McCullogh rief den Wachsoldaten zu sich.

»Bevor ich es vergesse – Mr. Straczinsky, der Leiter des medizinischen Forschungsinstituts, wird in der nächsten halben Stunde hier erwartet. Ich möchte, daß Sie ihn durchlassen. Hier ist sein Passierschein, von mir persönlich unterschrieben.«

»Jawohl, Sir«, wiederholte der Soldat und nahm den Passierschein entgegen.

McCullogh beugte sich noch einmal aus dem Fenster. »Und ziehen Sie gefälligst eine saubere Uniform an«, sagte er und fuhr mit quietschenden Reifen an, so daß der Wachsoldat in eine Staubwolke gehüllt wurde. Er bemerkte, daß die Frau auf dem Beifahrersitz den Kopf schüttelte.

Das Gelände des Militärstützpunkts Eagle's Point umfaßte ein weiträumiges Areal. McCullogh steuerte den Wagen über unbefestigte Wege, an dunklen Flugzeughangars vorbei zu den eigentlichen Mannschaftsunterkünften und Stabsgebäuden, die rund drei Meilen vom Tor entfernt lagen. Seine Beifahrerin hüllte sich den ganzen Weg über in Schweigen. Als er vor dem Hauptgebäude hielt, stieg sie wortlos aus und ging die Stufen zum Eingang hinauf. McCullogh holte sie ein und betrat nach ihr das Haus.

Sie schritten durch eintönig grau gestrichene Flure mit zerkratzten Holztüren rechts und links, die früher einmal braun lackiert gewesen sein mochten. Heute war die oberste Farbschicht stellenweise so abgeblättert, daß man andere verblichene Farbschichten darunter erkennen konnte. Graffiti und Schnitzereien schmückten einige der Türen, und McCullogh fragte sich müßig, wie viele Soldaten ein paar Tage Bau riskiert hatten, nur um ihren Namen hier zu verewigen.

Vor einer Tür, die sich in nichts von den anderen unterschied, davon abgesehen, daß sie breiter und mit einem schweren, metallverstärkten Schloß gesichert war, blieb er stehen und bat sie, einen Moment zu warten. Er suchte umständlich in der Uniformtasche nach einem Schlüsselbund, fingerte nach dem entsprechenden Schlüssel und verschwand in dem Raum. Er stellte fest, daß sie nicht einmal versuchte, einen Blick in das Zimmer zu werfen.

McCullogh knipste das Licht an. Im Inneren standen hohe Regale mit verschiedenen Holzkisten und Kartons. Er ging an den Wänden entlang und blieb zuletzt vor einer kleinen Schachtel aus grauer Pappe stehen. Er nahm sie herunter, sah hinein und vergewisserte sich, daß der Inhalt mit der Angabe auf dem Etikett übereinstimmte.

Sie fragte nicht, was in der Schachtel war, und McCullogh sagte es ihr nicht. Er ging voraus, bis sie an eine Treppe kamen. Ohne sich darum zu kümmern, ob sie ihm folgte, ging er die Stufen hinunter, durchquerte einen kurzen Flur, in dem nur eine Notbeleuchtung brannte, und blieb vor einer schweren Feuertür stehen.

Er klemmte sich den Karton unter den linken Arm, nahm den Schlüsselbund in die rechte und schloß auf. Hinter ihnen wollte er gerade wieder abschließen, als ihm einfiel, daß Straczinsky mit Sicherheit keinen Schlüssel hatte. Auf diesem Weg zum Institut war es der einzige Zugang mit einem altmodischen Schloß; alle anderen ließen sich mit Magnetkarten öffnen. McCullogh überlegte nur kurz. Ihm blieb nichts anderes übrig, als offen zu lassen und zu hoffen, daß kein anderer als Straczinsky herunterkommen würde.

Sie gingen eine weitere, deutlich längere Treppe hinunter, an deren Ende zwei kleine Elektrocars standen. McCullogh verstaute den Karton auf der Ladefläche des ersten und forderte die Frau auf, sich zu setzen. Er selbst nahm auf dem Fahrersitz Platz, dann drückte er den Starterknopf. Als das Elektrocar sich in Bewegung setzte und sie den scheinbar endlos langen, schnurgeraden Flur entlangfuhren, bequemte sich

Miss Unnahbar endlich, ihr Schweigen zu brechen. »Ich komme mit, warte aber draußen«, sagte sie. »Sie gehen rein und reden mit Hellmann. Vergewissern Sie sich, in welcher Verfassung sich der Junge befindet. Falls er noch nicht wach ist und Hellmann keine Möglichkeit hatte, etwas aus ihm herauszubringen, geben Sie ihm wieder das Narkotikum und bemühen sich, Hellmann zur Vernunft zu bringen.«

»Und wenn er schon Bescheid weiß? Oder sich nicht verhandlungsbereit zeigt?« fragte McCullogh.

Sie antwortete nicht, aber ihr Schweigen sagte ihm genug.

»Und nochmals«, sagte sie mit Nachdruck, als das Elektrocar wenige Minuten später vor einer weiteren Stahltür zum Stehen kam. »Achten Sie darauf, daß dem Jungen nichts passiert. Ich mache Sie persönlich für sein Schicksal verantwortlich.«

McCullogh zuckte die Achseln. Er nahm seinen Karton wieder unter den Arm und schloß die Tür auf. »Auf der anderen Seite liegt der Flur, der zu seiner Krankenstation führt«, sagte er, als wäre diese Erklärung nötig gewesen. »Bitte seien Sie leise. Und vergessen Sie nicht, Ihren Helm aufzusetzen. Man kann nie wissen. Ich glaube nicht, daß er Hellmann oder Jill etwas tun würde, aber uns fürchtet und haßt er.«

Sie nickte knapp. McCullogh betrat mit ihr zusammen den Keller des Instituts.

## 11

Stefan Hellmann hatte zweifelsfrei den Eindruck, daß Danny allmählich zu sich kam. Die Anzeigen der Monitore schlugen kräftiger aus, und einmal hatte er geglaubt, daß der Junge tatsächlich fast unmerklich eine Hand bewegte, wenig mehr als ein Reflex, aber immerhin.

Er beugte sich über das Bett und zog die bewegliche Lampe so weit herunter, daß sie das Gesicht des Jungen direkt anstrahlte. Dannys blasse Haut wirkte im Licht beinahe transparent. Hellmann konnte die Schatten der seltsam dunklen Pupillen unter den Lidern erkennen, wenn er genau hinsah.

Er war noch intensiv mit der Untersuchung des Jungen beschäftigt, als plötzlich ein Geräusch hinter ihm ertönte. Hellmann fuhr so schnell in die Höhe, daß er sich um ein Haar den Kopf an der Lampe gestoßen hätte, wirbelte herum und sah einen Mann in Uniform an der Tür des Zimmers stehen. Seine Offiziersuniform war makellos, und er lehnte in einer überheblichen Was-kostet-die-Welt-Haltung am Türrahmen. Hellmann mußte zweimal hinsehen, bis ihm klar wurde, daß es sich um McCullogh handelte.

»Dr. Hellmann«, sagte McCullogh in einem jovialen Plauderton, »wie ich sehe, betreiben Sie inzwischen Forschungen auf eigene Faust.«

Hellmann blieb unsicher stehen und wußte nicht, wie er reagieren sollte. Sein erster Impuls war, sich auf den Mann zu stürzen, um sein Leben und das des Jungen zu schützen, aber McCullogh traf keinerlei Anstalten, ihnen etwas zu tun. Er blieb in seiner übertrieben lässigen Haltung an der Tür stehen.

»Dr. Hellmann«, sagte er, »meine Mitarbeiterin hat mir gesagt, daß Sie das Betäubungsmittel abgesetzt haben.« Er wartete gar nicht erst auf eine Antwort. »Ich glaube, Sie haben keine Ahnung, wie gefährlich es ist, was Sie da tun. Sie haben doch gesehen, wozu der Junge fähig ist.«

»Verschonen Sie mich mit Ihren Lügengeschichten«, sagte Hellmann und versuchte so verächtlich zu klingen, wie er es in seinem übermüdeten und angespannten Zustand fertigbrachte. »Wir wissen beide, daß Sie und Straczinsky mich von A bis Z belogen haben. Ich glaube, der einzige, der mir die Wahrheit sagen kann, ist dieser Junge, und ich werde ihn fragen. Nichts und niemand auf der Welt wird mich daran hindern, auch Sie nicht.« Er hoffte, daß seine Stimme sich zuversichtlicher anhören würde, als er sich fühlte.

McCullogh stieß sich mit der Schulter vom Türrahmen ab und kam einen Schritt in den Raum. Hellmann wich zurück.

»Ich glaube, Sie irren sich«, sagte McCullogh und kam noch einen Schritt näher. »Ich kann Sie hindern, und ich werde Sie hindern.« Hellmanns Gesprächspartner setzte eine versöhnliche Miene auf und sprach mit sanfter, eindringlicher Stimme weiter. Er erinnerte Hellmann an den Wolf, der Kreide gefressen hatte.

»Kommen Sie doch zur Vernunft«, fuhr McCullogh fort. »Ist ein Toter nicht genug? Wenn wir eine ungefährliche Methode gefunden haben, mit dem Jungen umzugehen, werden Sie noch hinreichend Gelegenheit haben, mit ihm zu sprechen.«

»Ich glaube Ihnen nicht«, sagte Hellmann. »Bitte gehen Sie, damit ich mich um meinen Patienten kümmern kann.«

»Überstrapazieren Sie meine Geduld nicht, Dr. Hellmann«, sagte McCullogh. »Ich muß Sie dringend auffordern, den Weg freizumachen, damit ich dem Jungen das Betäubungsmittel wieder verabreichen kann.«

Hellmann rührte sich nicht. McCullogh griff mit einer blitzschnellen Bewegung in sein Jackett, und ehe Hellmann auch nur ansatzweise reagieren konnte, hatte sein Gegenüber eine Waffe gezückt, die er auf ihn richtete.

»Bitte, Dr. Hellmann«, sagte er, »treten Sie beiseite. Machen Sie Ihre Situation nicht noch schlimmer, als sie ist. Mr. Straczinsky müßte bald kommen, und sobald er da ist, können wir uns ruhig und vernünftig über alles unterhalten. Bis dahin muß ich darauf bestehen, daß der Junge wieder narkotisiert wird. Aus Sicherheitsgründen, Sie verstehen.«

Hellmann blieb trotzig stehen, aber als McCullogh die Waffe entsicherte und den Hahn spannte, trat er notgedrungen zur Seite. Er hatte keine Ahnung, ob McCullogh bluffte oder nicht, aber er wollte es nicht unbedingt am eigenen Leib herausfinden. Daß der Mann keine Skrupel haben würde, ihn zu töten, daran zweifelte er nicht, und tot nützte er Danny gar nichts.

»Keine Bange, Sie werden weiter Gelegenheit haben, den Jungen zu erforschen«, wiederholte McCullogh. »Es hängt alles von Ihrer Kooperationsbereitschaft ab.«

Hellmann lachte höhnisch auf. »Sie glauben doch nicht allen Ernstes, daß ich bereit bin, an einem Projekt des Militärs mitzuarbeiten? Nein, vergessen Sie es. Wozu auch, damit Sie Dannys einzigartige Fähigkeit als Superwaffe mißbrauchen können?«

»Tut mit sehr leid, das zu hören, Dr. Hellmann«, sagte McCullogh. »Ich fürchte, in diesem Fall werden Sie dieses Institut nicht lebend verlassen. Ich an Ihrer Stelle würde mir das gut überlegen.«

»Es nützt Ihnen nichts, wenn Sie mich töten«, sagte er und spielte seinen letzten Trumpf aus. »Jill ist auf dem Weg zum Sheriff. Eigentlich müßte sie längst dort sein. Sie hat Fotos von Wentworths Leichnam dabei, und das Video. Es kann nicht mehr lange dauern, und sie wird mit der Polizei hier auftauchen.«

»Ich fürchte, ich muß Sie enttäuschen«, sagte McCullogh mit einem süffisanten Grinsen. »Ich bin sicher, Sie haben den Alarm gehört, den meine Stabsärztin ausgelöst hat. Das gesamte Institut ist hermetisch abgeriegelt. Niemand hat es verlassen. Ich weiß von Ellen Davies, daß Jill sich noch hier im Gebäude befindet. Rechnen Sie also nicht mit Verstärkung.«

»Sie lügen«, sagte Hellmann, aber es klang nicht einmal in seinen eigenen Ohren überzeugend. Er versuchte, die Zeit zu rekonstruieren, die zwischen Jills Weggehen und dem Alarm verstrichen war, aber es gelang ihm nicht. Lange konnte es nicht gewesen sein. Lange genug, um die Fotos zu machen, das Video zu holen und das Gebäude zu verlassen?

McCullogh hielt unerbittlich die Waffe auf Hellmann gerichtet, während er sich dem Bett näherte. Hellmann betrachtete den blassen, zierlichen und hilflosen Jungen, er wirkte so zerbrechlich, so schutzlos. Und plötzlich erstarrte er. Im grellen Licht der Lampe sah es so aus, als würden sich die dunklen Pupillen unter den geschlossenen Lidern bewegen. Hellmann wandte sich hastig ab, um McCulloghs Aufmerksamkeit nicht darauf zu lenken, und sah dann verstohlen noch einmal hin.

Kein Zweifel. Die Herzrhythmuskurve des Jungen nahm langsam zu, wie ein Blick auf den Monitor bestätigte. Danny wurde tatsächlich wach.

So kurz vor dem Ziel, dachte Hellmann verbittert. Er sah zu, wie McCullogh langsam den Arm hob und die Hand nach dem Hahn der Infusionsflasche ausstreckte. Sämtliche Monitore zeigten inzwischen eine gesteigerte Aktivität. Plötzlich ertönte ein lautes Piepsen aus einem der Geräte. McCullogh fuhr erschrocken herum und ließ die Hand sinken. In dem Augenblick, als er den Jungen direkt ansah, verstummte das Piepsen wieder, und mit einem Schlag sanken sämtliche Anzeigen auf Null.

## 12

»Verdammt!« rief McCullogh aus und blickte auf den reglosen Jungen, als hätte er ein Gespenst gesehen. »Er ist weg.« Er sagte es mit ungläubigem Staunen in der Stimme, als könnte er es selbst nicht fassen.

Hellmann betrachtete Dannys Gesicht mit keinem geringeren Entsetzen. Der Junge war tatsächlich erwacht und hatte die erste Gelegenheit zur Flucht genutzt, die sich ihm bot. Die Frage war, wen hatte er sich als Opfer auserkoren?

Bilder, die er die ganze Zeit verdrängt gehabt hatte, brachen plötzlich wieder über Hellmann herein. Verzerrte Gesichter, das des toten Wentworth, das des Schimpansen wirbelten vor seinem geistigen Auge durcheinander. Er dachte an Jill, die doch nicht in Sicherheit war, wenn er McCullogh glauben konnte, aber warum auch nicht? Was hätte es dem Major in dem Fall gebracht, ihn zu belügen?

»Jill«, flüsterte er und hoffte, daß der andere Mann ihn nicht hören konnte. »O Gott!«

Dann fiel ihm ein, daß sich noch andere Personen im Institut aufhielten. Ellen Davies hatte einen Stahlhelm getragen, aber Jill auch. Hatte sie ihn abgenommen? Konnte es Fred sein? Ramon oder dessen Frau? Hellmann schämte sich seiner Gedanken zutiefst, aber verhindern konnte er sie nicht. *Bitte,* betete er zu einem Gott, an den er nicht glaubte. *Bitte, wenn es sein muß, laß es nicht Jill sein. Fred oder Ramon, oder, noch besser, Ellen Davies, aber nicht Jill.*

Er konnte nicht glauben, daß er sich so in dem Jungen getäuscht haben sollte. Und doch, die toten Monitore sprachen eine deutliche Sprache. Danny mußte klar gewesen sein, daß ihm nur wenige Sekunden blieben, bis McCullogh ihn wieder narkotisieren würde, und er hatte die Gelegenheit beim Schopf gegriffen. *Verdammt*, dachte Hellmann, *aber mußtest du deshalb noch einen Menschen töten? Ich hätte eine Lösung gefunden, verdammt. Ich habe dich einmal aufgeweckt, ich hätte dich wieder wecken können. Warum?*

Er sah auf und bemerkte, daß McCullogh langsam den Raum verließ. Er verspürte eine unvorstellbare Wut auf den Mann und hätte ihn am liebsten mit bloßen Händen erwürgt. Als McCullogh um die Biegung des kurzen Korridors verschwunden war, sah Hellmann durch die Glasscheibe. Sekunden später schritt McCullogh durch das Nebenzimmer zur Tür. Hellmann folgte ihm leise. Vielleicht bot sich eine Gelegenheit, ein unachtsamer Augenblick, um den Mann zu überwältigen, ihm die Waffe abzunehmen. Als er das Nebenzimmer betrat, sah er McCullogh draußen auf dem Flur stehen.

»Er ist weg«, hörte Hellmann McCullogh mit bebender Stimme sagen, und seine Hoffnung war dahin. McCullogh war nicht allein.

Natürlich nicht, Straczinsky wird bei ihm sein. Die Unzertrennlichen. Er ging langsam auf die Tür zu. McCullogh sah ihn, aber er hatte die Waffe wieder eingesteckt und traf keine Anstalten, ihn am Verlassen des Raumes zu hindern.

Hellmann trat auf den Flur hinaus, und seine Augen wurden groß. Er glaubte, daß sie jeden Moment aus den Höhlen quellen würden. »Sie?« stieß er atemlos hervor, als er sah, wer draußen auf dem Flur stand. »Was machen Sie denn hier?«

»Guten Abend, Dr. Hellmann«, sagte Kathy Myers lächelnd. »Ich glaube, es wird höchste Zeit, daß wir uns einmal ausführlich unterhalten.«

# Kapitel einundzwanzig
## *Im Tollhaus*

### 1

Iain McCullogh beobachtete Kathy Myers, wie sie in das Vorzimmer ging und der vollkommen verdutzte Stefan Hellmann ihr folgte. Er selbst blieb einen Moment unentschlossen auf dem Flur stehen.

Der Schrecken, den ihm das Verschwinden des Jungen eingejagt hatte, saß ihm noch in den Gliedern. Ihm war rätselhaft, daß sich Kathy Myers nicht dafür interessierte, sondern mehr auf einen Plausch mit Hellmann aus zu sein schien. Er fragte sich, wen Danny übernommen haben konnte, aber um ehrlich zu sein, war das eigentlich nebensächlich. Wenn es Jill war, um so besser. Nach dem Erscheinen von Kathy Myers würde es nicht lange dauern, bis Hellmann zwei und zwei zusammenzählte und dahinter kam, daß sie ebenfalls an dem Projekt beteiligt war. Vielleicht erriet er nicht, daß sie nach Wentworths Tod zur Leiterin aufgerückt und das Bindeglied zu den eigentlichen Verantwortlichen geworden war, aber was spielte das schon für eine Rolle. Er mußte so oder so sterben, und Jill als seine Mitwisserin ebenfalls. Wenn Daniel ihnen diese Arbeit abgenommen hatte, müßten sie ihm eigentlich dankbar sein. Um Ellen Davies wäre es schade, aber sie war ersetzbar. Fred schied aus; McCullogh selbst hatte ihn vor einer Stunde nach Hause geschickt und dafür gesorgt, daß das Torhaus unbesetzt blieb und er Ramon und dessen Frau mitnahm. Außer Hellmann, ihm selbst und den drei Frauen hielt sich niemand im Institut oder der unmittelbaren Umgebung auf. Ob das Militär das Gelände bereits umstellt hatte, wußte er nicht.

McCullogh dachte über Möglichkeiten nach und kam zum Ergebnis, daß Jill als einziges potentielles Opfer in Frage kam. Ellen Davies hatte die Geschichte geglaubt, die sie ihr aufgetischt hatten, und empfand eine derart panische Angst vor dem Jungen, daß sie ihren Stahlhelm bestimmt unter keinen Umständen abgenommen hatte.

Er empfand kein Mitleid, weder mit Jill noch mit Hellmann, der im Versuch, Danny zu retten, selbst das tragische Ende seiner Romanze herbeigeführt hatte. Wie auch immer, er ging davon aus, daß Hellmann keine Gelegenheit bekommen würde, lange um seine neue Flamme zu trauern. Daß der Junge sich allerdings frei im Institut bewegen konnte, gefiel ihm nicht, auch wenn es keine Möglichkeit gab, zu entkommen.

McCullogh folgte Kathy Myers und Hellmann in den Raum, wo der Körper von Daniel Eriksson reglos auf dem Bett lag. Sämtliche Anzeigen standen nach wie vor auf Null, das EEG bildete eine ununterbrochene gerade Linie. Kathy Myers und Hellmann waren so in den Anblick des Jungen vertieft, daß sie gar nicht mitbekamen, wie McCullogh eintrat. Er räusperte sich kurz. Hellmann sah als erster auf. Als Kathy Myers sich zu McCullogh umdrehte, sagte er: »Sollten wir uns nicht darum kümmern?« Er nickte zu der Gestalt auf dem Bett.

»Später«, sagte Kathy. »Ich bin sicher, Dr. Hellmann hat eine Menge Fragen. Wir sollten ihn nicht so lange im Ungewissen lassen.«

McCullogh bekam fast eine Gänsehaut, als er ihr spöttisches, eiskaltes Lächeln sah, und dachte nicht zum erstenmal, daß die Frau gar kein Gewissen hatte.

»Mir gefällt nicht, daß er frei im Haus herumspazieren kann«, sagte er. »Ich weiß, er kann das Gebäude nicht verlassen, aber trotzdem würde ich mich wohler fühlen, wenn er wieder hier wäre.« McCullogh hob eine Hand und zeigte mit dem Finger auf den Kopf des Jungen. »Wo er hingehört. Außerdem«, fügte er nach einer kurzen Pause hinzu, »sollte ich nach Ellen Davies sehen. Sie sitzt irgendwo im Haus und wartet.«

»Ich sagte später«, antwortete Kathy Myers mit einem gereizten Unterton in der Stimme. McCullogh nickte mit verkniffenem Gesicht. Kathy Myers zeigte auf einen der beiden Stühle am Bett des Jungen. Hellmann, der aussah, als würde er jeden Moment zusammenbrechen, setzte sich, worauf Kathy ebenfalls Platz nahm.

McCullogh, der sich überflüssig vorkam und den die Nähe des Jungen mit einer gewissen Nervosität erfüllte, ging ins Nebenzimmer, wo er sich auf den Schreibtisch setzte, den Rücken an die Wand gelehnt, so daß er die beiden durch die Fensterscheibe beobachten konnte. Nur für den Fall, daß Hellmann irgendwelche Tricks versuchen würde.

## 2

Amy wußte nicht, wie oft sie in den vergangenen Stunden schon aufgestanden und durch das Zimmer gegangen war. Es war spät in der Nacht gewesen, nach drei, als sie zum letztenmal auf die Uhr gesehen hatte, und sie hatte immer noch nichts von ihrem Vater gehört. Obwohl sie müde war, konnte sie in ihrer Aufregung nicht an Schlaf denken. Sie fragte sich, ob es ihrem Vater und Jill schon gelungen war, Danny aufzuwecken, und wenn ja, was er ihnen erzählt hatte. Ob sie ihn vielleicht sogar mitbrachten? Nein, Jill hatte gesagt, daß er medizinische Versorgung brauchen würde. Wahrscheinlich mußten sie ihn sogar in ein Krankenhaus bringen.

Als sie ihre Unruhe nicht mehr bezähmen konnte, nahm sie das Telefon und wählte die Nummer des Instituts. Sie versuchte es mit der Durchwahl ihres Vaters, wartete bangen Herzens, bis die Verbindung hergestellt wurde und wollte schon mit ihren Fragen herausplatzen, als sie merkte, daß nicht ihr Vater am Apparat war, sondern es sich nur um eine Bandansage handelte. »Dieser Anschluß ist vorübergehend nicht erreichbar«, sagte eine mechanische, tonlose Stimme.

Amy legte hastig wieder auf, als hätte sie ein gefährliches Tier angefaßt. Der Knall, als der Hörer die Gabel berührte, war so laut, daß Wolf zusammenzuckte und kurz den Kopf hob, aber als er sah, daß nichts Aufregendes passierte, schlief er weiter. Amy betrachtete das Telefon eine ganze Weile, schließlich wählte sie noch einmal. Vielleicht war nur der Apparat ihres Vaters gestört. Sie versuchte es ohne große Hoffnung in der Zentrale, mit demselben Ergebnis: Nach dreimaligem Läuten schaltete sich die automatische Bandansage ein.

Hätte das Telefon in der Zentrale endlos geläutet, wäre Amy möglicherweise beruhigt gewesen. Sie wußte, daß sich außer ihrem Vater und Jill niemand im Institut aufhielt. Daß ausgerechnet in dieser Nacht das Telefon ausgefallen sein sollte, kam ihr merkwürdig vor. Sie beschloß, ihnen noch eine oder zwei Stunden zu geben, und wenn sie bis dahin nichts hörte, würde sie Sheriff Healy alarmieren.

Amy lehnte sich in ihrem Sessel zurück und sah zum Fenster, wo die schwarze Nacht ihren Blick erwiderte wie ein dunkles Auge, und in Gedanken hörte sie noch lange die monotone Stimme mit ihren ewig gleichen Worten: »Nicht erreichbar ... nicht erreichbar ... nicht erreichbar ...«

## 3

Stefan Hellmann saß wie gelähmt auf seinem Stuhl am Bett des leblosen Jungen und betrachtete das unschuldige, kindliche Gesicht, das im Schein der Lampe über dem Bett wie eine aus Gips modellierte Totenmaske aussah. Er spürte eine Gänsehaut auf den Unterarmen und zitterte am ganzen Körper, wenn er daran dachte, daß dies lediglich eine leblose Hülle war und Danny sich in Wahrheit mittlerweile anderswo aufhielt. Hellmann empfand nach wie vor rasende Angst um Jill, eine Angst, die sein ganzes Denken in Anspruch nahm und kaum Raum für andere Überlegungen ließ, und versuchte sich immer wieder einzureden, daß Danny sich jemand anderen ausgesucht haben mußte.

Verdenken konnte er dem Jungen seine Tat nicht. Vermutlich war ihm klar gewesen, daß seine letzte Chance auf eine Flucht hinüber war, falls McCullogh ihn wieder betäuben würde, und so hatte er instinktiv und aus reinem Überlebenswillen gehandelt. Aber daß er bereit war, das Leben eines Unschuldigen zu opfern, konnte und wollte Hellmann nicht glauben. Und doch sprachen die Tatsachen eindeutig dafür. Er konnte nicht als körperloser Geist durch das Gebäude schweben; sein Bewußtsein brauchte ein anderes Gehirn als Trägermedium.

»Eine unheimliche Vorstellung, richtig?« hörte Hellmann die Stimme von Kathy Myers sagen. »Daß sein Körper hier ist und er sich in Wahrheit anderswo befindet.«

Er sah das Gesicht des Jungen noch einmal durchdringend an, als könnte er den Geist Dannys allein durch Willenskraft zwingen, in seinen Körper zurückzukehren, dann wandte er sich von ihm ab und Kathy Myers zu.

»Ich verstehe immer noch nicht, was Sie hier zu suchen haben, Kathy«, sagte er mit einer müden, niedergeschlagenen Stimme, »gehören Sie auch zu denen? Hat man Sie gekauft, um mich zu beeinflussen?«

Sie lachte laut auf. »Nein, Dr. Hellmann, Sie verstehen immer noch nicht. Ich habe von Anfang an bei dem Projekt mitgearbeitet. Ich habe Danny zusammen mit Wentworth in der Nervenklinik, wo er behandelt wurde, abgeholt und hierhergebracht. Nach Wentworths Tod bin ich die Verantwortliche für das Projekt.«

»Sie arbeiten für das Militär«, sagte er kopfschüttelnd, während seine Gedanken langsam wieder in Fahrt kamen. Konnte Kathy Myers ahnen, daß er durch Amy mit der Geschichte des Jungen vertraut war? Wahrscheinlich nicht. Wußte sie, daß Amy und Sheriff Healy die Wahrheit kannten? Nein, sonst wäre sie nicht so ruhig hier sitzengeblieben, um mit ihm zu reden.

Kathy Myers lachte wieder. »Für das Militär?« antwortete sie. Sie schüttelte amüsiert den Kopf. »Nein, nicht für das Militär. Das Militär ist nur vorgeschoben. Ich arbeite für die wahren Initiatoren des Projekts. Für den Geheimdienst.«

»Die CIA?« fragte Hellmann verblüfft, und diesmal lachte Kathy so schrill, daß es ihm in den Ohren weh tat. Sie hob die Hände, strich sich das hellbraune Haar hinter die Ohren und sah ihn wieder an.

»Machen Sie sich nicht lächerlich«, sagte sie. »Die CIA ist nichts weiter als ein offizielles Aushängeschild, mit der die Geheimdienste anderer Länder auf falsche Fährten gelockt werden. Nein, ich arbeite für eine Organisation, die Government Security Agency heißt.«

»Und Sie wollen die Fähigkeit des Jungen erforschen, um ihn als militärische Geheimwaffe einzusetzen«, sagte Hellmann. Rückblickend konnte er kaum fassen, wie naiv er gewesen war. »Logisch«, sagte er, »Danny würde den besten Spion aller Zeiten abgeben. Nichts und niemand wäre vor ihm sicher. Er hätte Zugang zu allen Staatsgeheimnissen dieser Welt.« Er machte eine Pause und dachte einen Moment nach. »Das einzige Problem ist, daß die Leute, die er übernimmt, alle sterben müssen. Sie wollten, daß ich das Problem für Sie löse, ja? Ich sollte herausfinden, ob es eine Möglichkeit gibt, seine Gabe zu reproduzieren. Und ich sollte eine Möglichkeit finden, die Trägerpersonen zu retten, richtig?« Er schüttelte den Kopf. »Vielleicht ist ja ein genetischer Defekt dafür verantwortlich. Ich wette, Sie haben schon ein Heer von Genforschern bereitstehen, die nur darauf warten, den Defekt zu reproduzieren und eine ganze Armee von Dannys zu züchten.« Hellmann lachte, doch es hörte sich mehr nach einem trockenen Husten an. »Seine Einsatzmöglichkeiten bei Militär und Geheimdienst wären grenzenlos. Er könnte mißliebige Gegner ausschalten, ausländische Regierungschefs übernehmen und ihre Länder auf einen Kurs bringen lassen, der Ihnen und Ihren Hintermännern zusagt; in militärischen Konflikten könnte er die Befehlshaber gegnerischer Armeen übernehmen und die eigenen Leute in den sicheren Tod führen. O ja, ich kann mir gut vorstellen, daß Sie das fasziniert.«

»Sie denken genau wie McCullogh in so kleinen Dimensionen«, sagte Kathy Myers zu ihm. »Natürlich haben Sie recht, das Militär arbeitet genau aus diesen Gründen mit uns zusammen, aber uns geht es um viel mehr.«

»Und das wäre?« fragte er mit einem ironischen Hochziehen der Brauen. Kathy Myers hatte sich nach vorn gebeugt und sah ihn mit dem fiebrigen Blick einer Fanatikerin an, ein Blick, der ihm angst machte. Mit Leuten, die so einen Gesichtsausdruck zur Schau stellten, ließ sich nicht vernünftig argumentieren.

»Überlegen Sie doch«, sagte sie schroff und ungeduldig, als wäre sie gezwungen, einen geistig trägen Schüler auf etwas Offensichtliches hinweisen zu müssen. »Wenn es uns gelingt, das Rätsel um Dannys Begabung zu entschlüsseln, könnte das ... Unsterblichkeit bedeuten. Die ewige Reproduktion eines Bewußtseins in immer neuen Körpern.«

»Sie sind wahnsinnig«, sagte Hellmann. »Was Sie mir da erzählen, ist reine Science Fiction.« Aber insgeheim fragte er sich, ob sie nicht doch recht haben könnte. Sie eröffnete mit ihren Phantastereien neue Wege, über die er noch nie nachgedacht hatte.

»Arbeiten Sie mit uns zusammen«, flüsterte Kathy Myers und rückte mit dem Stuhl ein wenig näher zu ihm. Ihr Atem wehte ihm ins Gesicht, als sie weitersprach. »Wir können Ihnen die besten Wissenschaftler des Landes besorgen. Wir werden Ihnen grenzenlose Mittel für Ihre Forschungen beschaffen. Stellen Sie sich vor, wie es ist, niemals sterben zu müssen.«

»Aber andere müssen sterben«, sagte er heiser.

Sie machte eine wegwerfende Geste. »Das ist im Leben so. Es gibt Sieger und Verlierer. Möchten Sie nicht zu den Siegern gehören, Dr. Hellmann? Helfen Sie uns, die Fähigkeit dieses Jungen zu entschlüsseln. Bedenken Sie, was auf dem Spiel steht.«

Hellmann versuchte, sich so weit zu beruhigen, daß er wieder klar denken konnte. Wenn er sich weigerte, würde er das Institut als toter Mann verlassen oder Wentworth in einer Kühlkammer Gesellschaft leisten. Aber wenn er zustimmte, würde sie wissen, daß er log. »Verraten Sie mir eines«, sagte er nach einer Weile. »Wenn es Ihnen so wichtig ist, Daniel Erikssons Fähigkeit zu erforschen, warum wollten Sie ihn dann umbringen?«

»Ihn umbringen?« sagte sie mit einer gekünstelten Unschuldsmiene. Hellmann verspürte eine wachsende Wut auf sie, dennoch wünschte er sich nur resigniert, sie würde die albernen Katz-und-Maus-Spiele sein lassen.

»Kathy«, sagte er so ruhig wie möglich, »finden Sie nicht, wir sollten aufhören, uns gegenseitig etwas vorzumachen? Ich weiß, daß sich Wentworth vor seinem Tod Digitoxin besorgt hat. Es ist nur eine Vermutung, aber ich sehe die Situation folgendermaßen: Sie haben Danny unter einem Vorwand ins Institut geholt, um seine Begabung zu erforschen. Irgendwann wollte er nicht mehr mitspielen, und Wentworth wollte ihn aus dem Weg schaffen, damit er nichts ausplaudern würde. Dabei hat ihn der Junge aus Notwehr getötet. Warum hat Wentworth ihm nach dem Leben getrachtet? Schließlich ist er Ihr wertvollster Besitz.«

»Nicht schlecht«, sagte Kathy anerkennend. »Lückenhaft, aber nicht schlecht.« Sie verstummte einen Moment, und langsam umspielte ein Lächeln ihre schmalen Lippen. »Wissen Sie, das Ironische an der Situation ist, Wentworth wollte Danny gar nicht beseitigen. Es war eine Finte, um den Jungen einzuschüchtern, damit er weiter mit uns zusammenarbeitete.«

»Glauben Sie nicht, daß Sie mir die ganze Geschichte erzählen sollten?« fragte er. »Ich meine, es spielt doch so oder so keine Rolle mehr, oder? Ich wollte Danny wecken, damit er sie mir erzählt. Tun Sie es statt dessen.«

Kathy Myers überlegte nur einen Augenblick. »Nun gut«, sagte sie. »Schließlich haben Sie recht. Es spielt so oder so keine Rolle. Wentworth und ich haben Danny aus einer Nervenheilanstalt geholt, in der er anderthalb Jahre verbracht hat, nachdem er aus Versehen seinen Alten umgebracht hat.« Sie sagte es emotionslos, als wäre es eine unbedeutende Nebensächlichkeit. »Er stand völlig unter Schock.«

Hellmann nickte, während Kathy ihm Dannys Schicksal schilderte, und bemühte sich, an den entsprechenden Stellen überrascht auszusehen. Er kannte die Geschichte in groben Zügen von Amy, die ihm die Ergebnisse von Sheriff Healys Ermittlungen verraten hatte. Und er betete inbrünstig, daß Kathys telepathische Begabung nicht ausreichen würde, die Wahrheit in seinem Geist zu erkennen. Wenn er Amy nicht in Gefahr bringen wollte, durfte Kathy auf keinen Fall erfahren, daß Danny mit seiner Tochter Verbindung aufgenommen und sie den Sheriff informiert hatte. Vielleicht erwies sich das als letzte Möglichkeit, die verfahrene Situation doch noch zu einem guten Ende zu bringen.

»... ist es uns gelungen, die Folgen seines Schocks so weit zu behandeln, daß es uns möglich war, einigermaßen vernünftig mit ihm zu sprechen. Wir hatten ihm gesagt, daß wir seine Fähigkeit erforschen würden, um ihn zu heilen, aber irgendwann hat er ein Gespräch zwischen mir und Wentworth belauscht und die Wahrheit erfahren. Daraufhin wollte er nicht mehr mit uns zusammenarbeiten und hat verlangt, daß wir ihn gehen lassen. Was wir natürlich nicht tun konnten.«

»Natürlich nicht«, sagte Hellmann. »Nach den Maßstäben der Regierung, für die Sie arbeiten, ist Ihr ganzes Vorgehen ungesetzlich.« Er zählte langsam an den Fingern auf: »Entführung, Mißhandlung, widerrechtliches Festhalten, Körperverletzung, Amtsmißbrauch ...«

»Ach, hören Sie auf«, fiel Kathy Myers ihm ins Wort. »Wir haben in dieser Sache vollste Rückendeckung durch unsere Behörde. Und ich sage es noch einmal: Die Chance, die uns dieser Junge bietet, ist zu wertvoll, um sie einfach sausenzulassen.«

»Und wenn ich Ihren Präsidenten anrufen und ihm die ganze Geschichte erzählen würde? Ich bin sicher, das wäre das Ende Ihrer hübschen kleinen Dienststelle. Solche Vorwürfe machen sich gar nicht gut, wenn Wahlen anstehen.« Hellmann zeigte auf den Jungen. »Machen wir uns nichts vor, Sie können ihn nicht gehen lassen, was auch passieren mag. Wenn er redet, sind Sie am Ende, mitsamt McCullogh und Straczinsky und sämtlichen Beteiligten.«

Kathy Myers antwortete nicht, aber es war auch nicht nötig. Er wußte, daß er recht hatte. »Wie auch immer«, fuhr er nach einer kurzen Gesprächspause fort. »Was hatte Wentworth vor?«

»Er hat versucht, den Jungen damit einzuschüchtern, daß er ihm umbringen würde. Es war das erste Mal, daß er gegen meinen ausdrücklichen Rat eine Entscheidung getroffen hat.« Sie schenkte ihm ein spitzbübisches Lächeln, das die Kälte, die darunter lag, nur unzureichend verbergen konnte. »Sie sehen, was mit Männern passiert, die nicht auf mich hören«, sagte sie, aber er ging nicht auf den Scherz ein. »Wentworth wollte ganz überzeugend wirken, und das ist ihm gelungen. Er dachte sich, wenn er den Jungen in Todesangst versetzen würde, könnte er ihn dadurch gefügig machen. Ich hätte nicht gedacht, daß Danny tatsächlich noch einmal von seinen Fähigkeiten Gebrauch machen würde. Sie haben keine Ahnung, wieviel Überredungskunst es uns gekostet hat, ihn auch nur zu dem Tierversuch zu bewegen. Wir mußten ihm immer wieder sagen, daß es unbedingt notwendig wäre, um gesicherte Daten zu erhalten, und auch als wir ihm versichert haben, daß das Tier alt ist und sowieso nur noch Tage zu leben hätte, war er widerwillig.«

Hellmann schenkte ihr nach wie vor seine Aufmerksamkeit. Sie sah zur Fensterscheibe in den Nebenraum, als sie fortfuhr. »Major McCullogh konnte ihn gerade noch daran hindern, daß er die Station hier in Wentworths Körper verließ. Jammerschade, daß wir Wentworth nicht verkabelt hatten. Es wäre eine einmalige Gelegenheit gewesen, weitere aufschlußreiche Daten zu bekommen.«

Hellmann konnte die Kaltschnäuzigkeit der Frau nicht fassen. Er sah zu Danny und sagte, ohne sich zu Kathy umzudrehen: »Und jetzt lassen Sie Ihren kostbaren Besitz einfach unbewacht durch das Gebäude spazieren? Haben Sie keine Angst, er könnte längst geflohen sein?«

Kathy Myers schüttelte den Kopf. »Kaum. Wie wir schon sagten, das Institut ist abgeriegelt, und nur Straczinsky kann die Türen wieder öffnen.«

»Ich habe mich schon gefragt, wo er steckt«, sagte Hellmann. »Sonst war er doch nur in Gegenwart von Mr. McCullogh anzutreffen. Die unzertrennlichen Verschwörer, Iain McCullogh und David Straczinsky. Und nun Kathy Myers, um die unheilige Dreieinigkeit komplett zu machen.«

»Straczinsky ist auf dem Weg hierher«, antwortete sie. »Er müßte jeden Moment eintreffen. Keine Ahnung, was ihn aufgehalten hat.« Sie machte eine unbestimmte Geste mit der Hand. »Aber Sie haben recht, Dr. Hellmann, vielleicht sollte sich Major McCullogh tatsächlich einmal darum kümmern, in wessen Körper sich der Junge eingenistet hat.« Sie sah ihm tief in die Augen. »Obwohl wir beide wissen, wer es ist, oder nicht?«

Hellmann widerstand dem Impuls, resigniert die Augen zu schließen oder den Blick abzuwenden. »Der Hausmeister«, sagte er und klammerte sich an seine letzte Hoffnung. »Oder der Pförtner. Beide haben sich zum Zeitpunkt des Alarms nicht im Gebäude aufgehalten. Er könnte einen von ihnen übernommen haben und längst auf der Flucht sein.«

»Leider muß ich Sie enttäuschen«, sagte Kathy Myers mit einem achtlosen Schulterzucken. »Die beiden haben wir schon vor Stunden evakuieren lassen. Und Ellen Davies können wir getrost ebenfalls ausschließen. Sie hat so eine Angst vor Danny, daß sie ihren Helm niemals abnehmen würde.«

Nun machte Hellmann die Augen zu und dachte an Jill, die sich die Stirn rieb. *Meine Kopfschmerzen bringen mich um*, hatte sie zu ihm gesagt, als sie nach oben gegangen war, um Hilfe zu holen. *Ich wünschte, ich könnte dieses verdammte Ding abnehmen.*

»Finden Sie sich damit ab«, sagte Kathy Myers ohne eine Spur von Mitgefühl in der Stimme, »die Frau, die Sie geliebt haben, existiert nicht mehr. Jedenfalls nicht so, wie Sie sie kennen.«

Plötzlich sah Hellmann im Geiste Jill vor sich, als sie zum erstenmal miteinander geschlafen hatten, sah ihr Gesicht, wie sie mit geschlossenen Augen den Kopf auf das Kissen preßte, während sie selbstvergessen mit den Händen über seine Schultern strich und sich ganz darauf konzentrierte, was er tat. Dann schlug sie die Augen auf, und Dannys schwarze Pupillen sahen ihn an.

Hellmann schüttelte heftig den Kopf. »Hören Sie auf damit«, fuhr er Kathy Myers an. Erinnerungen an andere Bilder stiegen in ihm auf, an eine nackte Kathy Myers, die sich auf einem Bett räkelte und ihn lasziv ansah, und da wurde ihm einiges klar. »Das haben Sie schon einmal mit mir versucht, richtig? Sie waren diejenige, die mir die seltsamen Gefühlsumschwünge suggeriert hat, oder nicht? Und ich habe mich die ganze Zeit gefragt, was über mich gekommen war.«

»Eine meiner bescheidenen Fähigkeiten, Dr. Hellmann«, sagte sie und verstummte einen Moment nachdenklich. »Ich muß Ihnen leider gestehen, daß meine telepathischen Kräfte schwach ausgeprägt sind. Ich konnte Ihre Karten erkennen, weil Sie sich voll und ganz auf mich konzentriert haben. Mehr kann ich leider nicht.«

»Und woher haben Sie das...« Er räusperte sich und verspürte Wut, weil ihn die Erinnerung selbst jetzt noch mit Verlegenheit erfüllte. »... das mit mir und Jill gewußt?«

Kathy Myers grinste ihn schadenfroh an. »Major McCullogh hat es mir gesagt. Ich wollte Sie nur ein wenig damit in Verlegenheit bringen, und das ist mir ja offensichtlich gelungen.« Sie wurde unvermittelt wieder ernst. »Schade, daß Sie nicht auf meine Avancen eingegangen sind. Wir hätten eine wunderbare Zeit miteinander verbringen können. Aber Sie haben sich statt dessen für Jill entschieden. Was hat sie, was ich nicht habe? Sagen Sie es mir, Dr. Hellmann, ich verstehe es nicht. Sie ist älter, weniger attraktiv als ich. Was hat sie?«

»Wärme«, antwortete Hellmann, ohne zu zögern. »Güte und Menschlichkeit. Sie...«

»Ach, hören Sie mir mit dem rührseligen Quatsch auf«, fauchte Kathy Myers ihn an. Wütendes Funkeln verdrängte den fanatischen Glanz in ihren Augen. »Sie irren sich, wenn Sie glauben, ich hätte Sie von Anfang an manipuliert. Nicht alles, was ich getan und gesagt habe, war Berechnung und Kalkül.« Sie seufzte. »Aber Sie haben sich entschieden.« Ein letzter fragender Blick in seine Augen. »Oder?«

»Was Danny betrifft?« Er nickte. »Ich werde niemals an einem militärischen Projekt mitarbeiten. Und ich habe nicht die Absicht, Ihre Phantastereien zu unterstützen.« Er wollte noch mehr sagen, aber sie schnitt ihm mit einer Geste das Wort ab.

»Schade«, sagte sie brüsk, stand auf und ging an ihm vorbei zum Fenster. Sie winkte, und wenige Augenblicke später betrat McCullogh das Zimmer.

»Ich denke«, sagte Kathy Myers zu ihm, »Sie sollten nach Ellen Davies und Jill Shepherd sehen. Zumindest nach Jills Körper«, fügte sie mit einem gehässigen Seitenblick auf Hellmann hinzu. »Bringen Sie sie hierher. Dann werden wir weitersehen.«

Hellmann beugte sich erneut über den reglosen Jungen. Die Monitore zeigten immer noch ausnahmslos flache Linien. Keinerlei Lebenszeichen. Hellmann verschob die Lampe über dem Bett ein klein wenig, und plötzlich hatte er den Eindruck, als hätte Danny unmerklich die Lippen zu einem Lächeln verzogen. Das war selbstverständlich eine Illusion, eine Täuschung des Lichts, die menschliche Hülle, die Hellmann vor sich sah, war unbeseelt und stand immer noch unter dem Einfluß des langsam abklingenden Narkotikums, und dennoch erfüllte es Hellmann mit einer absurden Hoffnung. *Nein,* dachte er, *du hast Jill nichts getan. Es muß eine andere Möglichkeit geben. Irgend etwas übersehen wir alle.* Er hörte, wie McCullogh den Raum verließ und drehte sich langsam zu Kathy Myers um.

## 4

Die Zeit hatte längst jede Bedeutung verloren. Jill hatte keine Ahnung, wie lange sie schon in dem dunklen Büro saß und wartete. Es mußten Stunden vergangen sein, und immer noch hatte sich niemand sehen lassen. Sie fragte sich, wie es Stefan und Danny gehen mochte. Ob ihm inzwischen klar geworden war, daß sie längst mit Hilfe hätte zurückkehren müssen? Warum verschanzte er sich da unten in seinem Keller und kam nicht einmal nachsehen, was sich außerhalb tat? Oder konnte er es nicht?

Was wäre, falls sie sich geirrt hatten? Hatte ihm der Junge doch etwas angetan? Aber diese Möglichkeit verwarf sie sofort wieder. Nein, unmöglich. Auch sie war inzwischen, genau wie Amy, von seiner Unschuld überzeugt.

Jill stand langsam auf und massierte sich die Kopfhaut dabei. Gott sei Dank waren ihre Kopfschmerzen inzwischen fast völlig abgeklungen. Sie ging erneut zum Fenster und dachte an Amy. Stefans Tochter mußte inzwischen krank vor Sorge sein. Sie hatten sich nicht bei ihr gemeldet, und die Telefonleitungen waren tot. Ob sie Bob Healy informiert hatte? Vielleicht war der Sheriff schon auf dem Weg hierher, vielleicht wurde doch noch alles gut. Aber was nützte das, wenn er das Gebäude nicht betreten konnte?

Verdammt, wo bleiben McCullogh und Straczinsky, dachte sie verzweifelt und schlug mit der Faust gegen das massive

Panzerglas des Fensters. Sie wollte sich schon wieder abwenden und zum Schreibtisch zurückkehren, als sie stehenblieb und angestrengt in die Dunkelheit sah. Weit jenseits der Lichter des Torhauses sah sie einen schwachen Schimmer, ein Lichtpünktchen wie einen schwachen leuchtenden Stern am Himmel. Das Pünktchen wuchs konstant, wurde zu zwei Lichtern, und diese wiederum zu den Scheinwerfern eines Autos, das sich langsam dem Zaun und dem Torhaus des Instituts näherte.

Das sind sie, dachte Jill, doch als sie genauer hinsah, stellte sie fest, daß das Fahrzeug, das sie sah, lediglich das erste einer ganzen Kolonne war. Und die Scheinwerfer waren zu hoch für einen normalen PKW. Sie wartete mit angehaltenem Atem, bis das erste Fahrzeug sich dem Tor so weit genähert hatte, daß sie es deutlicher erkennen konnte, und mit einem Mal verließ sie die Hoffnung so schnell, wie sie gekommen war.

Der Lastwagen hielt am Straßenrand, und die anderen dahinter. Das schwache Licht am Torhaus beleuchtete eine olivgrüne Karosserie, und es dauerte nicht lange, da sah Jill bewaffnete und uniformierte Soldaten von den Ladeflächen springen. Ein Mann, offenbar der Befehlshaber, stellte sich auf die Straße, fuchtelte mit den Armen und zeigte in verschiedene Richtungen, worauf die Soldaten ausschwärmten und in Abständen am Zaun Stellung bezogen. In der Dunkelheit waren sie so gut wie unsichtbar; Jill konnte lediglich diejenigen erkennen, die in unmittelbarer Nähe des Tores standen.

Sie ging mit weichen Knien zum Schreibtisch zurück und mußte sich abstützen, damit sie nicht fiel. *Jetzt ist alles aus,* dachte sie. *Sie umstellen das gesamte Gelände. Selbst wenn Amy Bob Healy informiert hat, wir kommen hier nicht mehr raus.*

Sie überlegte angestrengt, welche Möglichkeiten ihr blieben. Sollte sie noch einmal nach unten fahren und nachsehen, ob Stefan die Tür inzwischen geöffnet hatte? Aber aus welchem Grund hätte er das tun sollen? Dennoch, ihre Nervosität wuchs, und sie überlegte sich, daß alles besser wäre, als hier herumzusitzen und auf das unvermeidliche Ende zu warten.

Sie öffnete die Tür des Büros, in das sie sich zurückgezogen hatte, und wollte gerade auf den Flur hinausgehen, als sie sah, daß die Fahrstuhlkabine hochkam. Gott sei Dank, dachte sie erleichtert. Das mußte Stefan sein, doch dann fiel ihr ein, daß sich Ellen Davies noch in dem Gebäude befand. Sie zog sich hastig in das dunkle Zimmer zurück und wartete ab.

Zu Jills völliger Verblüffung kam Iain McCullogh aus dem Fahrstuhl. Er trug die Uniform eines Offiziers. Nachdem er sich einen Moment unschlüssig umgesehen hatte, setzte er sich in Bewegung und kam genau auf Jill zu.

Sie unterdrückte ihre erste panische Reaktion und ließ das Türschloß langsam einrasten, damit es kein verräterisches Geräusch erzeugte, begab sich langsam zur anderen Seite des Raumes und holte dabei Ellen Davies' Pistole aus der Tasche. Sie entsicherte die Waffe, wie sie es bei Ellen gesehen hatte, und richtete sie auf die Tür.

Schritte erklangen auf dem Flur. Unmittelbar vor der Tür verstummten sie. Jill horchte atemlos, wie der Türknauf langsam gedreht wurde und überlegte fieberhaft, was sie tun sollte. Schließlich konnte sie den Mann nicht einfach erschießen. Und wenn er sie angriff? Dann handelte sie aus Notwehr, sagte sie sich, fühlte sich aber nicht besser bei dem Gedanken.

Sekunden verstrichen. Jill hielt den Atem an und konzentrierte sich. Sie verfluchte sich dafür, daß sie sich einfach in den erstbesten Raum verkrochen hatte, statt tiefer in das Gebäude vorzudringen, aber das war nun nicht mehr zu ändern. Schließlich rastete das Schloß mit einem lauten Geräusch wieder ein, die Schritte entfernten sich, aber Jill blieb noch eine ganze Weile mit der Waffe im Anschlag stehen. Nach einer gewissen Zeit entspannte sie sich, sicherte die Pistole und steckte sie wieder ein. Sie preßte den Kopf gegen die Tür und horchte. Nichts. Er schien tatsächlich wieder gegangen zu sein.

Nun wußte sie immerhin, daß er längst eingetroffen war. Vermutlich hielt sich auch Straczinsky schon im Gebäude auf, auch wenn sie nicht wußte, wie sie hereingekommen sein konnten. Durch den Haupteingang jedenfalls nicht. Sie schlich hastig hinaus zur Eingangstür und stellte fest, daß die

Stahlplatte den Fluchtweg noch immer versperrte. Verdammt. Aber an eine Flucht war sowieso nicht mehr zu denken. Sie wäre nie an den Soldaten vorbeigekommen.

Was sollte sie tun? Und was wurde aus Stefan? Hatten sie ihn überwältigt? Getötet, damit er ihr Geheimnis nicht preisgeben konnte? Sie wollte mehr denn je nach unten, um nachzusehen, aber McCulloghs Anwesenheit hatte mit einem Schlag alles verändert. Es nützte nichts, wenn sie dem Gegner unvorbereitet in die Arme lief. Sie beschloß, noch eine Weile zu warten, bis sich eine günstige Gelegenheit ergab, etwas zu unternehmen, und ging langsam in das Büro zurück.

## 5

David Straczinsky fuhr, obwohl Eile geboten schien, mit konstant fünfzig Meilen in der Stunde durch die Dunkelheit. Er war müde und gereizt und hatte Mühe, sich auf die Fahrbahn zu konzentrieren. Die Einförmigkeit der geraden Strecke verleitete zur Sorglosigkeit, und er hatte nicht vor, um fünf Uhr in der Nacht in einer gottverlassenen Gegend von der Fahrbahn abzukommen.

Erst als die Lichter des Kasernenzauns am Straßenrand eine gewisse Helligkeit schufen, beschleunigte er ein wenig. Bei der Vorstellung, wie McCullogh ihn empfangen würde, nahm seine Gereiztheit zu. So sehr es Straczinsky mißfiel, er mußte zugeben, daß der Offizier letztendlich doch recht behalten hatte. Er selbst hätte nicht erwartet, daß Hellmann auf eigene Faust handeln und sogar so weit gehen würde, den Jungen aufzuwecken, aber um ehrlich zu sein, hatte keiner von ihnen eine klare Vorstellung davon gehabt, wie es weitergehen sollte. Daß Hellmann nicht mitspielen würde, wenn er erfuhr, daß sie gegen das Gesetz verstießen und Daniel Eriksson gegen seinen Willen festhielten, hatten sie sich gedacht. Karrieren standen auf dem Spiel, wenn der Junge die Wahrheit sagte, nicht zuletzt seine eigene.

Auf eine gewisse Weise war Straczinsky fast erleichtert, daß ihm die Entscheidungen aus der Hand genommen worden waren. Irgendwann hätten sie Hellmann die Wahrheit sagen müssen. Wenn er die Fähigkeit des Jungen erforschen wollte, mußte er ihn früher oder später wecken. Die Hoffnung, daß sein Forschungseifer größer als seine moralischen Bedenken sein würde, war von vornherein vage und unbegründet gewesen.

Aber derlei Überlegungen waren zum jetzigen Zeitpunkt rein akademisch. Was geschehen war, war geschehen, und sie mußten sich zuallererst einmal mit der Situation auseinandersetzen, wie sie war. Kurz vor der Kreuzung sah Straczinsky den Honda von Kathy Myers am Straßenrand stehen. Sie hatte ihm gesagt, daß sie sich hier mit McCullogh treffen wollte, um mit ihm gemeinsam zum Stützpunkt zu fahren. Er bog links ab und näherte sich einige Zeit später dem erhellten Wachlokal der Kaserne. Im Licht seiner Scheinwerfer kamen ihm die roten Streifen des Schlagbaums wie frische Blutspuren vor. Er wartete geduldig, bis der wachhabende Soldat zu ihm kam, kurbelte das Fenster herunter und beugte sich hinaus. Der junge Mann bückte sich. Seine frisch gestärkte Uniform raschelte, und ein durchdringender Geruch von Rasierwasser schlug Straczinsky entgegen.

»Mein Name ist Straczinsky«, sagte er zu dem jungen Mann. »Major McCullogh erwartet mich. Er müßte einen Passierschein für mich hinterlassen haben.«

»So ist es, Sir«, antwortete der Soldat. Er erhob sich, griff mit der rechten Hand in die linke Brusttasche seiner Uniform und zog eine rechteckige laminierte Karte heraus. Er nahm sich einen Moment Zeit, das Foto auf der Karte mit Straczinskys Gesicht zu vergleichen, dann nickte er und gab ihm den Ausweis.

»Sie fahren geradeaus, dann ...«

»Danke«, sagte Straczinsky und rang sich trotz seiner wachsenden Verdrossenheit ein Lächeln ab, »ich kenne den Weg. Wenn Sie mich bitte durchlassen würden.«

»Selbstverständlich, Sir«, sagte der Wachsoldat und ging zum Schlagbaum. Straczinsky wartete, bis der junge Mann den Weg freigemacht hatte, dann fuhr er auf das Kasernengelände und dem Hauptgebäude entgegen.

# 6

Iain McCullogh verließ das Zimmer, in dem der Körper des Jungen lag, und ließ Kathy Myers und Hellmann dort zurück. Im Vorraum öffnete er den Karton, den er aus der Kaserne mitgebracht hatte. Insgesamt vier Walkie-Talkies lagen darin. Er nahm zwei davon heraus und steckte sie in die Jackettasche seiner Uniform. Dann ging er den endlosen Flur entlang zum Keller des Instituts. Er riß die Tür so heftig auf, daß die Klinke gegen die Betonwand stieß und nicht mehr ins Schloß fiel, aber in seiner Eile registrierte er es gar nicht richtig.

Im Erdgeschoß angekommen überlegte er, daß ihm nichts anderes übrigbleiben würde, als das gesamte Gebäude nach Jill Shepherd abzusuchen … sofern es überhaupt noch eine Jill Shepherd gab.

Er ging von der Eingangshalle in den Korridor, der zu den Büros führte. Vor der ersten Tür blieb er stehen und drehte den Knauf, doch dann überlegte er sich, daß es viel zu lange dauern würde, wenn er jedes einzelne Büro und Labor allein absuchte. Er beschloß, noch einen Stock höher zu fahren und nach Ellen Davies zu sehen. Sie konnte ihm bei der Suche helfen.

Im zweiten Stock herrschte Dunkelheit. Lediglich die grünen Pfeile, die den Weg zu den Notausgängen anzeigten, und vereinzelte schwache Lichter der Notbeleuchtung bildeten vage Orientierungspunkte. McCullogh fluchte, weil er nicht daran gedacht hatte, das Licht im ganzen Gebäude einzuschalten. Im Halbdunkel schritt er langsam zur Telefonzentrale und klopfte leise. Keine Antwort. Er klopfte noch einmal, und als immer noch keine Reaktion ertönte, sagte er mit gedämpfter Stimme: »Lieutenant Davies? Ich bin es, Major McCullogh. Bitte machen Sie auf.«

Einige Sekunden vergingen. McCullogh fragte sich bereits, ob sie sich entgegen seiner Anweisung doch anderswo versteckt haben mochte. Als er gerade selbst am Knauf der Tür drehen wollte, sah Ellen Davies heraus. Sie erkannte ihn und ließ ihn eintreten.

»Major«, sagte sie, »Gott sei Dank, daß Sie hier sind. Ich hatte schon befürchtet, daß ...«

»Irgendwelche besonderen Vorkommnisse?« fragte er brüsk und unterbrach ihren Wortschwall im Keim. Er hatte ganz bestimmt keine Zeit, sich lange Vorträge darüber anzuhören, wie schrecklich es gewesen war, stundenlang allein in der Dunkelheit zu sitzen.

»Nein, Sir«, sagte Ellen Davies. »Vor einiger Zeit hat das Telefon geläutet, wenig später noch einmal. Aber ich habe die automatische Ansage eingeschaltet, wie Sie befohlen hatten.«

»Das Telefon?« sagte er. »Wer, um alles in der Welt, sollte am Wochenende mitten in der Nacht hier anrufen?« Es war eine rein rhetorische Frage gewesen, daher schnitt er ihr erneut mit einer Geste das Wort ab, als sie zu einer Antwort ansetzte. »Egal«, sagte er knapp. »Lieutenant Davies, wir müssen unbedingt Jill Shepherd finden.« Er überlegte, ob er ihr vom Verschwinden des Jungen und seinem Verdacht erzählen sollte, entschied sich aber dagegen. Ihre panische Angst vor Danny würde sie lähmen. »Die Lage ist unter Kontrolle«, sagte er zu ihr und überlegte, daß es nur eine halbe Lüge war. »Dr. Hellmann ist in Gewahrsam, die Gefahr gebannt. Aber wir müssen Jill finden. Hier.« Er griff in die Tasche seiner Jacke und gab ihr eines der Walkie-Talkies. »Nehmen Sie das. Wenn Sie sie gefunden haben, geben Sie mir Bescheid. Halten Sie sie fest. Ich möchte in der momentanen Situation auf gar keinen Fall, daß Sie das Untergeschoß betreten. Haben Sie verstanden? Sorgen Sie nur dafür, daß Jill Shepherd nicht entkommen kann, ja? Sie werden diese Etage absuchen, ich das Erdgeschoß. Wenn Sie sie nicht finden, treffen wir uns unten vor dem Fahrstuhl. Noch Fragen?«

»Ja, Sir«, sagte Ellen Davies nach einem kurzen Zögern. »Was soll ich tun, wenn ich sie tatsächlich finde? Sie haben mir ... mir meine Waffe abgenommen, Sir.«

»Verdammt«, sagte er. Er überlegte fieberhaft, wie er auf diese neue Hiobsbotschaft reagieren sollte. Selbstverständlich konnte er Ellen Davies nicht allein auf die Suche nach Jill schicken, wenn Jill – oder Danny – bewaffnet war. Und er selbst konnte ihr seine Waffe nicht geben. »Verdammt«, wiederholte er und sah Ellen Davies ins Gesicht. »Nun gut, das ist leider nicht zu ändern. Bleiben Sie hier, aber versuchen Sie, Augen und Ohren offenzuhalten. Falls Sie ein verdächtiges Geräusch hören, melden Sie sich über Funk bei mir. Ich fürchte, mir wird nichts anderes übrigbleiben, als mich allein umzusehen.«

Er wartete, bis sie sich wieder in die Telefonzentrale zurückgezogen hatte, dann ging er an den Verwaltungsräumen vorbei zur Vorderseite des Gebäudes und sah zu einem der Fenster hinaus.

Im Licht der Scheinwerfer am Torhaus konnte McCullogh die Lastwagen der Armee deutlich sehen. Sie standen in einer Reihe am Straßenrand. Er erkannte nur die beiden Soldaten, die das beleuchtete Tor bewachten, aber das genügte ihm. Das Gelände war umstellt, wie er es angeordnet hatte. Gut. Selbst wenn der unwahrscheinliche Fall eintreten sollte, daß es jemandem gelang, das Gebäude zu verlassen, an den Soldaten würde niemand vorbeikommen.

Zufrieden wandte sich McCullogh von dem Fenster ab und ging zur ersten Tür, um mit seiner Suche zu beginnen. Er spähte angestrengt in die Dunkelheit und fluchte leise vor sich hin. Nein, dachte er, es hatte keinen Zweck. Die dunklen Räume boten zu viele Möglichkeiten, sich zu verstecken. Er beschloß im ganzen Gebäude das Licht einzuschalten.

## 7

Jill Shepherds Herzschlag beruhigte sich allmählich wieder. Sie horchte eine Zeitlang angestrengt, bis sie sicher war, daß McCullogh tatsächlich gegangen war, und überlegte dabei, wie sie nun vorgehen sollte. Daß McCullogh – und wahrscheinlich auch Straczinsky – eingetroffen waren, machte die Situation komplizierter. Sollte sie warten oder wie geplant ihr Glück im Keller versuchen? Möglicherweise brauchte Stefan ihre Hilfe, aber wie sollte sie zu ihm gelangen? Darüber hinaus bestand die Gefahr, daß sie den beiden direkt in die Arme lief. Wenn sie ebenfalls in die Gewalt von McCullogh geriet, war keinem gedient.

Während sie noch unentschlossen überlegte, hörte sie erneut ein Geräusch auf dem Flur. Sie sah zur Tür, aber ihre anfängliche Furcht hatte sich zu ihrem Erstaunen in etwas verwandelt, das Wut ziemlich nahe kam. McCullogh war zurückgekommen. Oder Straczinsky. Oder Ellen Davies, die man nicht vergessen sollte. Vermutlich hatten sie Stefan geschnappt und suchten nun das Gebäude nach ihr ab.

Sie ging mit vorsichtigen Schritten durch den Raum, damit sie sich nicht verriet, zog Ellen Davies' Waffe erneut aus der Tasche und richtete sie auf die Tür.

Sie wartete eine Weile zögernd. Als nichts geschah, ging sie ein wenig näher zur Tür und horchte. Ein leises Kratzen ertönte auf der anderen Seite, gefolgt von einem leisen, fast unhörbaren Klopfen. Jill hielt den Atem an. Warum kam er nicht herein? Sie ging mit klopfendem Herzen einen weiteren Schritt nach vorn. Das Kratzen und Klopfen wurde lauter. Als sie das Ohr an die Tür preßte, hörte sie es deutlich. Jemand schien auf der anderen Seite mit der Hand über die Tür zu streichen und leise mit dem Handballen dagegen zu stoßen.

*Geh weg*, dachte sie, aber das Geräusch hörte nicht auf. Das Wohnhaus auf der Farm ihrer Großeltern fiel ihr plötzlich ein. Es war direkt an die Scheune angebaut gewesen. Wenn Jill zu Besuch dort war, schlief sie stets in einem Zimmer unter dem Dach, und ab und zu kam es vor, daß sich Mäuse aus der Scheune in den Hohlraum zwischen der Holzvertäfelung der schrägen Zimmerdecke und dem Dachgestühl verirrten. Als Kind hatte sie sich immer vorgestellt, daß Kobolde oder Elfen auf dem Dach umherhuschten, wenn sie das Trippeln der winzigen Mäusefüße gehört hatte.

An genau das Geräusch der wuselnden Mäuse mußte Jill jetzt denken. Sie preßte vorsichtig das Ohr an die Tür und spürte, wie sich ihre Nackenhaare langsam aufrichteten. Das Kratzen hatte etwas Beharrliches und Verzweifeltes, als würde ein in die Enge getriebenes Tier mit aller Macht versuchen, sich Einlaß zu verschaffen.

Jill hatte keine Ahnung, wie lange sie schon an der Tür stand, aber schließlich hatte sie am ganzen Körper eine Gänsehaut. Sie fixierte die Tür mit einem starren Blick. Mit zittrigen Händen entsicherte sie die Pistole und streckte eine Hand nach dem Knauf aus.

*Gut*, dachte sie, *wenn du die Tür nicht aufmachst, werde ich es tun.* Sie würde die Tür aufreißen, zur Seite springen und zielen. Falls es McCullogh war, würde er bewaffnet sein, aber vielleicht verschaffte ihr der Überraschungseffekt eine entscheidende Sekunde Vorteil.

Sie atmete einmal tief durch, und bevor sie noch lange überlegen konnte, drehte sie mit einer blitzschnellen Bewegung den Knauf herum und riß die Tür auf.

Im schwachen Licht, das vom Vorraum des Fahrstuhls in den Korridor schien, sah sie die Umrisse eines Mannes, der mit grotesk angewinkelten Armen dastand. Sie hatte den Blick genau auf seine Leibesmitte gerichtet, damit sie ihn im Zweifelsfall auch treffen würde, und brauchte einen Moment, bis ihr klar wurde, daß der Mann nackt war. Sie ließ den Blick langsam in die Höhe gleiten, und das Blut gefror ihr in den Adern. Sie kannte dieses Gesicht, hätte es immer und überall und jederzeit erkannt, das einst so eindrucksvolle Gesicht, das inzwischen zu einer gräßlich entstellten Fratze geworden war, die sie bis in ihre Alpträume verfolgte. Jill stieß einen gellenden Schrei aus.

Vor ihr stand Dr. Wentworth.

## 8

Es war wenige Minuten vor fünf Uhr morgens. Der Himmel hatte eine tiefe marineblaue Farbe angenommen, und die lichtschwachen Sterne verblaßten bereits. Amy stand am Fenster des Wohnzimmers und sah hinaus. Inzwischen war sie krank vor Sorge. Angst schnürte ihr die Kehle zu wie ein Würgegriff, und sie glaubte, daß sie in den vergangenen Stunden Kilometer in dem geräumigen Zimmer zurückgelegt haben mußte.

Wolf hatte eine Zeitlang geschlafen, aber inzwischen schien er ihre Nervosität zu spüren, denn er wich ihr kaum von der Seite und sah sie immer wieder mit fragenden Blicken an. Wenn sie sich setzte – nie für lange, da ihre Unruhe sie immer wieder auf die Füße trieb –, kam er zu ihr und legte ihr den Kopf auf die Knie, als wollte er sie trösten. Dann kraulte sie ihm geistesabwesend den Kopf, aber auch dazu fehlte ihr jetzt die Ruhe.

Sie überlegte, ob sie noch einmal versuchen sollte, im Institut anzurufen, und nahm schon den Hörer in die Hand, aber dann überlegte sie es sich anders. Was hätte es genützt? Die Verbindung war unterbrochen. Sie fragte sich, ob sie Sheriff Healy anrufen sollte. Schließlich hatte er ihr gesagt, daß er die ganze Zeit im Büro sein und auf ihre Nachricht warten würde. Aber noch zögerte sie.

Die Stille in dem Haus war bedrückend. Ab und zu ächzte das Holzgebälk, knarrte eine Diele, dann zuckte Amy jedesmal vor Schreck zusammen, und es dauerte ewig, bis sich ihr Herzschlag wieder beruhigte. Inzwischen hatte sie in allen Zimmern das Licht eingeschaltet, um das Dunkel zu vertreiben, aber es lauerte gleich vor den Fenstern, um sich sofort wieder in das Haus zu stürzen, sobald sie auch nur eine Lampe löschte.

Etwas Schreckliches war passiert, davon war sie fest überzeugt. Ihr Vater und Jill waren in Gefahr, Danny war in Gefahr, und sie saß hier im Haus und konnte nichts tun. Die Ungewißheit und die Hilflosigkeit waren am schlimmsten. Sie war sicher, daß ihr Vater sie angerufen hätte und vermutete, daß die Verbindung zum Institut aus eben diesem Grund unterbrochen worden war – damit er es nicht konnte.

Amy wandte sich mit einer ruckartigen Bewegung vom Fenster ab und lief in die Diele. Wolf folgte ihr aufgeregt. Sie nahm den Schlüssel des Jeeps vom Schlüsselbrett, zog sich eine Jeansjacke über und riß die Eingangstür auf. »Komm, Wolf«, sagte sie kurz entschlossen. Die Lichter ließ sie an. Sie würde es nicht fertigbringen, noch einmal durch das ganze Haus zu gehen.

Wolf folgte Amy aufgeregt zu dem Jeep und blieb daneben stehen. Amy steckte den Zündschlüssel ins Schloß und ließ den Motor an. Irgendwo jenseits des Horizonts wartete schon der Tag und hellte die schwarzblaue Himmelskuppel langsam auf. Amy konnte bereits die vertrauten Umrisse der Landschaft erkennen, aber noch standen die Sterne am Himmel und sahen wie tausend kalte Augen auf sie herab. »Komm, Wolf«, rief sie dem Hund zu und wartete, bis er auf die Pritsche gesprungen war und es sich bequem gemacht hatte. »Wir fahren zu Sheriff Healy.«

## 9

McCullogh hörte einen schrillen Schrei von unten. Eine Frauenstimme. Er hegte keinen Zweifel, daß es sich nur um Jill handeln konnte, und betrat die Fahrstuhlkabine mit einem raschen Schritt. Er hämmerte auf den Knopf für das Erdgeschoß ein, als könnte er den Lift damit zur Eile antreiben. Einen Moment geschah gar nichts. McCullogh sah rot vor Wut und stampfte mit einem Fuß auf. Langsam setzte sich die Kabine in Bewegung. Als sie zum Stillstand kam, zog er mit einer raschen Bewegung die Waffe aus dem Halfter unter seinem Jackett und hielt sie schußbereit. Er erinnerte sich, daß Jill – Danny? – möglicherweise bewaffnet war. Mit dem Revolver in der Hand sah er vorsichtig um die Ecke.

Im Halbdunkel, direkt vor der Tür, die McCullogh vor wenigen Minuten hatte öffnen wollen, um einen Blick in das Büro zu werfen, stand ein Mann. Er hatte McCullogh den Rücken zugedreht, und McCullogh bemerkte als erstes die unnatürliche Haltung der Hände, die vom Körper abstanden, als wären sie gelähmt und erstarrt. Dann fiel ihm auf, daß der Mann nackt war. Mit vor Staunen weit aufgerissenen Augen trat McCullogh aus der Kabine und vergaß im ersten Augenblick jede Vorsicht.

Der Mann schien das Geräusch gehört zu haben, denn er drehte sich langsam, mit den eckigen und ungelenken Bewegungen einer schlecht geführten Marionette um. Die Luft entwich aus McCulloghs Lungen, als hätte er einen Schlag in die Magengrube erhalten.

Wentworth. Es war unmöglich, seine Augen mußten ihm einen Streich spielen ... und doch konnte kein Zweifel bestehen. Aber Wentworth war tot, wie hatte er aus der Kühlkammer entkommen können? Wie war es möglich, daß ...?

Und mit einem Mal wurde McCullogh alles klar. Sie hatten sich getäuscht, alle. Nicht Jill war Opfer von Danny geworden. Der Junge hatte es irgendwie geschafft, Wentworths Leichnam wiederzubeleben und ihn bis hierher geführt. Es widersprach jeder Vernunft, und doch gab es keine andere Möglichkeit. Wie sonst hätte er sich erklären können, daß ein Mann, der seit fast drei Monaten tot war, auf ihn zugestolpert kam?

»Du kleiner Teufel!« stieß McCullogh hervor. Das Wentworth-Ding hatte den Flur verlassen und stand im Licht der Eingangshalle da. Die gelbliche, wachsähnliche Haut glänzte, als hätte die Anstrengung der Fortbewegung einen dünnen Schweißfilm darauf entstehen lassen. Wentworth bewegte den Oberkörper schwankend beim Gehen, die Arme baumelten in ihrer unnatürlichen Haltung an den Seiten, und die Augen, die im Licht der Neonbeleuchtung wie Glasmurmeln glänzten, waren starr auf McCullogh gerichtet. *Wie kann er mich mit seinen toten Augen sehen?* fragte sich McCullogh, der mit morbider Faszination zusah, wie die Erscheinung ihm langsam entgegenstolperte, und unfähig war, auch nur einen Finger zu rühren.

Gehen konnte man es kaum nennen, was das Wentworth-Ding machte. Der wandelnde Leichnam schob mühsam einen Fuß vor den anderen, stemmte ihn auf dem Boden ab und zog den anderen nach. Es war eine quälend mühsame Art der Fortbewegung, aber das Ding kam dennoch voran. Und plötzlich drang ein langgezogenes Stöhnen aus dem offenen, verzerrten Mund, ein hohles, verzweifeltes Geräusch. Die Arme zuckten unkontrolliert, als würde Wentworth versuchen, sie zu heben, um nach McCullogh zu greifen, und das gab den Ausschlag.

McCullogh spürte, wie sich die Haare auf seinen Unterarmen aufrichteten, als er die Waffe hob. »Bleib stehen«, sagte er zu dem Ding, aber entweder verstand Wentworth (Danny?)

ihn nicht oder konnte seine Bewegung nicht mehr bremsen. Iain McCullogh wich langsam einen Schritt zurück und spannte den Hahn.

## 10

Auf den Fluren des Kasernengebäudes brannte die ganze Nacht das Licht. Straczinsky betrat das Gebäude, nachdem er seinen Wagen unmittelbar neben dem von Iain McCullogh geparkt hatte. Er schritt mit gemessenen Schritten den Flur entlang und verzog angewidert das Gesicht. Überall herrschte der Geruch von Menschen, von Schweiß und Ausdünstungen, ungewaschenen Körpern und übelriechendem Atem. Hinter manchen Türen, die er passierte, konnte er gedämpfte Schnarchgeräusche hören.

Straczinsky hielt sich peinlich genau in der Mitte des Flurs, als hätte er Angst, er könnte mit dem Schmutz und der Unreinlichkeit in Kontakt kommen. Er war froh, daß ihm niemand begegnete. Doch trotz allen Ekels hielt er inne. Vielleicht ein unterbewußter Versuch, die Begegnung mit McCullogh und Kathy Myers hinauszuzögern. Schließlich seufzte er und setzte sich wieder in Bewegung. Welchen Sinn hatte es, noch zu zögern? Einmal mußte es sein.

Als er die Treppe hinunterging, hoffte er, daß McCullogh die Kellertür nicht wieder abgeschlossen hatte, aber seine Befürchtung erwies sich als unbegründet. Ein Elektrocar stand unten; das zweite würde er zweifellos am Ende des fast zwei Meilen langen Tunnels finden.

Straczinsky atmete zum erstenmal, seit er das Kasernengebäude betreten hatte, wieder tief durch und genoß die neutrale, wenn auch etwas abgestandene Luft des Betonflurs. Alles war diesem Schweinestall da oben vorzuziehen. Er nahm auf dem Fahrersitz des Elektrocar Platz, ließ es an und fuhr langsam Richtung Institut.

## 11

Bob Healy zuckte zusammen, als das Klopfen an der Tür ertönte. Er hob den Kopf und verspürte einen stechenden Schmerz im Nacken. Eine kleine Speichelpfütze blieb auf der Schreibunterlage zurück, wo sein Kopf gelegen hatte. Langsam richtete er sich in eine sitzende Haltung auf und massierte sich Hals und Schultern. Er mußte eingenickt sein.

Er versuchte, die Müdigkeit abzuschütteln. Es klopfte wieder, diesmal ungeduldiger. Healy wollte »Herein« rufen, doch dann fiel ihm ein, daß er die Tür abgeschlossen hatte. Er stand auf und wäre um ein Haar wieder umgekippt. Seine Beine, die er unter dem Stuhl angewinkelt gehabt hatte, waren eingeschlafen; das Kribbeln, als das Blut wieder in den Waden und Oberschenkeln zu zirkulieren begann, war schmerzhaft und unangenehm.

Er schleppte sich fluchend und stolpernd zur Tür, drehte den Schlüssel herum und öffnete. »Carol«, sagte er erstaunt, als er die Frau draußen auf der Treppe stehen sah. »Was machst du denn hier? Es ist mitten in der Nacht.«

»Viertel vor fünf, um genau zu sein«, sagte sie grinsend. Healy ließ sie eintreten. Sie hatte einen großen Einkaufskorb unter dem rechten Arm und streifte ihn im Vorbeigehen damit. Er warf einen kurzen Blick aus der Tür hinaus. Die Straße und die Grünanlage in der Mitte waren verlassen, die Lichter erloschen. Weit und breit war kein Mensch zu sehen. Carol hatte ihren zitronengelben Rabbit direkt vor der Tür im Kreisverkehr geparkt, aber Healy ging davon aus, daß das um diese Zeit niemand störte. Die abkühlende Motorhaube knackte und ächzte – in der Stille der Nacht unnatürlich laute Geräusche.

Healy ging in sein Büro zurück. Carol hatte inzwischen eine Thermoskanne mit Kaffee auf seinen Schreibtisch gestellt und einen Pappteller mit einem großen Stück Apfelkuchen darauf aus dem Korb geholt.

»Ich konnte nicht mehr schlafen«, sagte sie, »und weil du mich nicht angerufen hast, dachte ich mir, zur Strafe wecke ich dich. Als bei dir zu Hause niemand ans Telefon gegangen ist, wußte ich, daß du hier sein würdest.«

»Ich hätte noch in L.A. sein können«, sagte er lächelnd.

»Hör auf«, antwortete Carol, »ich kenne dich. In dem Fall hättest du angerufen und einen deiner Deputys zum Dienst eingeteilt.« Sie schenkte ihm Kaffee ein. Healy nahm die Tasse in die Hand und trank den Kaffee entgegen seiner Gewohnheit ohne Milch und Zucker. Das heiße Gebräu wärmte ihn von Innen, und er spürte fast auf der Stelle, wie die Müdigkeit von ihm abfiel. Als Carol sich ebenfalls eine Tasse eingeschenkt hatte, schnitt sie zwei große Stücke von dem Kuchen ab, schob Healy einen Teller hin und setzte sich auf den Sessel vor dem Schreibtisch. »Und?« fragte sie. »Schieß los. Was ist dran an der Geschichte des Mädchens.«

Healy kaute bewußt langsam und gründlich, um sie auf die Folter zu spannen. »Du wirst staunen«, sagte er und lehnte sich mit dem Teller in der Hand zurück, um es sich bequem zu machen. Carol wartete gespannt, was er ihr erzählen würde.

## 12

Der Schock lähmte Jill Shepherd völlig. Außerstande, auch nur eine Bewegung zu machen, betrachtete sie Wentworth, der an der Tür des Büros stand, eine groteske Gestalt im schwachen Gegenlicht, die mehr Ähnlichkeit mit dem verzerrten Schatten eines Menschen als mit dem Menschen selbst hatte. Sie standen einander gegenüber, der Mann, den sie einst gehaßt und für den sie zwischenzeitlich nur Mitleid empfunden hatte. Und nun rangen die beiden Empfindungen um die Vorherrschaft in ihrem Geist, der leer schien, keines vernünftigen Gedankens fähig, während sie sich immer wieder fragte, wie es möglich war. Der Alptraum dieser Nacht schien kein Ende nehmen zu wollen. Jill bekam keine Luft mehr, und die Räume des Instituts kamen ihr plötzlich wie die Kammern ihres eigenen Mausoleums vor. Sie war gefangen in diesem Alptraum, gefangen in einem riesigen Betonsarg, in dem die Seelen siebzehnjähriger Jungen losgelöst vom Körper auf Wanderschaft gingen und wiederauferstandene Tote sich durch dunkle Flure schleppten.

Ein markerschütterndes Wehklagen kam über die Lippen des Leichnams, und Jill erschauerte. Aber gerade dieser verzweifelte, flehende Ton half ihr, die Lähmung zu überwinden, und plötzlich wurde ihr klar, was geschehen sein mußte. Tote erwachten nicht zum Leben, es sei denn, die Seelen anderer Menschen belebten sie, und das war es, das war die Lösung. Sie ließ die Pistole sinken. »Danny«, flüsterte sie. »Großer Gott.«

Im selben Augenblick gab das Ding wieder einen langgezogenen Klagelaut von sich. Jill ging langsam darauf zu, sah die leblosen Augen, deren Pupillen nicht zu sehen waren, nur das blutunterlaufene Weiß der Augäpfel, und Jill hörte klar und deutlich eine Stimme in ihrem Geist.

»Hilf mir«, sagte die Stimme. Jill ging Arm in Arm mit dem Wentworth-Ding durch den Flur zur Eingangstür, öffnete sie, trat hinaus in … nicht in die Wüste, die sie kannte, sondern in eine bunte Kinderlandschaft mit riesigen Blumen und grasenden Kühen, mit Vögeln am Himmel und einer leuchtend gelben Sonne, und Wentworth an ihrer Seite lächelte glücklich. Sie hob einen Fuß, um die erste Stufe hinunterzugehen …

… und stolperte und wäre beinahe auf dem ebenen Boden des Büros gestürzt. Die Illusion verflüchtigte sich. Jill fing sich gerade noch und sah aus einer kauernden Haltung zu dem toten/lebenden Ding auf. »Ich kann nicht«, flüsterte sie, »ich kann nicht mit dir hinaus. Wir sind gefangen.«

Sie hörte wie aus weiter Ferne die Aufzugtür. Das Ding im Flur schien sie ebenfalls zu hören, denn es drehte sich langsam um, wie ein Mann, dem jede Bewegung immense Schmerzen bereitet, und torkelte einen Schritt davon.

»Geh nicht«, wollte Jill sagen, brachte aber nur ein heiseres, ersticktes Krächzen über die Lippen. Das Ding schlurfte davon, Schritt für Schritt, zum Fahrstuhl. Jill richtete sich auf und wollte ihm schon folgen, als sie klar und deutlich eine andere Stimme hörte.

»Bleib stehen«, sagte die Stimme, und Jill erkannte sie sofort. McCullogh. Ein langgezogenes Stöhnen war die Antwort. Jill schlich auf Zehenspitzen einen Schritt vor und spähte vorsichtig um die Ecke des Türrahmens herum.

McCullogh stand vor der Fahrstuhltür und hatte eine monströse Waffe auf Wentworth/Danny gerichtet. Wentworths nackter Körper näherte sich ihm schlurfend. McCullogh zielte mit der Waffe, krümmte den Finger ... und Jill kam es vor, als würde die Zeit plötzlich langsamer ablaufen, die Folge von Ursache und Wirkung sich umkehren. Mit einer Klarheit, die sie nie zuvor gekannt hatte, sah sie, wie McCullogh den Abzug drückte, sah den grellen Lichtblitz des Mündungsfeuers, und dann schien Wentworths Kopf sich langsam aufzublähen, wie in Zeitlupe anzuschwellen. Was ...? dachte sie verwirrt, und dann erst schien sie den ohrenbetäubenden Knall der Waffe zu hören.

Sie fiel in den normalen Zeitstrom zurück. Wentworths Kopf zerplatzte in einer Wolke grauer Gehirnmasse, die unter der Wucht des Geschosses bis zur Decke hinaufspritzte. Der kopflose Torso stand einen Augenblick wie ratlos da, als hätten die Nerven in den Gliedmaßen noch nicht begriffen, was geschehen war, dann sackte er in sich zusammen. *Kein Blut*, dachte Jill. *Warum fließt kein Blut*. Und sie gab sich die Antwort gleich selbst: *Er ist tot. Tote bluten nicht*.

Sie betrachtete den Leichnam auf dem Boden. Wiedergeboren, wiedergestorben, dachte sie und biß sich auf die Lippen, bis sie den salzigen Geschmack von Blut auf der Zunge spürte. Die Schmerzen halfen ihr, die Hysterie zu überwinden. Sie war froh, daß ihr die Ereignisse keine Zeit ließen, um über das Unvorstellbare, das Unmögliche nachzudenken, sie mußte sich nur zusammenreißen und handeln, funktionieren wie eine Maschine. *Was ist mit Danny?* fragte sie sich. *Was ist mit Stefan? Großer Gott, was haben sie mit ihm gemacht?*

Sie hob den Kopf und sah Iain McCullogh, der einen Bogen um den kopflosen Torso auf dem Boden machte und mit erhobener Waffe langsam auf sie zu kam.

## 13

Carol war eine ganze Weile nicht sicher, ob Bob Healy sie auf den Arm nehmen wollte. Sie sah ihm prüfend in die Augen und erkannte, daß ihm jedes Wort ernst war. Der Kaffee in ihrer Tasse war lauwarm; in ihrer Faszination hatte sie keinen Schluck davon getrunken. »Und sie hat sich die ganze Nacht nicht gemeldet?« fragte Carol, worauf Healy den Kopf schüttelte.

»Ruf an«, sagte sie. »Ruf das Mädchen sofort an und frag sie, was los ist. Du hast selbst gesagt, dir ist nicht wohl bei dem Gedanken, daß Jill und Hellmann allein dorthin gefahren sind.«

Healy griff wortlos zum Telefon und wählte. Carol hörte die leisen Pfeiftöne, zehn... fünfzehn. Es nahm niemand ab. »Vielleicht ist sie auch eingeschlafen«, sagte Healy, aber Carol konnte hören, daß er das selbst nicht glaubte. Während sie noch über Healys Schilderung nachdachte und überlegte, was sie tun konnten, heulte draußen ein Motor auf. Reifen quietschten auf Asphalt. Carol und Healy sahen einander an, und Carol sprang auf und lief ins Vorzimmer. Sie drehte den Schlüssel im Schloß herum, riß die Tür auf und sah hinaus. »Sie ist es!« rief sie dem Sheriff erleichtert zu. »Es ist Amy! Amy und Wolf sind gekommen!«

## 14

Stefan Hellmann saß reglos und schweigend auf dem Stuhl neben Dannys Bett. Kathy Myers beobachtete ihn, aber er wußte nicht, was er ihr noch hätte sagen sollen. Sie hatte ihm Dannys Geschichte erzählt, und er glaubte, daß sie im großen und ganzen der Wahrheit entsprach. Einiges leuchtete ihm immer noch nicht ein, aber er stellte keine Fragen mehr. Warum hätte sie ihn belügen sollen? Sie hatte nicht die Absicht, ihn gehen zu lassen, konnte ihn nicht gehen lassen, wenn sie ihr schmutziges kleines Geheimnis wahren wollte.

Er wußte nicht, wie es weitergehen sollte, aber es kümmerte ihn nicht besonders. Die Aussicht, daß er in den nächsten Minuten sterben könnte, erfüllte ihn, anders als erwartet, nicht mit Panik. Seine einzige Sorge galt Amy. Die Uhr zeigte halb sechs, und er hoffte, daß sie inzwischen zu Sheriff Healy gefahren war und dort blieb. Er fragte sich, was mit Jill geschehen sein mochte, und weigerte sich immer noch zu glauben, daß Danny sie wie zuvor Wentworth getötet hatte. Er fragte sich, wo McCullogh so lange blieb und warum Straczinsky noch nicht auf der Bildfläche erschienen war, und er lächelte über die ganzen irrelevanten Fragen, die ihm durch den Kopf gingen.

Kathy Myers stand auf und stellte sich vor ihn. »Dr. Hellmann«, sagte sie. »Ich gebe Ihnen eine letzte Chance, mit uns zusammenzuarbeiten. Glauben Sie mir, es ist mein unwiderruflich letztes Angebot. Überlegen Sie genau, was Sie sagen. Sollten Sie sich weiterhin weigern, lassen Sie mir keine andere Möglichkeit, als Sie zu töten.«

Hellmann sah ihr in die Augen. Seine Gelassenheit überraschte ihn, als er sagte: »Sie kennen meine Antwort. Sie war und ist nein. Ich werde nicht an Ihren verbrecherischen Machenschaften teilhaben. Und ich werde alles in meiner Macht Stehende tun, um den Jungen zu retten.«

Kathy Myers lachte und betrachtete ihn mit einem amüsierten Blick – der Blick eines Insektenforschers, der sich einem Insekt in Abwehrhaltung gegenübersieht und weiß, wie lächerlich sich die Bemühungen des Tiers ausnehmen. »Ich glaube, Sie sind nicht einmal in der Lage, sich selbst zu retten«, sagte sie.

Als ein leiser Pfeifton von den Anzeigen der medizinischen Meßgeräte an Dannys Bett ertönte, schien sie mindestens ebenso erschrocken zu sein wie er. Hellmann sprang von seinem Stuhl auf, lief zum Bett und ließ den Blick zwischen dem Gesicht des Jungen und den Monitoren wandern.

Die flachen Linien waren wieder zu unebenmäßigen, zackigen Kurven geworden. Dannys Herzschlag war schwach, aber konstant. Hellmann hatte den Eindruck, daß die Finger des Jungen ein klein wenig bebten, daß seine Lider flatterten, als wollte er die Augen öffnen, aber offenbar war er immer noch nicht fähig, sich zu bewegen.

»Sieh an«, sagte Kathy nüchtern. »Unser verlorener Sohn ist wieder da.« Sie kam zu dem Krankenbett, wo gerade wieder zischend Luft aus einem der Polster abgelassen wurde. »Ich schätze, damit dürfte sich das Problem Jill Shepherd erledigt haben.« Kathy Myers hob mit einer Hand ihr T-Shirt und zog mit der anderen ihre Pistole aus dem Hosenbund der schwarzen Jeans.

Hellmann konnte nicht anders. Er schloß die Augen, weil er die Bilder nicht sehen wollte, die in seinen Verstand einströmten, aber es half nichts; sie tanzten auf der roten Leinwand seiner geschlossenen Lider wie die Projektionen einer Laterna magica. Er sah Jill in den Zuckungen eines epileptischen Anfalls am Boden liegen, sah ihr Gesicht, das er mit den Fingerkuppen erforscht hatte bis zum kleinsten Fältchen, zur Unkenntlichkeit verzerrt… und schlug die Augen wieder auf. Nein, unmöglich. Er hatte keine Ahnung, wie lange Danny vor seinem Verschwinden wach gewesen war, aber er mußte wissen, daß er und Jill seine Freunde waren, daß sie ihm helfen wollten.

»Und nun werden wir dafür sorgen, daß er nicht wieder verschwinden kann.« Kathy Myers nahm die Pistole in die linke Hand, hob die rechte zu der IV-Flasche neben dem Bett und drehte mit einer ruckartigen Bewegung den Hahn auf. Sofort tröpfelte die klare Flüssigkeit wieder durch die transparente, biegsame Leitung.

»Und nun treten Sie zurück, Dr. Hellmann«, sagte Kathy Myers. »Es ist Zeit, Abschied zu nehmen.«

Hellmann entfernte sich langsam von dem Krankenbett. Er wußte nicht recht, was er erwartete, ein Wunder vielleicht, daß Danny von seinem Bett schnellen und Kathy entwaffnen, daß Bob Healy mit einer ganzen Schar Polizisten den Raum stürmen würde, aber ihm war klar, daß das alles nicht passieren würde.

»Wie wollen Sie mein Verschwinden erklären?« fragte er sie. »Ich habe Familie und Freunde. Im Gegensatz zu Wentworth wird mich ganz bestimmt jemand vermissen.«

»Machen Sie sich keine Sorgen, Dr. Hellmann, wir werden uns ein glaubwürdiges Szenario ausdenken. Ich bin sicher, daß uns etwas einfällt.« Sie sah ihn unbekümmert an. »Uns fällt immer etwas ein.« Sie hob den Arm mit der Pistole langsam hoch und hielt erst inne, als Hellmann direkt in den dunklen schwarzen Schlund der Mündung sehen konnte.

## 15

»Kommen Sie heraus«, sagte Iain McCullogh.

Jill hatte sich an den Türrahmen gelehnt, so daß er ihre rechte Hand mit der Waffe nicht sehen konnte, und hoffte, er würde so nahe zu ihr kommen, daß sie etwas unternehmen konnte, irgend etwas. Aber er tat ihr den Gefallen nicht. Er blieb im Licht stehen und wartete. Als sie seinem Befehl nicht sofort nachkam, wiederholte er ihn ungeduldig.

»Kommen Sie langsam zu mir, Jill«, sagte er. »Ich habe gerade einen Toten erschossen, aber glauben Sie mir, ich habe keine Skrupel, auch auf Lebende zu schießen.«

Jill stieß sich vom Türrahmen ab und verließ langsam den Raum. Die Waffe behielt sie in der rechten Hand und ließ beide Arme an den Seiten hinunterhängen. Sie näherte sich McCullogh wie in Trance, wie unter einem schweren Schock, und gab sich größte Mühe, den Eindruck völliger Willenlosigkeit und Ermattung zu erwecken. McCullogh grinste, als sie auf ihn zugeschlurft kam. »Halt«, sagte er, als sie zwei Meter von ihm entfernt stand. »Lassen Sie die Waffe fallen.« Jill sah ihn apathisch an, als hätte sie nicht genau verstanden, was er meinte.

»Los doch«, sagte er ungeduldig, »her mit der Waffe.«

Jill sah ihn an. Feuchte Haarsträhnen hingen ihr ins Gesicht, und sie dachte, daß sie sich im Augenblick nicht besonders verstellen mußte, um den Eindruck zu erwecken, als wäre sie nicht recht bei Sinnen. Sie betrachtete McCullogh mit einem irren Gesichtsausdruck und hob langsam den rechten Arm ein kleines Stück, nur so weit, daß es nicht bedrohlich wirkte. Sie hielt ihm die Waffe hin und wartete ab.

»Fallenlassen«, wiederholte er barsch, aber sie bewegte sich nicht, blieb einfach so stehen, willenlos, gelähmt, zur Kapitulation bereit.

McCullogh zögerte einen Augenblick. Er sah Jill von oben bis unten abschätzend an, dann kam er behutsam drei Schritte auf sie zu. Er hielt seine Waffe in der rechten Hand auf Jill gerichtet, während er die linke langsam nach Ellen Davies' Pistole ausstreckte.

Jill ließ ihn nicht aus den Augen. Wenn er ihr die Waffe abnehmen wollte, mußte er sich ein kleines Stück zur Seite neigen, und genau das tat er. Der Lauf seiner Waffe glitt kurz weg von Jill, und diesen Augenblick nutzte sie. Sie machte einen Sprung nach vorn, spreizte den rechten Arm ab, damit er die Pistole nicht doch noch aus Versehen zu fassen bekam, und trat ihm mit dem rechten Fuß so fest sie konnte zwischen die Beine.

McCullogh gab einen erstickten Laut von sich und krümmte sich wie ein Klappmesser. Der Revolver fiel ihm herunter. Er hielt sich mit beiden Händen den Schritt und sackte zu Boden. Jill machte die interessante Erfahrung, daß sich plötzlich zwei Jills in ihrem Kopf befanden. Eine war hysterisch und außer sich, die andere vollkommen ruhig und gelassen. Sie sprang mit einer geschmeidigen Bewegung an McCullogh vorbei und hob erneut den Fuß, um den Revolver wegzukicken. *Nicht*, schrie die hysterische Jill in ihrem Kopf. *Heb ihn auf. Du mußt ihn mitnehmen! Er wird dich sonst umbringen!*

*Keine Zeit*, antwortete die gelassene Jill. McCullogh lag am Boden und rang nach Luft. Jill versetzte dem Revolver so fest wie möglich einen Tritt. Die Waffe schlitterte in den unbeleuchteten Flur hinein. Im selben Augenblick warf Jill sich herum und rannte zum Fahrstuhl. McCullogh lag immer noch zusammengekrümmt am Boden, schien sich aber langsam zu erholen. Als sie das leise Zischen hörte, sprang Jill in die Kabine und drückte ohne nachzudenken den Knopf für das erste Kellergeschoß. Als letztes sah sie, wie Iain McCullogh sich auf Hände und Knie aufrichtete.

Unten angekommen, sah sie sich verzweifelt nach etwas um, womit sie die Fahrstuhltür blockieren konnte, fand aber nichts. Um möglichst viel Zeit zu gewinnen, drückte sie den Knopf für das zweite Kellergeschoß, dann die aller anderen Etagen, um sicherzustellen, daß der Lift nach oben fuhr und auf jeder Etage hielt. Sie hastete weiter und beschloß, daß sie im Zweifelsfall so lange auf die verdammte Tür schießen würde, die sie von Stefan trennte, bis das Schloß zerstört war oder er sie auf der anderen Seite hörte.

Als sie sah, daß die Tür weit offen stand, blieb sie einen Augenblick wie vom Donner gerührt stehen und konnte ihr Glück nicht fassen. *Lauf*, kreischte die hysterische Jill. *Du mußt dich beeilen, wenn du retten willst, was zu retten ist.* Falls *überhaupt noch etwas zu retten ist.*

*Nein*, widersprach die ruhige, besonnene Jill. *Langsam. Du darfst nicht da reinplatzen wie der Elefant in den Porzellanladen. Du hast keine Ahnung, was dich erwartet, und es könnte von Vorteil sein, wenn sie dich nicht hören.*

Jill nickte. Das klang vernünftig. Sie setzte sich langsam in Bewegung und schloß die Metalltür leise hinter sich. Selbstverständlich würde McCullogh eine Magnetkarte besitzen, aber sie zu benützen, würde ihn wieder wertvolle Sekunden kosten, die ihr zugute kamen.

Sie schlich langsam den Flur entlang, bis sie endlich vor der Tür der unterirdischen Krankenstation stand. Als sie das Vorzimmer erreicht hatte, konnte sie Stimmen im Inneren hören. Eine war die von Stefan, und Jill hätte am liebsten vor Erleichterung geweint. *Nicht*, sagte die besonnene Jill in ihrem Kopf, *noch nicht. Spar dir deine Tränen für später auf, du hast Wichtigeres zu tun.*

Sie schlich dicht an die Wand gedrängt in Richtung Krankenzimmer, damit man sie nicht durch die Glasscheibe sehen konnte.

»Wie wollen Sie mein Verschwinden erklären?« hörte Jill Stefan sagen. »Ich habe Familie und Freunde. Im Gegensatz zu Wentworth wird mich jemand vermissen.«

»Machen Sie sich keine Sorgen, Dr. Hellmann, wir werden uns ein glaubwürdiges Szenario ausdenken. Ich bin sicher, daß uns etwas einfällt. Uns fällt immer etwas ein.« Eine Frauenstimme, und einen Moment war Jill so verblüfft, daß ihr fast die Pistole aus der Hand fiel. Wenn sie richtig gehört hatte, war es Kathy Myers, eine der Versuchspersonen von Stefan.

*Denk später darüber nach*, sagte die besonnene Stimme in ihrem Kopf, und Jill war überaus dankbar dafür, daß ihre hysterische Schwester verstummt war. *Tu etwas.* »Ja«, flüsterte sie leise, »ich werde etwas tun.« Langsam, eng an die Wand gedrückt, durchquerte sie den kleinen Flur, der zu Dannys Zimmer führte.

## 16

Der Kreis hatte sich geschlossen. Nach der ganzen Anstrengung und den verzweifelten Bemühungen war Danny Eriksson wieder in seinem reglosen, gelähmten Körper im Bett der unterirdischen Krankenstation. Er versuchte, wenigstens einen Finger zu krümmen, die Augen aufzuschlagen, doch so sehr er sich anstrengte, es gelang ihm nicht. Er konnte seine Muskeln spüren, aber wenn er sich bemühte, sie zu spannen, versagten sie ihm den Dienst. Er hörte, wie der Mann, und die Frau, Kathy Myers, zu ihm ans Bett kamen. »Sieh an«, hörte er sie sagen, »unser verlorener Sohn ist wieder da.« Aber er verfolgte die Unterhaltung nur mit halbem Ohr. Sein Denken kreiste um den vergeblichen Fluchtversuch.

Er erinnerte sich deutlich an den langsamen, schmerzhaften Aufstieg aus der tiefen Schwärze der Bewußtlosigkeit, an die ersten Sinneseindrücke, die ersten zaghaften Wahrnehmungen. Er hatte keine Ahnung, wieviel Zeit vergangen war. Sein Geist gaukelte ihm vor, daß er unter Narkose eingeschlafen und Sekunden später wieder aufgewacht war, aber sein Körper sagte ihm, daß viel Zeit verstrichen sein mußte. Es war ein schreckliches Gefühl, gelähmt dazuliegen, während die Welt ringsum langsam wieder Form annahm, und je mehr er von den Unterhaltungen der Leute in seinem Zimmer mitbekam, desto größer wurde seine Verwirrung.

Offenbar hatte er tatsächlich Freunde gefunden, Helfer, die beschlossen hatte, ihm beizustehen, ihn zu retten. Aber die

Helfer schwebten in großer Gefahr, und er ebenso. Ihm wurde rasch klar, daß dies möglicherweise seine letzte Chance war, jemals die Freiheit wiederzuerlangen. Woher die Helfer kamen, wußte er nicht. Vage Erinnerungen an seltsame Träume gingen ihm durch den Kopf, doch er konnte sich kaum an die Traumbilder erinnern. Ein Bild aber sah er überdeutlich vor sich, und er mußte sich nicht einmal anstrengen, um es zu beschwören. Das Mädchen namens Amy, seine einzige Freundin, sein Rettungsanker in einem endlosen Meer der Finsternis. Zu ihr hatte er Kontakt gefunden, ihr hatte er sich anvertraut, wenn er den trügerischen Erinnerungen Glauben schenken durfte, aber wo war sie? Gab es einen Zusammenhang zwischen ihr und den Rettern? Er wußte nur eines ganz bestimmt: Sie war die erste und einzige Liebe seines Lebens, und wenn er versuchte, am Leben zu bleiben, die Freiheit wiederzuerlangen, dann nur für sie.

Er fand jedoch rasch heraus, daß seine Helfer von Feinden umgeben und zur Tatenlosigkeit verurteilt waren. Aber er mußte hinaus, nicht nur, um Amy zu finden, sondern auch weil er nicht zulassen konnte, daß böse Menschen seine Fähigkeit, die nichts als Unglück gebracht hatte, für ihre Machenschaften ausnutzten. Und doch: Wie er es auch drehte und wendete, er sah keine andere Möglichkeit, als die Gabe noch einmal anzuwenden.

Aber bei wem? Wen konnte er zum Tode verurteilen? Zu einem Tod, den er seinem schlimmsten Feind nicht wünschte?

Zaghaft streckte er seine geistigen Fühler aus und sondierte das umliegende Terrain. Er schuf ein imaginäres Gitter und suchte systematisch einen Quadranten nach dem anderen ab, aber alle, die er erreichen konnte, hatten sich geschützt; es gelang ihm nicht, sie anzupeilen.

Schließlich fand er mit tastenden Sinnen seinen einstigen Widersacher, ein schwaches, fast erloschenes Signal, gerade noch stark genug, daß er einen Versuch riskieren konnte.

Seine erste Empfindung, als er sein Gefängnis verlassen hatte und sich an einem anderen Ort befand, war Kälte, eine schreckliche Kälte. Das tote Fleisch, das seine Seele, seinen Geist beherbergte, war kalt, so kalt, und den leblosen Körper zu beleben, war eine Höllenqual. Die toten Augen waren ihm keine Hilfe, und so tastete er sich blind durch ein unverständliches Labyrinth massiver Mauern, das der Verstand eines anderen für ihn kartographiert hatte. Es war, als müßte er mit jedem Schritt tonnenschwere Lasten schleppen, mußte Gliedmaßen bewegen, die steif und nutzlos geworden waren, aber er kam voran. Und immer bildete ihr Geist seinen Leuchtturm. Ihr näherte er sich durch Flure und Räume, ihr galt seine Hoffnung. Sie war gekommen, um ihn zu befreien, und sie würde ihn zu Amy führen. Er wußte nicht, wieso er dessen so sicher war, aber die Gewißheit erfüllte ihn mit Optimismus, und so quälte er sich weiter voran.

»Und nun werden wir dafür sorgen, daß er nicht wieder verschwinden kann.« Die Stimme der Frau namens Kathy Myers holte ihn in die Realität zurück, und wenige Augenblicke später spürte er das schleichende Gift wieder in seinen Arm einströmen, das Gift, das ihn lähmen und erneut zur Untätigkeit verdammen würde.

*Bitte, laß dich nicht von ihr töten,* dachte er, aber seine Kräfte reichten nicht mehr aus, die Botschaft in eine Form zu kleiden, die Dr. Hellmann verstehen konnte. Müdigkeit überkam ihn, und er kämpfte so gut er konnte dagegen an. Vielleicht … vielleicht gab es noch eine Möglichkeit. Wenn es ihm nur gelang, lange genug wach zu bleiben. Mit schwindendem Bewußtsein verfolgte er das Geschehen rings um sich herum. Wenn etwas geschehen sollte, dann bald. Der Kampf gegen die Droge kostete ihn Kraft, und Danny spürte, wie er immer mehr ins Hintertreffen geriet.

## 17

»Leben Sie wohl, Dr. Hellmann«, sagte Kathy Myers. Jill konnte sich beim besten Willen nicht erklären, was die Frau hier zu suchen hatte, aber sie hielt sich an den Rat der besonnenen Jill in ihrem Kopf.

Sie beugte sich lautlos zur Seite und sah in den Raum hinein. Jill hoffte, daß Stefan sich nicht verraten würde, wenn er sie sah. Kathy Myers hatte ihr den Rücken zugewandt und hielt eine Pistole mit beiden Händen auf Stefan gerichtet, der in direkter Linie hinter ihr stand. Jill riskierte einen kurzen Blick zum Bett des Jungen und sah, daß Danny immer noch reglos dort lag. Sie konnte die Monitore von ihrer Position aus nicht sehen, hörte aber das leise Piepsen und wußte, daß sein Geist sich wieder im rechtmäßigen Körper befand. Mehr als einige Sekunden gönnte sie sich jedoch nicht für ihre Freude darüber, daß es McCullogh nicht gelungen war, ihn in Wentworths Körper zu töten. Sie trat leise an die Tür und ahmte Kathys Haltung nach, indem sie die Pistole mit beiden Händen hielt und auf das schwarze T-Shirt zielte. Stefan sah sie, beherrschte sich aber bewundernswert. »Möchten Sie nicht warten, bis McCullogh und Straczinsky hier sind?« fragte er Kathy. »Denken Sie nur, was das für ein Triumph für Sie wäre.«

Jill gab ihm durch eine Seitwärtsbewegung der Augen zu verstehen, daß er aus der Schußlinie gehen sollte. Er wartete einen Moment, dann ging er einen Schritt zur Seite. »Was soll das sein, ein jämmerlicher Versuch, Zeit zu schinden?« fragte Kathy. »Geben Sie sich keine Mühe, Dr. Hellmann« – noch ein Schritt, dann noch einer –, »es ist vorbei.«

»Das glaube ich nicht«, sagte Jill. Kathy Myers zuckte zusammen. »Lassen Sie die Waffe fallen«, sagte Jill hastig, »und nehmen Sie die Hände hoch.«

Sie sah zu Stefan, sah seinen erschrockenen Gesichtsausdruck und hörte ihn »Vorsicht, Jill!« schreien. Aber Kathy Myers ließ ihn nicht einmal zu Ende sprechen. Sie wirbelte herum, und Jill kniff die Augen zu schmalen Schlitzen zusammen und drückte ab.

Der erste Schuß verfehlte Kathy und zertrümmerte die Scheibe hinter ihr. Glasscherben fielen klirrend herab, und Kathy zuckte zusammen. Die nächsten fünf Kugeln trafen sie kurz nacheinander in den Oberkörper. Jill staunte, wie leise ihr die Schüsse nach dem ohrenbetäubenden Knall von McCulloghs Revolver vorkamen.

Kathys Körper wurde fünfmal nacheinander durchgeschüttelt. Als Jill zum siebtenmal abdrückte, schlug der Hahn mit einem hohlen, metallischen Klick auf.

Kathy Myers sah ungläubig an sich hinab. Ihre Waffe war ihr aus den Händen gefallen. Sie betrachtete die kleinen Löcher in ihrem T-Shirt und das rote Blut, das rings um sie herum auf den Boden tropfte. Jill fragte sich, ob sie die junge Frau überhaupt ernsthaft verletzt hatte, doch im selben Augenblick sackte Kathy in sich zusammen, sank auf die Knie und fiel nach vorn auf den Boden.

Stefan lief zu ihr und drehte sie behutsam um. Jill sah, daß sich eine Blutlache unter ihrem schlanken Körper bildete, die langsam wuchs. Er hielt ihren Kopf fest, während Jill einen Schritt näher kam. Kathys schmerzverzerrtes Gesicht hatte einen wehmütigen Ausdruck angenommen. Sie sah mit gebrochenen Augen zu Stefan auf. Als Kathys Kopf zur Seite sank, legte er sie behutsam auf den Boden. Dann richtete er sich langsam auf. Widerstreitende Empfindungen spiegelten sich in seinem Gesicht, und Jill war einen Moment unsicher, was sie zu bedeuten hatten. Sie zitterte am ganzen Körper, als ihr bewußt wurde, was sie getan hatte, und mußte sich beherrschen, die Waffe nicht mit einem Aufschrei von sich zu werfen. Mit einem bitteren Geschmack im Mund betrachtete sie den Leichnam der jungen Frau und kämpfte verbissen gegen das Zittern und den Schock an, der sie zu überwältigen drohte.

Er zögerte nur kurz, dann stieg er über den Leichnam von Kathy Myers hinweg und umarmte Jill so heftig, daß ihr die Luft wegblieb. »O Gott«, schluchzte er beinahe, »ich hatte solche Angst um dich.« Er vergrub das Gesicht an ihrem Nacken, und Jill spürte seine Tränen auf der Haut. »Er ...« Stefan nickte zu Danny, »er war verschwunden, und sie haben mir gesagt, daß du ... Ich hatte es anfangs fast auch gedacht, aber ... Was ist passiert?«

»Er hat Wentworths Leichnam wiederbelebt«, sagte Jill. »Er hat sich in dem Körper des Leichnams nach oben geschleppt.«

Stefan ließ sie los und wischte sich mit einer Hand das Gesicht ab. »Können wir raus?« fragte er.

Jill schüttelte den Kopf. »Nach dem Alarm wurde der gesamte Komplex abgeriegelt. Eine Vorsichtsmaßnahme, die eigentlich für den Fall einer Quarantäne bei Kontamination durch Viren oder ähnlichem vorgesehen ist.«

»Wie hebt man die Verriegelung auf?«

»Das kann nur Straczinsky«, sagte sie und dachte zum erstenmal wieder an den Institutsleiter. »Wo steckt der eigentlich? Ist er nicht hier?«

»Nein«, sagte Stefan. »Aber er wird jeden Moment erwartet. McCullogh?«

»Oben«, sagte Jill und nickte zur Decke. »Aber ich fürchte, er wird jeden Moment hier sein. Ich konnte ihn nur vorübergehend ausschalten.«

Stefan überlegte kurz. »Telefon?« fragte er.

»Die Leitungen sind tot.« Sie seufzte schwer. »Wir sitzen in der Falle, und wir sollten uns möglichst schnell etwas überlegen.«

Stefan bückte sich und hob Kathy Myers' Waffe auf. »Hier«, sagte er und gab sie Jill. »Nimm du sie. Du kannst besser damit umgehen als ich.«

»Wovon ich bis heute keine Ahnung hatte«, erwiderte sie und nahm die Waffe an sich. Ihre eigene, die sie leer geschossen hatte, legte sie auf den Tisch, wo die Monitore und medizinischen Instrumente standen.

Er nickte geistesabwesend und ging zu Dannys Bett. »Wir müssen ihn unbedingt wegschaffen«, sagte er. »In Sicherheit bringen. Aber wohin?«

»Wie sind sie und McCullogh in das Institut reingekommen?«

»Wahrscheinlich von der anderen Seite«, sagte Jill. »Ich vermute, daß der Gang bis rüber zur Kaserne führt. Schließlich hat auch das Institutsgebäude früher zu dem Komplex gehört.« Sie schüttelte den Kopf. »Wir waren immer der Meinung, daß sämtliche alten Verbindungen unterbrochen worden wären.«

»Könnten wir da raus?«

»Ich glaube nicht«, sagte Jill. »Ich bin sicher, das Tor ist ebenfalls durch eine Magnetkarte geschützt.«

»Ich habe eine«, sagte Stefan. »Sie ist für das Tor zum Keller des Instituts, aber vielleicht ist es derselbe Code.«

Jill sah ihn zweifelnd an. »Einen Versuch wäre es wert«, sagte sie nachdenklich. »Aber möglicherweise laufen wir Straczinsky in die Arme.«

»Immer noch besser als McCullogh«, sagte Stefan, und Jill mußte zugeben, daß er damit nicht unrecht hatte.

Sie gingen zu Dannys Bett. Jill warf einen Blick auf die Monitore und stellte fest, daß die Anzeigen im Bereich des Normalen lagen. »Ich frage mich«, sagte sie staunend, »wie er das gemacht hat?« Stefan sah sie an. »Wentworths Leichnam wiederzubeleben, meine ich.«

»Hast du schon einmal einen Aal gebraten?« fragte Stefan, und da kam die hysterische Jill wieder zum Vorschein und fegte die besonnene mit einem Streich davon. Jill stieß einen kurzen, schrillen Schrei aus, in dem sich, vermutete sie, die ganze nervliche Anspannung der letzten Stunden Luft machte.

Er wich erschrocken einen Schritt zurück. »Stefan«, sagte sie so ruhig wie möglich, »ich bewundere deine Fähigkeit, zu jeder Situation eine mehr oder weniger passende Anekdote zu finden, aber jetzt ist nicht ...«

»Es ist mein Ernst«, sagte er ein wenig gekränkt. »Wenn man Aale brät, kann es vorkommen, daß die einzelnen Stücke noch in der Pfanne zucken. Dasselbe gibt es bei Leichen, die mitunter unwillkürlich einen Arm oder ein Bein bewegen ...«

»Ich bin Ärztin und durchaus mit dem Phänomen vertraut«, sagte sie beherrscht. »Es handelt sich um Restenergie, die ...«

»Das ist das Stichwort«, sagte er. »Restenergie. Danny nutzt die bioelektrischen Ströme im Gehirn seines Empfängers«, sagte er. »Wahrscheinlich konnte er auf eine geringe Restenergie zurückgreifen. Vielleicht dieselbe, die Nägel und Haare nach dem Tod weiterwachsen läßt. Allerdings ist das Wochen nach Eintritt des Todes eher unwahrscheinlich ...«

»Mag sein«, sagte Jill, »aber ich denke, das alles können wir später diskutieren. Stefan, wir müssen weg. Schon um Dannys willen. Und denk an Amy.« Sie sah erstaunt zu den Monitoren. Als sie den Namen von Stefans Tochter genannt hatte, war die Herzfrequenzkurve von Danny plötzlich in die Höhe geschnellt.

Hellmann sah sie an. »Danny«, sagte er und beugte sich über den Jungen. »Wenn du mich hören kannst ... wir sind deine Freunde. Wir sind gekommen, um dir zu helfen. Amy ist meine Tochter, du hast ihr Träume geschickt. Ich weiß nicht, ob du dich daran erinnerst, aber –«

»Stefan«, unterbrach ihn Jill drängend.

»Gut, gut«, sagte er. »Alles weitere später.« Er warf einen letzten Blick auf den Jungen, das Bett, die Infusionsflasche. »O Scheiße«, sagte er und streckte den Arm aus, um den Hahn wieder zuzudrehen. »Das hatte ich ganz vergessen.«

## 18

Die tanzenden Feuerbälle vor seinen Augen verblaßten allmählich, und Iain McCullogh stellte fest, daß sein Körper nicht mehr nur aus einem schmerzenden Unterleib bestand. Er kauerte auf Händen und Knien und mußte die Lippen fest zusammenbeißen, um den Brechreiz zu unterdrücken, der ihm bitter wie Galle in der Kehle emporstieg. Als er wieder genügend Luft bekam, stand er langsam auf und stützte sich mit einer Hand an der Wand des Korridors ab. Mit gekrümmtem Rücken lief er zittrig wie ein Greis an der Wand entlang ins Dunkel, um seine Waffe zu suchen.

Er wußte nicht, wieviel Zeit vergangen war, bis er sie auf dem Fußboden ertastet hatte, aber als er sie in Händen hielt, waren die Schmerzen im Unterleib zu einem dumpfen Pochen abgeklungen. Mit vorsichtigen Schritten ging er zurück und fuhr mit dem Lift nach unten.

Erst in der Kabine wagte er, tief durchzuatmen. Er hatte sich übertölpeln lassen wie ein Anfänger, aber er schwor sich, daß die kleine Hure dafür bezahlen würde. Er würde sie umbringen, und den verdammten Kraut obendrein, und es war ein Privileg, das er auf gar keinen Fall Kathy Myers überlassen würde. Das hieß, wenn sie es nicht schon getan hatte.

## 19

Straczinsky steuerte das Elektrocar langsam durch den endlosen geraden Schacht. Er hatte keine Ahnung, wie weit er gekommen war, schätzte aber, daß es nicht mehr als eine Meile gewesen sein konnte, als der Motor plötzlich zu stottern anfing. Erschrocken nahm er den Fuß vom Gas, was wahrscheinlich ein Fehler war. Der Motor verstummte mit einem heiseren Krächzen. Das Elektrocar rollte noch ein Stück weiter und blieb stehen.

Straczinsky drückte den Anlasserknopf mehrmals fest hinein. Der Motor keuchte, ließ sich aber nicht mehr starten. »Großartig«, sagte Straczinsky mürrisch. Er sah in beiden Richtungen den Gang entlang, konnte aber auf keiner Seite eine Tür sehen. »Ein Fußmarsch von einer Meile, das hat mir gerade noch gefehlt.« Aber was blieb ihm anderes übrig? Mit einem letzten wütenden Blick auf das Elektrocar setzte er sich in Bewegung.

In dem einförmigen Betonkorridor war es schwer, Entfernungen zu schätzen, daher hielt Straczinsky den Blick starr geradeaus gerichtet. Die beiden Seitenwände schienen in der Ferne zu einem winzigen Punkt zu verschmelzen, aber nach einiger Zeit merkte er, daß der Punkt größer wurde, erst zu einem kleinen Quadrat, dann zu einem grauen Rechteck. Zahllose Schritte später konnte er die Tür deutlich erkennen und hielt unverdrossen darauf zu. Ein wenig außer Atem gelangte er schließlich zu dem Tisch mit den Helmen. Er fischte mit der rechten Hand die Magnetkarte aus der Innentasche seines Anzugs, griff sich mit einer Hand an den Kopf und strauchelte ein wenig. Ein Schwindelanfall infolge von Übermüdung und ungewohnter Anstrengung. Mit der anderen Hand hob er einen Helm auf. Sicher war sicher.

## 20

»Keine Bewegung«, ertönte eine schneidende Stimme hinter ihm, als Hellmann den Hahn der IV-Flasche zudrehen wollte. Er erstarrte in der Bewegung und drehte sich langsam um.

»Denken Sie nicht einmal daran«, fuhr die Stimme fort, aber Hellmann sah, daß diese Worte nicht ihm galten. Offenbar hatte Jill gerade versucht, die Waffe von Kathy Myers aus der Tasche zu ziehen. Hellmann sah noch, wie sie die Hand langsam ohne die Waffe herauszog, aber es war zu spät.

»Her damit«, sagte McCullogh. »Und schön langsam.« Jill holte die Pistole vorsichtig aus der Tasche, ging in die Hocke und legte sie auf den Boden. Mit der Schuhspitze schob sie die Waffe behutsam so weit wie möglich von sich weg. McCullogh bedeutete ihr mit seinem Revolver, daß sie sich neben Stefan stellen sollte.

## 21

Danny spürte, wie eine angenehme, wohlige Wärme ihn langsam einhüllte. Sie breitete sich von seinem Arm durch den ganzen Körper aus, und die Welt versank in einem weißen Nebel. Er bekam nur ganz am Rande mit, wie sich das Blatt erneut wendete, und das bißchen Hoffnung, das er geschöpft hatte, zunichte machte. Mordlust sprach aus der Stimme des Neuankömmlings. Danny kämpfte mit allen Mitteln gegen die Müdigkeit an und versuchte mit letzter Kraft, noch einmal seine Fühler auszustrecken. Eine Chance, bevor alles endgültig verloren war, eine einzige Chance, mehr brauchte er nicht…

## 22

Als Iain McCullogh Jill die Waffe abgenommen hatte, nahm er sich Zeit, den Leichnam von Kathy Myers zu betrachten. Von der herrischen und anmaßenden Frau war nicht mehr viel übrig. Im Tod, fand er, sah sie jünger aus, fast mädchenhaft. Seine Wut auf Jill Shepherd und Hellmann wich vorübergehend einem Gefühl der Bestürzung, aber sie kehrte um so heftiger wieder zurück, je länger er die tote junge Frau auf dem Boden betrachtete.

McCullogh konnte nicht fassen, wie schnell die Situation eskaliert und außer Kontrolle geraten war. Zwar würden sie Kathys Verschwinden niemandem im Institut erklären müssen, aber an ihre Auftraggeber durfte er gar nicht denken. Und es ging nicht mehr nur um den verdammten Jungen. Inzwischen wußten auch Jill und Hellmann viel zuviel. Er verfluchte Kathy, weil sie Hellmann soviel erzählt hatte, doch dann sagte er sich, daß es sowieso keine Rolle mehr spielte. Hellmann und Jill durften diesen Raum nicht mehr lebend verlassen, und wenn der Junge starb, bestand zumindest die Chance, daß er selbst und Straczinsky mit einem blauen Auge davonkamen.

McCullogh wandte sich vom Anblick der toten Kathy Myers ab und sah seine beiden Gefangenen an. Die beiden wirkten überanstrengt und ausgelaugt, besonders Jill schien am Ende ihrer Kräfte angelangt zu sein. Aber er hatte sich schon einmal von ihr täuschen lassen, denselben Fehler würde er kein zweites Mal machen. Das rief die Erinnerung an den Tritt in den Unterleib erneut wach, und McCullogh spürte, wie langsam eine rotglühende Wut von seinem Denken Besitz ergriff. Das Blut rauschte in seinen Ohren, und anfangs dachte er, das Pfeifen wäre ein Teil dieser inneren Geräuschkulisse. Dann bemerkte er den Blick, den Jill und Hellmann wechselten.

Das Pfeifen verstummte, während er sie mit vorgehaltener Waffe in die Ecke dirigierte und ans Bett des Jungen trat. Er warf einen Blick auf die Monitore und wollte nicht glauben, was er sah. Wieder waren alle Kurven auf Null gesunken. Sämtliche Geräte zeigten nur ebene, einförmige Linien.

McCullogh starrte das Bett, den reglosen Jungen und die Monitore an und merkte, wie sein Kiefer langsam nach unten klappte. Ein Kribbeln lief durch seine Fingerspitzen und breitete sich über den ganzen Körper aus, bis er schreien und alles in seiner unmittelbaren Umgebung in Stücke schlagen wollte. Weiß vor Wut wirbelte er herum, trat mit den Füßen so fest er konnte gegen den Nachttisch am Bett des vermaledeiten Bengels und genoß das Gefühl der Befriedigung, als er Plastik splittern und bersten und Glasbehälter im Inneren zerschellen hörte.

»Was ist das für eine verdammte SCHEISSE?« brüllte er. Der Nachttisch kippte und fiel in sich zusammen, aber McCullogh ließ nicht nach und trampelte auf den Trümmern herum, als wollte er sie zu Staub zerstampfen. Er hatte in seinem Leben noch niemals eine derart hilflose Wut und Frustration verspürt. Was war das für ein Gegner, den man nicht fassen konnte? McCullogh kam sich wie ein Mann vor, der versucht, fließendes Wasser mit bloßen Händen festzuhalten. Und dabei hätte das Aas längst wieder betäubt sein sollen!

»Ich werde dich…« schrie er und richtete die Waffe auf die reglose Gestalt, aber bevor er abdrücken konnte, sagte Hellmann: »Hören Sie auf, Sie Narr! Haben Sie völlig den Verstand verloren?«

Er wirbelte zu Hellmann herum. Jills Gesicht war kreidebleich; sie hatte Hellmanns Hand ergriffen und hielt sich wie an einem Rettungsanker daran fest. »Sie!« schrie er Hellmann an. »Das ist alles Ihre Schuld! Ich hätte Sie an dem Tag erledigen sollen, als Sie zum erstenmal Ihren Fuß in dieses beschissene Institut gesetzt haben.«

McCullogh hielt einen Moment inne und wartete, bis die roten Schleier vor seinen Augen verschwunden waren und er wieder einigermaßen klar denken konnte. Er sah sich in dem Zimmer um und begutachtete den Schaden den er angerichtet hatte. Der Nachttisch neben dem Bett war ein einziger Trümmerhaufen. Er war in die Blutlache getreten, die Kathys Gestalt umgab wie eine dunkle Aura, und hatte überall rote Fußabdrücke hinterlassen, auf dem Boden, den Trümmern des Nachttischs, sogar auf der weißen Bettdecke, obwohl er sich nicht erinnern konnte, daß er auch gegen das Bett getreten hatte.

»Gut«, sagte er, nachdem er mehrmals tief Luft geholt hatte, »ich denke, es wird Zeit, Ordnung in diesem Schweinestall zu schaffen, und mit Ihnen beiden werde ich anfangen. Um den Jungen kümmere ich mich später.« Aber die Frage, wen er sich diesmal als Opfer auserkoren haben konnte, beschäftigte ihn doch. Jill trug keinen Helm, aber sie schied aus. Wentworths Gehirn war über drei Quadratmeter Tapete und Deckenpaneele im Erdgeschoß verteilt und würde ihm nichts mehr nützen. Ellen Davies hatte ihren Helm mit Sicherheit nicht abgenommen, und den Soldaten draußen hatte er strenge Anweisung geben lassen, daß sie Helme tragen sollten. Wer blieb übrig? Nun, er konnte sich später um diese Frage kümmern, als erstes mußte er sich den Rücken freimachen und Jill und Hellmann erledigen, danach den Jungen. Und später würde er eine Geschichte konstruieren, bei der er letztendlich als der strahlende Held dastehen würde, der das Blutbad leider nicht verhindern konnte. Ein Eifersuchtsdrama, das wäre eine Möglichkeit. Jill erschießt ihre Rivalin, darauf rastet Hellmann aus und tötet sie, den Jungen und dann sich selbst. Ja, das wäre ganz eindeutig eine Möglichkeit.

Ein Schatten verdunkelte den Raum, und als McCullogh hastig aufschaute, sah er eine Gestalt im dezenten grauen Anzug vor dem zertrümmerten Fenster zum Nebenraum stehen. »Was geht hier vor?« fragte Straczinsky, und McCullogh spürte fast augenblicklich, wie er sich beruhigte. »Endlich«, sagte er und sah den ältlichen Patriarchen an. »Ich habe mich schon gefragt, was Sie aufgehalten haben könnte.« Hellmann und Jill sahen benommen von einem zum anderen, und McCullogh registrierte zufrieden, daß das letzte Fünkchen Hoffnung in ihren Augen erloschen war. Gut.

»Lange Geschichte«, beantwortete Straczinsky seine Frage knapp. Er sah sich die Verwüstung mit verwunderten Blicken an, und McCullogh registrierte erleichtert, daß er nicht vergessen hatte, einen Helm aufzuziehen.

»Ich kann Ihnen alles erklären«, sagte McCullogh und begann zu erzählen, während er Jill und Hellmann mit der Waffe in Schach hielt.

## 23

Jill Shepherd gewann nach Iain McCulloghs rasendem Tobsuchtsanfall nur langsam die Fassung wieder. Sie stand neben Stefan und zitterte am ganzen Körper. Einen Augenblick hatte sie tatsächlich geglaubt, McCullogh würde den Jungen erschießen und hätte schreien können, als Stefan ihn ansprach und damit seine Wut auf sich lenkte. Aber es hatte funktioniert, zumindest vorläufig, wenn Jill sich auch eingestehen mußte, daß ihre Nerven die Belastung nicht mehr lange aushalten würden. Sie war schon mehr als einmal gefährlich nahe an einem hysterischen Zusammenbruch gewesen und spürte, daß sie die Grenze ihrer Belastbarkeit erreicht hatte.

Auch Stefan schien erschüttert zu sein. Seine Hand zitterte ebenfalls, wenn auch nicht so sehr wie ihre, und er wirkte erschöpft und war bleich bis unter die Haarspitzen. Sie sah ihn an, nickte unmerklich zu Danny und sah in Stefans Augen dieselbe Frage, die sie auch beschäftigte.

Als McCullogh mit seinem Bericht fertig war, nickte Straczinsky nachdenklich. »Sie haben recht«, sagte er, »wir können sie nicht am Leben lassen.« Jill registrierte so etwas wie Verblüffung bei McCullogh, der offenbar nicht damit gerechnet hatte, so schnell auf Zustimmung zu stoßen. »Aber zuerst müssen wir herausfinden, was der Junge angerichtet hat. Und wir werden sie nicht hier beseitigen können. Auch wenn Kathy Myers tot ist, haben wir unseren Auftraggebern gegenüber die Pflicht, Danny zu schonen. Wir müssen sein Leben retten, wenn es irgend geht.« Er machte eine Pause und sah sich in dem Trümmerfeld des Zimmers um. »Geben Sie mir die Pistole«, sagte er. McCullogh hob die Waffe von Kathy Myers auf und reichte sie ihm. Straczinsky nahm sie, studierte sie, als hätte er noch nie im Leben eine gesehen und strich versuchsweise mit dem Daumen über den Sicherungshebel.

»Wir machen folgendes«, sagte er zu McCullogh. »Ich werde die beiden mit nach oben nehmen. Ich denke, am besten wird es sein, wir erledigen es in einem ihrer Büros und schaffen Kathy Myers später hinauf. Sie bleiben hier. Sobald ich es erledigt habe, mache ich mich auf die Suche nach Danny. Das gesamte Gelände ist umstellt, aber wir dürfen auf gar keinen Fall jemanden hereinlassen, bevor alle Spuren beseitigt sind.«

McCullogh nickte. »Aber warum soll ich hierbleiben? Wäre es nicht besser, wir suchen zu dritt nach ihm? Und wie sollen wir ihn überhaupt finden? Er könnte überall sein. Wenn einer der Soldaten draußen unvorsichtig war, könnte er sich längst aus dem Staub gemacht haben.«

»Die Männer haben ihre Anweisungen und werden sich hüten, dagegen zu verstoßen.« Straczinsky schüttelte den Kopf. »Nein, ich bin sicher, er ist noch hier.« Er winkte Jill und Hellmann mit der Pistole. Hellmann setzte sich zögernd in Bewegung, und Jill folgte ihm niedergeschlagen.

Straczinsky ließ sie vorgehen und folgte ihnen mit der Waffe im Anschlag zum Fahrstuhl. Jill konnte sich vor Erschöpfung kaum noch auf den Beinen halten und dachte allmählich, daß es ihr in ihrem momentanen Zustand vollkommen gleichgültig wäre, hier und jetzt erschossen zu werden.

## 24

Die Schritte von Straczinsky und den beiden Gefangenen verhallten im Flur, während Iain McCullogh langsam um das Bett herumging. Die beiden Stühle waren seiner Zerstörungswut entgangen. Er setzte sich auf einen und überlegte, was ihn an der plötzlichen Entwicklung der Ereignisse störte. In seiner rasenden Wut und der Erleichterung über Straczinskys Ankunft hatte er nicht logisch gedacht. Nun, da das Adrenalin nicht mehr in so großen Schüben durch seinen Körper gepumpt wurde, kehrte seine Denkfähigkeit zurück, und er fing an, sich Fragen zu stellen.

Straczinsky verabscheute Gewalt. Es war McCullogh gleich seltsam vorgekommen, daß er so schnell eingewilligt hatte, Jill und Hellmann aus dem Weg zu schaffen. Natürlich hatte er ihm die Situation drastisch genug geschildert und keinen anderen Ausweg gelassen. Selbst Straczinsky mußte einsehen, daß es keine Alternative gab. Aber daß er es selbst übernehmen wollte? Wahrscheinlicher wäre gewesen, wenn er hier unten bei dem Jungen geblieben wäre, um McCullogh oben die Drecksarbeit machen zu lassen.

Er erhob sich, lief aus dem Zimmer und rannte den Flur entlang. Die Metalltür zum Institut stand weit offen, und auch das war in einer derartigen Krisensituation untypisch für den untadeligen Straczinsky. McCullogh lief fluchend in den Vorraum, aber der Fahrstuhl war bereits auf dem Weg ins Erdgeschoß.

Mit einer Verwünschung riß McCullogh das Walkie-Talkie aus der Tasche seines Uniformjacketts und hielt es hoch. »Lieutenant Davies?« Vielleicht war es noch nicht zu spät. Er überlegte sich, ob er Ellen Davies hinter Straczinsky herschicken sollte, bezweifelte aber, daß die Ärztin der Aufgabe gewachsen sein würde. Außerdem war sie unbewaffnet – wie hätte sie sich zur Wehr setzen sollen?

»Ja?« meldete sich Ellen Davies. Ihre Stimme klang blechern und verzerrt und wurde teilweise von statischem Rauschen überlagert.

»Können Sie mich verstehen?« fragte er, und als sie die Frage bejaht hatte: »Hören Sie, wir haben einen akuten Notfall hier. Ich möchte, daß Sie sofort in den Keller herunterkommen und ...«

»Aber, Sir«, sagte sie zögernd, »sagten Sie nicht, daß ...«

»Halten Sie den Mund«, fuhr er sie barsch an. »Es geht um Sekunden, und dies ist ein Befehl. Ich erwarte Sie umgehend hier, damit ich Ihnen weitere Anweisungen geben kann.«

Längeres Schweigen am anderen Ende. McCullogh wollte seine Frage schon wiederholen, als sie sich mit bebender Stimme meldete. »Ja, Sir«, sagte sie. »Ich mache mich sofort auf den Weg.«

## 25

Kaum hatte sich die Fahrstuhlkabine in Bewegung gesetzt, ließ Straczinsky die Waffe sinken und lehnte sich an die Wand. Jill sah Hellmann verwirrt an. Sie wartete, bis Straczinsky wieder die Augen aufschlug, und da sah sie einen Ausdruck darin, der vorher nicht dagewesen war, einen Schatten, ein vages dunkles Glühen, das schnell wieder verschwand wie ein Wolkenschatten in der Nachmittagssonne.

»Ich bin es, Danny«, flüsterte Straczinsky, und Jill stöhnte unwillkürlich leise auf. Sie hörte fassungslos das kindliche Be-

ben in Straczinskys Stimme und empfand plötzlich eine Bewunderung für den Jungen, die sie kaum in Worte kleiden konnte. Sie selbst war am Rande der Erschöpfung und wäre vor wenigen Minuten noch bereit gewesen, sich einfach auf den Boden zu legen und erschießen zu lassen, und Danny schaffte es nach allem, was er durchgemacht hatte, noch diese unvorstellbaren Tricks durchzuziehen. Doch die Erschöpfung war auch seinen/Straczinskys Augen deutlich anzusehen, und Jill bezweifelte, daß er noch lange durchhalten würde. Sie schüttelte den Kopf.

»Können Sie mir sagen, wie wir hier rauskommen?« fragte Danny und sah von Jill zu Hellmann. »Glauben Sie, wir werden es schaffen? Wir müssen hier raus, sonst werden Sie uns alle töten.«

»Sie ... du ... Straczinsky hat einen Magnetschlüssel dafür. Den müßte er bei sich haben, wahrscheinlich in einer Tasche. Und ob wir hier rauskommen, hängt letztendlich von dir ab, wie lange du das Spiel noch spielen kannst. Das gesamte Gelände ist von Soldaten umstellt. Wenn wir schnell genug sind und du überzeugend genug bist, schaffen wir es vielleicht, das Institut zu verlassen, ehe McCullogh deinen Trick durchschaut.«

»Straczinsky ist der Chef des Instituts«, sagte Hellmann. »Wenn er den Alarmzustand beendet und den Leuten draußen versichert, daß alles in Ordnung ist, dürfte nichts schiefgehen. Wir fahren sofort zu Sheriff Healy und melden den Fall dem FBI. Je mehr Leute davon erfahren, desto besser.«

Sie verließen zu dritt die Fahrstuhlkabine, durchquerten den Vorraum und gingen Richtung Ausgang. Jill führte Straczinsky/Danny in das Hausmeisterzimmer, wo das Gerät der Alarmvorrichtung an der Wand hing. Mit nervösen und fahrigen Bewegungen durchsuchte Danny Straczinskys Taschen eine nach der andere, bis er ein kleines Ledermäppchen fand, in dem verschiedene Karten mit Magnetstreifen steckten.

»Welche?« flüsterte der Junge.

»Keine Ahnung«, sagte Jill. Sie zeigte auf eine leuchtend rote Karte ohne Aufschrift. »Ich würde sagen, die hier.«

»Und wenn Sie sich irren?«

Jill zuckte die Achseln. »Dann dürfte eigentlich gar nichts passieren.« Sie zog die rote Karte aus ihrem Plastiketui.

Hellmann wandte sich an Danny/Straczinsky und versuchte zuversichtlicher auszusehen, als er sich fühlte. »Nun gut«, sagte er einen Moment später. »Versuchen wir unser Glück. Mal sehen, ob es uns gelingt, unserem Gefängnis zu entkommen.«

## 26

Als Ellen Davies die unterirdische Anlage betrat, wartete McCullogh bereits ungeduldig auf sie. Er ging nervös auf und ab. Als er sie sah, nahm er ihren Arm und zerrte sie fast in das angrenzende Zimmer.

Ellen betrachtete staunend die Verwüstung des Raumes, den sie vor Stunden unversehrt verlassen hatte. Sie hätte sich am liebsten gegen McCulloghs Griff gewehrt, sie wollte den Raum nicht betreten, wollte nicht in unmittelbarer Nähe der Bestie sein, wagte aber nicht, den Befehl eines Vorgesetzten zu verweigern.

Im Nebenzimmer, vor dem Bett des Jungen, lag die Leiche einer jungen Frau, kaum älter als sie selbst. Überall war Blut, blutige Fußspuren bedeckten den Boden, die Trümmer des Nachttischs und sogar die Scherben des Fensters zum Nebenzimmer. Ellen Davies unterdrückte mit Mühe einen Aufschrei und scheute unwillkürlich vor dem Bild des Schreckens zurück, aber McCullogh ließ nicht los.

»Reißen Sie sich zusammen«, sagte er. »Dieser Teufel hat wieder ein Menschenleben auf dem Gewissen, und jetzt ist es an uns, ihn ein für allemal auszuschalten. Haben Sie verstanden?« Er schüttelte sie an den Schultern, bis sie geistesabwesend nickte, ohne den Blick von der Toten abzuwenden. »Ihnen kann nichts passieren, solange Sie den Helm tragen, vergessen Sie das nicht. Und jetzt beeilen Sie sich, bevor alles zu spät ist und er auf Nimmerwiedersehen entkommen kann.« Nach einer atemlosen Pause fuhr er fort: »Haben Sie noch Munition? Gut. Ihre Waffe liegt da drüben auf dem Tisch. Ich möchte, daß Sie Posten an seinem Bett beziehen und die ganze Zeit mit der Waffe im Anschlag bei ihm warten. Im Augenblick sind sämtliche Vitalwerte auf null. Sobald er in seinen Körper zurückkehrt und der erste Monitor einen Pieps von sich gibt, jagen Sie ihm eine Kugel in den Kopf. Haben Sie verstanden?«

McCullogh sah ihr zu, wie sie Munition aus der Uniformtasche nahm, ihre Pistole mit sechs Schuß lud und am Bett des Jungen Stellung bezog. Wie McCullogh gesagt hatte, zeigten sämtliche Monitore nur flache Linien. Die Bestie lag da wie tot, aber es war eine trügerische Ruhe, die jederzeit enden konnte.

»Vergessen Sie das auf keinen Fall«, schärfte McCullogh ihr noch einmal ausdrücklich ein. »Beim ersten Anzeichen, daß er zurück ist, schießen Sie ...«

»Zurück? Wovon zurück? Ich verstehe nicht ...«

»Ich kann es Ihnen jetzt nicht erklären. Tun Sie einfach, was ich Ihnen gesagt habe. Wir bleiben über Funk in Verbindung.«

## 27

Iain McCullogh verließ den Raum, aber bevor er sich endgültig entfernte, sah er noch einmal kurz durch die Scheibe. Ellen Davies hatte sich das Walkie-Talkie zwischen Kinn und Schulter geklemmt und die Waffe auf den Jungen gerichtet. Sie stand mit dem Rücken zum Fenster und schien starr vor Angst zu sein. McCullogh war nicht sicher, ob sie ihre Aufgabe erfüllen würde, aber er hatte keine andere Möglichkeit.

Als er den Flur entlangschritt, tönte ein Knistern aus dem Lautsprecher, und eine emotionslose Stimme vom Band verkündete: »Der Alarmzustand wurde soeben aufgehoben. Ich wiederhole: Der Alarmzustand wurde soeben aufgehoben ...«

»Verdammt«, sagte McCullogh laut und rannte so schnell er konnte zum Fahrstuhl. Wir hätten dieses Nadelöhr schon längst ausbauen sollen, dachte er, während er nach oben fuhr, aber nun war es zu spät. Hinterher ist man immer klüger. Er lief mitten in den Vorraum und sah gerade noch Straczinskys silbernen Haarschopf – *das ist nicht Straczinsky*, sagte er sich – die Treppe hinunter ins Freie verschwinden, gefolgt von Hellmann und Jill. Draußen herrschte hellgraue Dämmerung. Nicht mehr lange, und ein weiterer sonniger Tag würde anbrechen. *Genieß die Sonne, Daniel Eriksson*, dachte er. *Heute siehst du sie zum letztenmal*. Er eilte zum Ausgang und folgte den beiden Männern hinaus.

# Kapitel zweiundzwanzig
## *Wolf*

### 1

Danny geht auf fremden Beinen linkisch die Treppe des Instituts hinab, an einem parkenden Auto vorbei, und läßt den Blick fremder Augen über das Gelände vor ihm schweifen. Er erinnert sich von seiner Ankunft vor wenigen Monaten vage an die Umgebung, aber damals hatte er kaum einen Blick dafür übrig gehabt.

Lastwagen des Militärs stehen am Straßenrand, drei hintereinander. Im Licht der Morgendämmerung sieht er bewaffnete Soldaten mit Stahlhelmen, die in regelmäßigen Abständen am Maschendrahtzaun postiert sind. Die Soldaten sehen mit ernsten, verkniffenen Mienen zu ihm herüber, und er muß sich ins Gedächtnis rufen, daß er für sie kein Junge ist, sondern der Leiter dieses Forschungsinstituts. Stefan Hellmann und Jill folgen ihm dicht auf dem Fuß. Danny wartet, bis Hellmann an seine Seite gekommen ist, dann gehen sie gemeinsam über den noch nicht aufgewärmten Wüstensand Richtung Torhaus und Ausgang. Jill folgt mit etwas Abstand. Am Tor wartet ein uniformierter Mann; Danny vermutet, daß er der Befehlshaber der Soldaten ist. Er wirft Hellmann einen Blick zu. Hellmann nickt. Gemeinsam gehen sie bedächtig zum Tor, um nicht den Eindruck einer Flucht entstehen zu lassen.

Danny/Straczinsky schließt einen Moment resigniert die Augen. Die vergebliche Anstrengung, Wentworths Leichnam wiederzubeleben und die Übernahme Straczinskys – in letzter Sekunde, bevor das Betäubungsmittel seine ganze Wirkung entfalten und der Leiter des Instituts den Helm aufsetzen konnte – haben ihn erschöpft. Er ist am Ende seiner Kräfte und weiß nicht, ob er weiterkämpfen kann.

Jill wartet unschlüssig, und auch Hellmann scheint nicht sicher zu sein, wie es weitergehen soll. Danny wendet sich wieder dem Tor zu, und in diesem Augenblick wird die Tür des Torhauses aufgerissen. Ein großer Mann, der die Uniform eines Sheriffs trägt, kommt heraus, bleibt stehen und betrachtet die Szene, die sich seinem Blick darbietet. Schließlich tritt er zur Seite, und Danny hält den Atem an. Da ist sie.

Selbstverständlich erkennt sie ihn nicht, wie sollte sie? Sie erwartet einen Jungen ihres Alters, keinen alten Mann mit grauem Haar. Er dreht sich langsam zu Hellmann und Jill um. Sie beraten sich flüsternd. Danny sieht an ihnen vorbei zur Tür des Gebäudes und erstarrt.

## 2

Iain McCullogh ist nicht mehr im Institut, er ist in der Hölle. Flammenzungen lodern rechts und links an den Betonwänden empor, und die roten Schleier, gegen die er die ganze Zeit angekämpft hat, trüben seinen Blick wieder. Er muß den Jungen aufhalten, dieser Gedanke geht ihm immer wieder mit einem hämmernden Rhythmus durch den Kopf. Wenn der Junge tot ist, kann er zumindest seinen eigenen Kopf noch retten. Der Junge … Hellmann … Jill.

Und da stehen sie, alle drei, zwischen dem Gebäude und dem Tor. Amy und ein riesiger Hund – er weiß, es ist ihr Hund – warten am Torhaus, und da ist Bob Healy, der sich der Gruppe langsam nähert. Eine Sekunde verschwinden die roten Schleier vor McCulloghs Augen, er überlegt, ob er nicht aufgeben soll. Den Soldaten hätte er sein Tun vielleicht erklären können, aber Healy? Doch der Augenblick vergeht, er springt mit Riesenschritten die Treppe hinunter.

Sie hören ihn und drehen sich erschrocken um. Ein wütendes Heulen zerreißt die plötzliche Stille, und erst, als alle ihn anstarren, wird McCullogh klar, daß er selbst es ist, der dieses Heulen ausstößt. Er stolpert am Ende der Treppe, fängt sich und hebt die Waffe.

Hellmann stellt sich vor Straczinsky. »Hören Sie auf, McCullogh«, sagt er. »Es ist vorbei. Kommen Sie zur Vernunft,

Mann. Was wollen Sie tun, uns vor allen Leuten erschießen und alles noch schlimmer machen?«

»Gehen Sie aus dem Weg«, krächzt McCullogh und fuchtelt mit der Waffe. Hellmann bleibt stehen. »Gut, wie Sie wollen«, sagt McCullogh und zielt. »Dann sind Sie eben der erste.«

## 3

Hellmann bleibt vollkommen ruhig. Er betrachtet McCullogh, sieht den irren Glanz in seinen Augen und erkennt, daß der Mann völlig ausrastet. Die kleinste Bewegung könnte ihn zum Amokläufer werden lassen. »Was haben Sie davon?« fragt er. »Wenn Sie Straczinsky erschießen, kehrt Danny in seinen Körper zurück. Sie können ihn nicht töten, begreifen Sie doch.«

McCullogh schüttelt den Kopf. »Sie irren sich, Hellmann«, sagt er, und Hellmann ist überrascht, wie ruhig seine Stimme plötzlich klingt. Einen größeren Kontrast zu dem irren Blick kann man sich nicht vorstellen. »Er ist am Ende. Ellen Davies wartet unten, und sobald er sich wieder in seinem Körper befindet, wird sie ihn erschießen.« Er wirft einen panischen Blick um sich, sieht den Sheriff an, Amy, nickt. »Also, machen Sie Platz, oder Sie werden Dannys Ende nicht mehr erleben.«

Hellmann hat nicht die Absicht, aus dem Weg zu gehen, aber Danny/Straczinsky legt ihm eine Hand auf die Schulter und schiebt ihn weg.

## 4

McCullogh lacht zufrieden und hebt die Waffe. Er gönnt sich nur eine Sekunde, um seinen Triumph auszukosten. Ob er Danny tötet oder Ellen Davies es tut, ist gleichgültig, das Ergebnis ist dasselbe. Er krümmt langsam dem Finger am Abzug…

… aber bevor er abdrücken kann, bricht Straczinsky zusammen. Hellmann springt erschrocken einen Schritt zur Seite, während Straczinskys Körper am Boden in unkontrollierte Zuckungen verfällt.

McCullogh erschrickt nicht. »Haben Sie ihn?« brüllt er in das Walkie-Talkie. Er ist so sicher, so überzeugt, und es dauert einen Augenblick, bis Ellen Davies' Antwort durch den roten Nebel seiner Wut und das Glücksgefühl der Befriedigung dringt, das ihn langsam erfüllt.

»Nein«, hört er Ellens Stimme leise und von Rauschen überlagert, »keine Reaktion der Monitore.«

## 5

Amy verfolgt die Szene von der Tür des Torhauses aus wie gelähmt. Sie hat Mr. Straczinsky erkannt und fragt sich, warum McCullogh, sein Mitarbeiter, ihn mit der Waffe bedroht. Wolf geht neugierig an ihr vorbei. Vermutlich hält er alles für ein aufregendes Spiel, denkt Amy. Der Hund kommt nicht weit, als ein Zittern durch seinen ganzen Körper läuft. »Wolf!« ruft Amy. Der Hund bleibt stehen, dreht sich um, bewegt den Kopf so linkisch, als würde eine unsichtbare Hand ihn drehen. Ein blaues elektrisches Funkeln lodert in den Tiefen seiner Augen auf, während seine Nackenhaare sich sträuben.

»Wolf?« Unsicherer jetzt, hin und her gerissen zwischen dem Wunsch, zu ihm zu laufen, und einer vagen Angst vor dem, was geschehen sein könnte. Wolf kommt noch einen Schritt auf sie zu. Das Funkeln in seinen Augen lodert heller, und plötzlich reißt er das Maul auf, fletscht die Zähne und taumelt. Schaum trieft von seinen Lefzen, und Amy denkt, daß ihr eigener Hund, der lammfromme Wolf, der keiner Fliege etwas zuleide tun kann, sich jeden Moment auf sie stürzen wird.

Amy hört den Hund ein tiefes Knurren ausstoßen. Während sie ihn noch ängstlich betrachtet, verschwindet das blaue Feuer, und sie sieht eine dunkle Tiefe in Wolfs Augen, die vorher nicht da war, sieht einen Blick, den sie kennt, den sie anderswo gesehen hat.

Sie schlägt eine Hand vor den Mund. »Großer Gott«, haucht sie atemlos. »Großer Gott – du bist es.«

# 6

Bob Healy öffnet langsam das Halfter an seiner Hüfte und nähert sich der Gruppe hinter Hellmann und Straczinsky. Er hofft, daß McCullogh ihn nicht sehen kann. Healy sieht, daß Hellmann und Jill bedroht werden und er ihnen helfen muß.

Langsam, Schritt für Schritt, geht er weiter, und plötzlich bricht Straczinsky zusammen. Healy sieht, wie der grauhaarige Mann auf die Knie sinkt. Krämpfe schütteln seinen Körper. »Verdammt, was ...« denkt er und geht einen Schritt beiseite, eine Bewegung, die ihn fast das Leben kostet. McCullogh fängt an, um sich zu schießen.

# 7

McCullogh starrt das Walkie-Talkie an und kann nicht fassen, was er gehört hat. Er war sich seiner Sache so sicher, und nun hat ihm der verdammte Drecksack wieder einen Streich gespielt. Er sieht einen nach dem anderen an und verflucht die unheimliche Mißgeburt. Wer? Jill? Unmöglich. Alle anderen sind geschützt, und es ist niemand mehr übrig. Wo kann er sein? McCullogh stellt sich vor, wie Danny ihn in seinem sicheren Versteck auslacht, wie der Geist des Jungen einem Phantom gleich aufflackert und verschwindet, und da sieht er ihn, das blasse Gesicht zu einem höhnischen Grinsen verzerrt, mit einem trotzigen Ausdruck, geisterhaft und durchscheinend hinter dem Sheriff.

McCullogh reißt die Waffe hoch und feuert einen Schuß ab. Healy wirft sich auf den Boden, aber der Junge ist weg. Zehn Meter entfernt, blaß und durchscheinend. McCullogh kann den Sand des Wüstenbodens durch seinen Körper sehen, den Zaun dahinter. Und schießt.

Plötzlich hat der Spuk ein Ende. Langsam kommt McCullogh wieder ein wenig zur Vernunft. Hör auf, sagt er sich. Er sieht die erschrockenen Gesichter der Soldaten am Zaun. Auch der junge Lieutenant, der sie befehligt, hat sich auf den Boden geworfen. Nur Hellmanns Tochter scheint ungerührt zu sein. Sie ist zu ihrem Vater gerannt und kniet an seiner Seite über dem zuckenden Straczinsky, dessen Gehirn Zelle für Zelle abstirbt, genau wie bei Wentworth.

McCullogh wendet den Blick von ihnen ab und sieht sich um. Wo, verdammt? denkt er. Wo bist du?

Aber es ist niemand da, der in Frage kommt. Langsam weicht McCullogh zurück, ohne einen einzigen der Anwesenden aus den Augen zu lassen. Der Lieutenant und Healy haben fast gleichzeitig den Kopf gehoben. Jill, Amy und Hellmann kümmern sich um Straczinsky, Amy flüstert aufgeregt mit ihrem Vater, und der verdammte Köter torkelt herum wie ein Betrunkener.

## 8

Jill hält Straczinskys Arm umklammert und versucht verzweifelt, den von Krämpfen geschüttelten Mann festzuhalten. Amy hilft ihr. Jill wagt nicht, sich auszumalen, was dem Mädchen alles hätte passieren können, aber im Augenblick ist sie für die Unterstützung dankbar.

Stefan beugt sich über den zuckenden Mann, und Amy nimmt seine Hand. Er sieht zu ihr auf. »Wolf«, sagt sie nur leise flüsternd, und in ihrer Verblüffung läßt Jill den Arm los. Straczinsky zuckt unkontrolliert. Weißer Schaum trieft aus seinem Mund; er beißt die Zähne so fest aufeinander, daß Jill das Knirschen hören kann, aber sie richtet, genau wie Stefan, ihre Aufmerksamkeit auf den Hund, der unsicher Richtung Tor torkelt.

»Wir müssen McCullogh überwältigen«, flüstert er. »Es wird nicht lange dauern, bis er dahinterkommt.«

»Und Ellen Davies«, sagt Jill. »Er muß in seinen Körper zurückkehren können.«

»Und Wolf?« fragt Amy. Ihre Stimme klingt tränenerstickt, und Jill denkt, daß ihr die Konsequenzen eben klargeworden sind. Ihr Vater antwortet nicht. McCullogh läuft an ihnen vorbei und schenkt ihnen für einen Moment keine Beachtung.

»Geh rein«, raunt Hellmann Jill zu. »Rasch, solange er abgelenkt ist. Lauf in mein Büro und bring mir aus dem Schreibtisch die Spritzen und DilantinSodium-Ampullen. Beeil dich.«

Jill vergewissert sich, daß McCullogh weiter mit erhobener Waffe auf den Hund zugeht, der sich ängstlich auf den Boden drückt. Ohne sich umzublicken, springt sie auf.

Sie kommt sich vor wie in einem Alptraum. Je schneller sie läuft, desto weiter scheint der Eingang des Instituts vor ihr zurückzuweichen. Der Sand verwandelt sich in eine zähe, klebrige Masse, die ihre Füße festhält. Und die ganze Zeit wartet sie auf den Knall, den Schmerz einer Kugel, die sich in ihren Rücken bohrt.

Wie durch ein Wunder schafft sie es, den Eingang zu erreichen und erkennt, daß sie nur Sekunden für den kurzen Sprint gebraucht hat. In der Hoffnung, daß es nicht zu spät ist, läuft sie zu Stefans Büro.

## 9

Iain McCullogh betrachtet einen Mann nach dem anderen. Er ist mit seiner Weisheit am Ende. Ein kühler Wind der Vernunft verweht die heißen roten Flammen seiner Wut. Er sieht Amy mit ihrem Vater reden, sieht Jill und Hellmann aufschauen, folgt der Richtung ihres Blicks, und da wird ihm alles klar.

»Der Hund!« stößt er hervor. Mit wenigen Schritten passiert er Straczinsky, Jill, Hellmann, Amy und nähert sich dem Hund. Der Köter sieht ihn und drückt sich flach an den Boden. McCullogh triumphiert. Die letzte Möglichkeit. Jetzt hat er den Jungen, hat ihn doch noch erwischt.

Doch als er unmittelbar vor dem Tier steht, zögert er. Iain McCullogh wartet und kostet den Augenblick seines Triumphes aus. Er weiß nicht, was ihn daran hindert, sofort abzudrücken, aber das Gefühl der Befriedigung tut so gut. »Endstation«, flüstert er. Der Hund schaut mit wissenden, intelligenten Augen zu ihm auf. Es ist der Blick eines Menschen, aber die Angst in seinem Blick ist die einer in die Enge getriebenen Kreatur.

McCullogh kann fast spüren, wie die Zeit verrinnt. Der Hund drückt sich an den Boden, als wollte er im Erdboden versinken. An eine Flucht scheint er nicht mehr zu denken – da Danny die Motorik des Tiers offenbar nicht richtig kontrollieren kann, würde es ihm auch nichts nützen. »Hast gedacht, du bist schlauer als ich«, sagt McCullogh. Weitere Sekunden verstreichen, und er ermahnt sich, daß er nicht mehr allzu lange warten sollte, doch immer noch drückt er nicht ab. Er ist der Mittelpunkt des Universums. Alle anderen sind zur Tatenlosigkeit verdammt und warten nur darauf, was er machen wird. Fast tun sie ihm leid. Sie haben so verbissen gekämpft und müssen nun mit ansehen, daß alle ihre Bemühungen vergebens waren.

McCullogh spürt, wie ihm Schweißperlen langsam am Gesicht hinabrinnen. Er spürt das Kribbeln an den Schläfen, auf den Wangenknochen, und schließlich am Kiefer. Mit einem entschlossenen Kopfschütteln konzentriert er sich auf den Hund, der wie gelähmt vor ihm im Sand liegt.

## 10

Danny/Wolf wirft einen Blick auf Stefan Hellmann. Es ist ein trauriger, resignierter Blick: So kurz vor dem Ziel, und doch geht alles schief. Er sieht, wie Hellmann eine Bewegung mit der Hand macht und hebt die Hundeschnauze ein wenig. Wenn er nur besser sehen könnte! Aber er ist nahe genug, die Bewegung zu deuten.

Hellmann zeigt mit dem Zeigefinger auf ihn, mit dem Daumen zum Institut, dann wieder mit dem Zeigefinger auf Straczinsky. Danny überlegt nur einen Augenblick, was er meinen könnte, dann begreift er. Es ist ein riskantes und gefährliches Manöver, wenn er Hellmanns Botschaft richtig interpretiert, aber mit dem sicheren Tod vor Augen bleibt ihm keine andere Wahl. Während McCullogh die Waffe auf seinen/Wolfs Kopf richtet, konzentriert sich Danny.

## 11

Bob Healy schiebt seinen schweren Körper langsam über den Boden und versucht, Iain McCullogh zu fixieren. In seiner wütenden Entschlossenheit hat der Mann nur Augen für das Tier, und obwohl Healy nicht sicher weiß, was zum Teufel eigentlich hier los ist, sieht er eine Chance, den Mann aufzuhalten. Er richtet sich langsam auf die Knie auf, wippt auf die Fersen zurück, zögert.

Aus dem Augenwinkel sieht er Jill, die wie von Furien gejagt aus dem Gebäude gerannt kommt, in dem sie eben erst verschwunden ist. Sie drückt Hellmann etwas in die Hand, wirbelt herum und läuft zum Eingang zurück, ohne eine Sekunde zu verweilen. McCullogh steht derweil reglos da und sieht Wolf an, als könnte er sich nicht entscheiden, wie er weiter vorgehen soll. Healy zählt im Geiste die Sekunden und wartet auf den geeigneten Augenblick. Eine oder zwei Minuten scheinen in vollkommener Reglosigkeit zu vergehen, während alle, er eingeschlossen, McCullogh gebannt anstarren. Schließlich besinnt sich der Major darauf, in welcher Lage er sich befindet.

Vor Iain McCullogh bricht der Hund zusammen und windet sich zuckend am Boden. Healy stürzt sich auf den Amokläufer.

## 12

Jill zieht vor der Fahrstuhltür im Keller die Schuhe aus und läßt sie achtlos liegen. Mit großen Schritten läuft sie zur Station des Jungen. Obwohl ihre Angst sie zu größter Eile antreibt, betritt sie das Vorzimmer vorsichtig und so geräuschlos wie möglich.

Ellen Davies steht mit dem Rücken zu ihr und hat die Waffe auf Danny gerichtet. Jill geht zwei Schritte in den Raum hinein, bis sie die Militärärztin von der Seite sehen kann. Schweißperlen glänzen auf den Schläfen der Frau, ihre Hände zittern. Jill hört das leise Piepsen der Monitore.

Sie sieht mit einem erschrockenen Blick, wie die flachen Linien auszuschlagen beginnen und Ellen Davies den Finger krümmt.

Mit einer einzigen Bewegung springt sie auf den Tisch und stürzt sich durch das zerbrochene Fenster. »Nein!« schreit sie, hört das Geräusch des Schusses und ist erneut erstaunt, wie absurd leise es sich in dem unterirdischen Keller anhört.

# Epilog

## *Sonntagabend*

Für Amy geht der Tag zu Ende, wie er angefangen hat. Sie steht an einem Fenster und sieht hinaus in die Dunkelheit. Aber statt der Wüste sieht sie einen Park mit einer weiträumigen Rasenfläche und Bäumen. Der Rasen ist in der Dunkelheit schwarz wie verkohltes Fleisch. Ein weißer Plattenweg zieht sich wie eine Ader hindurch, und nur im Licht der in Abständen aufgestellten Laternen kann man erkennen, daß der Rasen grün ist. Es ist der Park des Los Angeles Medical Center, und Amy empfindet es als Ironie des Schicksals, daß Danny am Ende dorthin zurückgekehrt ist, wo seine unglaubliche Reise ihren Anfang genommen hat.

Langsam wendet sie sich vom Fenster ab und geht zu ihrem Platz zurück. Sie setzt sich neben ihren Vater auf einen der unbequemen Plastikstühle, und auch sie wecken Erinnerungen, Erinnerungen an ihren ersten Tag in Amerika, an den Flughafen, wo sie auf einem ähnlichen Stuhl gesessen hat. Nur die Farbe war anders.

Ihr Vater drückt ihr die Hand und sieht sie an. Er versucht ein Lächeln, aber es ist kläglich und mehr melancholisch als fröhlich. Die Müdigkeit steht ihm deutlich im Gesicht geschrieben, er hat tiefe Ringe unter den Augen und wirkt abgespannt und erschöpft.

Auch Amy denkt manchmal, daß sie sich kaum noch auf den Beinen halten kann. Mehr als einmal im Verlauf der vergangenen Stunden hat sie gemerkt, wie ihr das Kinn auf die Brust gesunken ist, und einmal ist sie tatsächlich eingeschlafen, um wenige Minuten später verkrampft und mit schmerzenden Gliedern zu erwachen. Aber sie will nicht nach Hause. Genau wie ihr Vater wartet sie auf Jill, die auf eigenen Wunsch im Operationssaal bei den anderen Ärzten ist.

Sie denkt an die Ereignisse des heutigen Tages und ist nicht sicher, ob sie alles glauben kann. Wenn sie nicht selbst dabei gewesen wäre, würde sie alles für ein Märchen halten, aber schließlich hat sie alles mit eigenen Augen gesehen.

Sie streichelt Wolfs Kopf. Der Schäferhund liegt neben ihrem Stuhl und schaut auf, als er die Berührung spürt. Jill und Amys Vater haben ihre ganze Überredungsgabe aufwenden müssen, damit der Hund das Krankenhaus betreten durfte, und den Schwestern erklärt, daß sie alle, auch der Hund, etwas Schreckliches hinter sich haben, ohne zuviel zu verraten. Als Wolf zum wiederholten Mal versucht, die Stelle zu lecken, wo Amys Vater ihm die Spritzen gegeben hat, hindert sie ihn behutsam daran. Er hat sich erholt, nur ein leichtes Hinken am linken Hinterlauf ist geblieben.

Amy hört eine Tür gehen und hebt den Kopf. Eine übernächtigte Jill Shepherd kommt langsam auf sie zu. Amy möchte aufspringen, zu ihr laufen, aber in ihrer Erschöpfung gelingt es ihr nicht, und obwohl sie einerseits wissen möchte, wie es steht, graut ihr andererseits vor der Wahrheit. Sie wartet, bis Jill bei ihnen ist.

»Und?« hört sie ihren Vater mit besorgter Stimme sagen, »kommt er durch?«

Amy hält den Atem an, aber Jill nickt. »Ja«, sagt sie. »Er ist außer Lebensgefahr. Die Kugel hat das Gehirn nicht verletzt.«

Amy erschauert bei dem Gedanken, daß Dannys Körper nebenan in der Intensivstation liegt, während sich seine Seele viele Meilen entfernt bei Sheriff Healy befindet. Auch Straczinsky ist in Sheriff Healys Gefängnis – vorläufig, denn selbstverständlich ist er nicht mehr der Mann, der er war.

Amy sieht Jill in die Augen, sieht Erschöpfung, Traurigkeit, aber auch eine grenzenlose Erleichterung. »Und wenn Ellen Davies ihn erschossen hätte?« fragt sie. Jill sieht Amy nur an und zuckt die Achseln, und Amy läßt es dabei bewenden. Sie kennt die Antwort. Sein Körper wäre gestorben, und er wäre gefangen gewesen in fremdem Fleisch. Wenn Jill Ellen Davies nicht in den Arm gefallen wäre, wäre es so gekommen.

Amy streicht sanft über den Verband an Jills rechtem Unterarm – sie hatte sich beim Sprung durch das zerbrochene Fenster an einer verbliebenen Glasscherbe geschnitten –, dann sieht sie besorgt in das Gesicht der älteren Frau. »Und kann er wieder …«

»In seinen Körper zurück?« fragt Jill. »Ja, das kann er. Schon ziemlich bald. Wenn alle Fragen geklärt sind.«

Amy will nicht daran denken, was dann mit Straczinsky geschieht, aber Mitleid empfindet sie keines. Nach allem, was sie Danny angetan haben, kann sie keines empfinden. Trotz aller Erschöpfung ist sie sehr glücklich. Sie weiß, daß die schlimmsten Prüfungen noch bevorstehen – die Untersuchungen und Ermittlungen fangen erst an. Und dennoch ist sie glücklich. Sie fiebert dem Augenblick entgegen, an dem Danny sie endlich von Angesicht zu Angesicht sehen kann, und ist froh, daß er nicht im Körper eines alten Mannes vor sie treten wird.

# *Dank*

Bedanken möchte ich mich an erster Stelle bei Rolf Heyne und Hans Peter Übleis vom Heyne Verlag. Hans Peter Übleis hat an dieses Buch geglaubt, mir die Möglichkeit gegeben, es zu schreiben, und mich und meine Familie freundlicherweise über Wasser gehalten, während ich es geschrieben habe, und Rolf Heyne hat mir die Möglichkeit gegeben, es zu veröffentlichen.

Für fachliche Beratung danke ich Dr. Stephan Lauber und seiner Frau Jutta sowie Dr. Anne Risse. Sie haben mir geholfen, den medizinischen Hintergrund der Geschichte auszuarbeiten; eventuelle Fehler und Ungereimtheiten an der Schnittstelle zur reinen Spekulation gehen selbstverständlich ausschließlich auf mein Konto. In diesen Dank möchte ich auch Jörg Riegels mit einbeziehen, der die hierzulande und in den USA gebräuchlichen Medikamentenbezeichnungen für mich herausgefunden hat.

Angela Volknant, meiner Lektorin im Verlag, danke ich für ihre große Geduld, ihr unerschütterliches Vertrauen und ihre Nachsicht für sämtliche nicht eingehaltenen Termine während der Niederschrift dieses Buches ebenso wie für zahlreiche Verbesserungsvorschläge.

Dasselbe gilt für Jochen Stremmel, der sonst meine Übersetzungen redigiert und mir auch in diesem Fall mit Rat und Tat zur Seite gestanden hat.

Lutz Boden schulde ich ganz besonderen Dank dafür, daß er immer wieder einmal beide Augen zugedrückt hat.

Meiner Frau Hannelore, der dieses Buch gewidmet ist, danke ich für ihre Zuversicht und Unterstützung in großen und kleinen Dingen, die zu zahlreich sind, um sie an dieser Stelle alle aufzuzählen.

Und nicht zuletzt gebührt ein ganz besonderer Dank meinen Eltern, Heinz und Anita Körber, die mich von Anfang an auf meinem Weg unterstützt haben.

# Stephen King

*»Stephen King kultiviert den Schrecken… ein pures, blankes, ein atemloses Entsetzen.«*

*Eine Auswahl:*

**Im Morgengrauen**
*01/6553*

**Der Gesang der Toten**
*01/6705*

**Die Augen des Drachen**
*01/6824*

**Der Fornit**
*01/6888*

**Dead Zone - das Attentat**
*01/6953*

**Friedhof der Kuscheltiere**
*01/7627*

**Das Monstrum - Tommyknockers**
*01/7995*

**Stark »The Dark Half«**
*01/8269*

**Christine**
*01/8325*

**Frühling, Sommer, Herbst und Tod**
*Vier Kurzromane*
*01/8403*

**In einer kleinen Stadt »Needful Things«**
*01/8653*

**Dolores**
*01/9047*

**Alpträume**
*Nightmares and Dreamscapes*
*01/9369*

**Das Spiel**
*01/9518*

**Abgrund**
*Nightmares and Dreamscapes*
*01/9572*

**»es«**
*01/9903*

**Das Bild – Rose Madder**
*01/10020*

**schlaflos – Insomnia**
*01/10280*

**Brennen muß Salem**
*(in Neuübersetzung)*
*01/10356*

**Desperation**
*01/10446*

Heyne-Taschenbücher

# William Bernhardt

*Gerichtsthriller der Extraklasse. Spannend, einfallsreich und brillant wie John Grisham!*

**Tödliche Justiz**
*01/9761*

**Gleiches Recht**
*01/10099*

**Faustrecht**
*01/10364*

**Tödliches Urteil**
*01/10549*

*01/10364*

Heyne-Taschenbücher

# David Morrell

*Einer der meistgelesenen amerikanischen Thriller-Autoren.*

*»Aufregend, provozierend, spannend.«*
*Stephen King*

*01/9569*

Schwur des Feuers
*01/9569*

Der Mann mit den hundert Namen
*01/10112*

Heyne-Taschenbücher

# Philip Friedman

*Seine Gerichtsthriller gehören zum Allerbesten, was Spannungsliteratur zu bieten hat!*

**Der Irrtum**
*01/8824*

**Der Beweis**
*01/9068*

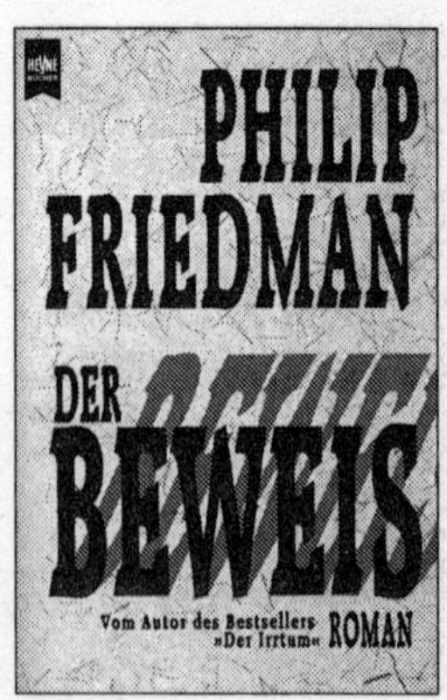

*01/9068*

Heyne-Taschenbücher

**Caleb Carr**

Die Einkreisung

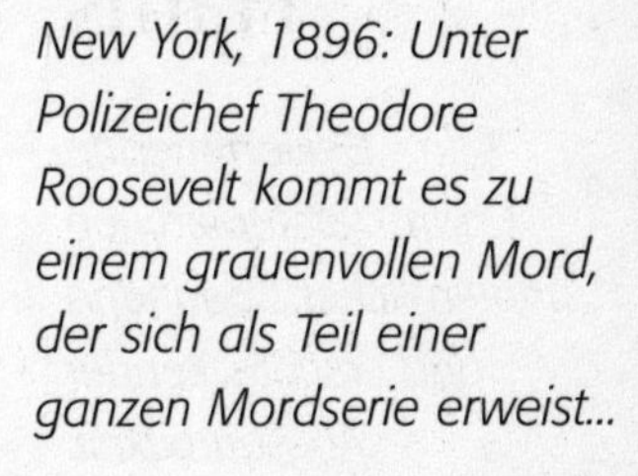

*New York, 1896: Unter Polizeichef Theodore Roosevelt kommt es zu einem grauenvollen Mord, der sich als Teil einer ganzen Mordserie erweist...*

*»Ein glänzend geschriebener, atmosphärisch dichter, historischer Psychothriller.«*

*STERN*

*01/9843*

Heyne-Taschenbücher

# Thomas Harris

*Beklemmende Charakterstudien von unheimlicher Spannung und erschreckender Abgründigkeit.*

*01/8294*

Roter Drache
*01/7684*

Schwarzer Sonntag
*01/7779*

Das Schweigen der Lämmer
*01/8294*

Heyne-Taschenbücher